令和7年版

司法書士 合格ゾーン

択一式 過去問題集

9 憲法・刑法

JN111454

はしがき

急増するニーズ・拡がる活躍フィールド

司法書士の業務分野は、高齢化社会や不況を反映し、従来の登記業務に加えて格段に幅が拡がりました。例えば、①高齢者・知的障害者等の意思を補完するための後見人となる業務（成年後見制度)、②クレジット会社・サラ金等へ借金を返済できなくなってしまった方への相談業務（クレサラ問題)、③調停・仲裁など訴訟手続以外の紛争処理手続（ADR）での業務があります。

更に、2003 年 4 月には改正司法書士法が施行され、これまで弁護士にだけ認められていた訴訟代理権が付与（簡易裁判所に限る。）されました。法務大臣の認定を受けた司法書士は紛争性のある事件について法律相談を受け、本人の代理人として法廷に出廷したり、弁論や証拠調べを行うなど様々な法廷活動を行ったり、相手方との和解に応じたりすることも可能となり、そのビジネスフィールドはますます大きくなります。

日本のホームロイヤーとして

司法書士は、司法サービスの規制緩和により弁護士と並ぶ法律家としての地位を築きつつあり、今後最も身近な法律家として国民に認識される日も近いことでしょう。確かに､法律家としての業務は重い責任を背負うことになります。しかし、自らの考え・判断で報酬を得られる喜びを考えますと、一生の仕事とするにふさわしい職業といえるでしょう。

弊社では、30 年以上にわたり、司法試験をはじめとした法律系資格を目指される方を支援して参りました。これは知識社会といわれる 21 世紀の日本を支える人材育成のためです。中でも司法書士は活躍の場が広範で、最も魅力的な資格の一つといえます。

私どもは、皆さまが早期に合格を果たされご活躍されることを心より祈念致します。

過去問分析の意義

試験合格の勉強方法が、学問研究と根本において異なるのは、クリアすべき目標が明確になっていることです。学問の真理発見への途は永遠ですが、合格への途は出口のはっきりした、期限つきの道程にすぎません。そして、その出口＝ゴールは、過去問に示されているのです。過去問攻略が試験合格のための最も有効な手段であることは言うまでもありません。

本書の特長

本書は、司法書士試験における過去問分析の重要性に着目し、その徹底的な分析のうえに作成されました。以下を特長とします。

☆　昭和55年（憲法は平成15年）以降令和6年までの過去問を掲載しました。

☆　令和7年4月1日時点で施行が確実な法令に合わせて解説の改訂を行い、最新の解説となっています。

☆　個々の問題肢の内容にとどまらず、関連事項を含め合理的に学習ができるよう、随所に図表を掲載するなど、解説を充実させています。

☆　学習の便宜を考え、本試験問題を体系別に編集しました。

☆　体系番号だけではなく、出題番号も明記することで出題年度順に問題を解くことができるようにしました。

☆　切り離して使用できるよう問題と解説を表裏一体とし、解説も可能な限りコンパクトにまとめました。

本書利用の効果

☆　本書で出題の範囲、出題の深さの程度が判明するので、効率的な学習が可能となり、短期で合格を勝ち取ることができます。

☆　本書の利用とともに、実践的な演習講座として、「精撰答練」を併用すれば、より一層の効果が期待できます。

司法書士試験合格を目指す多くの方が本書を有効活用することにより、短期合格を果たされることを期待します。

2024年10月吉日

株式会社東京リーガルマインド
LEC総合研究所　司法書士試験部

目 次

※過去出題実績のない項目についても、目次には体系として掲載しています。

☆本書の効果的活用法☆

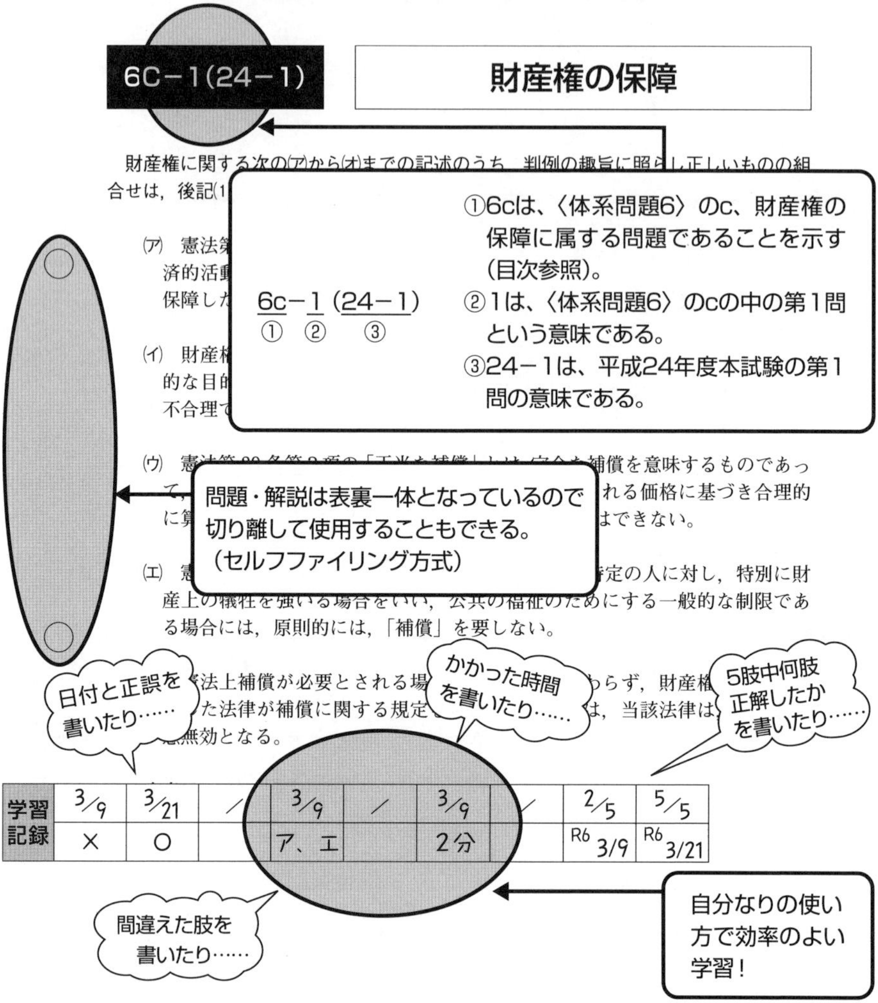

6C－1(24－1)
財産権の保障
財産権に関する次のアからオまでの記述のうち，判例の趣旨に照らし正しいものの組
合せは，後記(1
①6cは、〈体系問題6〉のc、財産権の保障に属する問題であることを示す(目次参照)。
6c－1（24－1）
①　②　③
②1は、〈体系問題6〉のcの中の第1問という意味である。
③24－1は、平成24年度本試験の第1問の意味である。
(ア)　憲法第
済的活動
保障した
(イ)　財産権
的な目的
不合理で
(ウ)　憲法第
補償を意味するものであっ
れる価格に基づき合理的
はできない。
問題・解説は表裏一体となっているので切り離して使用することもできる。
（セルフファイリング方式）
(エ)　憲
特定の人に対し，特別に財
産上の犠牲を強いる場合をいい，公共の福祉のためにする一般的な制限であ
る場合には，原則的には，「補償」を要しない。
法上補償が必要とされる場
らず，財産権
た法律が補償に関する規定
は，当該法律は
無効となる。
日付と正誤を書いたり……
かかった時間を書いたり……
5肢中何肢正解したかを書いたり……
学習記録
3/9　3/21　／　3/9　／　3/9　／　2/5　5/5
×　○　ア、エ　2分　R6 3/9　R6 3/21
間違えた肢を書いたり……
自分なりの使い方で効率のよい学習！

解答解説ページの表示は以下のとおりである。

- 2025年本試験において出題されそうな論点であることを示す。（LEC見解による）
- 知識型の問題と推論型の問題に大別している。
- 過去の出題頻度に基づき、重要度をA、B、Cの3ランクに分けて表示している。

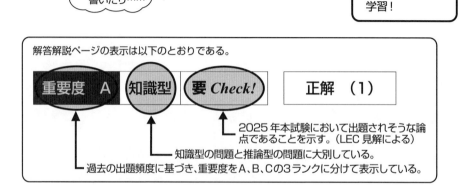

〈窃盗罪・横領罪・遺失物等横領罪の区別〉

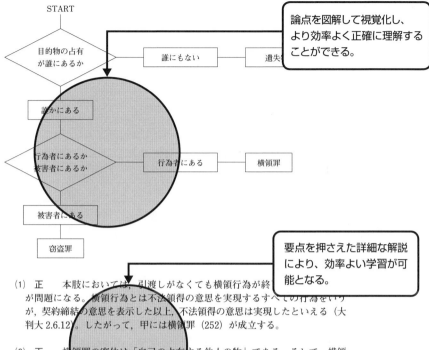

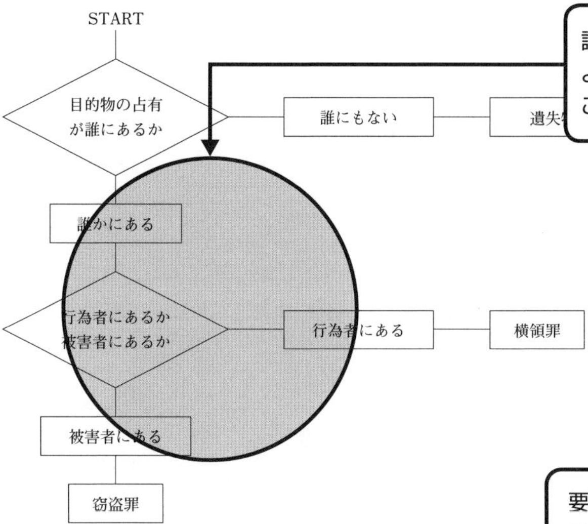

論点を図解して視覚化し、より効率よく正確に理解することができる。

要点を押さえた詳細な解説により、効率よい学習が可能となる。

(1) 正　　本肢においては，引渡しがなくても横領行為が終
が問題になる。横領行為とは不法領得の意思を実現するすべての行為をいう
が，契約締結の意思を表示した以上，不法領得の意思は実現したといえる（大判大 2.6.12）。したがって，甲には横領罪（252）が成立する。

(2) 正　　横領罪の客体は「自己の占有する他人の物」である。そして，横領罪における「占有」は，物に対する事実的支配に限らず法律的支配も含むため，登記済不動産における所有権登記名義人は占有を有しているといえる（最判昭 30.12.26）。しかし，登記が無効である場合には，占有は認められない（大判大 5.6.24）ため，本肢のように，他人の不動産につき無断でされた自己名義の所有権保存登記は無効であるから，甲に占有は認められず，横領罪は成立しない。

〈実行の着手時期についての判例〉

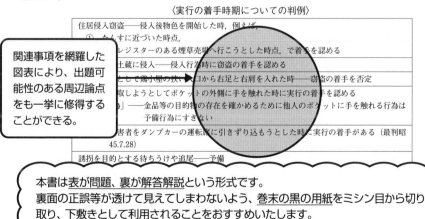

住居侵入窃盗——侵入後物色を開始した時，例えば， ① たんすに近づいた時点， レジスターのある煙草売場へ行こうとした時点，で着手を認める
土蔵に侵入——侵入行為時に窃盗の着手を認める
として鶏小屋の狭い入口から右足と右肩を入れた時——窃盗の着手を否定
取しようとしてポケットの外側に手を触れた時に実行の着手を認める 為」——金品等の目的物の存在を確かめるために他人のポケットに手を触れる行為は予備行為にすぎない
害者をダンプカーの運転席に引きずり込もうとした時に実行の着手がある（最判昭 45.7.28）
誘拐を目的とする待ちうけや追尾——予備

関連事項を網羅した図表により、出題可能性のある周辺論点をも一挙に修得することができる。

本書は表が問題、裏が解答解説という形式です。
裏面の正誤等が透けて見えてしまわないよう、巻末の黒の用紙をミシン目から切り取り、下敷きとして利用されることをおすすめいたします。

憲法索引

過去問

問＼年度	H15	H16	H17	H18	H19	H20	H21	H22	H23
1	11－1	18－1	2e－2	13e－2	2c－2	8a－1	2b－1	4－1	6a－1
2	2c－1	13e－1	15e－1	16d－1	15a－1	15c－1	10－1	5b－1	14c－2
3	15g－1	2e－1	14c－1	11－2	15f－1	16b－1	15b－1	17a－1	15c－2

問＼年度	H24	H25	H26	H27	H28	H29	H30	H31	R 2
1	6c－1	2b－2	5d－1	11－3	11－4	6b－1	2e－3	2b－3	5c－1
2	18－2	13a－1	13e－3	14d－1	1g－1	16d－2	4－2	13e－4	7a－1
3	17a－2	15e－2	15a－2	17a－3	15g－2	18－3	17a－4	18－4	15a－3

問＼年度	R 3	R 4	R 5	R 6
1	5a－1	3－1	8d－1	5c－2
2	11－5	4－3	15e－3	5e－1
3	14c－3	13f－1	16d－3	15b－2

刑法索引

過去問

問＼年度	S55	S56	S57	S58	S59	S60	S61	S62	S63
23	—	—	—	—	—	—	—	—	—
24	23－1	8－1	10－1	10－3	4－1	13－1	2－2	9－2	1－2
25	6－1	2－1	10－2	11－2	3－1	4－2	6－2	4－3	10－5
26	25－1	23－2	11－1	30－2	30－3	9－1	23－3	10－4	23－4
27	1－1	12－1	19－1	22－1	18－1	26－3	21－2	26－4	16－2
28	26－1	21－1	30－1	26－2	16－1	24－1	13－2	22－2	20－1

問＼年度	H元	H 2	H 3	H 4	H 5	H 6	H 7	H 8	H 9
23	—	—	—	—	4－5	27－1	9－7	3－3	1－3
24	10－6	14－1	19－2	30－7	9－5	12－2	14－2	4－6	4－7
25	7－1	9－3	30－6	2－3	30－8	9－6	18－2	14－3	21－4
26	8－2	23－5	24－2	4－4	15－1	26－5	6－3	30－9	22－3
27	30－4	3－2	8－3	21－3	—	—	—	—	—
28	30－5	13－3	11－3	9－4	—	—	—	—	—

問＼年度	H10	H11	H12	H13	H14	H15	H16	H17	H18
23	8－4	9－9	9－10	8－5	9－11	—	—	—	—
24	9－8	21－5	30－12	4－8	16－4	—	—	—	—
25	16－3	30－11	29－1	15－2	30－13	5－1	12－3	2－4	4－9
26	30－10	23－6	14－4	28－1	11－4	30－14	9－12	23－7	16－5
27	—	—	—	—	—	14－5	14－6	17－1	4－10
28	—	—	—	—	—	—	—	—	—

問＼年度	H19	H20	H21	H22	H23	H24	H25	H26	H27
23	—	—	—	—	—	—	—	—	—
24	—	—	8－7	9－14	6－4	8－8	3－4	9－15	6－5
25	9－13	8－6	4－11	15－3	30－16	4－12	4－13	11－5	8－9
26	14－7	14－8	16－6	30－15	21－6	22－4	23－8	16－7	15－4
27	19－3	18－3	—	—	—	—	—	—	—
28	—	—	—	—	—	—	—	—	—

問＼年度	H28	H29	H30	H31	R 2	R 3	R 4	R 5	R 6
23	—	—	—	—	—	—	—	—	—
24	9－16	30－18	23－9	9－17	5－2	6－6	3－5	2－5	4－15
25	14－9	4－14	10－7	22－5	8－10	15－5	30－21	9－18	30－22
26	30－17	18－4	30－19	30－20	16－8	19－4	14－10	21－7	20－2
27	—	—	—	—	—	—	—	—	—
28	—	—	—	—	—	—	—	—	—

憲法

第１編　憲法総論
第２編　人権
第３編　統治機構

1g－1(28－2)　国民主権

主権の概念には、①国家権力そのもの（国家の統治権）、②国家権力の属性としての最高独立性、③国政についての最高の決定権という三つの異なる意味があるとされている。次の(ア)から(オ)までの記述のうち、下線部分の語句が①の意味で用いられているものの組合せは、後記(1)から(5)までのうち、どれか。

(ア)　われらは、いづれの国家も、自国のことのみに専念して他国を無視してはならないのであつて、政治道徳の法則は、普遍的なものであり、この法則に従ふことは、自国の<u>主権</u>を維持し、他国と対等関係に立たうとする各国の責務であると信ずる。（憲法前文）

(イ)　日本国ノ<u>主権</u>ハ本州、北海道、九州及四国並ニ吾等ノ決定スル諸小島ニ局限セラルベシ（ポツダム宣言第８項）

(ウ)　天皇は、日本国の象徴であり日本国民統合の象徴であつて、この地位は、<u>主権</u>の存する日本国民の総意に基く。（憲法第１条）

(エ)　国会は、<u>国権</u>の最高機関であつて、国の唯一の立法機関である。（憲法第41条）

(オ)　日本国民は、正当に選挙された国会における代表者を通じて行動し、われらとわれらの子孫のために、諸国民との協和による成果と、わが国全土にわたつて自由のもたらす恵沢を確保し、政府の行為によつて再び戦争の惨禍が起ることのないやうにすることを決意し、ここに<u>主権</u>が国民に存することを宣言し、この憲法を確定する。（憲法前文）

(1)　(ア)(ウ)　　(2)　(ア)(オ)　　(3)　(イ)(エ)　　(4)　(イ)(オ)　　(5)　(ウ)(エ)

学習記録	／	／	／	／	／	／	／	／	／

重要度　A	知識型		正解（3）

㈠　②の意味で用いられている　　前文第３段における「主権」は、国家の性格としての最高独立性、特に対外的側面における独立性を意味する。したがって、本肢の下線部分の語句は、②の意味で用いられている。

㈡　①の意味で用いられている　　ポツダム宣言８項における「主権」は、国家の統治権、すなわち立法権・行政権・司法権など複数の国家の権力を総称する観念である。したがって、本肢の下線部分の語句は、①の意味で用いられている。

㈢　③の意味で用いられている　　１条における「主権」は、国の最高意思決定権、すなわち国政についての最高決定権を指す。したがって、本肢の下線部分の語句は、③の意味で用いられている。

㈣　①の意味で用いられている　　41条における「国権」は、国家権力そのものを表すもの、すなわち国家の統治権という意味で使われている。したがって、本肢の下線部分の語句は、①の意味で用いられている。

㈤　③の意味で用いられている　　前文第１段第１文における「主権」は、国の最高意思決定権、すなわち国政についての最高決定権を指す。したがって、本肢の下線部分の語句は、③の意味で用いられている。

以上から、下線部分の語句が①の意味で用いられているものは㈡㈣であり、正解は⑶となる。

2b－1(21－1)　人権享有主体性(法人・外国人・天皇等)

次の対話は、外国人の人権に関する教授と学生との対話である。後記の文章群の中から適切な文章を選択して対話を学生の解答が論理的に正しい内容となるように完成させた場合、（　①　）から（　⑤　）までに入る文章の組合せとして最も適切なものは、後記(1)から(5)までのうちどれか。

教授：　外国人が憲法第３章で規定された基本的人権の保障の対象となるかどうかについては、否定説と肯定説とがありますね。これら二つの見解について、どのように考えますか。

学生：　否定説は、憲法は国民に対する国権発動の基準を示すものであり、憲法第３章の標題も「国民の権利及び義務」となっていることを理由としますが、私は、肯定説が妥当と考えます。なぜなら、（　①　）からです。

教授：　肯定説の根拠はそのとおりですが、肯定説を前提にして、憲法第３章で規定された基本的人権のうち、どのような人権が外国人に保障されるかについては、憲法の文言を重視する文言説と権利や自由の性質に応じて判断する性質説とがありますね。これら二つの見解について、どのように考えますか。

学生：　私は、性質説が妥当と考えます。この説は、（　②　）との考えに基づき、より妥当な結論を導くことができるからです。

教授：　そうですね。では、文言説に対しては、どのようなことが指摘されていますか。

学生：　文言説に対しては、（　③　）という指摘ができると思います。

教授：　文言説の問題点としてはその点を指摘することができますね。

　次に、外国人に入国の自由が認められるかどうかについては議論がありますが、あなたはどのように考えますか。

学生：　私は、（　④　）と考えます。判例も同様の立場をとっています。

教授：　そうですね。

　さらに、憲法上、我が国に在留する外国人に地方公共団体の参政権が保障されているかについても議論がありますが、あなたはどのように考えますか。

学生：　私は、（　⑤　）と考えます。この点についても判例は同様の立場をとっています。

〔文章群〕

(ア)　憲法第22条第２項は、「何人も」と規定しているが、国籍離脱の自由の保障は、もともと日本国民のみを対象としている

(イ)　憲法は、前国家的な人間の権利を保障するという思想ないし自然権思想に基づいて人権の規定を設け、国際協調主義を採用している

(ウ)　憲法第22条第1項は、外国人が我が国に入国することについては何ら規定をしておらず、国際慣習法上も、国家は外国人を受け入れる義務を負うものではない

(エ)　入国の自由を保障している憲法第22条第1項は、「何人も」と規定しており、外国人に対しても入国の自由は認められる

(オ)　憲法によって保障された人権は、その性質に照らし、できる限り外国人にも保障すべきである

(カ)　憲法第93条第2項は、地方公共団体の長は、その地方公共団体の「住民」が、直接これを選挙すると規定しており、永住者等、我が国に在留する一定の外国人も、憲法上、地方公共団体の参政権を保障されている

(キ)　憲法は、国民主権の原理を採用している以上、憲法第93条第2項が我が国に在留する外国人に対して地方公共団体の参政権を保障したものとはいえない

(参考)
憲法
第22条　何人も、公共の福祉に反しない限り、居住、移転及び職業選択の自由を有する。
2　何人も、外国に移住し、又は国籍を離脱する自由を侵されない。
第93条　(略)
2　地方公共団体の長、その議会の議員及び法律の定めるその他の吏員は、その地方公共団体の住民が、直接これを選挙する。

(1)	①(イ)	②(ウ)	③(エ)	④(オ)	⑤(カ)
(2)	①(イ)	②(オ)	③(ア)	④(ウ)	⑤(キ)
(3)	①(エ)	②(オ)	③(ア)	④(ウ)	⑤(カ)
(4)	①(オ)	②(イ)	③(ア)	④(エ)	⑤(キ)
(5)	①(オ)	②(イ)	③(エ)	④(ウ)	⑤(カ)

学習記録	/	/	/	/	/	/	/	/	/

MEMO

重要度　C	推論型		正解（2）

外国人の人権保障については、まず、外国人の人権享有主体性について、否定説と肯定説の二つの見解がある。更に、肯定説は、外国人の人権保障の範囲について、「国民」、「何人」などの憲法の文言を重視する文言説と人権の性質に応じて判断する性質説の二つの見解がある。

① (イ)　（　①　）には、外国人について基本的人権の保障の対象となるかどうかについて、肯定説の理由が入り、憲法が人権の前国家性ないし自然権思想に基づいて人権の規定を設けていること、及び憲法の国際協調主義を根拠とする(イ)が入る。なお、(オ)は、外国人にも基本的人権が保障されることを前提として、その保障の範囲を問題とするものであり、（　①　）には入らない（後述）。

② (オ)　（　②　）には、外国人も基本的人権が保障されることを前提に、どのような人権が保障されるかどうかについて、性質説の考え方が入り、人権の性質に照らし、できる限り外国人にも保障すべきであるとする(オ)が入る。

③ (ア)　（　③　）には、文言説に対する批判が入り、22条2項は、「何人も」と規定するが、国籍離脱の自由は、人権の性質上、日本国籍を有する日本国民のみを対象としていることを指摘する(ア)が入る。

④ (ウ)　（　④　）には、外国人に入国の自由が認められるかどうかについて、判例の立場が入り、憲法上規定がないこと及び国際慣習法上これを否定する(ウ)が入る（最大判昭32.6.19）。

⑤ (キ)　（　⑤　）には、我が国に在留する外国人に地方公共団体の参政権が保障されるかどうかについて、判例の立場が入り、国民主権の原理からその保障はされないとする(キ)が入る（最判平7.2.28）。

以上から、かっこ内に入る文章の組合せとして適切なものは、①(イ)、②(オ)、③(ア)、④(ウ)、⑤(キ)であり、正解は(2)となる。

2b－2(25－1)　人権享有主体性(法人・外国人・天皇等)

人権の享有に関する次の(ア)から(オ)までの記述のうち、判例の趣旨に照らし正しいものの組合せは、後記(1)から(5)までのうち、どれか。

(ア)　会社は、公共の福祉に反しない限り、政治的行為の自由を有するが、会社による政治資金の寄附は、それによって政治の動向に影響を与えることがあり、国民の参政権を侵害しかねず、公共の福祉に反する結果を招来することとなるから、自然人である国民による政治資金の寄附と別異に扱うべきである。

(イ)　憲法は、何人も、居住、移転の自由を有する旨を定めており、その保障は、外国人にも及ぶところ、この居住、移転には、出国だけでなく、入国も含まれることから、外国人には、日本から出国する自由に加え、日本に入国する自由も保障される。

(ウ)　公務員の政治的中立性を損なうおそれのある公務員の政治的行為を禁止することは、公務員に対して政治的意見の表明を制約することとなるが、それが合理的で、必要やむを得ない限度にとどまるものである限り、憲法の許すところである。

(エ)　我が国に在留する外国人に対し、法律をもって、地方公共団体の長やその議会の議員の選挙権を付与する措置を講じなくても、違憲の問題は生じない。

(オ)　喫煙の自由は、憲法の保障する基本的人権には含まれず、未決拘禁者に対して刑事施設内での喫煙を禁止することは、拘禁の目的、制限の必要性や態様などについて考察するまでもなく、憲法に違反しない。

(1)　(ア)(イ)　　(2)　(ア)(ウ)　　(3)　(イ)(オ)　　(4)　(ウ)(エ)　　(5)　(エ)(オ)

学習記録	／	／	／	／	／	／	／	／	／

重要度 A　知識型　　　**正解（4）**

(ア)　誤　　判例は、「会社は、自然人たる国民と同様…政治的行為をなす自由を有するのである。政治資金の寄附もまさにその自由の一環であり、会社によってそれがなされた場合、政治の動向に影響を与えることがあったとしても、これを自然人たる国民による寄附と別異に扱うべき憲法上の要請があるものではない」とする（最大判昭 45.6.24・八幡製鉄事件）。

(イ)　誤　　判例は、「22 条１項は、日本国内における居住・移転の自由を保障する旨を規定するにとどまり、…憲法上、外国人は、わが国に入国する自由を保障されているものでない」としている（最大判昭 53.10.4・マクリーン事件）。

(ウ)　正　　判例は、「公務員の政治的中立性を損なうおそれのある公務員の政治的行為を禁止することは、それが合理的で必要やむをえない限度にとどまるものである限り、憲法の許容するところである」としている（最大判昭 49.11.6・猿払事件）。

(エ)　正　　判例は、「93 条２項は、我が国に在留する外国人に対して地方公共団体における選挙の権利を保障したものとはいえないが、…法律をもって、地方公共団体の長、その議会の議員等に対する選挙権を付与する措置を講ずることは、憲法上禁止されているものではない」としながらも、「右のような措置を講ずるか否かは、専ら国の立法政策にかかわる事柄であって、このような措置を講じないからといって違憲の問題を生ずるものではない」とした（最判平 7.2.28）。

(オ)　誤　　判例は、「喫煙の自由は、13 条の保障する基本的人権の一に含まれるとしても、あらゆる時、所において保障されなければならないものではない」とし（最大判昭 45.9.16）、喫煙の自由が基本的人権に含まれないとは明言していない。また、「このような拘禁の目的と制限される基本的人権の内容、制限の必要性などの関係を総合考察すると、…未決拘留により拘禁された者に対し喫煙を禁止する規定が 13 条に違反するものといえないことは明らかである」としている（同判例）。したがって、喫煙の自由は憲法の保障する基本的人権には含まれないとする点、及び未決拘禁者に対して刑事施設内での喫煙を禁止することは、拘禁の目的、制限の必要性や態様などについて考察するまでもなく、憲法に違反しないとする点で、本肢は誤っている。

以上から、正しいものは(ウ)(エ)であり、正解は(4)となる。

2b－3(31－1)　人権享有主体性（法人・外国人・天皇等）

外国人の人権に関する次の(ア)から(オ)までの記述のうち、判例の趣旨に照らし正しいものの組合せは、後記(1)から(5)までのうち、どれか。

(ア)　普通地方公共団体が、日本国民である職員に限って管理職に昇任することができるとする措置を講ずることは、その職員が公権力の行使に当たる行為を行うことを職務とするものであっても、合理的な理由のない差別的な取扱いに当たる。

(イ)　我が国に在留する外国人に対しても、一時的に海外旅行する自由について憲法上の保障が及ぶ。

(ウ)　我が国に在留する外国人のうち永住者等であってその居住する区域の地方公共団体と特段に緊密な関係を持つに至ったと認められるものについて、法律をもって、当該地方公共団体の長に対する選挙権を付与する措置を講ずることは、憲法上禁止されていない。

(エ)　我が国に在留する外国人は、政治活動の自由について、我が国の政治的意思決定又はその実施に影響を及ぼす活動等も含め、我が国の国民と同様にその保障が及ぶ。

(オ)　在留期間の更新又は変更を受けないで在留期間を経過して我が国に残留する外国人を生活保護の対象とするかどうかは立法府の広い裁量に委ねられているから、当該外国人が緊急に治療を要する場合であっても生活保護の対象としないとの取扱いは、違憲とならない。

(1)　(ア)(イ)　(2)　(ア)(エ)　(3)　(イ)(ウ)　(4)　(ウ)(オ)　(5)　(エ)(オ)

学習記録	／	／	／	／	／	／	／	／	／

重要度　A	知識型		正解（4）

㋐ 誤　すべて国民は、法の下に平等であって、人種、信条、性別、社会的身分又は門地により、政治的、経済的又は社会的関係において、差別されない（14 Ⅰ）。この点、地方公務員の管理職選考試験の受験を、日本国籍でないとの理由で拒否された外国籍の職員が受験資格の確認を求めた事案につき、判例は、普通地方公共団体が、公権力行使等地方公務員（地方公務員のうち、住民の権利義務を直接形成し、その範囲を確定するなどの公権力の行使に当たる行為を行い、若しくは普通地方公共団体の重要な施策に関する決定を行い、又はこれらに参画することを職務とするもの）の職とこれに昇任するのに必要な職務経験を積むために経るべき職とを包含する一体的な管理職の任用制度を構築した上で、日本国民である職員に限って管理職に昇任することができることとする措置を執ることは、合理的な理由に基づいて日本国民である職員と在留外国人である職員とを区別するものであり、14条１項に違反するものではないとした（最大判平 17.1.26）。

㋑ 誤　定住外国人が海外旅行の計画をたて再入国許可の申請をしたところ、指紋押捺を拒否したことを理由に不許可とされ、その取消しを請求した事案につき、判例は、我が国に在留する外国人は、憲法上、外国へ一時旅行する自由（22 Ⅱ）を保障されているものではないとした（最判平 4.11.16・森川キャサリーン事件）。

㋒ 正　永住資格を有する定住外国人の地方公共団体における選挙権が憲法上保障されるか否かが問題となった事案につき、判例は、93条２項にいう「住民」とは、地方公共団体の区域内に住所を有する日本国民を意味するものと解すべきであるから、同条項は我が国に在留する外国人に対して地方公共団体における選挙の権利を保障したものということはできないが、民主主義社会における地方自治の重要性に鑑み、我が国に在留する外国人のうちでも永住者等であって、その居住する区域の地方公共団体と特段に緊密な関係を持つに至ったと認められるものについて、法律をもって、地方公共団体の長、その議会の議員等に対する選挙権を付与する措置を講ずることは、憲法上禁止されているものではないとした（最判平 7.2.28）。

㋓ 誤　外国人の政治活動の自由が問題になった事案につき、判例は、憲法第３章の諸規定による基本的人権の保障は、権利の性質上日本国民のみをその対象としていると解されるものを除き、我が国に在留する外国人に対しても等しく及び、政治活動の自由についても、我が国の政治的意思決定又はその実施に影響を及ぼす活動等を除き、その保障が及ぶとした（最大判昭 53.10.4・マクリーン事件）。

㈴　正　　我が国に在留する外国人で、在留期間の更新又は変更を受けないで在留期間を経過して我が国に残留する者（以下「不法残留者」という。）が、交通事故に遭遇して傷害を負い、生活保護法による保護の開始を申請したが、却下処分を受けたので、その取消しを請求した事案につき、判例は、25条の趣旨にこたえて具体的にどのような立法措置を講ずるかの選択決定は立法府の広い裁量に委ねられていると解すべきところ、不法残留者を保護の対象に含めるかどうかが立法府の裁量の範囲に属することは明らかであるとした（最判平13.9.25）。そして、不法残留者が緊急に治療を要する場合についても、この理が当てはまるから、生活保護法が不法残留者を保護の対象としていないことは憲法に違反しない（同判例）。

以上から、正しいものは㈒㈴であり、正解は⑷となる。

MEMO

2c−1(15−2)　私人間効力

憲法が定める人権規定の私人間における効力について、次の二つの見解がある。

第１説　憲法が定める人権規定は、直接、私人間にも適用される。
第２説　憲法が定める人権規定は、民法第90条の公序良俗規定のような私法の一般条項を媒介として、間接的に、私人間に適用される。

次の(1)から(5)までの記述のうち、正しいものはどれか。

(1)　第１説は、第２説に比べて、基本的人権は国家権力に対して国民の権利及び自由を守るものであるとする伝統的な考え方により適合する。

(2)「各種の社会的権力が巨大化した現代社会においては、憲法の定立する法原則が、社会生活のあらゆる領域において全面的に尊重され、実現されるべきである。」とする考え方は、第１説よりも第２説に適合する。

(3)　第１説から第２説に対して、純然たる事実行為による人権侵害に対する憲法による救済が困難になる可能性があるとの批判が可能である。

(4)　第１説から第２説に対して、私的自治の原則は市民社会の基本原則として妥当し、当事者の合意、契約の自由は原則として最大限に尊重されるべきであるとの批判が可能である。

(5)　第２説による場合、私人間の人権対立の調整は、専ら立法にゆだねられ、裁判所による介入は否定されることになる。

学習記録	／	／	／	／	／	／	／	／	／

重要度　C	推論型		正解（3）

⑴ 誤　基本的人権は国家権力に対して国民の権利及び自由を守るものであるとする伝統的な考え方からすると、私人間については憲法を直接的に適用すべきでないという考え方につながる。したがって、第1説（直接適用説）は、第2説（間接適用説）に比べて、基本的人権は国家権力に対して国民の権利及び自由を守るものであるとする伝統的な考え方により適合するとはいえない。

⑵ 誤　各種の社会的権力が巨大化した現代社会においては、憲法の定立する法原則が、社会生活のあらゆる領域において全面的に尊重され、実現されるべきであるとすれば、憲法の定める人権規定を直接私人間に適用すべきという考え方につながる。公権力に匹敵する社会的権力（巨大企業等）との関係において人権保障が及ばないとすると、憲法の人権保障の精神に反することになるからである。したがって、「各種の社会的権力が巨大化した現代社会においては、憲法の定立する法原則が、社会生活のあらゆる領域において全面的に尊重され、実現されるべきである。」とする考え方は、第1説（直接適用説）よりも第2説（間接適用説）に適合するとはいえない。

⑶ 正　第2説（間接適用説）は、私法の一般条項を媒介として、間接的に私人間に人権規定を適用するため、純然たる事実行為による人権侵害に対しては、それを真正面から憲法問題として争うことはできないことになる。これに対して、第1説（直接適用説）によれば、憲法が定める人権規定が直接私人間にも適用されるので、純然たる事実行為による人権侵害に対しても救済が可能である 。したがって、第1説から第2説に対して、純然たる事実行為による人権侵害に対する憲法による救済が困難になる可能性があるとの批判が可能である。

⑷ 誤　第2説（間接適用説）が私法の一般条項を媒介として間接的に私人間に人権規定を適用しようとする趣旨は、国家が直接私人間に介入することを避け私的自治を尊重することにある。これに対して、第1説（直接適用説）は、直接私人間に人権規定を適用するため、私的自治を侵害するおそれがある。したがって、第1説から第2説に対して、私的自治の原則は市民社会の基本原則として妥当し、当事者の合意、契約の自由は原則として最大限に尊重されるべきであるとの批判が可能であるとはいえない。

⑸ 誤　第2説（間接適用説）は、私法の一般条項を、憲法の趣旨を取り込んで解釈・適用することによって間接的に私人間の行為を規律しようとする見解である。そこで、その限りで裁判所による介入を認めることになる。したがって、第2説によっても、裁判所による介入が否定されるとはいえない。

2c−2(19−1)　私人間効力

次の対話は、人権に関する規定が私人間にどのように適用されるかに関する教授と学生との対話である。後記の文章群の中から適切な文章を選択して対話を完成させた場合、（　①　）から（　⑤　）までに入る文章の組合せとして最も適切なものは、後記(1)から(5)までのうちどれか。

教授：　憲法の人権規定が私人間にどのように適用されるかについては、いわゆる直接適用説と間接適用説がありますね。これらの二つの見解について、どう考えますか。

学生：　私は、間接適用説が妥当と考えます。なぜなら、（　①　）と考えるからです。

教授：　その理由からは、直接適用説又は間接適用説のいずれも、当然には導くことはできませんよ。では、直接適用説に対する批判としては、どのようなものがありますか。

学生：　（　②　）という批判があります。

教授：　その批判は、沿革的なものですね。直接適用説を採ることにより生じる問題としては、どのようなことが考えられますか。

学生：　（　③　）という問題が生じると考えられます。

教授：　あなたが採る間接適用説の積極的な根拠は、どのようなものですか。

学生：　（　④　）という理由です。

教授：　では、間接適用説の限界として、どのようなことが指摘されていますか。

学生：　（　⑤　）と指摘されています。

〔文章群〕

(ア)　憲法の人権規定は、国家を拘束するものであり、私人に向けられたものではない

(イ)　純然たる事実行為による人権侵害については、真正面から憲法問題として争うことができない

(ウ)　社会の中に巨大な力を持った国家類似の私的団体が数多く存在する現代においては、これらの社会的権力からも国民の人権を保護する必要がある

(エ)　私的自治の原則を尊重しつつも、社会的許容性の限度を超える侵害に対し基本的な自由や平等の利益を保護することができ、その適切な調整を図ることが可能である

(オ)　私的自治の原則が広く害され、私人間の行為が大幅に憲法によって規律されたり、かえって国家権力の介入を是認する端緒となる

(1)　①(ア)　②(オ)　③(エ)　④(ウ)　⑤(イ)
(2)　①(ウ)　②(ア)　③(オ)　④(エ)　⑤(イ)
(3)　①(ウ)　②(オ)　③(イ)　④(エ)　⑤(ア)
(4)　①(エ)　②(ア)　③(イ)　④(ウ)　⑤(オ)
(5)　①(エ)　②(ア)　③(オ)　④(ウ)　⑤(イ)

学習記録	／	／	／	／	／	／	／	／	／

MEMO

重要度　C	推論型		正解（2）

本問は、憲法の人権規定の私人間への適用に関する問題である。
本来、憲法の人権規定は、公権力との関係で、国民の権利・自由を保護するためのものと捉えられてきた。しかし、資本主義の進展に伴い、社会の中に強大な権力を持った国家類似の企業や私的団体が数多く存在するようになり、これらの社会的権力から国民の人権を保護する必要性が生じた。そこで、憲法の人権規定を、何らかの形で、私人による人権侵害に対しても適用させるべきであるとする見解がうまれた。これについて、学説は、間接適用説と直接適用説に大別される。この点、三菱樹脂事件最高裁大法廷判決（最大判昭48.12.12）は、「場合によっては、私的自治に対する一般的制限規定である民法1条、90条や不法行為に関する諸規定等の適切な運用によって、一面で私的自治の原則を尊重しながら、他面で社会的許容性の限度を超える侵害に対し基本的な自由や平等の利益を保護し、その間の適切な調整を図る方途も存する」として、間接適用説の立場を採った。

①について
①には間接適用説を妥当と考える理由が入ることがわかる。ここで、間接適用説を妥当とする肢としては、(ウ)と(エ)が考えられる。そこで、学生の答えに対する教授のコメントを見ると、「その理由からは、直接適用説又は間接適用説のいずれも、当然には導くことはできない」とあることから、①には、直接適用説、間接適用説いずれにも当てはまり得るものが入ることがわかる。この点、「私的自治の原則を尊重しつつ」とある(エ)は、直接適用説に対する説明としてふさわしくないことから、①には入らないことがわかる。したがって、①には(ウ)が入る。

②、③について
②には直接適用説に対する批判が入る。この点、直接適用説に対しては、第一に、私的自治の原則との関係で、私的自治の原則及び契約自由の原則の否定になりかねない、第二に、人権宣言の歴史的意味や人権の法的性格の変化をあまりにも強調して人権規定に一律的に直接的な効力を認めると、国家権力に対抗する人権の本質を変質ないし希薄化する結果を招くおそれがあるという批判がある。したがって、②③には(ア)、(オ)が入り得る。この点、②には教授の「沿革的な」との文言を導く、歴史的観点からの批判である(ア)「憲法の人権規定は、国家を拘束するものであり、私人に向けられたものではない」が入る。一方、③には直接適用説を採用した場合の危険性に関する文章である、残りの(オ)「私的自治の原則が広く害され、私人間の行為が大幅に憲法によって規律されたり、かえって国家権力の介入を是認する端緒となる」が入る。したがって、②には(ア)が、③には(オ)が入る。

④について
④には間接適用説を採る積極的な根拠が入る。この点間接適用説を採る根拠についての肢としては(ウ)と(エ)が考えられるが、(ウ)は①に入ることから④には(エ)が入ることがわかる。したがって、④には(エ)が入る。

⑤について
⑤には間接適用説の限界について述べたものが入る。この点、間接適用説の限界としては、純然たる事実行為による人権侵害に対しては、それを真正面から憲法問題として争うことができないということが指摘されている。したがって、⑤には(イ)が入る。

以上から、かっこ内に入る文章の組合せとして適切なものは、①(ウ)、②(ア)、③(オ)、④(エ)、⑤(イ)であり、正解は(2)となる。

MEMO

2e－1(16－3)　人権制約の一般原理(公共の福祉等)

公共の福祉による基本的人権の制約について、次の二つの見解がある。

第１説　すべての基本的人権は、「公共の福祉」によって制約されるものであり、憲法第 12 条及び第 13 条の「公共の福祉」は、基本的人権を制約する際の憲法上の根拠となる。
第２説　基本的人権が「公共の福祉」によって制約され得るのは、憲法第 22 条及び第 29 条のように、特に個別の人権規定において「公共の福祉」による制約が認められている場合に限られる。

次の(ア)から(オ)までの記述は、第１説又は第２説のいずれかに関するものであるが、「この説」が第２説を指すものの組合せは、後記(1)から(5)までのうちどれか。

(ア)　この説に対しては、「公共の福祉」を抽象的な最高概念としてとらえる考え方と結び付きやすく、基本的人権が安易に制限されるおそれがあるという批判が可能である。

(イ)　この説に対しては、憲法第 13 条が訓示規定であるとすると、同条を、憲法に列挙されていない、いわゆる新しい人権を基礎付ける包括的な人権条項と解釈することができなくなるのではないかとの問題を指摘することができる。

(ウ)　この説は、憲法第 13 条が、基本的人権について、「公共の福祉に反しない限り、立法その他の国政の上で、最大の尊重を必要とする」と定め、必要最小限度の規制の原則を宣明していることも、同条に法的意味を認める理由の一つとする。

(エ)　この説に対しては、明治憲法と同じように、基本的人権の保障について「法律の留保」を認めたことと同じになってしまうのではないかとの問題を指摘することができる。

(オ)　この説も、基本的人権が絶対無制約であると主張するわけではなく、基本的人権にはその性質上当然に伴うべき内在的制約が存することを認めることになる。

(1)　(ア)(イ)　　(2)　(ア)(ウ)　　(3)　(イ)(オ)　　(4)　(ウ)(エ)　　(5)　(エ)(オ)

学習記録	／	／	／	／	／	／	／	／	／

重要度　C	推論型		正解（3）

　憲法は、人権相互間の利益調整のため、人権に対して一定の制約を加える場合の根拠として、12条、13条、22条及び29条で「公共の福祉」の規定を置いている。基本的人権の保障の限界に関しては、これら「公共の福祉」との関係において幾つかの説に分かれている。本問では、第1説として、人権は全て12条及び13条の「公共の福祉」によって政策的（外在的）に制約できるとする一元的外在制約説を、第2説では、人権を「公共の福祉」によって制約できるのは個人の人権規定で制約が認められている場合（22Ⅰ・29Ⅱ）だけであるという内在・外在二元的制約説を挙げている。以下、第1説及び第2説について検討する。

(ア)　**第1説**　　第1説は、12条及び13条を人権制約の根拠規定と解しており、「公共の福祉」を基本的人権を制約する抽象的最高概念と捉える考え方と結びつきやすく、「公共の福祉」の名の下に安易な人権の制限を肯定するおそれがあると批判される。

(イ)　**第2説**　　第2説は、13条の「公共の福祉」を訓示規定として人権制約の根拠とならないものと考えるが、13条自体を訓示的規定と考えてしまうと、「新しい人権」を13条によって基礎付けることができなくなると批判される。したがって、13条を訓示規定と考えると、同条を新しい人権を基礎付ける包括条項と解釈できないと批判されるのは第2説であり、本肢の「この説」は第2説を指す。

(ウ)　**第1説**　　第1説は、13条を訓示規定とは解さず、法的意味を認める。この根拠としては、13条が単に人権制約の根拠規定であるばかりでなく「公共の福祉に反しない限り、立法その他の国政の上で、最大の尊重を必要とする」との定めにより、必要最小限度の規制の原則を明示している点が挙げられる。

(エ)　**第1説**　　第1説に対しては、「公共の福祉」による制約を人権一般に対して認めると、「公共の福祉」の名の下に法律により安易な人権制約を許すことになりかねず、明治憲法下の「法律の留保」のついた人権保障と同じことになってしまうのではないかという批判がある。

(オ)　**第2説**　　第2説も、22条及び29条以外の人権が絶対無制約であるとするものではなく、「公共の福祉」による制約こそ受けないが、人権の性質上当然に伴うべき内在的制約に服するとする。したがって、本肢の「この説」とは第2説を指す。

　以上から、「この説」が第2説を指すものは、(イ)(オ)であり、正解は(3)となる。

2e−2(17−1)　人権制約の一般原理(公共の福祉等)

憲法第13条に関する次の(ア)から(オ)までの記述のうち、判例の趣旨に照らし正しいものは幾つあるか。

(ア) 何人も、自己消費の目的のために酒類を製造する自由を有しているから、製造目的のいかんを問わず、酒類製造を一律に免許の対象とした上で、免許を受けないで酒類を製造した者を処罰することは、憲法第13条の趣旨に反し、許されない。

(イ) 何人も、公共の福祉に反しない限り、喫煙の自由を有しているから、未決勾留により拘禁された者に対し、喫煙を禁止することは、憲法第13条の趣旨に反し、許されない。

(ウ) 何人も、個人の意思に反してみだりにプライバシーに属する情報の開示を公権力により強制されることはないという利益を有しているから、外国人に対し、外国人登録原票に登録した事項の確認の申請を義務付ける制度を定めることは、憲法第13条の趣旨に反し、許されない。

(エ) 何人も、公共の福祉に反しない限り、自己の意思に反してプライバシーに属する情報を公権力により明らかにされることはないという利益を有しているから、郵便物中の信書以外の物について行われる税関検査は、わいせつ表現物の流入阻止の目的であっても、憲法第13条の趣旨に反し、許されない。

(オ) 何人も、その承諾なしに、みだりにその容ぼうを撮影されない自由を有しているから、警察官が、正当な理由もないのに、個人の容ぼうを撮影することは、憲法第13条の趣旨に反し、許されない。

(1) 1個　(2) 2個　(3) 3個　(4) 4個　(5) 5個

学習記録	／	／	／	／	／	／	／	／	／

重要度　A　**知識型**　**要 *Check!***　**正解（1）**

(ア)　誤　　製造目的のいかんを問わず、酒類製造を一律に免許の対象とした上、免許を受けないで酒類を製造した者を処罰することとしても、13条の趣旨に反しない。酒類製造免許制は、自己消費を目的とする酒類製造であっても、これを放任すると、酒税収入の減少など酒税の徴収確保に支障を生じる事態が予想されることから、国の重要な財政収入である酒税の徴収を確保するため、製造目的のいかんを問わず、酒類製造を一律に免許の対象とした上、免許を受けないで酒類を製造したものを処罰することとしているが、これにより、自己消費目的の酒類製造の自由が制約されるとしても、このような規制が立法府の裁量権を逸脱し、著しく不合理であることが明白であるとはいえないからである（最判平1.12.14）。

(イ)　誤　　被拘禁者を収容・管理するに当たっては、秩序を維持し正常な状態を保持するよう配慮する必要があることから、被拘禁者の自由に対して必要かつ合理的な制限を加えることはやむを得ず、必要かつ合理的かの判断は、①制限の必要性の程度、②制限される基本的人権の内容、③具体的制限の態様の衡量によるべきである。この点、喫煙により、火災発生、通謀、罪証隠滅、火災の際の逃走などの可能性がある反面、煙草は嗜好品にすぎず生活必需品ではないという観点からすれば、禁煙措置は必要かつ合理的な制限であるといえる（最大判昭45.9.16）。したがって、未決拘留により拘禁された者に対し、喫煙を禁止することは、13条の趣旨に反しない。

(ウ)　誤　　登録事項確認制度は、在留外国人の居住関係及び身分関係を明確にし、その公正な管理に資するという行政目的を達成するため、外国人登録原票の登録事項の正確性を維持、確保する必要から設けられたものであって、その立法目的には十分な合理性があり、その必要性も肯定できる。そして、確認を求められる事項は、職業、勤務所等の情報を含むが、いずれも人の人格、思想、信条、良心等の内心にかかわる情報とはいえず、同制度は申請者に過度の負担を強いるものではなく、一般的に許容される限度を超えない相当なものであるから、13条の趣旨に反しない（最判平9.11.17）。

(エ)　誤　　わいせつ表現物の流入阻止の目的で税関検査を行うことは、13条の趣旨に反しない。わいせつ表現物がいかなる目的で輸入されるかは容易に識別することは困難であり、流入したわいせつ表現物を頒布、販売の過程に置くことは容易であるから、わいせつ表現物の流入によりわが国における健全な性的風俗が害されることを実効的に阻止するために、その輸入の目的のいかんにかかわらず、その流入を一般的に、いわば水際で阻止することもやむを得ないからである（最判平7.4.13、最大判昭59.12.12）。

㈿　正　　警察官が、正当な理由もないのに、個人の容ぼう等を撮影することは、13条の趣旨に反し、許されない。個人の私生活上の自由の一つとして、何人も、その承諾なしに、みだりにその容ぼう・姿態を撮影されない自由を有するからである（最大判昭 44.12.24）。

以上から、正しいものは㈿の１個であり、正解は⑴となる。

MEMO

2e－3(30－1)　人権制約の一般原理(公共の福祉等)

プライバシーに関する次の(ア)から(オ)までの記述のうち、判例の趣旨に照らし正しいものの組合せは、後記(1)から(5)までのうち、どれか。

(ア)　少年法第61条が禁止する報道に当たるかどうかは、その記事等により、不特定多数の一般人がその者を当該事件の本人であると推知することができるかどうかを基準にして判断される。

(イ)　刑事事件それ自体を公表することに歴史的又は社会的な意義が認められたとしても、ノンフィクション作品において当該刑事事件の当事者について実名を明らかにすることは許されない。

(ウ)　大学主催の講演会に参加を希望する学生から収集した学籍番号、氏名、住所及び電話番号は、大学が参加者に無断で警察に開示したとしても、プライバシーを侵害するものとはいえない。

(エ)　住民基本台帳ネットワークシステムにより行政機関が住民の氏名、生年月日、性別、住所等の本人確認情報を収集、管理又は利用する行為は、当該住民が同意しない限り許されない。

(オ)　みだりに指紋の押なつを強制されない自由は、在留外国人にも保障される。

(参考)

少年法

第61条　家庭裁判所の審判に付された少年又は少年のとき犯した罪により公訴を提起された者については、氏名、年齢、職業、住居、容ぼう等によりその者が当該事件の本人であることを推知することができるような記事又は写真を新聞紙その他の出版物に掲載してはならない。

(1)　(ア)(イ)　　(2)　(ア)(オ)　　(3)　(イ)(ウ)　　(4)　(ウ)(エ)　　(5)　(エ)(オ)

学習記録	／	／	／	／	／	／	／	／	／

重要度　A　**知識型**　**要*Check!***　　**正解（2）**

(ア) 正　　少年法61条は、「氏名、年齢、職業、住居、容ぼう等によりその者が当該事件の本人であることを推知することができるような記事又は写真を新聞紙その他の出版物に掲載してはならない」と規定する。この点、雑誌に掲載された記事が少年法61条の禁止する推知報道に該当し、名誉権・プライバシー権を侵害するとして争われた事案につき、判例は、少年法61条に違反する推知報道かどうかは、その記事などにより、不特定多数の一般人がその者を当該事件の本人であると推知することができるかどうかを基準にして判断すべきであるとした（最判平15.3.14・長良川事件報道訴訟）。

(イ) 誤　　前科等にかかわる事実の公表が争われた事案につき、判例は、刑事事件それ自体を公表することに歴史的又は社会的な意義が認められるような場合には、事件の当事者について、その実名を明らかにすることが許されないとはいえないとした（最判平6.2.8・ノンフィクション「逆転」事件）。なぜなら、ある者の前科等にかかわる事実は、刑事事件ないし刑事裁判という社会一般の関心あるいは批判の対象となるべき事項にかかわる事実といえるからである（同判例）。

(ウ) 誤　　大学で講演会が開催された際、大学側が警察の要請に応え、参加希望学生の氏名などが記載された名簿の写しを無断で警察に提出した事案につき、判例は、特定の講演会に参加した大学生の学籍番号、氏名、住所及び電話番号は、プライバシーに係る情報として法的保護の対象となり、大学当局が、学生らにあらかじめ承諾を求めることが容易であったにもかかわらず、当該個人情報を学生らに無断で警察に開示した行為は、プライバシーを侵害するものとして、不法行為を構成するとした（最判平15.9.12）。

(エ) 誤　　住民基本台帳ネットワークにより、行政機関が住民の氏名・生年月日等の本人確認情報を収集、管理又は利用する行為がプライバシー侵害に当たるかが争われた事案につき、判例は、住民基本台帳ネットワークによって管理、利用等される本人確認情報は、個人の内面にかかわるような秘匿性の高い情報ではなく、それが法令等の根拠に基づかずに又は正当な行政目的の範囲を逸脱して開示又は公表される具体的危険がないことから、行政機関が住民基本台帳ネットワークにより住民の本人確認情報を管理、利用等する行為は、当該個人がこれに同意していないとしても、13条により保障された当該自由を侵害するものではないとした（最判平20.3.6）。

(オ) 正　　指紋押なつ制度の合憲性が争われた事案につき、判例は、13条は、国民の私生活上の自由が国家権力の行使に対して保護されるべきことを規定していると解されるので、個人の私生活上の自由の一つとして、何人もみだりに指紋の押なつを強制されない自由を有するとし、当該自由の保障はわが国に在留する外国人にも等しく及ぶとした（最判平7.12.15）。

以上から、正しいものは(ア)(オ)であり、正解は(2)となる。

3−1(R4−1)　幸福追求権

人格権又は人格的利益に関する次の㋐から㋔までの記述のうち、判例の趣旨に照らし誤っているものの組合せは、後記⑴から⑸までのうち、どれか。

㋐　名誉を違法に侵害された者は、人格権としての名誉権に基づき、加害者に対し、将来生ずべき侵害を予防するため、侵害行為の差止めを求めることができる。

㋑　人の氏名、肖像等が商品の販売等を促進する顧客吸引力を有する場合において、当該顧客吸引力を排他的に利用する権利は、人格権に由来する権利の一内容を構成する。

㋒　ある著作者の著作物が公立図書館において閲覧に供されている場合には、当該著作者が当該著作物によってその思想、意見等を公衆に伝達する利益は、法的保護に値する人格的利益とはいえない。

㋓　前科は人の名誉に直接にかかわる事項であり、前科のある者もこれをみだりに公開されないという法律上の保護に値する利益を有する。

㋔　人格権や法的保護に値する人格的利益は、その性質上、自然人にのみ認められ、法人には認められない。

⑴　㋐㋒　　⑵　㋐㋓　　⑶　㋑㋓　　⑷　㋑㋔　　⑸　㋒㋔

学習記録	／	／	／	／	／	／	／	／	／

重要度　A	知識型	要 *Check!*	正解（5）

(ア)　正　　裁判所の行う出版物の事前差止めが表現の自由（21）を侵害しないかが争われた事案において、判例は、名誉を違法に侵害された者は、人格権としての名誉権に基づき、加害者に対し、現に行われている侵害行為を排除し、又は将来生ずべき侵害を予防するため、侵害行為の差止めを求めることができるとした（最大判昭61.6.11・北方ジャーナル事件）。なお、自分をモデルとする人物が登場する小説の公表により名誉権、プライバシー権、名誉感情が侵害されたとして、モデルとされた大学院生が当該小説の出版の差止めを求めた事案においても、判例は、人格権としての名誉権等に基づき、侵害行為の差止めを求めることができるとした（最判平14.9.24・石に泳ぐ魚事件）。

(イ)　正　　週刊誌の記事に無断で写真を掲載されたことに対し、著名な歌手が損害賠償を請求した事案において、判例は、人の氏名、肖像等（以下「肖像等」という。）は、個人の人格の象徴であるから、当該個人は、人格権に由来するものとして、これをみだりに利用されない権利を有するとした（最判平24.2.2・ピンク・レディー事件）。その上で、判例は、肖像等は、商品の販売等を促進する顧客吸引力を有する場合があり、このような顧客吸引力を排他的に利用する権利（パブリシティ権）は、肖像等それ自体の商業的価値に基づくものであるから、人格権に由来する権利の一内容を構成するとした（同判例）。

(ウ)　誤　　公立図書館の職員が著作物に対する否定的な評価から書籍を廃棄したことに対し、廃棄された書籍の著作者が損害賠償を請求した事案において、判例は、公立図書館は、住民に対して思想、意見その他の種々の情報を含む図書館資料を提供してその教養を高めること等を目的とする公的な場であるとし、そこで閲覧に供された図書を著作者の思想や信条を理由とするなど不公正な取扱いによって廃棄することは、当該著作者が著作物によってその思想、意見等を公衆に伝達する利益を不当に損なうとした（最判平17.7.14・船橋市西図書館蔵書廃棄事件）。その上で、判例は、著作者の思想の自由、表現の自由が憲法により保障された基本的人権であることにも鑑みると、公立図書館において、その著作物が閲覧に供されている著作者が有する上記利益は、法的保護に値する人格的利益であるとした（同判例）。

(エ)　正　　地方公共団体の長が弁護士会の前科照会に応じた行為が、プライバシー権侵害に当たらないかが問題となった事案において、判例は、前科及び犯罪経歴（以下「前科等」という。）は、人の名誉、信用に直接かかわる事項であり、前科等のある者もこれをみだりに公開されないという法律上の保護に値する利益を有するとした（最判昭56.4.14・前科照会事件）。

(オ)　誤　　会社による政治資金の寄附が問題となった事案において、判例は、憲法第３章に定める国民の権利及び義務の各条項は、性質上可能な限り、内国の法人にも適用されるものであるから、会社は、自然人たる国民と同様、国や政党の特定の政策を支持、推進し又は反対するなどの政治的行為をなす自由を有し、政治資金の寄附もその自由の一環であり、会社によってそれがなされた場合、政治の動向に影響を与えることがあったとしても、これを自然人たる国民による寄附と別異に扱うべき憲法上の要請があるものではないとした（最大判昭45.6.24・八幡製鉄事件）。

以上から、誤っているものは(ウ)(オ)であり、正解は(5)となる。

MEMO

4−1(22−1)　法の下の平等

次の文章は、法の下の平等に関する文章である。(　　　) の中に後記の語句群の中から適切な語句を選択して文章を完成させた場合（　A　）から（　E　）までに入る語句の組合せとして最も適切なものは、後記(1)から(5)までのうちどれか。

憲法第 14 条は平等原則を規定しているが、「平等」の意味には、幾つかの考え方がある。これらのうち、(　　　) とは、現実の様々な差異を捨象して原則的に一律平等に取り扱うこと、すなわち、基本的に（　A　）を意味するが、これに対し、(　　　) とは、現実の差異に着目してその格差是正を行うこと、すなわち、(　　　) を意味する。また、「平等」の意味を、相対的平等、すなわち、等しいものは等しく取り扱い、等しくないものは等しくなく取り扱うべきであるという意味に理解すると、その帰結は、(　B　) ということになる。

また、憲法第 14 条第 1 項が規定する「法の下の平等」については、法を執行し適用する行政権と司法権による差別を禁止するという（　　　）を意味するという考え方と、法そのものも平等の原則に従って定立されるべきであるという（　C　）をも意味するという考え方がある。前者の考え方に立てば、法の下の平等の原則に、立法者は（　D　）という考え方につながりやすいこととなる。憲法第 81 条が裁判所に違憲審査権を認め、現実に裁判所が法令違憲の判決を下すことができるのは、(　E　) になじむものである。

[語句群]

(ア)　法内容の平等　　(イ)　法適用の平等　　(ウ)　形式的平等
(エ)　実質的平等　　(オ)　機会均等　　(カ)　配分ないし結果の均等
(キ)　拘束される　　(ク)　拘束されない
(ケ)　差別的取扱いは絶対的に禁止される
(コ)　不合理な差別的取扱いだけが禁止され、合理的区別は認められる
(サ)　前者の考え方　　(シ)　後者の考え方

(1)　A(カ)　B(コ)　C(イ)
(2)　A(カ)　B(ケ)　D(ク)
(3)　A(オ)　C(ア)　E(サ)
(4)　B(コ)　D(ク)　E(シ)
(5)　C(ア)　D(キ)　E(シ)

学習記録	／	／	／	／	／	／	／	／	／

重要度　C	推論型		正解（4）

14条の「平等」の意味として、現実の様々な差異を捨象して原則的に一律平等に取り扱うことを意味する形式的平等と、現実の差異に着目して格差是正を行うべきことを意味する実質的平等とが存在する。形式的平等では差異を考慮せず形式的に同一の取り扱いをすべきこと、すなわち機会を均等に与えることが要請され、結果が均等になることまでは要請されない。これに対して、実質的平等では差異があればそれを是正する取り扱いが必要となり、配分ないし結果の均等までが要求されることとなる。したがって、1番目の空欄には(ウ)、2番目の空欄（ A ）には(オ)、3番目の空欄には(エ)、4番目の空欄には(カ)が入る。

また、「平等」の意味を、等しいものは等しく取り扱い、等しくないものは等しくなく取り扱うべきであるとする相対的平等と考えると、同一の事情と条件の下では均等な取り扱いが要請されるが、事情や条件が異なっている場合にはこれを考慮し合理的理由がある区別は許されるとする。事情や条件が異なっていても合理的理由のない差別は許されない。したがって、5番目の空欄（ B ）には(コ)が入る。

次に、同条の「法の下の平等」について、法を執行し適用する行政権と司法権による差別を禁止するものと考えると、平等原則は行政権と司法権のみを拘束し、法の内容を問わず法を平等に適用しさえすれば同条に違反しないこととなる。これに対して、法そのものも平等の原則に従って定立されるべきであり、法の内容自体にも平等原則の適用があると考えると、行政権・司法権のみならず立法権も平等の原則に拘束されるという考え方につながりやすい。したがって、6番目の空欄には(イ)、7番目の空欄（ C ）には(ア)、8番目の空欄（ D ）には(ク)が入る。

そして、行政権・司法権のみならず立法権も平等原則に拘束されるという考え方に立つと、裁判所は法の内容が平等原則に反しないか否かを判断し、違反すると考えれば法そのものが14条に違反するとして法令違憲の判決を下すことができるという考え方になじむ。したがって、9番目の空欄（ E ）には(シ)が入る。

以上から、かっこ内に入る語句の組合せとして適切なものは、A(オ)、B(コ)、C(ア)、D(ク)、E(シ)であり、正解は(4)となる。

4−2(30−2)　法の下の平等

法の下の平等に関する次の(ア)から(オ)までの記述のうち、判例の趣旨に照らし正しいものの組合せは、後記(1)から(5)までのうち、どれか。

(ア)　憲法第14条第１項に基づいて、国に対し、現実に生じている経済的不平等を是正するために金銭給付を求める権利が認められる。

(イ)　憲法第14条第１項は、事柄の性質に即応して合理的と認められる差別的取扱いをすることを許容している。

(ウ)　憲法第14条第１項の「信条」とは、宗教上の信仰を意味するにとどまらず、広く思想上、政治上の主義を含む。

(エ)　憲法第14条第１項の「人種、信条、性別、社会的身分又は門地」は、限定的に列挙されたものである。

(オ)　高齢者であることは、憲法第14条第１項の「社会的身分」に当たる。

(参考)
憲法
第14条　すべて国民は、法の下に平等であつて、人種、信条、性別、社会的身分又は門地により、政治的、経済的又は社会的関係において、差別されない。
２・３　(略)

(1)　(ア)(ウ)　(2)　(ア)(オ)　(3)　(イ)(ウ)　(4)　(イ)(エ)　(5)　(エ)(オ)

学習記録	／	／	／	／	／	／	／	／	／

重要度　A　知識型　　**正解（3）**

(ア)　誤　　14条1項が保障する法の下の「平等」には、人の現実の差異に着目してその格差是正を行うという、実質的平等の意味が含まれる。もっとも、実質的平等の実現は、第一義的には社会権条項に託された課題であり、結局は立法によって実現されるべき問題であって、少なくとも裁判規範の意味においては14条の規定そのものから直接に導かれるものではないとされている。したがって、14条1項に基づいて、国に対し、現実に生じている経済的不平等を是正するために金銭給付を求める権利が認められるとする点で、本肢は誤っている。

(イ)　正　　14条1項は、国民に対し絶対的な平等を保障したものではなく、事柄の性質に即応して合理的と認められる差別的取扱いをすることは否定されない（最大判昭39.5.27）。

(ウ)　正　　14条1項の「信条」は、歴史的には主に宗教や信仰を意味したが、それにとどまらず、広く思想上、政治上の主義を含むものとされている（最判昭30.11.22）。

(エ)　誤　　14条1項に列挙された事由は例示的なものであって、必ずしもそれに限るものではないが、同項は国民に対し絶対的な平等を保証したものではなく、事柄の性質に即応して合理的と認められる差別的取扱いをすることは否定されない（最大判昭39.5.27）。

(オ)　誤　　14条1項の「社会的身分」とは、人が社会において占める継続的な地位をいうものと解されるから、高齢であるということは社会的身分には当たらない（最大判昭39.5.27）。

以上から、正しいものは(イ)(ウ)であり、正解は(3)となる。

4−3(R4−2)　法の下の平等

憲法第14条第１項に規定する法の下の平等に関する次の(ア)から(オ)までの記述のうち、判例の趣旨に照らし正しいものの組合せは、後記(1)から(5)までのうち、どれか。

(ア)　障害福祉年金の受給者は児童扶養手当の受給資格を欠く旨の規定は、これにより障害福祉年金受給者とそうでない者との間に児童扶養手当の受給に関し合理的理由のない不当な差別が生じることから、違憲である。

(イ)　日本国民である父と日本国民でない母との間に出生した子について、父母の婚姻及び父の認知によって嫡出子の身分を取得した子には法務大臣への届出によって日本国籍の取得を認める一方で、日本国民である父から認知されただけの嫡出でない子についてはこれを認めないという区別は、我が国との密接な結び付きを有する者に限り日本国籍を付与するという立法目的との間において合理的関連性を欠き、違憲である。

(ウ)　ある議員定数配分の下で施行された国会議員の選挙において投票価値の平等につき違憲状態が生じていたとしても、その選挙が実施されるまでにその定数配分の見直しが行われなかったことが国会の裁量権の限界を超えないと、憲法に違反しないと認められる場合がある。

(エ)　嫡出でない子の法定相続分を嫡出子の相続分の２分の１とする規定は、民法が採用する法律婚の尊重と嫡出でない子の保護との調整を図ったものであり、立法府に与えられた合理的な裁量の限界を超えるものではなく、憲法に違反しない。

(オ)　尊属に対する殺人罪のみその法定刑を加重して死刑又は無期懲役とする規定は、尊属に対する尊重報恩という道義を保護するという立法目的が不合理であり、違憲である。

(参考)
憲法
第14条　すべて国民は、法の下に平等であつて、人種、信条、性別、社会的身分又は門地により、政治的、経済的又は社会的関係において、差別されない。
２・３（略）

(1)　(ア)(イ)　　(2)　(ア)(エ)　　(3)　(イ)(ウ)　　(4)　(ウ)(オ)　　(5)　(エ)(オ)

学習記録	／	／	／	／	／	／	／	／	／

重要度　A	知識型		正解（3）

(ア) 誤　　改正前国民年金法に基づく障害福祉年金の受給者が改正前児童扶養手当法に基づき児童扶養手当を請求したところ、併給禁止規定に該当するとして当該請求が却下されたことから、当該併給禁止規定が14条1項に違反しないかが争われた事案において、判例は、本件条項により、障害福祉年金受給者とそうでない者との間で、児童福祉手当の受給に関し、差別を生じることになるとしても、とりわけ身体障害者、母子に対する諸施策及び生活保護制度の存在などに照らして総合的に判断すると、本件の差別がなんら合理的理由のない不当なものであるとはいえないとした（最大判昭57.7.7・堀木訴訟）。

(イ) 正　　日本国民である父と日本国民でない母との間に生まれた非嫡出子が生後認知を受けた場合に、その父母の婚姻を日本国籍取得の条件とする改正前の国籍法3条1項が、14条1項に違反しないかが争われた事案において、判例は、我が国との密接な結び付きを有する者に限り日本国籍を付与するという当該規定の立法目的には合理的な根拠が認められるとした（最大判平20.6.4・国籍法違憲判決）。その上で、判例は、国籍法が、同じく日本国民との間に法律上の親子関係を生じた子であるにもかかわらず、父母の婚姻という、子にはどうすることもできない父母の身分行為が行われない限り、生来的にも届出によっても日本国籍を認めないとしている点は、今日においては、立法府に与えられた裁量権を考慮しても、その立法目的との合理的関連性の認められる範囲を著しく超える手段を採用しており、その結果、不合理な差別を生じさせているものであって、14条1項に違反するものであるとした（同判例）。

(ウ) 正　　公職選挙法における参議院議員の定数配分規定が、14条1項に違反しないかが争われた事案において、判例は、投票価値の著しい不平等状態が生じ、かつ、それが相当期間継続しているにもかかわらずこれを是正する措置を講じないことが、国会の裁量権の限界を超えると判断される場合には、当該議員定数配分規定が憲法に違反するとした（最大判平24.10.17）。したがって、国会の裁量権の限界を超えないと、憲法に違反しないと認められる場合がある。

(エ) 誤　　非嫡出子の法定相続分を嫡出子の法定相続分の2分の1とする改正前の民法900条4号ただし書前段の規定が、14条1項に違反しないかが争われた事案において、判例は、それぞれの国の伝統、社会事情、国民感情やその国における婚姻ないし親子関係に対する規律、国民の意識等を総合的に考慮した上で、立法府の合理的な裁量判断に委ねられているが、これらの事柄は時代と共に変遷するものであるから、その定めの合理性については、個人の尊厳と法の下の平等を定める憲法に照らして不断に検討され、吟味されなければならないとした（最大決平 25.9.4）。その上で、判例は、総合的に考察すれば、家族という共同体の中における個人の尊重がより明確に認識されてきたことは明らかであり、また、法律婚という制度自体は我が国に定着しているとしても、父母が婚姻関係になかったという、子にとっては自ら選択ないし修正する余地のない事柄を理由としてその子に不利益を及ぼすことは許されず、子を個人として尊重し、その権利を保障すべきであるという考えが確立されてきており、民法 900 条 4 号ただし書前段の規定は、遅くとも当該相続の開始時である平成 13 年 7 月当時においては、14 条 1 項に違反していたというべきであるとした（同判例）。

㈴　誤　　削除前刑法 200 条の尊属殺重罰規定が、14 条 1 項に違反しないかが争われた事案において、判例は、当該規定の立法目的は尊属に対する尊重報恩という普遍的倫理の維持であり、これは刑法上の保護に値するので、普通殺人罪よりも処罰を加重する規定を設けることは合理的であるが、立法目的達成手段について、死刑又は無期懲役刑のみに限る尊属殺重罰規定は刑の加重の程度が極端であって不合理であり、14 条 1 項に違反するとした（最大判昭 48.4.4・尊属殺重罰規定判決）。

以上から、正しいものは㈠㈡であり、正解は⑶となる。

MEMO

5a－1(R3－1)　思想・良心の自由

思想・良心の自由又は信教の自由に関する次の(ア)から(オ)までの記述のうち、判例の趣旨に照らし正しいものの組合せは、後記(1)から(5)までのうち、どれか。

(ア)　法令に違反して、著しく公共の福祉を害すると明らかに認められる行為をした宗教法人に対し、裁判所が解散を命ずることは、司法手続によって宗教法人を強制的に解散し、その法人格を失わしめ、信者の宗教上の行為を法的に制約するものとして、信教の自由を保障する憲法第20条第１項に違背する。

(イ)　公立学校において、学生の信仰を調査詮索し、宗教を序列化して別段の取扱いをすることは許されないが、学生が信仰を理由に剣道実技の履修を拒否する場合に、学校が、その理由の当否を判断するため、単なる怠学のための口実であるか、当事者の説明する宗教上の信条と履修拒否との合理的関連性が認められるかどうかを確認する程度の調査をすることは、公教育の宗教的中立性に反するとはいえない。

(ウ)　憲法第20条第３項の政教分離規定は、いわゆる制度的保障の規定であって、私人に対して信教の自由そのものを直接保障するものではないから、この規定に違反する国又はその機関の宗教的活動も、それが同条第１項前段に違反して私人の信教の自由を制限し、あるいは同条第２項に違反して私人に対し宗教上の行為等への参加を強制するなど、憲法が保障している信教の自由を直接侵害するに至らない限り、私人に対する関係で当然には違法と評価されるものではない。

(エ)　企業が、労働者の採否を決定するに当たり、労働者の思想、信条を調査し、労働者からこれに関連する事項についての申告を求めることは、労働者の思想、信条の自由を侵害する行為として直ちに違法となる。

(オ)　裁判所が、名誉毀損の加害者に対し、事態の真相を告白し陳謝の意を表明する内容の謝罪広告を新聞紙に掲載するよう命ずることは、加害者の意思決定の自由ないし良心の自由を不当に制限するものとして許されない。

（参考）
憲法
第20条　信教の自由は、何人に対してもこれを保障する。いかなる宗教団体も、国から特権を受け、又は政治上の権力を行使してはならない。
２　何人も、宗教上の行為、祝典、儀式又は行事に参加することを強制されない。
３　国及びその機関は、宗教教育その他いかなる宗教的活動もしてはならない。

(1)　(ア)(イ)　(2)　(ア)(エ)　(3)　(イ)(ウ)　(4)　(ウ)(オ)　(5)　(エ)(オ)

学習記録	／	／	／	／	／	／	／	／	／

精神的自由権

重要度　A	知識型		正解（3）

(ア)　誤　　宗教法人法81条の解散命令の制度は、専ら宗教法人の世俗的側面を対象とし、かつ、専ら世俗的目的によるものであって、宗教団体や信者の精神的、宗教的側面に容かいする意図によるものではなく、その制度の目的も合理的である（最決平8.1.30・宗教法人オウム真理教解散命令事件）。そして、解散命令によって宗教団体やその信者らの宗教上の行為に支障が生じても、それは解散命令に伴う間接的で事実上のものにすぎず、宗教団体やその信者らの精神的・宗教的側面に及ぼす影響を考慮しても、必要でやむを得ない法的規制であるから、本件解散命令は20条1項に反しない（同判例）。

(イ)　正　　公立学校において、学生の信仰を調査詮索し、宗教を序列化して別段の取扱いをすることは許されないが、学生が信仰を理由に剣道実技の履修を拒否する場合に、学校が、その理由の当否を判断するため、単なる怠学のための口実であるか、当事者の説明する宗教上の信条と履修拒否との合理的関連性が認められるかどうかを確認する程度の調査をすることは公教育の宗教的中立性に反するとはいえない（最判平8.3.8・エホバの証人剣道受講拒否事件）。

(ウ)　正　　20条3項の政教分離規定は、いわゆる制度的保障であって、私人に対して信教の自由そのものを直接保障するものではなく、国及びその機関が行うことのできない行為の範囲を定めて国家と宗教との分離を制度として保障することにより、間接的に信教の自由を確保しようとするものである（最大判昭52.7.13）。そのため、この規定に違反する国又はその機関の宗教的活動も、それが20条1項前段に違反して私人の信教の自由を制限し、あるいは20条2項に違反して私人に対し宗教上の行為等への参加を強制するなど、憲法が保障している信教の自由を直接侵害するに至らない限り、私人に対する関係で当然には違法と評価されるものではない（最大判昭63.6.1・自衛官護国神社合祀事件）。

(エ)　誤　　在学中の学生運動歴について、入社試験の際に虚偽の申告をしたという理由で、3か月の試用期間の満了直前に本採用を拒否された者が労働契約関係存在の確認を求めた事案において、判例は、19条・14条の人権規定は私人相互間には直接適用されず、私人間においては、権利の矛盾、対立の調整は原則として私的自治に委ねられ、その侵害の態様、程度が社会的に許容し得る限度を超えるときは、立法措置によって是正を図り、又は、私法の一般条項によって適切な調整を図る方途も存在するとした（最大判昭48.12.12・三菱樹脂事件）。その上で、判例は、企業者が経済活動の一環としてする契約締結の自由を有することに鑑みると、特定の思想・信条を有する労働者の雇入れを拒んでも当然には違法ではなく、さらにその採否決定のために労働者の思想・信条を調査し、その者から思想・信条に関する申告を求めても違法ではないとした（同判例）。

(オ)　誤　　謝罪広告の強制が良心の自由（19）を侵害しないかが争われた事案において、判例は、謝罪広告の内容の程度として、単に事態の真相を告白し陳謝の意を表明するにとどまる程度のものにあっては、そのような謝罪広告を新聞紙等に掲載すべきことを加害者に命ずることは、屈辱的若しくは苦役的労苦を科し、又は倫理的な意思、良心の自由を侵害するものではないとした（最大判昭 31.7.4）。したがって、謝罪広告の強制は、単に事態の真相を告白し陳謝の意を表明するにとどまる程度のものであれば、19 条に違反しない。

以上から、正しいものは(イ)(ウ)であり、正解は(3)となる。

MEMO

5b－1(22－2)　信教の自由・政教分離

政教分離の原則に関する次の(ア)から(オ)までの記述のうち、判例の趣旨に照らし正しいものは、幾つあるか。

(ア)　憲法が政教分離の原則を規定しているのは、基本的人権の一つである信教の自由を強化ないし拡大して直接保障することを明らかにしたものである。

(イ)　政教分離規定の保障の対象となる国家と宗教との分離には、一定の限界があり、国が宗教団体に対して補助金を支出することが憲法上許されることがある。

(ウ)　憲法第 20 条において国及びその機関がすることを禁じられている「宗教的活動」とは、宗教の布教、強化、宣伝等を目的とする積極的行為に限られず、単なる宗教上の行為、祝典、儀式又は行事を含む一切の宗教的行為を指す。

(エ)　憲法第 89 条において公の財産の支出や利用提供が禁止されている「宗教上の組織若しくは団体」とは、特定の宗教の信仰、礼拝又は普及等の宗教的活動を行うことを目的とする組織や団体には限られず、宗教と何らかのかかわり合いのある行為を行っている全ての組織や団体を指す。

(オ)　ある特定の宗教法人に対して国が解散命令を発することは、国が当該宗教法人と密接にかかわることになるから、政教分離の原則に違反し、許されない。

(参考)
憲法
第 20 条　(略)
2　(略)
3　国及びその機関は、宗教教育その他いかなる宗教的活動もしてはならない。
第 89 条　公金その他の公の財産は、宗教上の組織若しくは団体の使用、便益若しくは維持のため、又は公の支配に属しない慈善、教育若しくは博愛の事業に対し、これを支出し、又はその利用に供してはならない。

(1)　1 個　　(2)　2 個　　(3)　3 個　　(4)　4 個　　(5)　5 個

学習記録	／	／	／	／	／	／	／	／	／

重要度　A	知識型		正解（1）

(ア)　誤　　憲法の政教分離規定は、いわゆる制度的保障の規定であって、信教の自由そのものを直接保障するものではなく、国家と宗教との分離を制度として保障することにより、間接的に信教の自由の保障を確保しようとするものである（最大判昭52.7.13・津地鎮祭事件）。

(イ)　正　　国家と宗教との分離といっても一定の限界はあり、福祉国家の理念から宗教へ一定の給付を行わなければならず、国家と宗教とのかかわり合いを一切排除することはできない。そのため、宗教団体設置の私立学校への補助金支出や神社等の文化財保護のための宗教団体への補助金支出などが、後述の肢(ウ)の目的効果基準に照らし憲法上許されることがある（最大判昭52.7.13・津地鎮祭事件）。

(ウ)　誤　　20条3項が禁止する「宗教的活動」とは、およそ国及びその機関の活動で宗教とのかかわり合いを持つ全ての行為を指すものではなく、そのかかわり合いが相当とされる限度を超えるものに限られ、当該行為の目的が宗教的意義を持ち、その効果が宗教に対する援助、助長、促進又は圧迫、干渉等になるような行為をいう（最大判昭52.7.13・津地鎮祭事件）。

(エ)　誤　　89条にいう「宗教上の組織若しくは団体」とは、宗教と何らかのかかわり合いのある行為を行っている組織ないし団体の全てを意味するものではなく、特定の宗教の信仰、礼拝又は普及等の宗教的活動を行うことを本来の目的とする組織ないし団体を指す（最判平5.2.16・箕面忠魂碑訴訟）。

(オ)　誤　　宗教法人の解散命令の制度は、専ら世俗的目的によるものであって、宗教団体や信者の精神的・宗教的側面に容かいする意図によるものではなく、解散命令によって宗教団体やその信者の宗教上の行為に支障が生じても間接的で事実上のものにすぎず、必要でやむを得ない法的規制であるから、20条1項に反しない（最決平8.1.30・宗教法人オウム真理教解散命令事件）。

以上から、正しいものは(イ)の1個であり、正解は(1)となる。

5c－1(R2－1)　表現の自由

表現の自由に関する次の(ア)から(オ)までの記述のうち、判例の趣旨に照らし誤っているものの組合せは、後記(1)から(5)までのうち、どれか。

(ア)　公務員及びその家族が私的生活を営む場所である集合住宅の共用部分及び敷地に管理権者の意思に反して立ち入ることは、それが政治的意見を記載したビラの配布という表現の自由の行使のためであっても許されず、当該立入り行為を刑法上の罪に問うことは、憲法第21条第1項に違反するものではない。

(イ)　著しく性的感情を刺激し、又は著しく残忍性を助長するため、青少年の健全な育成を阻害するおそれがあると認められる図書について、自動販売機への収納を禁止し、処罰する条例の規制は、成人に対する関係では、表現の自由に対する必要やむを得ない制約とはいえないものとして、憲法第21条第1項に違反する。

(ウ)　様々な意見、知識、情報に接し、これを摂取することを補助するためにする筆記行為の自由は、憲法第21条第1項の規定によって直接保障されている表現の自由そのものとは異なるものであるから、その制限又は禁止には、表現の自由に制約を加える場合に一般に必要とされる厳格な基準が要求されるものではない。

(エ)　集会の用に供される公共施設につき、公の秩序を乱すおそれがある場合には使用を許可してはならないとする条例の規制は、「公の秩序を乱すおそれがある場合」について、集会の自由を保障することの重要性よりも、集会の開催により人の生命、身体又は財産が侵害され、公共の安全が損なわれる危険を回避し、防止することの必要性が優越する場合をいうものと限定して解釈し、その危険の程度としては、明らかな差し迫った危険が発生することが具体的に予見されることが必要であると解する限り、憲法第21条第1項に違反するものではない。

(オ)　一定の記事を掲載した雑誌その他の出版物の印刷、製本、販売、頒布等の仮処分による事前差止めは、憲法第21条第2項前段が絶対的に禁止する検閲に該当するものであり、許されない。

(参考)
憲法
第21条　集会、結社及び言論、出版その他一切の表現の自由は、これを保障する。
2　検閲は、これをしてはならない。通信の秘密は、これを侵してはならない。

(1)　(ア)(イ)　(2)　(ア)(エ)　(3)　(イ)(オ)　(4)　(ウ)(エ)　(5)　(ウ)(オ)

学習記録	／	／	／	／	／	／	／	／	／

MEMO

重要度　A	知識型		正解（3）

(ア) 正　政治的意見を記載したビラを配布するため、集合住宅の共用部分に立ち入った行為に刑法130条を適用したことが21条１項に違反しないかが争われた事案について、判例は、21条１項は、表現の自由を絶対無制限に保障したものではなく、公共の福祉のため必要かつ合理的な制限を是認するものであって、表現の手段が他人の権利を不当に害するようなものは許されないとし、政治的意見を記載したビラの配布をするため、一般に人が自由に出入りすることのできない集合住宅の共用部分に管理権者の意思に反して立ち入ることは、管理権者の管理権とそこで私的生活を営む者の私生活の平穏を侵害するものであるから、その立入り行為に刑法を適用してその立ち入った者を処罰することは、21条１項に違反しないとした（最判平20.4.11）。

(イ) 誤　著しく性的感情を刺激し、又は著しく残忍性を助長するため、青少年の健全な育成を阻害するおそれがあると認められる図書を有害図書と指定し、有害図書の自動販売機への収納を禁止する県の条例の規制の合憲性について争われた事案について、判例は、有害図書の自動販売機への収納の禁止は、青少年に対する関係において、21条１項に違反しないことはもとより、成人に対する関係においても、有害図書の流通を幾分制約することにはなるものの、青少年の健全な育成を阻害する有害環境を浄化するための規制に伴う必要やむをえない制約であるから、21条１項に違反するものではないとした（最判平1.9.19・岐阜県青少年保護育成条例事件）。

(ウ) 正　法廷で傍聴人がメモを取る自由が認められるかが争われた事案について、判例は、さまざまな意見、知識、情報に接し、これを摂取することを補助するものとしてなされる限り、筆記行為の自由は、21条１項の規定の精神に照らして尊重されるべきであるとした上で、筆記行為の自由は、21条１項によって直接保障されている表現の自由とは異なって、その制限又は禁止については、表現の自由に制約を加える場合に一般に必要とされる厳格な基準が要求されるものではないとした（最大判平1.3.8・レペタ事件）。

(エ) 正　空港建設に反対する集会の開催を目的とする市民会館使用の不許可処分に対して国家賠償請求がなされた事案について、判例は、使用不許可事由として市条例の定める「公の秩序を乱すおそれがある場合」とは、会館における集会の自由を保障することの重要性よりも、会館で集会が開かれることによって、人の生命、身体、財産が侵害され、公共の安全が損なわれる危険を回避し、防止することの必要性が優越する場合をいうものと限定して解すべきであり、その危険性の程度としては、単に危険な事態を生ずる蓋然性があるというだけでは足りず、明らかな差し迫った危険の発生が具体的に予見されることが必要であると解する限り、不許可事由を定めた条例の規制は、21条1項に違反しないとした（最判平7.3.7・泉佐野市民会館事件）。

(オ)　誤　　裁判所の行う出版物の事前差止めが、21条に違反しないかが争われた事案について、判例は、21条2項前段にいう検閲とは、行政権が主体となって、思想内容等の表現物を対象とし、その全部又は一部の発表の禁止を目的として、対象とされる一定の表現物につき、網羅的一般的に、発表前にその内容を審査した上、不適当と認めるものの発表を禁止することを、その特質として備えるものを指すとし、仮処分による事前差止めは、表現物の内容の網羅的一般的な審査に基づく事前規制が行政機関によりそれ自体を目的として行われる場合とは異なり、個別的な私人間の紛争について、司法裁判所により、当事者の申請に基づき差止請求権等の私法上の被保全権利の存否、保全必要性の有無を審理判断して発せられるものであり、検閲には当たらないとした（最大判昭61.6.11・北方ジャーナル事件）。

以上から、誤っているものは(イ)(オ)であり、正解は(3)となる。

MEMO

5c－2(R6－1)　表現の自由

表現の自由に関する次の(ア)から(オ)までの記述のうち、判例の趣旨に照らし誤っているものの組合せは、後記(1)から(5)までのうち、どれか。

(ア)　公務員又は公職選挙の候補者に対する評価、批判等の表現行為について、その表現内容が真実でなく、又はそれが専ら公益を図る目的のものでないことが明白であって、かつ、被害者が重大にして著しく回復困難な損害を被るおそれがある場合には、当該表現行為の事前差止めを認めても憲法第21条第1項に違反するものではない。

(イ)　公職の選挙に関し戸別訪問を禁止する目的は、戸別訪問という手段方法がもたらす弊害を防止し、もって選挙の自由と公正を確保するという正当なものであるが、一律に戸別訪問を禁止することは、合理的でやむを得ない限度を超えて意見表明の自由を制約するものであり、当該目的との間に合理的な関連性があるということができず、憲法第21条第1項に違反する。

(ウ)　報道機関が、取材の目的で、公務員に対し、国家公務員法で禁止されている秘密漏示行為をするようそそのかす行為は、その手段・方法にかかわらず正当な取材活動の範囲を逸脱するものであるから、これを処罰しても、憲法第21条の趣旨に反しない。

(エ)　公務員及びその家族が私的生活を営む場所であり一般に人が自由に出入りすることのできる場所ではない集合住宅の共用部分及び敷地に管理権者の意思に反して立ち入ることは、それが政治的意見を記載したビラの配布という表現の自由の行使のためであっても許されず、当該立入り行為を刑法上の罪に問うことは、憲法第21条第1項に違反するものではない。

(オ)　傍聴人が法廷においてメモを取ることは、その見聞する裁判を認識、記憶するためになされるものである限り、憲法第21条第1項の規定の精神に照らして尊重されるべきであり、理由なく制限することはできない。

(参考)
憲法
第21条　集会、結社及び言論、出版その他一切の表現の自由は、これを保障する。
2　検閲は、これをしてはならない。通信の秘密は、これを侵してはならない。

(1)　(ア)(エ)　(2)　(ア)(オ)　(3)　(イ)(ウ)　(4)　(イ)(オ)　(5)　(ウ)(エ)

学習記録									
	／	／	／	／	／	／	／	／	／

重要度　A	知識型		正解（3）

(ア)　正　　判例は、表現行為に対する事前抑制は、憲法21条の趣旨に照らし、厳格かつ明確な要件のもとにおいてのみ許容されるものであり、とりわけ公務員又は公職選挙の候補者に対する評価、批判等の表現行為に関するものである場合には、原則として事前差止めは許されないとした（最大判昭61.6.11・北方ジャーナル事件）。その上で、表現内容が真実でなく、又はそれが専ら公益を図る目的のものでないことが明白であって、かつ、被害者が重大にして著しく回復困難な損害を被るおそれがあるときは、例外的に事前差止めが許されるとした（同判例）。

(イ)　誤　　戸別訪問を一律に禁止する公職選挙法の規定は、買収や利益誘導等の弊害を防止し、選挙の自由と公正を確保するという正当な目的を有し、当該目的と当該規定との間には合理的関連性があり、また、当該規定により失われる戸別訪問による意見表明の自由という利益よりも、選挙の自由と公正という得られる利益の方がはるかに大きいため、当該規定は合理的で必要やむを得ない限度を超えておらず、憲法21条に違反するものではない（最判昭56.6.15）。

(ウ)　誤　　報道機関の取材の手段・方法が、贈賄、脅迫、強要などの一般の刑罰法令には触れなくても、取材対象者の個人としての人格の尊厳を著しく蹂躙する等法秩序全体の精神に照らして社会観念上是認することができない態様のものである場合には、正当な取材行為の範囲を逸脱し、国家公務員法との関係で違法性を帯びる（最決昭53.5.31・外務省秘密漏洩事件）。

(エ)　正　　憲法21条1項は、表現の自由を絶対無制限に保障したものではなく、公共の福祉のため必要かつ合理的な制限を是認するものであって、たとえ思想を外部に発表するための手段であっても、その手段が他人の権利を不当に害するようなものは許されないとし、政治的意見を記載したビラの配布をするため、一般に人が自由に出入りすることのできない集合住宅の共用部分及びその敷地に管理権者の意思に反して立ち入ることは、管理権者の管理権とそこで私的生活を営む者の私生活の平穏を侵害するものであるから、当該立入者に刑法130条前段を適用して処罰することは、憲法21条1項に違反しない（最判平20.4.11）。

(オ)　正　　判例は、各人が自由にさまざまな意見、知識、情報に接し、これを摂取することを補助するものとしてなされる限り、筆記行為の自由は、憲法21条1項の規定の精神に照らして尊重されるべきであるとした（最大判平1.3.8・レペタ事件）。その上で、傍聴人が法廷においてメモを取ることは、その見聞する裁判を認識、記憶するためになされるものである限り、尊重に値し、故なく妨げられてはならないとした（同判例）。

以上から、誤っているものは(イ)(ウ)であり、正解は(3)となる。

5d－1(26－1)　検閲、通信の秘密

検閲に関する次の(ア)から(オ)までの記述のうち、判例の趣旨に照らし正しいものの組合せは、後記(1)から(5)までのうち、どれか。

(ア)　検閲とは、表現行為に先立ち公権力が何らかの方法でこれを抑制すること及び実質的にこれと同視することができる影響を表現行為に及ぼす規制方法をいう。

(イ)　検閲の禁止は、絶対的禁止を意味するものではなく、検閲に当たる場合であっても、厳格かつ明確な要件の下で検閲が許容される場合はあり得る。

(ウ)　裁判所の仮処分による出版物の事前差止めは、訴訟手続を経て行われるものではなく、争いのある権利関係を暫定的に規律するものであって、非訟的な要素を有するものであるから、検閲に当たる。

(エ)　教科用図書の検定は、不合格となった図書をそのまま一般図書として発行することを何ら妨げるものではないから、検閲には当たらない。

(オ)　書籍や図画の輸入手続における税関検査は、事前に表現物の発表そのものを禁止するものではなく、関税徴収手続に付随して行われるものであって、思想内容それ自体を網羅的に審査し、規制することを目的とするものではない上、検査の主体となる税関も思想内容の規制をその独自の使命とする機関ではなく、当該表現物に関する税関長の通知につき司法審査の機会が与えられているから、検閲には当たらない。

(1)　(ア)(イ)　　(2)　(ア)(エ)　　(3)　(イ)(ウ)　　(4)　(ウ)(オ)　　(5)　(エ)(オ)

学習記録	／	／	／	／	／	／	／	／	／

重要度　A	知識型		正解（5）

(ア)　誤　　判例は、「検閲」とは、行政権が主体となって、思想内容等の表現物を対象とし、その全部又は一部の発表の禁止を目的として、対象とされる一定の表現物につき、網羅的一般的に、発表前にその内容を審査した上、不適当と認めるものの発表を禁止することを、その特質として備えるものを指すとしている（最大判昭59.12.12・税関検査事件判決）。したがって、検閲の主体を行政権に限定していない点、及び規制方法を上記のように限定していない点で、本肢は誤っている。

(イ)　誤　　判例は、検閲の禁止は、公共の福祉を理由とする例外を許容しない、絶対的禁止と解すべきであるとしている（最大判昭59.12.12・税関検査事件判決）。

(ウ)　誤　　判例は、裁判所の仮処分による出版物の事前差止めの検閲該当性につき、税関検査事件判決（最大判昭59.12.12）における検閲の定義を引用した上で、仮処分による事前差止めは、個別的な私人間の紛争について、司法裁判所により、当事者の申請に基づき差止請求権等の私法上の被保全権利の存否、保全の必要性の有無を審理判断して発せられるものであるから、検閲には当たらないとしている（最大判昭61.6.11・北方ジャーナル事件）。

(エ)　正　　判例は、教科書検定は一般図書としての発行を妨げるものではなく、発表禁止目的や発表前の審査などの特質がないから、検閲には当たらないとしている（最判平5.3.16・第1次家永教科書事件）。

(オ)　正　　判例は、税関検査に関して、輸入を禁止される表現物は、国外において既に発表済みのものであるし、税関により没収、廃棄されるわけではないから、発表の機会が事前に全面的に奪われているわけではないこと、また、税関検査は関税徴収手続に付随して行われるもので、思想内容等それ自体を網羅的に審査し規制することを目的とするものではないこと、税関長の通知がされたときは司法審査の機会が与えられているのであって、行政権の判断が最終的なものとされているわけではないことを理由として、検閲には当たらないとしている（最大判昭59.12.12・税関検査事件判決）。

以上から、正しいものは(エ)(オ)であり、正解は(5)となる。

5e－1（R6－2）　学問の自由・大学の自治

学問の自由及び教育の自由に関する次の㋐から㋔までの記述のうち、判例の趣旨に照らし正しいものの組合せは、後記⑴から⑸までのうち、どれか。

㋐　普通教育における教師には、大学教育における場合に認められるのと同程度の教授の自由が認められる。

㋑　研究発表の自由は、表現の自由の一部であるが、学問の自由によっても保障される。

㋒　親は、子の将来に関して最も深い関心を持ち、かつ、配慮をすべき立場にある者として、憲法上、子の教育の自由を有する。

㋓　教科書検定による審査が、単なる誤記、誤植等の形式的なものにとどまらず、教育内容に及び、かつ、普通教育の場において検定に合格した教科書の使用義務を課す場合には、教科書検定制度は、学問の自由を保障した憲法に違反する。

㋔　大学における学生の集会は、真に学問的な研究又はその結果の発表のためのものではなく、実社会の政治的社会的活動に当たる行為をする場合であっても、大学の有する特別の学問の自由と自治を享有し、当該集会に警察官が立ち入ることは大学の学問の自由と自治を侵害する。

(1)　㋐㋑　　(2)　㋐㋔　　(3)　㋑㋒　　(4)　㋒㋓　　(5)　㋓㋔

学習記録	／	／	／	／	／	／	／	／	／

重要度　A	知識型		正解（3）

(ア)　誤　　教授の自由は、普通教育における教師にも、一定の範囲において保障され、教授の具体的内容及び方法についてもある程度自由な裁量が認められるが、普通教育においては、児童生徒に教授内容を批判する能力がなく、教師が児童生徒に強い影響力、支配力を有しており、また、子どもの側に学校や教師を選択する余地が乏しく、教育の機会均等をはかる上からも全国的に一定の水準を確保すべき強い要請があることなどから、普通教育における教師に完全な教授の自由を認めることは、到底許されない（最大判昭51.5.21・旭川学テ事件）。

(イ)　正　　学問の自由は、学問的研究の自由とその研究結果の発表の自由を含む（最大判昭38.5.22・ポポロ事件）。また、研究発表の自由は、外面的精神活動の自由である表現の自由の一部であるが、学問の自由（23）によっても保障されていると解すべきである。

(ウ)　正　　親は、子どもに対する自然的関係により、子どもの将来に対して最も深い関心をもち、かつ、配慮をすべき立場にある者として、子どもの教育に対する一定の支配権、すなわち子女の教育の自由を有すると認められる（最大判昭51.5.21・旭川学テ事件）。

(エ)　誤　　判例は、教科書検定による審査は、単なる誤記、誤植等の形式的なものにとどまらず、記述の実質的な内容、すなわち教育内容に及ぶものであるとし、また、学校においては検定を経た教科書を使用する義務があることを定めた規定が本件検定の根拠規定とみることができるとしている（最判平5.3.16）。その上で、「教科書は、教科課程の構成に応じて組織排列された教科の主たる教材として、普通教育の場において使用される児童、生徒用の図書であって、学術研究の結果の発表を目的とするものではなく、本件検定は、申請図書に記述された研究結果が、たとい執筆者が正当と信ずるものであったとしても、いまだ学界において支持を得ていなかったり、あるいは当該学校、当該教科、当該科目、当該学年の児童、生徒の教育として取り上げるにふさわしい内容と認められない場合に、教科書の形態における研究結果の発表を制限するにすぎない」として憲法23条の規定に違反しないと判断した（同判例）。

(オ)　誤　　学生の集会が、真に学問的な研究又はその結果の発表のためのものではなく、実社会の政治的社会的活動であり、かつ、公開の集会またはこれに準じるものであるときには、大学の有する特別の学問の自由と自治を享有しないため、このような集会に警察官が立ち入ったことは、大学の学問の自由と自治を侵すものではないとした（最大判昭38.5.22・ポポロ事件）。

以上から、正しいものは(イ)(ウ)であり、正解は(3)となる。

6a－1(23－1)　居住・移転・国籍離脱の自由

次の対話は、海外渡航の自由に関する教授と学生ＡからＥまでとの対話である。教授の質問に対する次の(ア)から(オ)までの学生の解答のうち、判例の趣旨に合致するものは、幾つあるか。

教　授：　海外渡航の自由が憲法上保障されるという点については学説上争いがありませんが、その根拠規定についてどのように考えますか。

学生Ａ：(ア)　私は、憲法第22条第２項で保障されている「外国移住」の自由と「国籍離脱」の自由のうち、「国籍離脱」の自由に含まれると考えます。日本国の主権から永久に離脱する自由を認める以上、日本国の主権の保護を受けながら一時的に日本国外に渡航する自由が含まれるのは当然だからです。

学生Ｂ：(イ)　私は、憲法第22条第２項ではなく、一般的な自由又は幸福追求の権利の一部として、憲法第13条により保障されると考えます。旅行の自由は、単なる移動の自由ではなく、国の内外を問わず、旅行地の文化や人々との交流が人格形成に多大な影響を及ぼすという精神的自由の側面を有しているからです。

教　授：　それでは、海外渡航の自由を制限することはできますか。

学生Ｃ：(ウ)　私は、海外渡航の自由は、憲法第22条第２項が根拠規定だと考えますが、憲法第22条第２項は、憲法第13条や憲法第22条第１項と異なり、「公共の福祉に反しない限り」という文言がありませんので、海外渡航の自由を制限することはできないと考えます。

学生Ｄ：(エ)　私は、海外渡航の自由といえども、無制限のままに許されるものではなく、公共の福祉のために合理的な制限に服するものと考えます。

教　授：　それでは、一定の場合に外務大臣が旅券の発給を拒否することができることを定める旅券法第13条第１項第７号の合憲性について、どのように考えますか。

学生Ｅ：(オ)　結論として、合憲であると考えます。旅券法第13条第１項第７号は、明白かつ現在の危険が存在する場合に限って旅券の発給を拒否していると解されますので、このように旅券の発給を拒否することができる場合を限定的に解すれば、憲法に違反するとはいえないと考えます。

(参考)

憲法

第13条　すべて国民は、個人として尊重される。生命、自由及び幸福追求に対する国民の権利については、公共の福祉に反しない限り、立法その他の国政の上で、最大の尊重を必要とする。

第22条　何人も、公共の福祉に反しない限り、居住、移転及び職業選択の自由を有する。

2　何人も、外国に移住し又は国籍を離脱する自由を侵されない。

旅券法

（一般旅券の発給等の制限）

第13条　外務大臣又は領事官は、一般旅券の発給又は渡航先の追加を受けようとする者が次の各号のいずれかに該当する場合には、一般旅券の発給又は渡航先の追加をしないことができる。

一～六（略）

七　前各号に掲げる者を除くほか、外務大臣において、著しく、かつ、直接に日本国の利益又は公安を害する行為を行うおそれがあると認めるに足りる相当の理由がある者

2　（略）

(1)　1個　　(2)　2個　　(3)　3個　　(4)　4個　　(5)　5個

学習記録	／	／	／	／	／	／	／	／	／

MEMO

重要度　A　知識型　　**正解（1）**

(ア)　判例の趣旨に合致しない　　海外渡航の自由の憲法上の根拠規定につき、判例は、帆足計事件（最大判昭 33.9.10）で 22 条２項に根拠を求め、「外国に移住」するとの文言には外国に住所を移すことのほか、一時的な海外渡航の自由も当然に含まれると解している。

(イ)　判例の趣旨に合致しない　　(ア)の解説のとおり、判例は、海外渡航の自由の憲法上の根拠規定を 22 条２項に求めている。なお、帆足計事件（最大判昭 33.9.10）では、13 条の一般的自由又は幸福追求権を根拠とする見解が補足意見として示されているが、多数意見ではない。

(ウ)　判例の趣旨に合致しない　　22 条２項には、「公共の福祉に反しない限り」との文言はないが、上記判例は「海外旅行の自由といえども無制限のままに許されるものではなく、公共の福祉のために合理的な制限に服するものと考えるべきである。」としている。

(エ)　判例の趣旨に合致する　　(ウ)の解説のとおり、判例は、「海外渡航の自由といえども無制限のままに許されるものではなく、公共の福祉のために合理的な制限に服するものと考えるべきである」としている。

(オ)　判例の趣旨に合致しない　　上記判例は、旅券法 13 条１項７号を合憲としているが、「日本国の利益又は公安を害する行為を将来行う虞れがある場合においても、なおかつその自由を制限する必要のある場合のあり得ることは明らかであるから、同条をことさら所論のごとく『明白かつ現在の危険がある』場合に限ると解すべき理由はない」としている。

以上から、判例の趣旨に合致するものは(エ)の１個であり、正解は(1)となる。

6b－1(29－1)　職業選択の自由・経済活動の自由

次の文章は、職業選択の自由に対する規制の合憲性判断の手法についての文章である。(　　)の中に適切な語句を挿入して文章を完成させた場合に、(　①　)から(　③　)までに入る語句の組合せとして最も適切なものは、後記(1)から(5)までのうち、どれか。

職業選択の自由に対する規制については、国民の生命・健康に対する危険を防止又は除去若しくは緩和するための(　　)目的規制と社会公共の便宜を促進し社会的・経済的弱者を保護するための(　　)目的規制に区別し、(　①　)目的規制の場合には(　　)目的規制の場合よりも規制立法の合憲性を厳格に審査すべきであるとの考え方がある。

この考え方に対しては、例えば、(　　)目的規制と(　　)目的規制の両面の要素を有する場合があることや、公衆浴場の適正配置規制に関する判例のように従来は(　②　)目的規制と捉えられたものが事情の変化によって(　　)目的規制と解されるようになる場合があることなど、(　　)目的規制か(　　)目的規制かの区別は相対的であるとの指摘があるほか、判例の中にも、酒類販売業の免許制について、(　　)目的規制か(　　)目的規制かを明らかにすることなく、租税の適正かつ確実な賦課徴収を図るという財政目的による規制であるとした上、(　③　)ものがある。

(1)　①積極
②積極
③その必要性と合理性についての立法府の判断が著しく不合理でないかの検討が必要であるとした

(2)　①積極
②積極
③より緩やかな規制手段で同じ目的を達成することができるかの検討が必要であるとした

(3)　①消極
②積極
③より緩やかな規制手段で同じ目的を達成することができるかの検討が必要であるとした

(4)　①消極
②消極
③その必要性と合理性についての立法府の判断が著しく不合理でないかの検討が必要であるとした

(5)　①消極
②消極
③より緩やかな規制手段で同じ目的を達成することができるかの検討が必要であるとした

学習記録	／	／	／	／	／	／	／	／	／

MEMO

重要度　C	推論型		正解（4）

①についての検討

職業選択の自由は、経済的自由権の一つとして、22条1項により保障される。しかし、職業選択の自由も、一定の社会的諸関係の中で成立する自由である以上、社会的性質に基づく内在的制約に服し、その自由が制限されることがある。この点、当該自由を制限するについては、当該自由を制限することとなる規制が、国民の生命・健康に対する危険の防止等という消極（警察）目的によるものであるのか、社会公共の便宜の促進、社会的・経済的弱者の保護等という積極（政策）目的によるものであるのかを区別し、積極（政策）目的の規制については、立法者による法的規制措置が著しく不合理であることが明白である場合に限って違憲とする「明白の原則」を、消極（警察）目的の規制については、一定の害悪発生の危険が存在することを前提として、その害悪発生の防止のためにとられる規制措置が必要最小限のものであるか否かを厳密に審査する「厳格な合理性の基準」をそれぞれ適用することにより、その規制の合憲性を判断するとの見解（規制目的二分論）がある。すなわち、この見解は、消極（警察）目的規制の場合は、積極（政策）目的規制の場合よりも規制立法の合憲性を厳格に審査すべきであると解している。したがって、①には「消極」が入る。なお、規制目的二分論を採用している判決としては、小売市場事件判決（最大判昭47.11.22）や薬事法事件判決（最大判昭50.4.30）が挙げられる。

②についての検討

公衆浴場の適正配置規制に関し、最高裁は、当初、公衆浴場の設立を業者の自由に委ねると、その偏在により多数の国民の公衆浴場の利用に不便を来すおそれがあり、また、その濫立により、浴場経営に無用の競争を生じさせ、その経営を経済的に不合理ならしめ、ひいては浴場の衛生設備の低下という影響を来すおそれがあるとし、このような事態を国民保健及び環境衛生を保持する上から防止するために、公衆浴場の配置が適正を欠くことを理由としてその経営の許可を与えないことができる旨の規定を設けることは22条に反しないとしていた（最大判昭30.1.26）。すなわち、当該判決は、公衆浴場の適正配置規制は、「国民保健及び環境衛生」という、消極（警察）目的による規制と捉えていたといえる。しかし、最高裁は、その後、適正配置規制は、公衆浴場業者が経営の困難から廃業や転業をすることを防止する積極（政策）目的の規制であるとした上、当該規制は合憲であるとの判断を示した（最判平1.1.20）。更に、消極（警察）目的と、積極（政策）目的とを併有することを理由として、合憲とする判例も出ている（最判平1.3.7）。このような判例の流れから、積極目的・消極目的の区別は相対的なものであると解されている。したがって、②には「消極」が入る。

③についての検討

酒類販売業の免許制による規制につき、最高裁は、一般に許可制は、職業の自由に対する強力な制限であるから、その合憲性を肯定し得るためには、原則として、重要な公共の利益のために必要かつ合理的な措置であることを要するとしつつ、租税は、国家の財政需要を充足するという本来の機能に加え、所得の再分配、資源の適正配分、景気の調整等の諸機能をも有しており、国民の租税負担を定めるについて、財政・経済・社会政策等の国政全般からの総合的な政策判断を必要とするばかりでなく、課税要件等を定めるについて、極めて専門技術的な判断を必要とすることから、租税の適正かつ確実な賦課徴収を図るという国家の財政目的のための職業の許可制による規制については、その必要性と合理性についての立法府の判断が、右の政策的、技術的な裁量の範囲を逸脱するもので、著しく不合理なものでない限り、これを22条１項の規定に違反するものということはできないとの判断基準を示した上、「酒税の適正かつ確実な賦課徴収を図るという国家の財政目的」のために採用された酒類販売業者の免許制を合憲とした（最判平4.12.15）。なお、この判例では、「酒税の適正かつ確実な賦課徴収」という規制目的が消極目的・積極目的のいずれに該当するか明言していない。したがって、③には「その必要性と合理性についての立法府の判断が著しく不合理でないかの検討が必要であるとした」が入る。

以上から、①から③までに入る語句は、①消極、②消極、③その必要性と合理性についての立法府の判断が著しく不合理でないかの検討が必要であるとした、であり、正解は(4)となる。

MEMO

6c－1(24－1)　財産権の保障

財産権に関する次の(ア)から(オ)までの記述のうち、判例の趣旨に照らし正しいものの組合せは、後記(1)から(5)までのうちどれか。

(ア)　憲法第29条第１項は、私有財産制度を保障しているのみでなく、社会的経済的活動の基礎を成す国民の個々の財産権につき、これを基本的人権として保障した規定である。

(イ)　財産権を制限する法律は、職業選択の自由に対する社会経済政策上の積極的な目的の規制と同様に、立法府がその裁量権を逸脱し、その規制が著しく不合理であることが明白である場合に限り、違憲無効となる。

(ウ)　憲法第29条第３項の「正当な補償」とは、完全な補償を意味するものであって、その当時の経済状態において成立すると考えられる価格に基づき合理的に算出された相当な額は「正当な補償」ということはできない。

(エ)　憲法第29条第３項「補償」を要する場合とは、特定の人に対し、特別に財産上の犠牲を強いる場合をいい、公共の福祉のためにする一般的な制限である場合には、原則的には、「補償」を要しない。

(オ)　憲法上補償が必要とされる場合であるにもかかわらず、財産権の制限を規定した法律が補償に関する規定を欠いているときは、当該法律は、当然に違憲無効となる。

(参考)
憲法
第29条　財産権は、これを侵してはならない。
２　財産権の内容は、公共の福祉に適合するやうに、法律でこれを定める。
３　私有財産は、正当な補償の下に、これを公共のために用ひることができる。

(1)　(ア)(ウ)　　(2)　(ア)(エ)　　(3)　(イ)(ウ)　　(4)　(イ)(オ)　　(5)　(エ)(オ)

学習記録	／	／	／	／	／	／	／	／	／

経済的自由権

重要度　A	知識型		正解（2）

㈠ 正　　判例は、「29条は、私有財産制度を保障しているのみではなく、社会的経済的活動の基礎をなす国民の個々の財産権につきこれを基本的人権として保障する。」としている（最判昭62.4.22・森林法共有林事件）。

㈡ 誤　　上記判例は、「財産権規制の目的について、社会公共の便宜の促進、経済的弱者の保護等の…積極的なものから、…消極的なものに至るまで多岐にわたるため、種々様々でありうるのである。」とし、「規制目的が前示のような社会的理由ないし目的にでたとはいえないとして公共の福祉に合致しないことが明らかであるか、又は規制目的が公共の福祉に合致するものであっても規制手段が右目的を達成するための手段として必要性若しくは合理性に欠けることが明らかであって、そのために立法府の判断が合理的裁量の範囲を超えるものとなる場合にかぎり」当該規制が29条に反するとしている。同判例に対しては、職業選択の自由のような消極・積極目的二分論によることなく違憲性を審査したものと評価されている。したがって、財産権を制限する法律の違憲性を職業選択の自由に対する規制と同様の審査基準で判断するとしている点で、本肢は誤っている。

㈢ 誤　　判例は、「29条3項にいうところの財産権を公共の用に供する場合の正当な補償とは、その当時の経済状態において成立することが考えられる価格に基き、合理的に算出された相当な額をいう」とする（最判昭28.12.23）。

㈣ 正　　判例は、原告の損失が補償の対象となるかについて、原告の被った「財産上の犠牲は、公共のために必要な制限によるものとはいえ、単に一般的に当然に受忍すべきとされる制限の範囲を超え、特別の犠牲を課したものと見る余地が全くないわけではなく、…その補償を請求することができるものと解する余地がある。」と判断している（最判昭43.11.27）。同判旨は、補償の要否に関し、当該制約が、特別の人に対し財産権に内在する社会的制約として受任すべき限度を超える特別の犠牲となる場合には補償を要するが、公共の福祉のためにする一般的な制限であれば補償を要しないと判断しているものといえる。

㈤ 誤　　財産権を制限する法令が、損失補償が必要であるにもかかわらず損失補償を認める規定を欠いている場合、当該法令は、29条3項に違反するか否かが問題となる。この点、河川付近地における砂利採取等を県知事の許可制とする河川附近地制限令4条2号による制限が、補償規定がないとして29条3項に違反するかが争われた事案について、判例は、「同条に損失補償に関する規定がないからといって、同条があらゆる場合について一切の損失補償を全く否定する趣旨とまでは解されず、その損失を具体的に主張立証して、別途直接29条3項を根拠にして、補償請求をする余地が全くないわけではないから、直ちに違憲無効の規定と解するべきではない。」とした（最大判昭43.11.27・河川附近地制限令事件）。

以上から、正しいものは(ア)(エ)であり、正解は(2)となる。

MEMO

7a－1（R2－2）　法定手続の保障

法定の手続の保障等に関する次の(ア)から(オ)までの記述のうち、判例の趣旨に照らし正しいものの組合せは、後記(1)から(5)までのうち、どれか。

(ア)「何人も、青少年に対し、淫行又はわいせつの行為をしてはならない。」とし、その違反者に対して刑罰を科す条例について、「淫行」の意義を青少年に対する性行為一般をいうものと解釈することは、通常の判断能力を有する一般人の理解に適うものであり、処罰の範囲が不当に広過ぎるとも不明確であるともいえないから、この条例は憲法第 31 条に違反しない。

(イ) 被告人以外の第三者の所有物の没収は、被告人に対する付加刑として言い渡され、その刑事処分の効果が第三者に及ぶものであるから、当該第三者についても告知、弁解、防御の機会を与えることが必要であり、その機会なくして第三者の所有物を没収することは、適正な法律手続によらないで財産権を侵害する制裁を科することにほかならないから、憲法第 31 条に違反する。

(ウ) 刑事裁判において、証人尋問に要する費用、すなわち証人の旅費、日当等は、全て国家がこれを支給すべきものであり、刑の言渡しを受けた被告人に訴訟費用としてその全部又は一部を負担させることは、憲法第 37 条第２項に違反する。

(エ) 個々の刑事事件について、審理の著しい遅延の結果、迅速な裁判を受ける被告人の権利が害せられたと認められる異常な事態が生じた場合には、裁判の遅延から被告人を救済する方法を具体的に定める法律が存在しなくても、憲法第 37 条第１項に基づいて、その審理を打ち切ることが認められる。

(オ) 憲法第 31 条の定める法定手続の保障は、刑事手続に関するものであるから、行政手続は、同条による保障の枠外にある。

（参考）
憲法
第 31 条　何人も、法律の定める手続によらなければ、その生命若しくは自由を奪はれ、又はその他の刑罰を科せられない。
第 37 条　すべて刑事事件においては、被告人は、公平な裁判所の迅速な公開裁判を受ける権利を有する。
2　刑事被告人は、すべての証人に対して審問する機会を充分に与へられ、又、公費で自己のために強制的手続により証人を求める権利を有する。
3　（略）

(1)　(ア)(エ)　　(2)　(ア)(オ)　　(3)　(イ)(ウ)　　(4)　(イ)(エ)　　(5)　(ウ)(オ)

学習記録	／	／	／	／	／	／	／	／	／

重要度　A	知識型		正解（4）

(ア) 誤　「何人も、青少年に対し、淫行又はわいせつの行為をしてはならない。」とし、その違反者に対して刑罰を科す条例の規定が31条に違反しないかが争われた事案について、判例は、当該規定にいう「淫行」とは、広く青少年に対する性行為一般をいうものと解すべきではなく、青少年を誘惑し、威迫し、欺罔し又は困惑させる等その心身の未成熟に乗じた不当な手段により行う性交又は性交類似行為のほか、青少年を単に自己の性的欲望を満足させるための対象として扱っているとしか認められないような性交又は性交類似行為をいうとした上で、このような解釈は通常の判断能力を有する一般人の理解にも適うものであり、「淫行」の意義をそのように解釈するときは、同規定につき処罰の範囲が不当に広過ぎるとも不明確であるともいえないから、当該条例の各規定が31条の規定に違反するものとはいえないとした（最大判昭60.10.23）。

(イ) 正　被告人の付加刑として第三者の所有物を没収することの合憲性が争われた事案について、判例は、第三者の所有物の没収は、被告人に対する付加刑として言い渡され、その刑事処分の効果が第三者に及ぶものであるから、当該第三者についても、告知、弁解、防御の機会を与えることが必要であって、その機会なくして第三者の所有物を没収することは、適正な法律手続によらないで、財産権を侵害する制裁を科することにほかならないため、31条及び29条に違反するとした（最大判昭37.11.28・第三者所有物没収事件）。

(ウ) 誤　判例によれば、37条２項の「公費で」とは、証人尋問に要する費用、すなわち、証人の旅費、日当等は、すべて国家がこれを支給することであって、これは、被告人が、訴訟の当事者たる地位にある限度において、防御が十分できるようにする趣旨であるが、有罪の判決を受けた場合にも、なおかつ被告人に対し証人の旅費、日当等を含めて訴訟費用を負担させてはならないという趣旨ではないとされる（最大判昭23.12.27）。

(エ) 正　判例は、37条１項の保障する迅速な裁判を受ける権利は、憲法の保障する基本的な人権の一つであり、同条項は、単に迅速な裁判を一般的に保障するために必要な立法上および司法行政上の措置をとるべきことを要請するにとどまらず、さらに個々の刑事事件について、現実にその保障に明らかに反し、審理の著しい遅延の結果、迅速な裁判を受ける被告人の権利が害されたと認められる異常な事態が生じた場合には、これに対処すべき具体的規定がなくても、その審理を打ち切るという非常救済手段をとるべきことをも認めている趣旨の規定であるとした（最大判昭47.12.20・高田事件）。

(オ) 誤　判例は、31条は、直接には刑事手続に関する規定であるが、行政手続が刑事手続でないとの理由のみでその全てが当然に31条の保障の枠外にあると判断することは相当でないとした（最大判平4.7.1・成田新法事件）。

以上から、正しいものは(イ)(エ)であり、正解は(4)となる。

8a−1(20−1)　生存権

次のＡ説からＣ説までは、生存権（憲法第 25 条第１項）の法的性格に関する見解である。次の㋐から㋔までの記述のうち、誤っているものの組合せは、後記(1)から(5)までのうちどれか。

Ａ説：　憲法第 25 条第１項は、国会に対してそこに規定された理念を実現するための政策的指針ないし政治的責務を定めたにとどまり、およそ法的な権利や裁判規範性を認めるものではない。
Ｂ説：　憲法第 25 条第１項は、これを具体化する法律の存在を前提として、当該法律に基づく訴訟において同条違反を主張することができ、その限りで法的権利を認めるものといえる。
Ｃ説：　憲法第 25 条第１項は、それ自体で裁判の基準となるのに十分に具体的な規定であり、その意味で直接国民に対し具体的権利を認めたものである。

㋐　憲法第25条第1項が生存権保障の方法や手続を具体的に定めていないこと、資本主義体制の下では自助の原則が妥当するということは、A説の根拠となり得る。

㋑「憲法第 25 条の規定の趣旨にこたえて具体的にどのような立法措置を講ずるかの選択決定は、立法府の広い裁量にゆだねられており、それが著しく合理性を欠き明らかに裁量の逸脱・濫用と見ざるをえないような場合を除き、裁判所が審査判断するのに適しない事柄である。」との見解は、A説の立場に立ったものである。

㋒　ある者が、生存権を保障する立法がされないため生存権が侵害されていると考える場合、B説及びC説のいずれの説によっても、憲法第 25 条第 1 項を直接の根拠として国の不作為の違憲性を裁判で争うことができる。

㋓　生活保護に関する法律の下で何らかの給付を受けている者が、当該法律の規定では、自己の生存権の保障として不十分であり、生存権が侵害されていると考える場合、B説及びC説のいずれの説によっても、憲法第 25 条第 1 項を根拠に当該法律の規定の違憲性を裁判で争うことができる。

㋔　C説の立場に立っても、生存権の保障をする具体的な立法がされない場合に、憲法第 25 条第 1 項を根拠として国に対して生活扶助費の給付を求めることまではできないとする結論を導くことが可能である。

（1）　㋐㋓　　（2）　㋐㋔　　（3）　㋑㋒　　（4）　㋑㋔　　（5）　㋒㋓

学習記録	／	／	／	／	／	／	／	／	／

社会権

重要度　C	推論型		正解（3）

生存権には、①国民各自が自らの手で健康で文化的な最低限度の生活を維持する自由を有し、国家はそれを阻害してはならないとする自由権的側面と、②国家に対してそのような営みの実現を求める社会権的側面とがあり、後者の側面については本問のような争いがある。A説は、25条は国の努力目標を定めたものであって、法的な意味での国民の権利ではないと説くものであり、これはプログラム規定説と呼ばれる。B説は、具体的な法律の制定を待って初めて裁判上25条違反を主張し得るとするものであり、これは抽象的権利説と呼ばれる。C説は、25条の規定は行政府を直接拘束するほどには明確ではないが、立法府を拘束するほどには明確であり、その範囲で裁判規範性を認め、国民が立法府に対し、その権利の内容にふさわしい立法を行うように請求することができるとするものであり、これは具体的権利説と呼ばれる。

㈠　正　　A説（プログラム規定説）は、権利の具体的内容とその実現方法が明確でないこと、資本主義体制の下ではそれを実現する実質的な前提を欠いていること、具体的な実施に必要な予算が国の財政政策等の問題として政府の裁量等に委ねられていることなどを根拠とする。

㈡　誤　　A説（プログラム規定説）は「およそ法的な権利や裁判規範性を認めるものではない」とするのに対し、本肢の見解は「具体的にどのような立法措置を講ずるかの選択決定…が著しく合理性を欠き明らかに裁量の逸脱・濫用と見ざるをえないような場合」には司法審査の可能性を認めており、その限りにおいて裁判規範性を肯定するものである（最判昭57.7.7・堀木訴訟）。したがって、A説（プログラム規定説）の立場に立ったものとはいえない。

㈢　誤　　B説（抽象的権利説）によれば、生存権を具体化する法律がなければ裁判上25条違反を主張し得ないのであるから、25条1項を直接の根拠として国の不作為の違憲性を裁判で争うことはできない。これに対して、C説（具体的権利説）によれば、25条の規定は立法府を拘束するほどには明確であると考えるので、法律が制定されていないという立法不作為の違憲確認訴訟を提起して争うことができる。

㈣　正　　B説（抽象的権利説）は、25条を具体化する法律の存在を前提として、その法律に基づく訴訟において同条違反を主張することが許されるとするのであるから、生活保護に関する法律がある以上、25条1項を根拠に当該法律の規定の違憲性を裁判で争うことができる。また、C説（具体的権利説）は、25条1項を、直接国民に対し具体的権利を認めたものと解するのであるから、25条1項を根拠に当該法律の規定の違憲性を裁判で争うことができる。

(オ)　正　　C説（具体的権利説）は、25条の規定は立法府を拘束するほどには明確であるが、行政府を拘束するほどには明確ではないと解されるので同条から行政府に対する具体的給付請求権が直接導かれるわけではなく、25条１項を根拠として国に対して生活扶助費の給付を求めることはできない。

以上から、誤っているものは(イ)(ウ)であり、正解は(3)となる。

MEMO

8d－1(R5－1)　社会権全般

社会権に関する次の(ア)から(オ)までの記述のうち、判例の趣旨に照らし誤っているものの組合せは、後記(1)から(5)までのうち、どれか。

(ア)　障害福祉年金支給対象者から在留外国人を除外することは、立法府の裁量の範囲に属する。

(イ)　憲法第25条は、直接個々の国民に対して具体的権利を与えたものではない。

(ウ)　憲法第25条に規定する「健康で文化的な最低限度の生活」の具体的内容は、その時々における文化の発達の程度、経済的・社会的条件、一般的な国民の生活の状況等との相関関係において判断されるべきものである。

(エ)　公務員は、憲法第28条に規定する「勤労者」に当たらず、労働基本権の保障を受けない。

(オ)　憲法第26条第２項後段に規定する「義務教育」の無償の範囲には、授業料だけでなく、教科書を購入する費用を無償とすることも含まれる。

(参考)
憲法
第25条　すべて国民は、健康で文化的な最低限度の生活を営む権利を有する。
２　国は、すべての生活部面について、社会福祉、社会保障及び公衆衛生の向上及び増進に努めなければならない。
第26条　(略)
２　すべて国民は、法律の定めるところにより、その保護する子女に普通教育を受けさせる義務を負ふ。義務教育は、これを無償とする。
第28条　勤労者の団結する権利及び団体交渉その他の団体行動をする権利は、これを保障する。

(1)　(ア)(イ)　　(2)　(ア)(ウ)　　(3)　(イ)(エ)　　(4)　(ウ)(オ)　　(5)　(エ)(オ)

学習記録	／	／	／	／	／	／	／	／	／

重要度　A	知識型		正解（5）

(ア)　正　　障害福祉年金の支給対象者から在留外国人を除外することが憲法に違反するかが争われた事案において、判例は、社会保障上の施策において在留外国人をどのように処遇するかは、特別の条約の存しない限り、国の政治的判断に委ねられており、限られた財源の下で福祉的給付を行うにあたっては、自国民を在留外国人より優先的に扱うことも許され、障害福祉年金の支給対象者から在留外国人を除外することは立法裁量の範囲に属する事柄と見るべきである(最判平1.3.2・塩見訴訟)。

(イ)　正　　憲法25条1項はすべての国民が健康で文化的な最低限度の生活を営み得るように国政を運営すべきことを国の責務として宣言したにとどまり、直接個々の国民に対して具体的権利を賦与したものではない（最大判昭42.5.24・朝日訴訟)。

(ウ)　正　　健康で文化的な最低限度の生活なるものは、抽象的な相対的概念であり、その具体的内容は、文化の発達、国民経済の進展に伴って向上するのはもとより、多数の不確定的要素を綜合考量してはじめて決定できるものである(最大判昭42.5.24・朝日訴訟)。

(エ)　誤　　労働基本権は、たんに私企業の労働者だけについて保障されるのではなく、公共企業体の職員はもとよりのこと、国家公務員や地方公務員も、憲法28条にいう勤労者にほかならない以上、原則的には、その保障を受ける(最大判昭41.10.26・全逓東京中郵事件)。

(オ)　誤　　憲法26条2項後段は、国が義務教育を提供するにつき有償としないことを定めたものであり、教育提供に対する対価とは授業料を意味するものと認められるから、同条項の無償とは授業料不徴収の意味と解するのが相当であるため、同規定は授業料のほかに、教科書、学用品その他教育に必要な一切の費用まで無償としなければならないことを定めたものと解することはできない(最大判昭39.2.26・教科書代金負担請求事件)。したがって、教科書を購入する費用を無償とすることも含まれるとする点で、本肢は誤っている。

以上から、誤っているものは(エ)(オ)であり、正解は(5)となる。

10−1(21−2)　参政権・請願権

公務員の選挙に関する次の㈠から㈥までの記述のうち、判例の趣旨に照らし正しいものの組合せは、後記⑴から⑸までのうちどれか。

㈠　選挙権は、国民主権に直結する極めて重要な憲法上の権利であるから、例えば、当選を得る目的で選挙人に対し金銭などを供与するなど一定の選挙犯罪を犯した者について法律の規定により選挙権や被選挙権を制限することは違憲である。

㈡　国外に居住していて国内の市町村の区域内に住所を有していない日本国民である在外国民についても、憲法によって選挙権が保障されており、国は、選挙の公正の確保に留意しつつ、その選挙権の行使を現実的に可能にするために、所要の措置を執るべき責務を負うが、選挙の公正を確保しつつそのような措置を執ることが事実上不能又は著しく困難であると認められる場合には、在外国民が選挙権を行使することができないこととなっても違憲とはいえない。

㈢　参議院地方選出議員についての選挙の仕組みには、事実上都道府県代表的な意義又は機能を有する要素が加味されており、このような選挙制度の仕組みの下では、選挙区間における選挙人の投票の価値の平等は、人口比例主義を基本とする選挙制度の場合と比較してより強く保障されなければならない。

㈣　戸別訪問は国民の日常的な政治活動として最も簡便で有効なもので、表現の自由の保障が強く及ぶ表現形態であり、買収等がされる弊害が考えられるとしてもそれは間接的なものであって戸別訪問自体が悪性を有するものではなく、それらの弊害を防止する手段が他にも認められるから、選挙に関し、いわゆる戸別訪問を一律に禁止することは違憲である。

㈥　公務員を選定、罷免することを国民の権利として保障する憲法第15条第1項は、被選挙権については明記していないが、選挙権の自由な行使と表裏の関係にある立候補の自由についても、同条同項によって基本的人権としての保障が及ぶ。

(参考)
憲法
第15条　公務員を選定し、及びこれを罷免することは、国民固有の権利である。
２～４　(略)

⑴　㈠㈣　　⑵　㈠㈥　　⑶　㈡㈢　　⑷　㈡㈥　　⑸　㈢㈣

学習記録	／	／	／	／	／	／	／	／	／

重要度　A	知識型		正解（4）

(ア) 誤　選挙権は、国民主権に直結する極めて重要な憲法上の権利である。しかし、選挙犯罪により選挙の公正を害し、選挙に関与させることが不適当と認められる者について、しばらく、被選挙権、選挙権の行使から遠ざけて選挙の公正を確保するとともに、本人の反省を促すことは相当である（最大判昭30.2.9）。したがって、一定の選挙犯罪を犯した者について法律の規定により選挙権や被選挙権を制限することは違憲であるとはいえない。

(イ) 正　国民の選挙権又はその行使を制限することは、原則として許されず、国民の選挙権又はその行使を制限するためには、そのような制限をすることがやむを得ないと認められる事由がなければならない。そして、在外国民も、憲法によって選挙権を保障されていることに変わりはなく、国には、選挙の公正の確保に留意しつつ、その行使を現実的に可能にするために所要の措置をとるべき責務があり、選挙の公正を確保しつつそのような措置をとることが事実上不能ないし著しく困難であると認められる場合に限り、当該措置をとらないことについてやむを得ない事由があるというべきである（最大判平17.9.14）。したがって、選挙の公正を確保しつつそのような措置をとることが事実上不能又は著しく困難であると認められる場合には、やむを得ないと認められる事由があり、在外国民が選挙権を行使することができないこととなっても違憲とはいえない。なお、判例の事案では、結論としてそのようなやむを得ないと認められる事由がないとして、公職選挙法による在外国民の選挙権行使の制限を15条1項等に反し違憲であるとした。

(ウ) 誤　参議院議員選挙における投票価値の平等の要求に関し判例は、かつては、地域代表的性格の強い参議院議員の選挙制度の仕組みの下では、投票価値の平等の要求は、人口比例主義を最も重要かつ基本的な基準とする選挙制度の場合と比較して、一定の譲歩、後退を免れないとしていた（最大判昭58.4.27）が、近年、議員の長い任期を背景に国政運営の安定・継続を確保しようとしている参議院の役割に照らすと、参議院についても、更に適切に民意が反映されるよう投票価値の平等の要請について十分に配慮することが求められる（最大判平24.10.17）として、より投票価値の平等を重視する判断をしている。もっとも、参議院議員選挙における投票価値の平等を重視する判断をしているとはいっても、人口比例主義を基本とする選挙制度の場合と比較してより強く保障されなければならないとまで判示しているわけではない。

(エ) 誤　戸別訪問一律禁止規定は、買収等の弊害を防止し、選挙の自由と公正を確保するという正当な目的を有し、右の目的と一律禁止との間には合理的関連性があり、またこの付随的制約によって失われる利益よりも選挙の公正という得られる利益ははるかに大きいため、この規定は合理的で必要やむを得ない限度を超えておらず違憲ではない（最判昭56.6.15）。

㈿　正　　立候補の自由は、選挙権の自由な行使と表裏の関係にあり、自由かつ公正な選挙を維持する上で、極めて重要である。このような見地から、15条１項には、被選挙権者、特にその立候補の自由について、直接には規定していないが、これもまた同条同項の保障する重要な基本的人権の一つである（最大判昭43.12.4）。

以上から、正しいものは㈹㈿であり、正解は⑷となる。

MEMO

11−1(15−1)　人権全般

基本的人権に関する次の(1)から(5)までの記述のうち、判例の趣旨に合致しないものはどれか。

(1)　外国人について、その在留期間中に政治活動をしたことを考慮して、在留期間の更新を拒絶したとしても、憲法に違反しない。

(2)　裁判所が、他人の名誉を毀損した者に対し、事態の真相を告白し陳謝の意を表明する程度の謝罪広告を新聞紙に掲載することを命じたとしても、憲法に違反しない。

(3)　裁判所が、表現内容が真実でないことが明白な出版物について、その公刊により名誉侵害の被害者が重大かつ著しく回復困難な損害を被るおそれがある場合に、仮処分による出版物の事前差止めを行ったとしても、憲法に違反しない。

(4)　「交通秩序を維持すること」という遵守事項に違反する集団行進について刑罰を科す条例を定めたとしても、憲法に違反しない。

(5)　薬局の新たな開設について、主として国民の生命及び健康に対する危険の防止という目的のために、地域的な適正配置基準を満たすことを許可条件としたとしても、憲法に違反しない。

学習記録									
	／	／	／	／	／	／	／	／	／

重要度　A　**知識型**　**要 *Check!***　**正解（5）**

⑴　合致する　　外国人について、その在留期間中に政治活動をしたことを考慮して、在留期間の更新を拒絶したとしても、憲法に違反しない（最大判昭53.10.4）。外国人に対する人権の保障は、在留制度の枠内で与えられるにすぎず、在留期間中の憲法の人権保障を受ける行為を在留期間の更新の際に消極的な事実として斟酌されないことまでの保障が与えられているものではないからである。

⑵　合致する　　裁判所が、他人の名誉を毀損した者に対し、事態の真相を告白し陳謝の意を表明する程度の謝罪広告を新聞紙に掲載することを命じたとしても、憲法に違反しない（最大判昭31.7.4）。単に事態の真相を告白し陳謝の意を表明する程度であれば、加害者の人格を無視し著しくその名誉を毀損し意思決定の自由ないし良心の自由を不当に制限するものではないからである。

⑶　合致する　　裁判所が、表現内容が真実でないことが明白な出版物に対して、その公刊により名誉侵害の被害者が重大かつ著しく回復困難な損害を被るおそれがある場合に、仮処分による出版物の事前差止めを行ったとしても、憲法に違反しない（最大判昭61.6.11）。裁判所の仮処分による出版物の事前差止めは、検閲には当たらないものの、事前抑制そのものであるため原則として許されないが、被害者の名誉の保護と表現の自由の保障との調和の見地から、表現内容が真実でなく、又はそれが専ら公益を図る目的のものではないことが明白であって、かつ、被害者が重大にして著しく回復困難な損害を被るおそれがある場合に、例外的に事前差止めを認めたものである。

⑷　合致する　　「交通秩序を維持すること」という遵守事項に違反する集団行進について刑罰を科す条例を定めたとしても、憲法に違反しない（最大判昭50.9.10）。「交通秩序を維持すること」という集団行進に際しての許可条件は、通常の判断能力を有する一般人であれば、具体的場合において、秩序維持についての基準を読み取ることは不可能ではないからである。

⑸　合致しない　　薬局の新たな開設について、主として国民の生命及び健康に対する危険の防止という目的のために地域的な適正配置基準を満たすことを許可条件とすることは、憲法に違反する（最大判昭50.4.30）。薬局開設の自由→薬局の偏在→競争激化→一部薬局の経営の不安定→不良医薬品の供給の危険性という因果関係は立法事実によって合理的に裏付けることはできず、規制の必要性・合理性の存在は認められないし、また、国民の生命及び健康に対する危険の防止という立法目的は行政の取り締まりの強化など、より緩やかな規制手段によっても達成することが可能だからである。

11−2(18−3)　人権全般

人権は、（a）その行使を妨げる国家の行為の排除を要求できるという自由権としての性格を有する場合と、（b）国家に対し一定の作為を要求できるという国務請求権ないし社会権としての性格を有する場合とがある。次の㋐から㋔までの記述のうち、（a）又は（b）の分類として誤っているものの組合せは、後記⑴から⑸までのうちどれか。

㋐「生活保護法の定める保護基準が不当に低い場合には、生存権を侵害する。」という場合、「生存権」は、（b）の性格を有するものとして用いられている。

㋑「知る権利が具体的請求権となるためには、これを具体化する情報公開法等の法律の制定が必要である。」という場合、「知る権利」は、（a）の性格を有するものとして用いられている。

㋒「全国一斉学力テストの実施は、教師の教育の自由を侵害するものではない。」という場合、「教育の自由」は、（b）の性格を有するものとして用いられている。

㋓「わいせつ物頒布罪を定める刑法第175条は、性的秩序を守り、最小限度の性道徳を維持するという公共の福祉のための制限であり、表現の自由の保障に反しない。」という場合、「表現の自由」は、（a）の性格を有するものとして用いられている。

㋔「労働組合法が不当労働行為について規定し、労働委員会による救済を定めていることは、労働基本権の保障に沿うものである。」という場合、「労働基本権」は、（b）の性格を有するものとして用いられている。

(1)　㋐㋓　　(2)　㋐㋔　　(3)　㋑㋒　　(4)　㋑㋓　　(5)　㋒㋔

学習記録	／	／	／	／	／	／	／	／	／

重要度　C	推論型		正解 (3)

(ア) 正　生存権は、健康で文化的な最低限度の生活を営む権利（25Ⅰ）である。これは、社会権の原則的な規定であり、社会的・経済的弱者が人間に値する生活を営むことができるように、国家に積極的な配慮を求めることができる権利である。本肢における「生存権」は、具体的には生活保護の給付という国家に対し一定の作為を要求できる権利であり、（b）の国務請求権ないし社会権としての性格を有するものとして用いられている。

(イ) 誤　知る権利とは、従来、思想・情報等の送り手の自由として保障されていた表現の自由（21Ⅰ）を、これらの受け手の自由として再構成した権利である。この知る権利は、単に情報の収集を妨げられないという自由権的性格と、積極的に国家に対し情報の公開を請求するという社会権ないし国務請求権的な性格を有している。本肢における「知る権利」は、情報公開法等の制定により具体化される国家に対して一定の作為を要求できる権利であり、（b）の国務請求権ないし社会権としての性格を有するものとして用いられている。

(ウ) 誤　初等中等教育の教師には、公権力によって特定の意見のみを教授することを強制されないという意味において、また、教育の本質的要請に照らし、教授の具体的内容及び方法につき、ある程度自由な裁量が認められなければならないという意味においては、一定の範囲における教授の自由（教育の自由）は保障される（最判昭51.5.21）。本肢における「教育の自由」は、公権力によって特定の意見のみを教授することを強制するというその行使を妨げる国家の行為の排除を要求できる権利であり、（a）の自由権としての性格を有するものとして用いられている。

(エ) 正　表現の自由（21Ⅰ）とは、思想・情報等を発表し、伝達する自由である。本肢における「表現の自由」は、文書等の表現物の頒布を刑罰によって禁止するというその行使を妨げる国家の行為の排除を要求できる権利であり、（a）の自由権としての性格を有するものとして用いられている。

(オ) 正　労働基本権（28）とは、使用者に対して劣位に置かれる労働者を保護し、労使間の実質的対等を図ることを目的とする権利である。労働基本権を侵害する使用者の行為は、不当労働行為として禁止され（労組7）、労働委員会は、不当労働行為を審査する権限がある（労組20）。本肢における「労働基本権」は、労働委員会による救済を要求する権利であり、（b）の国務請求権ないし社会権としての性格を有するものとして用いられている。

以上から、誤っているものは(イ)(ウ)であり、正解は(3)となる。

11−3(27−1)　人権全般

精神的自由に関する次の(ア)から(オ)までの記述のうち、判例の趣旨に照らし正しいものの組合せは、後記(1)から(5)までのうち、どれか。

(ア)　個人の私生活上の自由の一つとして、何人も、その承諾なしに、みだりにその容貌・姿態を撮影されない自由を有するから、警察官が正当な理由なく個人の容貌・姿態を撮影することは許されない。

(イ)　裁判所が、他人の名誉を毀損した加害者に対して、被害者の名誉を回復するのに適当な処分として謝罪広告を新聞紙に掲載すべきことを命ずることは、その加害者の人格を無視し、意思決定の自由を不当に制限することとなるので、その内容が単に事態の真相を告白し陳謝の意を表明するにとどまる程度のものであったとしても、当該加害者の思想及び良心の自由を侵害し、許されない。

(ウ)　剣道実技の科目が必修とされている公立の高等専門学校において、特定の宗教を信仰していることにより剣道実技に参加することができない学生に対し、代替措置として、他の体育実技の履修やレポートの提出を求めた上で、その成果に応じた評価をすることは、その目的において宗教的意義はないものの、その宗教を援助、助長、促進する効果を有し、他の宗教者又は無宗教者に圧迫、干渉を加える効果があるから、政教分離の原則に違反する。

(エ)　報道機関の報道は、民主主義社会において、国民が国政に関与するにつき重要な判断の資料を提供し、国民の知る権利に奉仕するものであるから、報道の自由及び報道のための取材の自由はいずれも憲法上保障されており、裁判所が、刑事裁判の証拠に使う目的で、報道機関に対し、その取材フィルムの提出を命ずることは許されない。

(オ)　大学において学生の集会が行われた場合であっても、その集会が、真に学問的な研究又はその結果の発表のためのものでなく、実社会の政治的社会的活動であり、かつ、公開の集会又はこれに準じるものであるときは、その集会への警察官の立入りは、大学の学問の自由と自治を侵害するものではない。

(1)　(ア)(イ)　　(2)　(ア)(オ)　　(3)　(イ)(エ)　　(4)　(ウ)(エ)　　(5)　(ウ)(オ)

学習記録	／	／	／	／	／	／	／	／	／

重要度 A | **知識型** | **要 *Check!*** | **正解（2）**

(ア)　正　　デモ行進に際して、警察官が犯罪捜査のために行った写真撮影の適法性が争われた事件について、判例は、個人の私生活上の自由の一つとして、何人も、承諾なしに、みだりに容ぼう・姿態を撮影されない自由を有し、警察官が、正当な理由なく個人の容ぼう等を撮影することは、13条の趣旨に反し許されないが、現に犯罪が行われ若しくは行われた後間がないと認められる場合で、証拠保全の必要性・緊急性があり、その撮影が一般的に許容される限度を超えない相当な方法をもって行われるときには、警察官による写真撮影は許容されるとした（最大判昭44.12.24・京都府学連事件）。

(イ)　誤　　謝罪広告の強制が19条の保障する良心の自由を侵害しないかどうかが争われた事件について、判例は、謝罪広告を新聞紙等に掲載すべきことを加害者に命ずることは、屈辱的若しくは苦役的労苦を科し、又は倫理的な意思、良心の自由を侵害することを要求するものとは解せられないとし、その謝罪広告の内容の程度として、単に事態の真相を告白し陳謝の意を表明するにとどまる程度のものにあっては、その強制執行を代替作為の手続によって強制しても合憲であるとした（最大判昭31.7.4・謝罪広告事件）。

(ウ)　誤　　公立学校において信仰上の理由から剣道実技の履修を拒否した者に対し、代替措置を講ずることは、政教分離原則に反しない（最判平8.3.8・エホバの証人剣道拒否事件）。なぜなら、剣道実技の履修拒否者に対し、他の体育実技の履修やレポート提出といった代替措置を講ずることは、目的において宗教的意義を有し、特定の宗教を援助、助長、促進する効果を有するものということはできず、他の宗教者又は無宗教者に圧迫、干渉を加える効果があるとはいえないからである（同判例）。

(エ)　誤　　報道機関の取材フィルムに対する提出命令が報道の自由に反するか否かが争われた事件について、判例は、報道機関の報道は、民主主義社会において、国民が国政に関与するにつき、重要な判断の資料を提供し、国民の「知る権利」に奉仕するものであるから、事実の報道の自由は、表現の自由を規定した21条の保障のもとにあり、取材の自由も21条の精神に照らし、十分尊重に値するとした（最大決昭44.11.26・博多駅ＴＶフィルム提出命令事件）。その上で、取材の自由も公正な裁判の実現のために制約を受け、諸般の事情を比較衡量した結果、取材活動によって得られたものを証拠として提出させられるという不利益を受忍しなければならない場合があるとした（同判例）。

(オ)　正　　警備活動のために警察官が大学構内に立ち入ることが許されるか否かが争われた事件について、判例は、学生の集会が、真に学問的な研究又はその結果の発表のためのものではなく、実社会の政治的社会的活動であり、かつ、公開の集会又はこれに準ずるものである場合には、大学の有する特別の学問の自由と自治は享有しないとした（最大判昭38.5.22・東大ポポロ事件）。

以上から、正しいものは(ア)(オ)であり、正解は(2)となる。

11−4(28−1)　人権全般

取材の自由に関する次の(ア)から(オ)までの記述のうち、判例の趣旨に照らし誤っているものの組合せは、後記(1)から(5)までのうち、どれか。

(ア)　報道機関による事実の報道の自由は、表現の自由を規定した憲法第21条の保障のもとにあり、また、このような報道機関の報道が正しい内容をもつためには、報道の自由とともに、報道のための取材の自由も、憲法第21条の精神に照らし、十分尊重に値する。

(イ)　報道機関の国政に関する取材行為は、取材の手段・方法が一般の刑罰法令に触れる行為を伴う場合はもちろん、その手段・方法が一般の刑罰法令に触れないものであっても、取材対象者である国家公務員の個人としての人格の尊厳を著しく蹂躙する等法秩序全体の精神に照らし社会観念上是認することのできない態様のものである場合にも、正当な取材活動の範囲を逸脱し違法性を帯びる。

(ウ)　憲法が裁判の対審及び判決を公開法廷で行うことを規定しているのは、手続を一般に公開してその審判が公正に行われることを保障する趣旨にほかならず、公判廷の状況を一般に報道するための取材活動として行われる写真撮影は、その後に行われる報道を通じて審判の公正の担保に資する点で正にこの趣旨に合致するものであるから、取材のための公判廷における写真撮影の許可を裁判所の裁量に委ねることは、許されない。

(エ)　国家の基本的要請である公正な刑事裁判を実現するためには、適正迅速な捜査が不可欠の前提であるが、取材により得られたビデオテープを証拠として押収することについては、付審判請求事件を審理する裁判所の提出命令に基づき提出させる場合よりも、裁判官が発付した令状に基づき検察事務官が差し押さえる場合の方が、取材の自由に対する制約の許否に関して、より慎重な審査を必要とする。

(オ)　報道関係者の取材源の秘密は、民事訴訟法第197条第1項第3号の「職業の秘密」に当たるが、取材源の秘密が保護に値する秘密であるかどうかは、秘密の公表によって生ずる不利益と証言の拒絶によって犠牲になる真実発見及び裁判の公正との比較衡量により決せられる。

(参考)
憲法
第21条　集会、結社及び言論、出版その他一切の表現の自由は、これを保障する。

2　検閲は、これをしてはならない。通信の秘密は、これを侵してはならない。

民事訴訟法

第197条　次に掲げる場合には、証人は、証言を拒むことができる。

一・二　(略)

三　技術又は職業の秘密に関する事項について尋問を受ける場合

2　(略)

(1)　(ア)(エ)　　(2)　(ア)(オ)　　(3)　(イ)(ウ)　　(4)　(イ)(オ)　　(5)　(ウ)(エ)

学習記録	/	/	/	/	/	/	/	/	/

MEMO

重要度　A　**知識型**　**要 *Check!***　　**正解（5）**

(ア) 正　　報道機関に対する取材フィルムの提出命令が報道の自由に反するかが争われた事案について、判例は、報道機関の報道は、民主主義社会において、国民が国政に関与するにつき、重要な判断の資料を提供し、国民の「知る権利」に奉仕するものであるから、事実の報道の自由は、表現の自由を規定した21条の保障の下にあり、取材の自由も21条の精神に照らし、十分尊重に値するとした（最大決昭44.11.26・博多駅ＴＶフィルム提出命令事件）。

(イ) 正　　報道機関の政府情報に対する取材行為が国家公務員法の「そそのかし」罪に当たるかが争われた事案について、判例は、報道機関が、取材の目的で、公務員に対し秘密を漏示するようそそのかしたからといって、そのことだけで、直ちに当該行為の違法性が推定されるものと解するのは相当ではなく、報道機関が公務員に対し根気強く執拗に説得ないし要請を続けることは、それが真に報道の目的からでたものであり、その手段・方法が法秩序全体の精神に照らし相当なものとして社会観念上是認されるものである限りは、実質的に違法性を欠き正当な業務行為というべきであるとした上で、報道機関の取材の手段・方法が、贈賄、脅迫、強要などの一般の刑罰法令には触れなくても、取材対象者の個人としての人格の尊厳を著しく蹂躪するなど法秩序全体の精神に照らして社会観念上是認することができない態様のものである場合には、正当な取材行為の範囲を逸脱し、国家公務員法との関係で違法性を帯びるとした（最決昭53.5.31・外務省秘密電文漏洩事件）。

(ウ) 誤　　法廷における報道機関の写真撮影の制限が許されるかが争われた事案について、判例は、およそ新聞が真実を報道することは、21条の認める表現の自由に属し、またそのための取材活動も認められなければならないことはいうまでもないとした上で、公判廷の状況を一般に報道するための取材活動であっても、その活動が公判廷における審判の秩序を乱し、被告人その他訴訟関係人の正当な利益を不当に害することは許されないので、公判廷における写真撮影の許可などを裁判所の裁量に委ねている刑事訴訟規則215条は憲法に違反しないとした（最大決昭33.2.17）。

(エ) 誤　　報道の自由ないし取材の自由に対する制約の許否に関して、裁判所による提出命令の場合と捜査機関による差押えの場合とで差異があるかどうかについて、判例は、報道の自由ないし取材の自由に対する制約の許否に関しては両者の間に本質的な差異がないとした（最決平1.1.30・日本テレビ事件）。

(オ) 正　　取材源の秘密が民事訴訟法197条1項3号の「職業の秘密」に当た

るか否かが争われた事案について、判例は、報道関係者の取材源は、一般に、それがみだりに開示されると、報道関係者と取材源となる者との間の信頼関係が損なわれ、将来にわたる自由で円滑な取材活動が妨げられることとなり、報道機関の業務に深刻な影響を与え以後その遂行が困難になることを理由に、取材源の秘密が民事訴訟法197条1項3号の「職業の秘密」に当たるとした（最決平18.10.3）。その上で、当該取材源の秘密が保護に値する秘密であるか否かは、当該報道の内容、性質、その持つ社会的な意義･価値、当該取材の態様、将来における同種の取材活動が妨げられることによって生ずる不利益の内容、程度等と、当該民事事件の内容、性質、その持つ社会的な意義・価値、当該民事事件において当該証言を必要とする程度、代替証拠の有無等の諸事情を比較衡量して決すべきであるとした（同判例）。

以上から、誤っているものは(ウ)(エ)であり、正解は(5)となる。

MEMO

11－5(R3－2)　人権全般

経済的自由に関する次の㈠から㈥までの記述のうち、判例の趣旨に照らし正しいものの組合せは、後記(1)から(5)までのうち、どれか。

㈠ 職業の許可制は、一般に、単なる職業活動の内容及び態様に対する規制を超えて、狭義における職業の選択の自由そのものに制約を課すもので、職業の自由に対する強力な制限であるから、それが社会政策ないしは経済政策上の積極的な目的のための措置ではなく、自由な職業活動が社会公共に対してもたらす弊害を防止するための消極的、警察的措置である場合に限って合憲となる。

㈡ 国が、積極的に、国民経済の健全な発達と国民生活の安定を期し、もって社会経済全体の均衡のとれた調和的発展を図る目的で、立法により、個人の経済活動に対し、一定の法的規制措置を講ずる場合には、裁判所は、立法府がその裁量権を逸脱し、当該措置が著しく不合理であることの明白である場合に限って、これを違憲とすることができる。

㈢ 憲法第22条第2項の外国に移住する自由は、移住を目的として生活の本拠を恒久的に外国へ移転する自由を含むが、単に外国へ一時旅行する自由を含むものではない。

㈣ 私有財産が公共のために用いられた場合であっても、その補償について定めた法令の規定がないときは、直接憲法第29条第3項を根拠にして補償請求をすることはできない。

㈥ 憲法第29条第3項の補償を要する場合とは、特定の人に対し特別に財産上の犠牲を強いる場合をいい、公共の福祉のためにする一般的な制限である場合には、原則として補償を要しない。

(参考)
憲法
第22条　何人も、公共の福祉に反しない限り、居住、移転及び職業選択の自由を有する。
2　何人も、外国に移住し、又は国籍を離脱する自由を侵されない。
第29条　財産権は、これを侵してはならない。
2　財産権の内容は、公共の福祉に適合するやうに、法律でこれを定める。
3　私有財産は、正当な補償の下に、これを公共のために用ひることができる。

(1)　㈠㈢　(2)　㈠㈣　(3)　㈡㈢　(4)　㈡㈥　(5)　㈣㈥

学習記録	／	／	／	／	／	／	／	／	／

重要度　A　**知識型**　**要 *Check!***　**正解（4）**

(ア)　誤　　一般に許可制は、単なる職業活動の内容及び態様に対する規制を超えて、狭義における職業の選択の自由そのものに制約を課するもので、職業の自由に対する強力な制限であるから、その合憲性を肯定しうるためには、原則として、重要な公共の利益のために必要かつ合理的な措置であることを要し、また、それが社会政策ないしは経済政策上の積極的な目的のための措置ではなく、自由な職業活動が社会公共に対してもたらす弊害を防止するための消極的、警察的措置である場合には、許可制に比べて職業の自由に対するよりゆるやかな制限である職業活動の内容及び態様に対する規制によってはその目的を十分に達成することができないと認められることを要する（最大判昭 50.4.30・薬局距離制限事件）。したがって、消極的、警察的措置である場合に限って合憲となるとする点で、本肢は誤っている。

(イ)　正　　国が、積極的に、国民経済の健全な発達と国民生活の安定を期し、もって社会経済全体の均衡のとれた調和的発展を図るために、立法による個人の経済活動に対する法的規制措置については、立法府がその裁量権を逸脱し、当該法的規制措置が著しく不合理であることが明白であるときに限って、裁判所はこれを違憲とすることができるという「明白性の原則」が妥当する（最大判昭 47.11.22・小売市場事件）。

(ウ)　誤　　旅券法に基づく海外渡航の制限の合憲性が争われた事案について、判例は、22 条２項の外国に移住する自由には、外国へ一時旅行する自由も含まれるとした（最大判昭 33.9.10・帆足計事件）。

(エ)　誤　　河川附近地制限令４条２号による制限について同条に損失補償に関する規定がないからといって、同条があらゆる場合について一切の損失補償を全く否定する趣旨とまでは解されず、その損失を具体的に主張立証して、別途直接 29 条３項を根拠にして、補償請求をする余地が全くないわけではないから、直ちに違憲無効の規定と解するべきではない（最大判昭 43.11.27・河川附近地制限令事件）。

(オ)　正　　河川附近地制限令４条２号の定める制限は、公共の福祉のためにする一般的な制限であり、原則的には、何人もこれを受忍すべきものである（最大判昭 43.11.27・河川附近地制限令事件）。そして、同令４条２号の定め自体としては、特定の人に対し、特別に財産上の犠牲を強いるものとはいえないから、そのような程度の制限を課するには損失補償を要件とするものではない（同判例）。

以上から、正しいものは(イ)(オ)であり、正解は(4)となる。

13a－1(25－2)　全国民の代表機関（代表概念・代表過程等）

比例代表選挙により選出された国会議員に除名・離党による党籍の変動があった場合において、当該国会議員がその議員資格を喪失するかどうかについては、これを肯定する説（資格喪失説）と否定する説（資格保有説）がある。次の(ア)から(オ)までの記述のうち、「この説」が資格保有説を指すものの組合せは、後記(1)から(5)までのうち、どれか。

(ア)「この説」は、比例代表選挙により選出された当時の党籍を保持することを憲法第43条第１項の「全国民を代表する選挙された議員」の要件とする考え方である。

(イ)「この説」に対しては、国民が政党に投票する比例代表選挙における民意とかけ離れた結果を生むこととなるとの批判がある。

(ウ)「この説」に対しては、憲法第43条第１項の「全国民を代表する」の意味について、議員は、選挙区民が求める個々の具体的な指示に法的に拘束されることなく、自らの良心に基づいて自由に意見を表明し、表決を行う権利を有することを意味するとする考え方と整合しないとの批判がある。

(エ)「この説」に対しては、政党と議員との間に命令・服従関係を生じさせる点で問題があるとの批判がある。

(オ)「この説」において、一旦選挙により選出された議員は、全てひとしく憲法第43条第１項の「全国民を代表する選挙された議員」であり、特定の選挙人や党派の代表者ではないとされる。

（参考）
憲法
第43条　両議院は、全国民を代表する選挙された議員でこれを組織する。
２　（略）

(1)　(ア)(イ)　(2)　(ア)(ウ)　(3)　(イ)(オ)　(4)　(ウ)(エ)　(5)　(エ)(オ)

学習記録	／	／	／	／	／	／	／	／	／

重要度　C	推論型		正解（3）

　比例代表選挙により選出された国会議員に除名・離党による党籍変動があった場合において、当該国会議員がその議員資格を喪失するかどうかについては、43条1項との関係で次の二つの考え方が成り立ち得る。
　資格喪失説　比例代表選挙は政党中心の選挙であり、政党を基礎にしてその得票数に比例して議員配分を行うものであるから、当選人として議員の身分を取得したときに保持していた党籍を失った者は当然に議員資格を喪失するとする考え方
　資格保有説　比例代表選挙の下でも、いったん選任された以上はその選出方法のいかんにかかわらず議員は全て「全国民を代表する」ものと解すべきであり、後にその党籍を失ったとしても議員の身分に変動は生じないとする考え方

㈠ 資格保有説を指さない　　資格喪失説によれば、当選時の党籍を有していることが比例代表選挙における「全国民を代表する選挙された議員」の要件である。したがって、本肢の「この説」は資格喪失説を指し、資格保有説を指さない。

㈡ 資格保有説を指す　　資格保有説に対しては、比例代表制の下では、国民が政党名簿に投票し、その名簿順位に従って当選者が決まることから、その当選者が選挙時の党籍から離脱したにもかかわらず資格を保有するものとすると政党名簿に投じられた民意との乖離が問題となるとの指摘がなされている。したがって、本肢の「この説」は資格保有説を指す。

㈢ 資格保有説を指さない　　資格喪失説によれば、党籍変動の理由のいかんを問わず直ちに議席の喪失に結びつくものと考えるので、除名などの手段により党籍が変更される場合もあることを考えると、政党と議員の間に一種の命令·服従関係を認めることとなるが、これは43条1項「全国民を代表する」の意味を議員は選挙区民の求める個々の具体的な指示に従うことなく、自らの良心に基づき意見を表明し表決を行う権利を有することを意味する考え方とは整合しないとの指摘がある。したがって、本肢の「この説」は資格喪失説を指し、資格保有説を指さない。

㈣ 資格保有説を指さない　　党籍の変動がその理由のいかんを問わず、直ちに議席の喪失に結びつくものとする議席喪失説に対しては、除名などの手段によって党籍が剥奪される場合を考えると、議員との間に一種の命令・服従関係を認めることとなる点で、問題があるとの指摘がなされている。したがって、本肢の「この説」は資格喪失説を指し、資格保有説を指さない。

㈤ 資格保有説を指す　　資格保有説は、いったん選任された以上は、その選

出方法のいかんにかかわらず、議員は全て「全国民を代表する」ものと解する。したがって、資格保有説の立場からは、いったん選挙により選出された議員は全て等しく43条1項の「全国民を代表する選挙された議員」であり、特定の選挙人や党派の代表者ではないと解すこととなる。したがって、本肢の「この説」は資格保有説を指す。

以上から、「この説」が資格保有説を指すものは(イ)(オ)であり、正解は(3)となる。

MEMO

13e－1(16－2)　議院の組織・活動・権能

国会の両議院は、それぞれその会議その他の手続及び内部の規律に関する規則を定めることができるが、この議院規則と国会法との関係について、次の二つの見解がある。

第１説　国会法の効力が議院規則に優位する。
第２説　議院規則の効力が国会法に優位する。

次の(1)から(5)までの記述のうち、正しいものはどれか。

(1)　国会法の成立には両議院の議決が必要であるのに対し、議院規則は一院の議決のみで成立するという手続の違いを重視すると、第２説を導きやすい。

(2)　第１説に対しては、内閣が法律案提出権を通じて各議院の自律にゆだねるべき事項について影響力を与えることになりかねず、適切ではないとの批判が可能である。

(3)　国会法の改廃について両議院の意思が異なる場合には衆議院の意思が優越することがあることから、第２説に対しては、参議院の自主性を損なうおそれがあるとの批判が可能である。

(4)　憲法上、各議院における手続及び内部の規律に関する事項について法律をもって制約することができる旨の規定がないことを重視すると、第１説を導きやすい。

(5)　各議院における手続及び内部の規律に関する事項について国会法が規定を置いているとしても、その規定は両議院の紳士協定以上の意味を有するものではないとの考え方は、第２説と矛盾する。

学習記録	／	／	／	／	／	／	／	／	／

重要度　C	推論型		正解（2）

⑴　誤　　国会法の成立には両議院の議決が必要であるのに対して（59Ⅰ参照）、議院規則の制定の場合には一院の議決で足りるという手続的違いを重視すると、制定手続の厳格な国会法の方が議院規則に優位すると考えるべきことになる。したがって、これと結びつくのは、第２説（議院規則優位説）ではなく第１説（国会法優位説）である。

⑵　正　　国会法が議院規則に優先すると考えると、内閣が法律案提出権を通じて国会法の改廃にイニシアチブを発揮することで議院の自律権が干渉を受けるということが考えられる。第１説（国会法優位説）に対してはこのような危惧が指摘されている。したがって、第１説に対しては、内閣が法律案提出権を通じて各議院の自律に委ねられるべき事項について影響を与えることになりかねず、適切でないとの批判が可能である。

⑶　誤　　第１説（国会法優位説）に立った場合、国会法の改廃について、両議院の意思が異なるときは、憲法上、衆議院の優越が定められていることから（59Ⅱ）、参議院の自主性が損なわれるおそれがある。このような批判が妥当するのは第２説（議院規則優位説）ではなく第１説である。

⑷　誤　　第２説（議院規則優位説）は、議院規則制定権を定めた58条２項に明治憲法51条にみられるような法律による制約が明記されていないことを根拠に、「会議その他の手続及び内部の規律に関する」事項は専ら議院規則により定められるべきものとする。したがって、各議院における手続及び内部の規則に関する事項について法律をもって制約することができる旨の規定がないことを重視すれば、第１説（国会法優位説）ではなく、第２説を導きやすいものといえる。

⑸　誤　　第２説（議院規則優位説）は、肢⑷の解説で述べたように議院における手続及び内部の規律に関する事項について本来議院規則で定めるべきものと解しており、これにもかかわらず議院規則ではなく国会法で制定された事項については、両議院の「紳士協定」以上の意味を有するものではないと解している。したがって、本肢の考え方は第２説と矛盾するものではない。

13e−2(18−1)　議院の組織・活動・権能

衆議院の解散は、憲法第69条に規定する内閣不信任決議案が可決され、又は内閣信任決議案が否決された場合のほか、憲法第７条の規定により、解散によって国民の意思を問うべき正当な理由がある場合には、行うことができるとする見解がある。次の(ア)から(オ)までの記述のうち、この見解の根拠となるものの組合せとして最も適切なものは、後記(1)から(5)までのうちどれか。

(ア)　天皇の国事行為は、形式的かつ儀礼的なものであって、その実質的決定権は、助言と承認を与える内閣にあり、天皇は、その助言と承認に拘束される。

(イ)　衆議院の解散は、憲法上明文をもって解散を行うことができる場合として規定されている場合にのみ行うことができると解すべきである。

(ウ)　衆議院の解散権は、立法作用でも司法作用でもなく、行政権を有する内閣が行使することができる。

(エ)　衆議院の解散は、総選挙によって国民の意思を問い、それを衆議院に反映させようという制度である。

(オ)　国会は、国権の最高機関である。

(1)　(ア)(エ)　　(2)　(ア)(オ)　　(3)　(イ)(ウ)　　(4)　(イ)(エ)　　(5)　(ウ)(オ)

学習記録	／	／	／	／	／	／	／	／	／

重要度　C	推論型		正解（1）

憲法上、内閣不信任決議に基づく衆議院の解散(69)のほかに解散が認められるかについては、(1)69条の場合に限られるとする見解、(2)69条以外の解散を認める見解がある。69条以外の解散を認める見解の中には、①内閣に解散権を認める見解、②衆議院の自律的解散を認める見解がある。更に、内閣の解散権を認める根拠として、(i)天皇の国事行為である7条3号を根拠とする見解、(ii)行政の概念を根拠とする見解、(iii)議院内閣制又は権力分立制を根拠とする見解などがある。本問見解は7条3号を根拠として内閣に解散権を認めるものであり、現在の慣行もこれに従っている。

(ア)　根拠となる　　解散の根拠を7条3号に求める見解は、天皇の国事行為は、形式的かつ儀礼的なものであって、その実質的決定権は、助言と承認を与える内閣にあるとして、解散権も天皇の国事行為とされていることから、内閣に実質的な解散権を認めるものである（上記(i)の見解）。したがって、国事行為の実質的決定権が内閣にあるとしている本肢は本問見解の根拠となる。

(イ)　根拠とならない　　本肢は、「衆議院の解散は、明文をもって解散を行うことができる場合として規定されている場合にのみ行うことができる。」とするのであるから、衆議院の解散は69条の場合に限定されるとする見解である。したがって、本肢は本問見解の根拠とならない。

(ウ)　根拠とならない　　解散の実質的決定権は内閣にあるとする見解のうち、行政の概念に根拠を求める見解は、行政概念の控除説に立って、解散権は立法でも司法でもないから行政であり、ゆえに内閣に帰属するとする（上記(ii)の見解)。したがって、本肢は、本問見解の根拠とならない。

(エ)　根拠となる　　衆議院の解散が69条の場合に限られないとする見解は、総選挙によって国民の意思を問い、それを衆議院に反映させるべきであることを根拠としている。設問見解である解散の根拠を7条3号に求める見解は、その前提として、衆議院の解散は69条の場合に限定されないという見解を採るため、本肢は、本問見解の根拠となる。

(オ)　根拠とならない　　衆議院自身の意思決定による解散を認める見解は、国会は国権の最高機関である以上、内閣の意思による解散は、明文のある69条の場合を除いては、これと両立しないから認められず、衆議院は自らの意思をもって解散し、国民の意思を問うのが民主制にかなうことを理由とする。したがって、本肢は、本問見解の根拠とならない。

以上から、本問見解の根拠となるものは(ア)(エ)であり、正解は(1)となる。

13e−3(26−2)　議院の組織・活動・権能

国会に関する次の⑴から⑸までの記述のうち、判例の趣旨に照らし正しいものは、どれか。

⑴　議院の国政調査権は、立法のために特別に与えられた権限であるから、その対象は立法をするのに必要な範囲に限られ、個別具体的な行政事務の処理の当否を調査する目的で国政調査権を行使することはできない。

⑵　両議院は、それぞれその総議員の３分の１以上の出席がなければ、議決をすることができないだけでなく、議事を開くこともできない。

⑶　予算については、衆議院の優越が定められており、参議院が衆議院と異なった議決をした場合であっても、衆議院で出席議員の３分の２以上の多数で再び議決したときは、衆議院の議決を国会の議決とすることができる。

⑷　両議院の議員は、院内で行なった演説、討論又は表決について院外で責任を問われないため、議員が行ったこれらの行為につき、国が賠償責任を負うことはない。

⑸　特別会は、衆議院の解散に伴う衆議院議員の総選挙後に召集されるものであり、その会期中は、参議院は閉会となる。

学習記録	／	／	／	／	／	／	／	／	／

重要度　A	知識型		正解（2）

⑴ 誤　　国政調査権につき、判例は、国政調査権は議院等に与えられた補助的権能と解するのが一般とし、補助的権能説に立つものと解されている（東京地判昭55.7.24・日商岩井事件）。補助的権能説は、国政調査権（62）の性質について、立法権、予算審議権、行政に対する監督・統制権を実効的に行使するために、議院に対して認められた補助的権能としての性質を有すると解している。そして、補助的権能説の立場に立っても、議院が保持する権能は立法的権能を中心に極めて広汎な事項に及ぶから、国政調査権の範囲は立法をするのに必要な範囲に限られると解しているわけではなく、また、行政権の作用の合法性と妥当性について、個別具体的な行政事務の処理の当否を調査する目的で国政調査権を行使することも可能と解している。

⑵ 正　　両議院は、それぞれその総議員の３分の１以上の出席がなければ、議事を開き議決することができない（56Ⅰ）。

⑶ 誤　　予算の議決については衆議院の優越が定められており、予算について、参議院で衆議院と異なった議決をした場合に、法律の定めるところにより、両議院の協議会を開いても意見が一致しないとき、又は参議院が、衆議院の可決した予算を受け取った後、国会休会中の期間を除いて30日以内に、議決しないときは、衆議院の議決を国会の議決とする（60Ⅱ）。

⑷ 誤　　両議院の議員は、議院で行った演説、討論又は表決について、院外で責任を問われない（51）。もっとも、国会議員が、その職務とはかかわりなく違法又は不当な目的をもって事実を摘示し、あるいは、虚偽であることを知りながらあえてその事実を摘示するなど、国会議員がその付与された権限の趣旨に明らかに背いてこれを行使したものと認め得るような特別の事情があるときは、国の国家賠償法上の責任が肯定される（最判平9.9.9）。

⑸ 誤　　特別会とは、衆議院の解散による総選挙後に召集される国会をいう（54Ⅰ）。そして、ここにいう「国会」とは、衆議院及び参議院をいい（42）、衆参両議院は一つの国会として同時に活動する（54Ⅱ本文参照・衆参両議院同時活動の原則）。そのため、特別会の会期中に参議院が閉会となることはない。

13e−4(31−2)　議院の組織・活動・権能

立法に関する次の(ア)から(オ)までの記述のうち、判例の趣旨に照らし正しいものの組合せは、後記(1)から(5)までのうち、どれか。

(ア)　国民は、法律の制定、廃止又は改正を請願することができるが、法人は、法律の制定、廃止又は改正を請願することができない。

(イ)　内閣総理大臣は、法律案を国会に提出することができない。

(ウ)　法律案は、憲法に特別の定めがある場合を除いては、両議院で可決したときに法律となるが、衆議院で可決し、参議院でこれと異なった議決をした法律案は、衆議院で出席議員の３分の２以上の多数で再び可決したときに法律となる。

(エ)　法律は、国民一般がその内容について知り得る状態に置かれたときに公布されたものとなるが、新聞報道やニュース番組により、ある法律の内容について国民一般が事実上知り得る状態に置かれたとしても、当該法律の公布があったとはいえない。

(オ)　立法不作為については、国会には広範な立法裁量が認められることから、違憲であるとの判断をされることはない。

(1)　(ア)(イ)　　(2)　(ア)(エ)　　(3)　(イ)(オ)　　(4)　(ウ)(エ)　　(5)　(ウ)(オ)

学習記録	／	／	／	／	／	／	／	／	／

重要度　A	知識型		正解（4）

⑺　誤　　何人も、損害の救済、公務員の罷免、法律、命令又は規則の制定、廃止又は改正その他の事項に関し、平穏に請願する権利を有し、何人も、かかる請願をしたためにいかなる差別待遇も受けない（16）。この点、16条は、請願権の主体を「何人も」と規定し、何ら限定を加えていないため、法人であっても、請願権の主体となり得る。そして、請願法は、法人にも請願を認めている（請願２）。

⑴　誤　　憲法上、内閣に法律案提出権があることを明示した規定は存しない。しかし、通説は、①72条前段の「議案」には法律案も含まれると解されること、②国会は自由に法律案を修正し否決することができること、③議院内閣制の下では国会と内閣の協働が要請されていること、④閣僚の大半が国会議員であり、国会議員の資格で法律案の提出ができること、などの理由から、内閣の法律案提出権を肯定する。したがって、内閣総理大臣は、法律案を国会に提出することができる。

⑼　正　　法律案は、この憲法に特別の定のある場合を除いては、両議院で可決したとき法律となるが（59 Ⅰ）、衆議院で可決し、参議院でこれと異なった議決をした法律案は、衆議院で出席議員の３分の２以上の多数で再び可決したときに、法律となる（59 Ⅱ）。

㈤　正　　公布（７①）とは、広く国民に知らせるために表示する天皇の国事行為であり、法律などの国法が国民に対して効力を持つためには公布行為が必要となる。この点、法律は、国民一般がその内容について知り得る状態に置かれたときに公布されたものとなるが、新聞報道やニュース番組により、ある法律の内容について国民一般が事実上知り得る状態に置かれたとしても、当該法律の公布があったとはいえない（最判昭32.12.28、最大判昭33.10.15）。

⑺　誤　　国外に居住する日本国民の選挙権の行使を制限する改正前公職選挙法の違憲性が争われた事案において、判例は、国民の選挙権又はその行使を制限することは原則として許されず、国民の選挙権又はその行使を制限するためには、そのような制限をすることがやむを得ないと認められる事由がなければならないとした上で、このような事由なしに国民の選挙権の行使を制限することは、15条１項及び３項、43条１項並びに44条ただし書に違反するとした（最大判平17.9.14）。そして、同判例は、国会の立法不作為によって国民が選挙権を行使することができない場合についても、同様であるとしている（同判例）。したがって、立法不作為についても、違憲であるとの判断をされることはある。

以上から、正しいものは⑼㈤であり、正解は⑷となる。

13f－1（R4－3）　議員の組織・活動・権能

国会に関する次の(ア)から(オ)までの記述のうち、判例の趣旨に照らし正しいものの組合せは、後記(1)から(5)までのうち、どれか。

(ア)　国会議員は、法律の定める場合を除いては、国会の会期中逮捕されず、会期前に逮捕された国会議員は、当該国会議員の属する議院の要求があれば、会期中これを釈放しなければならない。

(イ)　国会議員は、それぞれ国政に関する調査を行い、これに関して、記録の提出を要求する権限を有する。

(ウ)　法律案は先に衆議院に提出しなければならないが、予算は先に参議院に提出することも許される。

(エ)　国会は、罷免の訴追を受けた裁判官を裁判するため、両議院の議員で組織する弾劾裁判所を設ける。

(オ)　国会議員が国会での法律案の審議の際に、職務とはかかわりなく不当な目的をもって事実を摘示し個別の国民の名誉又は信用を低下させたとしても、当該国会議員は院外で損害賠償責任を問われることはなく、当該国会議員の質疑について国が損害賠償責任を負うこともない。

(1)　(ア)(ウ)　(2)　(ア)(エ)　(3)　(イ)(エ)　(4)　(イ)(オ)　(5)　(ウ)(オ)

学習記録	／	／	／	／	／	／	／	／	／

重要度　A	知識型		正解（2）

(ア)　正　　両議院の議員は、法律の定める場合を除いては、国会の会期中逮捕されず、会期前に逮捕された議員は、その議院の要求があれば、会期中これを釈放しなければならない（50・不逮捕特権）。

(イ)　誤　　両議院は、各々国政に関する調査を行い、これに関して、証人の出頭及び証言並びに記録の提出を要求することができる（62・国政調査権）。すなわち、国政調査権の主体は、国会議員ではなく議院である。

(ウ)　誤　　予算は、先に衆議院に提出しなければならない（60Ⅰ）。一方、法律案は、先に衆議院に提出しなければならないとする規定は存しない（59参照）。

(エ)　正　　国会は、罷免の訴追を受けた裁判官を裁判するため、両議院の議員で組織する弾劾裁判所を設ける（64Ⅰ）。これは、公の弾劾は国民の意思に基づいて行われなければならないことから、国民の代表機関である国会を構成する両議院の議員で弾劾裁判所を組織するとしたものである。

(オ)　誤　　国会議員が国会でした発言により、名誉を毀損された上、自殺に追い込まれたとして、当該国会議員に対して、民法709条及び710条の規定に基づき、国に対して、国家賠償法１条１項の規定に基づき、損害賠償を請求した事案において、判例は、国会議員としての職務を行うにつきされたものであることが明らかであり、仮に本件発言が国会議員の故意又は過失による違法な行為であるとしても、公務員である国会議員個人はその責任を負わないとした（最判平9.9.9）。その上で、判例は、国会議員が国会の質疑、演説、討論等の中でした個別の国民の名誉又は信用を低下させる発言につき、国家賠償法１条１項の規定にいう違法な行為があったものとして国の損害賠償責任が肯定されるためには、当該国会議員が、その職務とはかかわりなく違法又は不当な目的をもって事実を摘示し、あるいは、虚偽であることを知りながらあえてその事実を摘示するなど、国会議員がその付与された権限の趣旨に明らかに背いてこれを行使したものと認め得るような特別の事情があることを必要とするとした（同判例）。したがって、特別の事情があれば、国家賠償法１条１項の規定にいう違法な行為があったものとして国の損害賠償責任が肯定される場合がある。

以上から、正しいものは(ア)(エ)であり、正解は(2)となる。

14c－1（17－3）　内閣の権能

内閣が国会に法律案を提出することが憲法上許されるかという問題については、これを肯定する立場と否定する立場とがある。次の㈠から㈤までの記述のうち、否定する立場の根拠となるものの組合せとして最も適切なものは、後記⑴から⑸までのうちどれか。

㈠　憲法上、内閣総理大臣は、内閣を代表して議案を国会に提出することができる。

㈡　憲法上、国会は、その立法過程において、他の国家機関の関与なしに、国会の議決のみで立法を行うことができるという「国会単独立法の原則」が認められている。

㈢　憲法上、国会は、法律案を自由に修正し否決することができる。

㈣　憲法上、予算案の提出や憲法改正の発議については、明文で内閣や国会にその権能が与えられている。

㈤　憲法上、内閣総理大臣及び過半数の国務大臣は、国会議員の中から選ばれることになる。

⑴　㈠㈡　　⑵　㈠㈤　　⑶　㈡㈣　　⑷　㈢㈣　　⑸　㈢㈤

学習記録	／	／	／	／	／	／	／	／	／

重要度　C	推論型		正解（3）

国会は、その立法過程において、他の国家機関の関与なしに、国会の議決のみで立法を行うことができるという国会単独立法の原則（41）に関連して、内閣が国会に法律案を提出することが憲法上許されるか否かが問題となる。なお、内閣法では内閣に法律案、予算その他の議案の提出権を認めている（内閣５）。

(ア) 根拠とならない　　憲法上、内閣総理大臣は、内閣を代表して議案を国会に提出することができる（72 前段）。そして同条前段の「議案」には、法律案も含まれると解されていることから、内閣の法律案提出権にも憲法上の根拠があることになり、内閣の法律案提出が許されるという考え方に結びつく。したがって、本肢は、内閣の法律案提出権を肯定する説の根拠となるのであって、これを否定する説の根拠とならない。

(イ) 根拠となる　　国会単独立法の原則（41）が認められていることに着目すると、内閣の法律案提出は、国会以外の国家機関である内閣が立法に関与することになることから許されないという考え方に結びつく。したがって、本肢は、内閣の法律案提出権を否定する説の根拠となる。

(ウ) 根拠とならない　　憲法上、国会が、法律案を自由に修正し否決することができる（59 参照）ことに着目すると、内閣に法律案を提出することを認めても、国会は内閣の法律案に法的に何ら拘束されないことから、実質的に立法に内閣の関与がないのと同じであり、国会単独立法の原則に反しないという考え方に結びつく。したがって、本肢は、内閣の法律案提出権を肯定する説の根拠となり、これを否定する説の根拠とならない。

(エ) 根拠となる　　憲法上、予算案の提出や憲法改正の発議については、明文で内閣や国会にその権能が与えられている（73⑤・96Ⅰ）ことに着目すると、予算案の提出や憲法改正の発議は法律案の提出と同様、国法の一形式であることから、国法の形式に関する議案の提出や発議には、憲法上の明文が必要であるということになる。そして、予算案の提出や憲法改正の発議と異なり、内閣の法律案提出権は憲法上の明文がないから許されないという考え方に結びつく。したがって、本肢は、内閣の法律案提出権を否定する説の根拠となる。

(オ) 根拠とならない　　憲法上、内閣総理大臣及び過半数の国務大臣が、国会議員の中から選ばれる（67Ⅰ前段・68Ⅰ但書）ことに着目すると、内閣による法律案の提出を否定しても、議員である国務大臣が議員の資格で発議することができるから、実質的には内閣の法律案提出権を認めることと変わりがないという考え方に結びつく。したがって、本肢は、内閣の法律案提出権を肯定する説の根拠となり、これを否定する説の根拠とはならない。

以上から、否定する立場の根拠となるものは(イ)(エ)であり、正解は(3)となる。

14c−2(23−2)　内閣の権能

憲法上、内閣に法律案の提出権が認められているかについては、これを肯定する考え方と否定する考え方がある。次の(ア)から(オ)までの記述のうち、「この考え方」が内閣の法律案の提出権を否定する考え方を指すものの組合せは、後記(1)から(5)までのうちどれか。

(ア)「この考え方」は、憲法上の明文の規定の存否を重視した上、憲法第72条の「議案」とは、本来内閣の権限に属する作用についての議案のことであると主張する。

(イ)「この考え方」は、憲法が議院内閣制を採用しており、国会と内閣との協働関係を想定していることから導かれると主張する。

(ウ)「この考え方」に対しては、国会は法律案について自由に審議し、修正し、否決することができるとの反論がある。

(エ)「この考え方」は、仮に反対の立場に立ったとしても、議員たる国務大臣が議員の資格で発議することができることを考慮すると実質的な結論は変わらないと主張する。

(オ)「この考え方」の中にも、内閣による憲法改正案の提出権が認められるかという問題については、日本国憲法が憲法改正について立法権とは異なる独立の章で取り扱っていることなどを考慮し、法律案の提出権の場合とは異なる結論を導く見解がある。

（参考）
憲法
第72条　内閣総理大臣は、内閣を代表して議案を国会に提出し、一般国務及び外交関係について国会に報告し、並びに行政各部を指揮監督する。

(1)　(ア)(ウ)　(2)　(ア)(エ)　(3)　(イ)(エ)　(4)　(イ)(オ)　(5)　(ウ)(オ)

内閣

学習記録	／	／	／	／	／	／	／	／	／

重要度　C	推論型		正解（1）

(ア)　提出権を否定する考え方を指す　　憲法上内閣の法律案提出権を明示した規定はない。このことを重視すると、内閣の法律案提出権の否定へと傾く。また、内閣の法律案提出権否定説はその論拠として、72条の「議案」とは、本来内閣の権限に属する作用についての議案であり、「法律案」はこれに含まれないことを挙げる。したがって、「この考え方」は提出権を否定する考え方を指す。

(イ)　提出権を肯定する考え方を指す　　憲法が採用する議院内閣制のもとでは、国会と内閣の協働が要請されているとされる。このことから、内閣の法律案提出権を認め、法律の成立手続の過程に内閣を関与させることは議院内閣制に資すると肯定説は主張する。したがって、「この考え方」は提出権を肯定する考え方を指す。

(ウ)　提出権を否定する考え方を指す　　内閣の法律案提出権肯定説に対しては、国会の立法権限が侵害されるという批判がある。これに対して、肯定説の立場から「国会が法律案について自由に審議し、修正し、否決することができることから国会の立法権限の侵害にはならない」という反論がある。したがって、「この考え方」は提出権を否定する考え方を指す。

(エ)　提出権を肯定する考え方を指す　　内閣の法律案提出権否定説に立ち内閣が法律案を提出できないとしても、国務大臣の資格を有する議員が議員の資格で発議することは可能である。否定説の立場は、内閣に法律案提出権を肯定する立場と実質的には変わりがないとされている。したがって、「反対の立場」は否定説を指し、「この考え方」は提出権を肯定する考え方を指す。

(オ)　提出権を肯定する考え方を指す　　内閣の法律案提出権否定説は、内閣の憲法改正案の提出権についても72条の「議案」に含まれないという理由で、当然に否定する。これに対して、内閣の法律案提出権は肯定しながら、内閣の憲法改正案の提出権については否定する学説が存在する。その根拠としては、憲法改正は、立法権とは異なる独立の章で取り扱っており、96条が「国会の発議」としているのは、他の国家機関を排除して国会のみに発案・審議・決定させる趣旨であることを挙げる。したがって、「この考え方」は提出権を肯定する考え方を指す。

以上から、「この考え方」が内閣の法律案の提出権を否定する考え方を指すものは(ア)(ウ)であり、正解は(1)となる。

14c－3(R3－3)　内閣の権能

次の対話は、内閣に関する教授と学生との対話である。教授の質問に対する次の(ア)から(オ)までの学生の解答のうち、判例の趣旨に照らし誤っているものの組合せは、後記(1)から(5)までのうち、どれか。

教授：　内閣は、行政権の行使について、どのような責任を負いますか。
学生：(ア)　内閣は、行政権の行使について、国会に対し連帯して責任を負います。
教授：　衆議院で内閣不信任決議案を可決した場合には、どのような効果が生じますか。
学生：(イ)　衆議院で内閣不信任決議案が可決された場合には、内閣は、直ちに総辞職をしなければなりません。
教授：　内閣総理大臣の指名については、憲法上どのように定められていますか。
学生：(ウ)　内閣総理大臣は、国会議員の中から、国会の議決で指名されますが、衆議院と参議院とが異なった指名の議決をした場合に、衆議院で出席議員の３分の２以上の多数で再び指名の議決がされたときは、衆議院の議決が国会の議決となります。
教授：　国務大臣の任命については、憲法上どのように定められていますか。
学生：(エ)　内閣総理大臣が国務大臣を任命しますが、国務大臣の過半数は、国会議員の中から選ばれなければなりません。
教授：　内閣総理大臣は、行政各部に対し指示を与える権限を有しますか。
学生：(オ)　内閣総理大臣は、閣議にかけて決定した方針が存在しない場合においても、内閣の明示の意思に反しない限り、行政各部に対し、その所掌事務について一定の方向で処理するよう指示を与える権限を有します。

(1)　(ア)(イ)　　(2)　(ア)(オ)　　(3)　(イ)(ウ)　　(4)　(ウ)(エ)　　(5)　(エ)(オ)

学習記録	／	／	／	／	／	／	／	／	／

重要度　A　知識型　　**正解（3）**

(ア) 正　　内閣は、行政権の行使について、国会に対し連帯して責任を負う（66Ⅲ）。これは、内閣は、内閣総理大臣のもとに一体となって政治を行うのが原則であるため、その責任も一体として負うこととしたものである。

(イ) 誤　　内閣は、衆議院で不信任の決議案を可決し、又は信任の決議案を否決したときは、10日以内に衆議院が解散されない限り、総辞職をしなければならない（69）。これは、衆議院が内閣不信任の決議案を可決し、又は信任の決議案を否決した場合に、内閣に総辞職と衆議院の解散という選択肢を与えたものである。

(ウ) 誤　　内閣総理大臣の指名について、衆議院と参議院とが異なった指名の議決をした場合に、法律の定めるところにより、両議院の協議会を開いても意見が一致しないとき、又は衆議院が指名の議決をした後、国会休会中の期間を除いて10日以内に、参議院が、指名の議決をしないときは、衆議院の議決を国会の議決とする（67Ⅱ）。これは、迅速かつ確実な指名の必要性及び衆議院の第一院性に基づくものである。

(エ) 正　　内閣総理大臣は、国務大臣を任命するが、その過半数は、国会議員の中から選ばなければならない（68Ⅰ）。これは、内閣の国会への従属性をあまり極端にせず、内閣にもある程度の自主性を認めることが必要であるという趣旨である。

(オ) 正　　内閣総理大臣は、閣議にかけて決定した方針に基いて、行政各部を指揮監督する（72、内閣６）。この点、この指揮権について、判例は、閣議にかけて決定した方針が存在しない場合においても、内閣総理大臣は、少なくとも、内閣の明示の意思に反しない限り、行政各部に対し、随時、その所掌事務について一定の方向で処理するよう指導、助言等の指示を与える権限を有するとした（最大判平7.2.22・ロッキード事件丸紅ルート）。

以上から、誤っているものは(イ)(ウ)であり、正解は(3)となる。

14d−1(27−2)　内閣総理大臣・国務大臣の地位・権能・特典

内閣に関する次の(ア)から(オ)までの記述のうち、誤っているものの組合せは、後記(1)から(5)までのうち、どれか。

(ア)　内閣は、行政権の行使について、国会に対し連帯して責任を負うため、ある国務大臣につき両議院で不信任決議案が可決された場合には、10 日以内に衆議院が解散されない限り、総辞職をしなければならない。

(イ)　内閣総理大臣について、衆議院と参議院とが異なった指名の議決をしたため、法律の定めるところにより、両議院の協議会が開かれたが、そこでも意見が一致しなかった場合には、衆議院の議決が国会の議決となる。

(ウ)　国務大臣は、その在任中、内閣総理大臣の同意がなければ、訴追されない。

(エ)　法律及び政令には、全て主任の国務大臣が署名し、内閣総理大臣が連署することを必要とする。

(オ)　国会議員でない国務大臣は、国会議員から答弁又は説明のため出席を求められた場合に限り、議院に出席して発言することができる。

(1)　(ア)(イ)　　(2)　(ア)(オ)　　(3)　(イ)(ウ)　　(4)　(ウ)(エ)　　(5)　(エ)(オ)

学習記録	／	／	／	／	／	／	／	／	／

重要度　A	知識型		正解（2）

(ア) 誤　　内閣は、衆議院で不信任の決議案を可決し、又は信任の決議案を否決したときは、10日以内に衆議院が解散されない限り、総辞職をしなければならない（69）。これは、内閣の存続は衆議院の信任に依存すると同時に、衆議院による明示的な不信任の場合に、内閣が衆議院を解散して国民の審判を求め得るとしたものである。

(イ) 正　　衆議院と参議院とが内閣総理大臣の指名につき異なった議決をした場合において、法律の定めるところにより、両議院の協議会を開いても意見が一致しないときは、衆議院の議決が国会の議決となる（67 Ⅱ）。この点、内閣総理大臣の指名における衆議院の優越性は、迅速かつ確実な指名の必要性及び衆議院の第一院性に基づくものである。

(ウ) 正　　国務大臣は、その在任中、内閣総理大臣の同意がなければ、訴追されない（75本文）。これは、内閣の一体的活動及び行政の特定領域の活動に支障を来たさないよう、とりわけ検察当局による政治的動機に基づいた訴追を防止する目的で、国務大臣に関して刑事手続上の特例を設けたものである。

(エ) 正　　法律及び政令には、全て主任の国務大臣が署名し、内閣総理大臣が連署することを必要とする（74）。これは、内閣の法律執行責任と政令の制定及び執行責任の所在を明らかにしようとしたものである。

(オ) 誤　　内閣総理大臣その他の国務大臣は、両議院の一に議席を有すると有しないとにかかわらず、何時でも議案について発言するため議院に出席することができる（63前段）。

以上から、誤っているものは(ア)(オ)であり、正解は(2)となる。

15a－1(19－2)　司法権の意義・帰属・範囲・限界・対象

司法権を担う裁判所は、法律上の争訟について裁判する権限を有する（裁判所法第３条第１項）が、この「法律上の争訟」の意味については、当事者間の具体的な権利義務ないし法律関係の存否に関する紛争であり、かつ、法律を適用することにより終局的に解決することができる紛争であることと解されている。次の(ア)から(オ)までの記述のうち、判例の趣旨に照らし、司法審査の及ばない理由として「法律上の争訟」の要件を欠くことを理由とするものの組合せとして最も適切なものは、後記(1)から(5)までのうちどれか。

(ア)　国家試験における合格又は不合格の判定は、学問又は技術上の知識、能力、意見等の優劣、当否の判断を内容とする行為であるから、その試験実施機関の最終判断にゆだねられるべきものであって、裁判所がその判断の当否を審査し、具体的に法令を適用して、その争いを解決調整できるものではない。

(イ)　大学における単位授与行為は、それが一般市民法秩序と直接の関係を有するものであることを肯認するに足りる特段の事情のない限り、純然たる大学内部の問題として大学の自主的、自律的な判断にゆだねられるべきものであって、裁判所の司法審査の対象にはならない。

(ウ)　衆議院の解散は、極めて政治性の高い国家統治の基本に関する行為であるから、それが無効であるかについては裁判所の審査権の外にあり、その判断は主権者たる国民に対して政治的責任を負うところの政府、国会等の政治部門の判断に任され、最終的には国民の政治判断にゆだねられている。

(エ)　国会における法案審議において議場が混乱したまま可決された法律についても、両院において議決を経たものとされ適法な手続によって公布されている以上、裁判所は両院の自主性を尊重すべく同法制定の議事手続に関する事実を審理してその有効無効を判断すべきでない。

(オ)　裁判所は、具体的な争訟事件が提起されないのに将来を予想して憲法及びその他の法律の解釈に対し存在する疑義論争に関し抽象的な判断を下すような権限を行い得るものではない。

（参考）
裁判所法
第３条　裁判所は、日本国憲法に特別の定のある場合を除いて一切の法律上の争訟を裁判し、その他法律において特に定める権限を有する。
２、３　（略）

（1）　(ア)(ウ)　　（2）　(ア)(オ)　　（3）　(イ)(エ)　　（4）　(イ)(オ)　　（5）　(ウ)(エ)

学習記録	／	／	／	／	／	／	／	／	／

裁判所

重要度　A　知識型　　　　**正解（2）**

(ア)「法律上の争訟」の要件を欠くことを理由とするものである

最高裁判所は、国家試験における合格又は不合格の判定について、「国家試験における合格、不合格の判定も学問または技術上の知識、能力、意見等の優劣、当否の判断を内容とする行為であるから、その試験実施機関の最終判断に委ねられるべきものであって、その判断の当否を審査し具体的に法令を適用して、その争いを解決調整できるものとはいえない。」として、司法審査は及ばないとした（最判昭41.2.8）。したがって、本肢は司法審査の及ばない理由として「法律上の争訟」の要件を欠くことを理由とするものである。

(イ)「法律上の争訟」の要件を欠くことを理由とするものではない

自律的法規範を持つ社会ないし団体内部の紛争に関しては、その内部規律の問題にとどまる限りその自治的措置に任せ、それについては司法審査が及ばないという考え方を「部分社会の法理」という。そして、判例（最判昭52.3.15）も、大学における単位授与行為について、「単位授与（認定）行為は、他にそれが一般市民法秩序と直接の関係を有するものであることを肯認するに足りる特段の事情のない限り、純然たる大学内部の問題として大学の自主的、自律的な判断に委ねられるべきものであって、裁判所の司法審査の対象にはならない。」としている。したがって、本肢は司法審査の及ばない理由として「部分社会の法理」を理由とするものであって、「法律上の争訟」の要件を欠くことを理由とするものではない。

(ウ)「法律上の争訟」の要件を欠くことを理由とするものではない

存在形式上は一応違憲審査の対象になる国家行為であっても、それが高度に政治的な性格を帯びる場合には、違憲審査の対象から外されるべきだとする見解を「統治行為論」という。そして、判例（最判昭35.6.8）も、「直接国家統治の基本に関する高度に政治性のある国家行為のごときはたとえそれが法律上の争訟となり、これに対する有効無効の判断が法律上可能である場合であっても、かかる国家行為は裁判所の審査権の外にあり、その判断は主権者たる国民に対して政治的責任を負うところの政府、国会等の政治部門の判断に任され、最終的には国民の政治判断に委ねられているものと解すべきである。」「すなわち衆議院の解散は、極めて政治性の高い国家統治の基本に関する行為であって、かくのごとき行為について、その法律上の有効無効を審査することは司法裁判所の権限の外にありと解すべき」としている。したがって、本肢は司法審査の及ばない理由として「統治行為論」を理由とするものであって、「法律上の争訟」の要件を欠くことを理由とするものではない。

(エ)「法律上の争訟」の要件を欠くことを理由とするものではない
議院の定足数や議決の有無等の議事手続（56ほか）、国会議員の懲罰（58Ⅱ）などの憲法上両議院の自律に委ねられていると解される事項については、政治部門の内部的自律の尊重という観点から、裁判所の審査権は及ばないとする考え方を「自律権」という。そして、判例（最判昭37.3.7）も、国会における法案審議において議場が混乱したまま可決された法律の有効性が争われた事案において、「警察法は両院において議決を経たものとされ適法な手続によって公布されている以上、裁判所は両院の自主性を尊重すべく同法制定の議事手続に関する…事実を審理してその有効無効を判断すべきではない。」とした。したがって、本肢は司法審査の及ばない理由として議院の自律権を理由とするものであって、「法律上の争訟」の要件を欠くことを理由とするものではない。

(オ)「法律上の争訟」の要件を欠くことを理由とするものである
最高裁判所は、「わが裁判所が現行の制度上与えられているのは司法権を行う権限であり、そして司法権が発動するためには具体的な争訟事件が提起されることを必要とする。わが裁判所は具体的な争訟事件が提起されないのに将来を予想して憲法及びその他の法律命令等の解釈に対し存在する疑義論争に関し抽象的な判断を下すごとき権限を行い得るものではない。」「要するにわが現行の制度の下においては、特定の者の具体的な法律関係につき紛争の存する場合においてのみ裁判所にその判断を求めることができるのであり、裁判所がかような具体的事件を離れて抽象的に法律命令等の合憲性を判断する権限を有するとの見解には、憲法上及び法令上何らの根拠も存しない。」とした（最判昭27.10.8）。したがって、本肢は司法審査の及ばない理由として「法律上の争訟」の要件を欠くことを理由とするものである。

以上から、司法審査の及ばない理由として「法律上の争訟」の要件を欠くことを理由とするものは(ア)(オ)であり、正解は(2)となる。

MEMO

15a－2(26－3)　司法権の意義・帰属・範囲・限界・対象

司法権の範囲又はその限界に関する次の(ア)から(オ)までの記述のうち、判例の趣旨に照らし誤っているものの組合せは、後記(1)から(5)までのうち、どれか。

(ア)　国家試験における合格又は不合格の判定は、学問上の知識、能力、意見等の優劣、当否の判断を内容とする行為であるから、試験実施機関の最終判断に委ねられるべきものであって、司法審査の対象とならない。

(イ)　当事者間の具体的な権利義務ないし法律関係に関する訴訟であっても、宗教団体の内部においてされた懲戒処分の効力が請求の当否を決する前提問題となっており、宗教上の教義や信仰の内容に立ち入ることなくしてその効力の有無を判断することができず、しかも、その判断が訴訟の帰すうを左右する必要不可欠のものであるときは、当該権利義務ないし法律関係は、司法審査の対象とならない。

(ウ)　地方議会は自律的な法規範を持つ団体であって、当該規範の実現については内部規律の問題として自治的措置に任せるべきであるから、地方議会議員の除名処分については、司法審査の対象とならない。

(エ)　政党は、議会制民主主義を支える上において極めて重要な存在であるから、その組織内の自律的な運営として党員に対してした処分は、それが一般市民法秩序と直接の関係を有しない内部的な問題にとどまるものであっても、司法審査の対象となる。

(オ)　衆議院の解散については、たとえその有効又は無効の判断が法律上可能である場合であっても、その判断は主権者たる国民に対して政治的責任を負う政府、国会等の政治部門の判断に委ねられ、最終的には国民の政治的判断に委ねられるべきであり、司法審査の対象とならない。

(1)　(ア)(エ)　　(2)　(ア)(オ)　　(3)　(イ)(ウ)　　(4)　(イ)(オ)　　(5)　(ウ)(エ)

裁判所

学習記録	／	／	／	／	／	／	／	／	／

重要度　A	知識型		正解（5）

(ア) 正　　法令の適用によって解決するに適さない単なる政治的又は経済的問題や技術上又は学術上に関する争いは、裁判所の裁判を受けるべき事柄ではなく、国家試験における合格、不合格の判定も学問又は技術上の知識、能力、意見等の優劣、当否の判断を内容とする行為であるから、その試験実施機関の最終判断に委ねられるべきものであって、その判断の当否を審査し具体的に法令を適用して、その争いを解決調整できるものではない（最判昭 41.2.8）。

(イ) 正　　当事者間の具体的な権利義務ないし法律関係に関する訴訟であっても、宗教的団体内部においてされた懲戒処分の効力が請求の当否を決する前提問題となっており、その効力の有無が当事者間の紛争の本質的争点をなすとともに、それが宗教上の教義、信仰の内容に深くかかわっているため、教義、信仰の内容に立ち入ることなくしてその効力の有無を判断することができず、しかも、その判断が訴訟の帰趨を左右する必要不可欠のものである場合には、その訴訟は、実質において法令の適用による終局的解決に適しない（最判平 1.9.8・蓮華寺事件）。

(ウ) 誤　　地方議会議員に対する処分の司法審査が争われた事件において、最高裁判所は、自律的な法規範を持つ社会ないし団体に在っては、当該規範の実現を内部規律の問題として自治的措置に任せ、必ずしも裁判に待つのを適当としないものがあるとした上で、議員の除名処分は、議員の身分の喪失に関する重大事項で、単なる内部規律の問題にとどまらないために、司法審査の対象となるとしている（最大判昭 35.3.9）。

(エ) 誤　　政党が党員に対してした処分は、一般市民法秩序と直接の関係を有しない内部的な問題にとどまる限り、裁判所の審判権の対象とはならない一方で、処分が一般市民としての権利利益を侵害する場合であっても、その処分の当否は、当該政党の自律的に定めた規範が公序良俗に反するなどの特段の事情がない限り規範に照らし、規範を有しないときは条理に基づき、適正な手続にのっとりなされたか否かによって決すべきであり、審理もその点に限られるとしている（最判昭 63.12.20・共産党袴田事件）。したがって、一般市民法秩序と直接の関係を有しない内部的な問題であっても司法審査の対象となるとする点で、本肢は誤っている。

(オ) 正　　衆議院の解散は、直接国家統治の基本に関する高度に政治性のある国家行為であって、たとえ法律上の争訟となり有効無効の判断が法律上可能であっても、司法裁判所の権限の範囲外にあるというべきであり、その判断は主権者たる国民に対して政治的責任を負う政府、国会等の政治部門の判断、最終的には国民の政治判断に委ねられる（最大判昭 35.6.8・苫米地事件）。

以上から、誤っているものは(ウ)(エ)であり、正解は(5)となる。

15a－3(R2－3)　司法権の意義・帰属・範囲・限界・対象

司法権に関する次の(ア)から(オ)までの記述のうち、判例の趣旨に照らし正しいものの組合せは、後記(1)から(5)までのうち、どれか。

(ア)　政党が党員に対してした除名処分は、当該政党の自治的措置に委ねられるものであるから、その有効性について裁判所が審理判断することは許されない。

(イ)　大学における単位の授与（認定）行為は、当該大学の自主的、自律的な判断に委ねられるものであるが、それが一般市民法秩序と直接の関係を有することを肯認するに足りる特段の事情がある場合には、裁判所の司法審査の対象となる。

(ウ)　特定の者が宗教法人である宗教団体の宗教活動上の地位にあるか否かを判断するにつき、当該宗教団体の教義ないし信仰の内容に立ち入って審理、判断することが必要不可欠である場合には、宗教上の教義ないし信仰の内容に関わる事項についても裁判所の審判権が及ぶ。

(エ)　国会議員は、立法に関しては、国民全体に対する政治的責任を負うにとどまり、個別の国民の権利に対応した法的義務を負うものではないから、国会議員の立法行為が違法の評価を受けるか否かについて裁判所が審理判断することは許されない。

(オ)　国会議員の資格に関する争訟については、憲法上、その議員が属する議院が裁判をする旨の規定があることから、裁判所の審判権は及ばない。

(1)　(ア)(ウ)　　(2)　(ア)(エ)　　(3)　(イ)(ウ)　　(4)　(イ)(オ)　　(5)　(エ)(オ)

学習記録	／	／	／	／	／	／	／	／	／

重要度　A	知識型		正解（4）

㈠　誤　　政党の党員に対する除名処分に司法審査が及ぶか否かが争われた事案について、判例は、政党が党員に対してした処分が一般市民法秩序と直接の関係を有しない内部的な問題にとどまる限り、裁判所の審査権は及ばないとし、さらに、処分が一般市民としての権利利益を侵害する場合であっても、その処分の当否は、当該政党の自律的に定めた規範が公序良俗に反するなどの特段の事情のない限り、規範に照らし、規範を有しないときは条理に基づき、適正な手続にしたがってされたか否かによって決すべきであり、審理もその点に限られるとして、裁判所が審理判断する場合を認めている（最判昭 63.12.20・共産党袴田事件）。

㈡　正　　大学における単位授与行為が司法審査の対象となるか否かが争われた事案について、判例は、一般市民社会の中にあってこれとは別個に自律的な法規範を有する特殊な部分社会における法律上の係争は、それが一般市民法秩序と直接の関係を有しない内部的な問題にとどまる限り、自主的、自律的な解決に委ねるのが適当であり、裁判所の司法審査の対象とならないとした上で、大学は、その設置目的を達成するために必要な事項を学則等により規定し、実施する自律的・包括的な権能を有し、一般市民社会とは異なる特殊な部分社会を形成しているから、単位授与行為は、他にそれが一般市民法秩序と直接の関係を有するものであることを肯認するに足りる特段の事情のない限り、純然たる大学内部の問題として、裁判所の司法審査の対象とはならないとした（最判昭 52.3.15）。したがって、一般市民法秩序と直接の関係を有することを肯認するに足りる特段の事情がある場合には、裁判所の司法審査の対象となる。

㈢　誤　　宗教法人の代表役員らに反対する者たちが、当該代表役員らの地位の不存在の確認を求める訴えを提起した事案について、判例は、宗教団体における特定の者の宗教活動上の地位の存否を審理、判断するにつき、当該宗教団体の教義ないし信仰の内容に立ち入って審理、判断することが必要不可欠である場合には、裁判所は、その者が宗教活動上の地位にあるか否かを審理、判断することができないとした（最判平 5.9.7）。

㈣　誤　　在宅投票制度を廃止したまま、その復活を怠った不作為の違憲を理由として国家賠償請求がされた事案について、判例は、国会議員は、立法に関しては、原則として、国民全体に対する関係で政治的責任を負うにとどまり、個別の国民の権利に対応した関係での法的義務を負うものではないというべきであって、国会議員の立法行為は、立法の内容が憲法の一義的な文言に違反しているにもかかわらず国会があえて当該立法を行うというごとき、容易に想定し難いような例外的な場合でない限り、国家賠償法１条１項の規定の適用上、違法の評価を受けるものではないとした（最判昭 60.11.21・在宅投票制度廃止事件）。したがって、国会議員の立法行為が違法の評価を受けるか否かについて裁判所が審理判断することは許されないとする点で、本肢は誤っている。

㈿　正　　両議院は、各々その議員の資格に関する争訟を裁判する（55 本文）。その趣旨は、議院の自律権を尊重するために、各議院にその構成員の資格の有無を判定する権限を与える点にある。したがって、国会議員の資格争訟の裁判は、憲法上、裁判所の司法審査の対象から除外され、裁判所の審判権は及ばない。

以上から、正しいものは㈼㈿であり、正解は⑷となる。

MEMO

15b−1(21−3)　裁判所の組織・活動、裁判の構造

次の三つの見解は、最高裁判所の規則制定権の範囲内の事項について、法律と規則が競合的に制定され、両者が矛盾する場合の効力関係に関するものである。

第１説　法律の形式的効力が規則の形式的効力より強い。
第２説　規則の形式的効力が法律の形式的効力より強い。
第３説　法律と規則とは形式的効力において等しい。

次の(1)から(5)までの選択肢に記述された「この説」が、上記三つの説のうちどの説に最も適合するかによって、(1)から(5)までの選択肢を三つのグループに分類したとき、他の選択肢が同じグループに入らない選択肢は、次の(1)から(5)までのうちどれか。

(1)　この説は、法律が国権の最高機関であり国の唯一の立法機関である国会により制定されていることを根拠とする。

(2)　この説は、法律と規則とが競合した場合、当該事項についての知識・経験の豊富な機関が制定したものにゆだねることが望ましいことを根拠とする。

(3)　この説によれば、後に作成された法律又は規則が効力を有することになる。

(4)　この説は、憲法が法律と規則との効力関係について何ら規定を置いていないことを根拠とする。

(5)　この説は、憲法第31条がその根拠となるとする。

(参考)
憲法
第31条　何人も、法律の定める手続によらなければ、その生命若しくは自由を奪はれ、又はその他の刑罰を科せられない。

学習記録	／	／	／	／	／	／	／	／	／

裁判所

重要度　C	推論型		正解（2）

最高裁判所の規則制定権の範囲内の事項について、法律と規則が競合的に制定され、両者が矛盾する場合の効力関係については、法律優位説（第１説）、規則優位説（第２説）及び同位説（第３説）の見解がある。

(1)　第１説　　法律が「国権の最高機関」であり、「国の唯一の立法機関」（41）である国会によって制定されることを根拠とするのは、法律により強い形式的効力を認める法律優位説である。したがって、「この説」は第１説に最も適合する。

(2)　第２説　　最高裁判所の規則制定権（77Ⅰ）の範囲内の事項について、より知識・経験の豊富な機関であるのは、最高裁判所であると考えられる。そして、当該事項については、規則に委ねるのが望ましいと考えるのは規則優位説である。したがって、「この説」は第２説に最も適合する。

(3)　第３説　　後に作成された法律又は規則が効力を有する帰結となるのは、両者の形式的効力は等しく、「後法は前法を廃する」の関係に立つとする同位説である。したがって、「この説」は第３説に最も適合する。

(4)　第３説　　憲法が法律と規則との効力関係について何ら規定を置いていないことは、いずれか一方の形式的効力が他方よりも強いことの根拠となるものではなく、両者の形式的効力が等しいとする同位説の根拠となるものである。したがって、「この説」は第３説に最も適合する。

(5)　第１説　　31条は、「法律の定める手続」による適正手続の原則を明らかにする。これは、法律が規則に優位すべきであるとする法律優位説の根拠となるものである。したがって、「この説」は第１説に最も適合する。

以上から、(1)と(5)及び(3)と(4)が同じグループに入り、他の選択肢が同じグループに入らない選択肢は(2)であり、正解は(2)となる。

15b－2(R6－3)　裁判所の組織・活動、裁判の構造

裁判所の組織と権能に関する次の(ア)から(オ)までの記述のうち、判例の趣旨に照らし正しいものの組合せは、後記(1)から(5)までのうち、どれか。

(ア)　最高裁判所の裁判官は、内閣の指名に基づいて、天皇が任命する。

(イ)　裁判官は、裁判により、心身の故障のために職務を執ることができないと決定された場合を除いては、罷免されない。

(ウ)　行政機関が裁判所の前審として裁判を行う制度は、特別裁判所の設置を禁止する憲法に違反する。

(エ)　最高裁判所の裁判官の任命に関する国民審査の制度は、任命行為を完成させるか否かを審査するものではなく、実質的には解職の制度である。

(オ)　裁判所は、政治犯罪、出版に関する犯罪又は憲法第３章で保障する国民の権利が問題となっている事件を除き、裁判官の全員一致で公の秩序又は善良の風俗を害するおそれがあると決した場合には、対審を公開しないで行うことができる。

(1)　(ア)(ウ)　　(2)　(ア)(エ)　　(3)　(イ)(ウ)　　(4)　(イ)(オ)　　(5)　(エ)(オ)

学習記録	／	／	／	／	／	／	／	／	／

重要度　A	知識型		正解（5）

(ア) 誤　最高裁判所の長たる裁判官は、内閣の指名に基づいて、天皇が任命する（６Ⅱ）。また、長たる裁判官以外の裁判官は、内閣が任命し（79Ⅰ）、天皇が認証する（７⑤）。

(イ) 誤　最高裁判所の裁判官が罷免される場合としては、①国民審査による罷免（79Ⅱ・Ⅲ）、②公の弾劾による罷免（64）のほか、③心身の故障のために職務を執ることができないと決定された場合がある（78前段、裁限１Ⅰ参照）。

(ウ) 誤　行政機関は、終審として裁判を行うことができない（76Ⅱ後段）。しかし、終審としてではなく前審としてならば、行政機関による裁判も認められる。

(エ) 正　憲法79条２項の任命に関する国民審査の制度は、その実質においていわゆる解職の制度とみることができる（最大判昭27.2.20）。

(オ) 正　裁判の対審及び判決は、公開法廷でこれを行う（82Ⅰ）。ただし、政治犯罪、出版に関する犯罪又は憲法３章で保障する国民の権利が問題となっている事件の対審を除き、裁判所が、裁判官の全員の一致で、公の秩序又は善良の風俗を害するおそれがあると決した場合には、対審は公開しないでこれを行うことができる（82Ⅱ）。

以上から、正しいものは(エ)(オ)であり、正解は(5)となる。

15c－1(20－2)　司法権の独立と民主的統制

裁判の公開（憲法第 82 条）に関する次の㈠から㈥までの記述のうち、判例の趣旨に照らし誤っているものの組合せは、後記(1)から(5)までのうちどれか。(改)

㈠　政治犯罪、出版に関する犯罪又は憲法第３章で保障する国民の権利が問題となっている事件の対審及び判決は、常に公開しなければならない。

㈡　憲法第 82 条は、裁判を一般に公開して裁判が公正に行われることを制度として保障するが、各人が裁判所に対して傍聴することを権利として要求できることまでを認めたものではないことはもとより、傍聴人に対して法廷でメモを取ることを権利として保障しているものでもない。

㈢　家事事件手続法に基づく遺産分割審判は、相続権、相続財産等の存在を前提としてされるものであるから、公開法廷で行わなくても憲法に違反しないが、この前提事項に関する判断を審判手続において行うことは、憲法に違反する。

㈣　家事事件手続法に基づく夫婦同居の審判は、夫婦同居の義務等の実体的権利義務自体を確定する趣旨のものではなく、これら実体的権利義務の存することを前提として、同居の時期、場所、態様等について具体的内容を定め、また必要に応じてこれに基づき給付を命ずる処分であると解されるから、公開法廷で行わなくても憲法に違反しない。

㈥　刑事確定記録の閲覧は、表現の自由等を定めた憲法第 21 条によっては必ずしも国民の権利として保障されているものではないが、憲法第 82 条によって国民の権利として保障されたものであるから、これを制限する旨の法の規定は憲法に違反する。

(1)　㈠㈡　　(2)　㈠㈣　　(3)　㈡㈥　　(4)　㈢㈣　　(5)　㈢㈥

学習記録	／	／	／	／	／	／	／	／	／

裁判所

重要度　A	知識型		正解（5）

(ア)　正　　82条は、１項で「裁判の対審及び判決は、公開法廷でこれを行ふ。」と定めるとともに、２項本文で、裁判官の全員一致で、公序良俗を害するおそれがある場合には例外的に「対審」の公開停止も許される旨規定しているが、２項ただし書において「政治犯罪、出版に関する犯罪又はこの憲法第三章で保障する国民の権利が問題となつてゐる事件」を除いている。したがって、政治犯罪、出版に関する犯罪又は憲法第三章で保障する国民の権利が問題となっている事件の対審及び判決は、82条１項の原則どおり、常に公開しなければならない。

(イ)　正　　判例は、レペタ事件（最判平1.3.8）において、82条１項の規定の趣旨は、「裁判を一般に公開して裁判が公正に行われることを制度として保障し、ひいては裁判に対する国民の信頼を確保しようとすることにある。」とした上で、「右規定は、各人が裁判所に対して傍聴することを権利として要求できることまでを認めたものでないことはもとより、傍聴人に対して法廷においてメモを取ることを権利として保障しているものでないことも、いうまでもない。」としている。

(ウ)　誤　　家事事件手続法に基づく遺産分割審判は、家庭裁判所が当事者の意思に拘束されることなく、後見的立場から合目的的に裁量権を行使して具体的に分割を形成決定し、その結果必要な金銭の支払等の給付を付随的に命じ、一定期間遺産の分割を禁止する等の処分をする裁判であって、その性質は本質的に非訟事件であるから、公開法廷で行わなくても憲法に違反しない。また、家事事件手続法に基づく遺産分割審判は、相続権、相続財産等の存在を前提としてなされるものであるが、審判手続においてこれらの前提事項に関する判断を行っても、その判断には既判力が生じず、別に、民事訴訟を提起して争うことができるから、32条、82条に違反しない（最大決昭41.3.2）。

(エ)　正　　判例（最決昭40.6.30）は、家事事件手続法に基づく夫婦同居の審判の法的性質につき本肢のように述べた上で、前提となる実体的権利義務関係については審判によって終局的に確定せず、その点については訴訟事件として公開の法廷における対審及び判決を求める途が残されているとして、82条、32条に抵触するものではないとしている。

(オ)　誤　　判例（最大決平2.2.16）は、法律の定める具体的な訴訟記録閲覧制度、特に刑事確定訴訟記録法４条２項における閲覧制限規定の合憲性が争われた事件において、「21条が他の利益を無視してまで情報開示請求権を保障しているものと解することは難しく、また82条の規定も、公開裁判を国民各自に対して具体的請求権として保障しているものではない」とした原決定（静岡地沼津支決平1.12.7）に対する特別抗告を棄却し、刑事確定訴訟記録法４条２項は21条、82条に違反しないとしている。したがって、本肢は、「刑事確定記録の閲覧は…82条によって国民の権利として保障されたものである」としている点、及びこれを制限する旨の法の規定は憲法に違反するとしている点で、誤っている。

以上から、誤っているものは(ウ)(オ)であり、正解は(5)となる。

MEMO

15c−2(23−3)　司法権の独立と民主的統制

次の対話は、司法権の独立に関する教授と学生との対話である。教授の質問に対する次の(ア)から(オ)までの学生の解答のうち、誤っているものの組合せは、後記(1)から(5)までのうちどれか。

教授：　司法権の独立の原則には、司法権が立法権及び行政権から独立して自主的に活動することと裁判官が裁判をするに当たって独立して職権を行使することという二つの意味があると言われています。司法権が立法権及び行政権から独立して自主的に活動することを担保するものとして、憲法上どのようなことが定められていますか。

学生：(ア)　例えば、最高裁判所の規則制定権や、最高裁判所による下級裁判所裁判官の指名権が定められています。

教授：　それでは、裁判官が裁判をするに当たって独立して職権を行使することを担保するものとして、憲法上どのようなことが定められていますか。

学生：(イ)　例えば、憲法第76条第3項は、「すべて裁判官は、その良心に従ひ独立してその職権を行ひ、この憲法及び法律にのみ拘束される。」と定めていますが、この規定は、裁判の公正を保つために、裁判官の職権の独立をうたったもので、裁判官の職権行使に対する不当な干渉や圧力が排除されています。

教授：　憲法第76条第3項の「その良心に従ひ」とは、どのような意味だと考えますか。

学生：　私は、同項にいう「良心」とは、個人的・主観的な良心ではなく、客観的に存在する法を発見し、それに従うべし、という裁判官の職業倫理を意味すると考えます。

教授：　客観的に存在する法が不明確であり、一義的に答えが発見しにくい法律問題については、あなたが今述べた考え方に立てば、裁判官として、どのような選択をすべきことになりますか。

学生：(ウ)　客観的に存在する法が不明確である以上、裁判官の主観的な判断、つまり、個人としての道徳観に従った選択をすることになります。

教授：　国民が、個別の刑事事件について、その量刑が軽すぎると批判することは、司法権の独立を侵害しますか。

学生：(エ)　国民の裁判批判は、表現の自由の一環ですので、国民が個別の刑事事件の量刑を批判したからといって、直ちに司法権の独立を侵害するとは言えないものと考えます。

教授：　裁判官の職権行使の独立を実効性のあるものにするためには、裁判官の身分が保障されている必要があると思いますが、下級裁判所の裁判官の身分は、どのように保障されていますか。

学生：(オ)　下級裁判所の裁判官は、弾劾裁判所の裁判による場合、いわゆる分

裁判所

限裁判によって心身の故障のために職務を執ることができないと決定された場合又は分限裁判によって懲戒された場合でなければ，罷免されることはありません。

(1)　(ア)(イ)　(2)　(ア)(エ)　(3)　(イ)(ウ)　(4)　(ウ)(オ)　(5)　(エ)(オ)

学習記録	／	／	／	／	／	／	／	／	／

MEMO

重要度　A	知識型		正解（4）

(ア)　正　　司法権の独立は、①司法権が立法権・行政権から独立していること（司法府の独立）と、②裁判官が裁判をするに当たって独立して職権を行使すること（裁判官の職権の独立）、の二つの意味を有する。そして、①の司法府の独立を確保する諸制度として、最高裁判所の規則制定権（77 I）や最高裁判所による下級裁判所裁判官の指名権（80 I）が定められている。

(イ)　正　　76条３項は、「すべて裁判官は、その良心に従い独立してその職権を行い、この憲法及び法律にのみ拘束される。」と定めている。同条項は、裁判の公正を保持するために、裁判官に対するあらゆる不当な干渉や圧力を排除して裁判官の職権の独立を図った規定である。

(ウ)　誤　　76条３項の「良心」とは、19条の「良心」と同じく、裁判官の個人的・主観的良心であるとする説（主観的良心説）と、19条のそれとは異なり、客観的な裁判官としての良心であるとする説（客観的良心説、通説）がある。この点につき、判例（最判昭23.11.17）は、いずれの説を採用しているのか必ずしも明確とはいえない。もっとも、客観的良心説の考え方に立てば、裁判官の主観的良心はいかなる意味でも法源そのもの足り得ないから、客観的に存在する法が不明確である場合であっても裁判官の主観的な判断、つまり個人としての道徳観に従った選択をすることはできない。

(エ)　正　　国民による裁判批判は、表現の自由（21 I）の一環であるから、健全な形でのものである限り、裁判官の独立を理由に排除されるものではない。したがって、国民が個別の刑事事件の量刑を批判することは健全な形のものである限り、直ちに司法権の独立を侵害するものとはいえない。

(オ)　誤　　裁判官の職権の独立を担保するためには、裁判官は身分が保障されていることが必要である。このような趣旨から、下級裁判所の裁判官の罷免は、①「裁判により、心身の故障のために職務を執ることができないと決定された場合」と②「公の弾劾」による場合の他は、裁判官は罷免されないという保障が与えられている（78前段）。したがって、懲戒による罷免は許されない。なお、裁判官の懲戒は、戒告又は１万円以下の過料と定められている（裁判官分限法２）。

以上から、誤っているものは、(ウ)(オ)であり、正解は(4)となる。

15e−1(17−2)　違憲審査の対象・方法・基準

条約が憲法に適合するか否かを最高裁判所又は下級裁判所が審査することができるかという問題について、肯定説と否定説の二つの見解がある。これらの見解に関する次の⑴から⑸までの記述のうち、正しいものはどれか。

⑴　内閣の条約締結権が憲法によって認められた権能であることは、肯定説の根拠とはならない。

⑵　憲法第 98 条第２項が、日本国が締結した条約を誠実に遵守すべき旨を定めていることは、否定説の根拠とはならない。

⑶　内閣が締結し国会が承認して成立した条約については、強い合憲性の推定が働くと考えるべきであるとの考え方は、肯定説と矛盾する。

⑷　憲法第 81 条が、裁判所の違憲審査の対象として条約を挙げていないことを重視すると、否定説を導きやすい。

⑸　条約が国家間の合意という特質を持ち、しかも極めて政治的な内容を含むという点を重視すると、肯定説を導きやすい。

学習記録	／	／	／	／	／	／	／	／	／

重要度　C	推論型		正解（4）

81条の文言上、条約が違憲審査の対象となるかどうかは明らかでない。そこで、条約の性質上、これに違憲審査が及ぶかが問題となる。この点、憲法と条約との優劣関係につき条約が優位するという見解に立つ場合には、条約は違憲審査の対象とはならない。これに対して、憲法が優位するという見解を前提とした場合でも、81条が違憲審査の対象として条約を挙げていないことから、当然には違憲審査の対象になるとはいえず、条約に対する違憲審査の可否が問題となる。

(1) 誤　肯定説は、内閣の条約締結権が憲法によって認められた権能であることを根拠の一つとする。なぜなら、憲法に授権された権能によって締結された条約が憲法に優位すると考えることは法論理的に矛盾すると考えられるからである。したがって、内閣の条約締結権が憲法によって認められた権能であることは、肯定説の根拠とならないとはいえない。

(2) 誤　98条2項が、日本国が締結した条約を誠実に遵守すべき旨を定めていることは、否定説の根拠となる。98条2項が、日本国が締結した条約を誠実に遵守すべき旨を定めていることを強調すれば、国家間の合意である条約を違憲審査によりわが国の裁判所の判断で無効とすべきでないといえる。したがって、98条2項が、日本国が締結した条約を誠実に遵守すべき旨を定めていることは、否定説の根拠とならないとはいえない。

(3) 誤　条約につき、強い合憲性の推定が働くと考えるべきであるとの考え方によった場合、条約の違憲審査における違憲審査基準が緩和されるべきであると解することになる。しかし、この考え方も、条約が違憲審査の対象となることを前提にしたものといえる。したがって、本肢は、条約が違憲審査の対象となるか否かにつき肯定説と矛盾しない。

(4) 正　81条が、裁判所に違憲審査の対象として条約を挙げていないことを重視すれば、条約に対して違憲審査権が及ばないと考えるべきことになる。したがって、本肢は、否定説を導きやすいといえる。

(5) 誤　条約が国家間の合意という特質を持ち、しかも極めて政治的な内容を含む点を重視すると、非政治的機関である裁判所が条約の違憲審査をすべきでないといえる。したがって、本肢は、肯定説を導きやすいとはいえない。

15e−2(25−3)　違憲審査の対象・方法・基準

次の対話は、違憲審査権に関する教授と学生との対話である。教授の質問に対する次の(ア)から(オ)までの学生の解答のうち、判例の趣旨に照らし誤っているものの組合せは、後記(1)から(5)までのうち、どれか。

教授：　憲法第 81 条には、「最高裁判所は、一切の法律、命令、規則又は処分が憲法に適合するかしないかを決定する権限を有する終審裁判所である。」と規定されていますが、下級裁判所も違憲審査権を有していますか。

学生：(ア)　憲法第 81 条の明文上は、「最高裁判所」と規定されていますが、下級裁判所も違憲審査権を有しています。

教授：　それでは、憲法第 81 条には、違憲審査の対象として、裁判所のする「判決」が明文で規定されていませんが、判決も違憲審査の対象となりますか。

学生：(イ)　判決も「処分」の一種として、違憲審査の対象となります。

教授：　違憲審査の対象とならないものには、どのようなものがありますか。

学生：(ウ)　例えば、両議院の自律権に属する行為は違憲審査の対象となるものの、国の統治の基本に関する高度に政治性のある国家行為は違憲審査の対象とはなりません。

教授：　「条約」は違憲審査の対象とならないとする見解がありますが、この見解に対しては、どのような批判がありますか。

学生：(エ)　憲法に反する内容の条約が締結された場合には、当該条約によって実質的に憲法が改正されることとなるため、硬性憲法の建前に反するという批判があります。

教授：　では、憲法違反となるかどうかが争われている法令の規定について、複数の解釈が成り立ち、ある解釈を採ると違憲となるが、別の解釈を採れば合憲となるというような場合に、裁判所は、どのような判断の手法を執ることになりますか。

学生：(オ)　法律の規定の解釈が複数成り立つことは、法規としての明確性を欠くことになるため、このような場合には、裁判所は、争われた法令の規定そのものを常に違憲と判断することになります。

(1)　(ア)(エ)　　(2)　(ア)(オ)　　(3)　(イ)(ウ)　　(4)　(イ)(エ)　　(5)　(ウ)(オ)

学習記録	／	／	／	／	／	／	／	／	／

重要度　A	知識型		正解（5）

(ア) 正　違憲審査権の根拠規定である81条は、違憲審査権の主体を「最高裁判所は」と規定している。もっとも、判例は、「憲法81条は最高裁判所が違憲審査権を有する終審裁判所であることを明らかにした規定であって、下級裁判所が違憲審査権を有することを否定する趣旨をもっているものではない。」としている（最大判昭25.2.1）。

(イ) 正　81条は違憲審査権の対象を「一切の法律、命令、規則又は処分」と規定している。そして、裁判所のする「判決」が違憲審査権の対象となるか否かにつき、判例では、裁判は一般的抽象的規範を制定するものではなく、個々の処分について具体的処置をつけるものであるから、その本質は一種の処分であり、司法行為も終審として最高裁判所の違憲審査権に服するとしている（最大判昭23.7.8）。

(ウ) 誤　自律権に関して、判例は「両院において議決を経たものとされ適法な手続によって公布されている以上、裁判所は両院の自主性を尊重すべく、（当該法律）制定の議事手続に関する事実を審理してその有効無効を判断すべきではない。」としている（最大判昭37.3.7・警察法改正無効事件）。これに対して、国家統治の基本に関する高度に政治性のある国家行為に関しては、「裁判所の審査権の範囲外にあり最終的には国民の政治判断に委ねられている」としている（最大判昭35.6.8・苫米地事件）。したがって、両議院の自律権に属する行為は違憲審査の対象となるとする点で、本肢は誤っている。

(エ) 正　条約の締結手続には衆議院の優越が認められている（61・60Ⅱ）。そのため、条約が憲法に優位すると解し条約は違憲審査の対象とならないとする見解に対しては、憲法に反する内容の条約が締結された場合、法律よりも簡易な手続によって成立する条約（61・60Ⅱ・59参照）によって実質的に憲法が改正されることとなり、国民主権ないし硬性憲法の建前に反するとの批判が妥当する。

(オ) 誤　憲法違反となるかどうかが争われている法令の規定について、複数の解釈が成り立ち、ある解釈を採ると違憲となるが別の解釈を採れば合憲となるというような場合に、字義のとおりに解釈すれば違憲になるかもしれない広汎な法文の意味を限定し違憲となる可能性を排除することによって、法令の効力を救済する違憲判断回避の手法を合憲限定解釈といい、最高裁もこの手法を採用している（最大判昭44.4.2・都教組事件、最大判昭59.12.12・税関検査事件）。

以上から、誤っているものは(ウ)(オ)であり、正解は(5)となる。

15e－3（R5－2）　違憲審査の対象・方法・基準

違憲審査権に関する次の(ア)から(オ)までの記述のうち、判例の趣旨に照らし正しいものの組合せは、後記(1)から(5)までのうち、どれか。

(ア)　表現の自由を規制する法律の規定は、一般の国民が当該規定から具体的場合に当該表現が規制の対象となるかどうかの判断が可能となるような基準を読みとることができない場合であっても、当該規定を限定して解釈することによって規制の対象となるものとそうでないものとを区別することができるときには、違憲無効であるとの評価を免れることができる。

(イ)　最高裁判所によりある法律が違憲無効であると判断された場合には、その法律は、直ちに効力を失う。

(ウ)　条約は、国家間の合意であるという性質に照らし、裁判所による違憲審査権の対象とならない。

(エ)　被告人に対する没収の裁判が第三者の所有物を対象とするものであっても、当該被告人は、当該第三者に対して何ら告知、弁解、防禦の機会が与えられなかったことを理由に当該没収の裁判が違憲であることを主張することができる。

(オ)　違憲審査権は、最高裁判所のみならず下級裁判所も有する。

(1)　(ア)(ウ)　　(2)　(ア)(エ)　　(3)　(イ)(ウ)　　(4)　(イ)(オ)　　(5)　(エ)(オ)

学習記録	／	／	／	／	／	／	／	／	／

重要度 A	知識型	要 *Check!*		正解（5）

(ア) 誤　表現の自由を規制する法律の規定について限定解釈をすることが許されるのは、その解釈により、規制の対象となるものとそうでないものとが明確に区別され、かつ、合憲的に規制し得るもののみが規制の対象となることが明らかにされる場合でなければならず、また、一般国民の理解において、具体的場合に当該表現物が規制の対象となるかどうかの判断を可能ならしめるような基準をその規定から読み取ることができるものでなければならない(最大判昭 59.12.12)。

(イ) 誤　裁判所が、ある事件である法律を違憲無効と判示した場合に、違憲とされた法律の効力がどうなるかについては、①客観的に無効となる（議会による廃止の手続なくして存在を失う）とする一般的効力説、②当該事件に限って適用が排除されるとする個別的効力説、及び③法律の定めるところに任せられている問題だとする法律委任説がある。この点、最高裁判所の判決においてこの問題についての見解を明示したものは存在しない。

(ウ) 誤　日米安保条約の合憲性について、判例は、一見極めて明白に違憲無効であると認められない限りは、裁判所の司法審査権の範囲外のものであるとした（最大判昭 34.12.16・砂川事件）。したがって、裁判所による違憲審査権の対象とならないとする点で、本肢は誤っている。

(エ) 正　第三者の所有物を没収する場合において、その没収に関して当該所有者に対し、何ら告知、弁解、防御の機会を与えることなく、その所有権を奪うことは、著しく不合理であって、憲法の容認しないところであるといわなければならない（最大判昭 37.11.28・第三者所有物没収事件)。その上で、判例は、当該没収の言渡を受けた被告人は、たとえ第三者の所有物に関する場合であっても、被告人に対する附加刑である以上、没収の裁判の違憲を理由として上告をなし得ることは、当然であるとした（同判例)。

(オ) 正　憲法 81 条は、最高裁判所が違憲審査権を有する終審裁判所であることを明らかにした規定であって、下級裁判所が違憲審査権を有することを否定する趣旨をもっているものではない（最大判昭 25.2.1・食糧管理法違反被告事件)。

以上から、正しいものは(エ)(オ)であり、正解は(5)となる。

15f−1(19−3)　違憲判決の効力、憲法判例

次の二つの見解は、違憲であるとの判決がされた場合における法律の効力に関するものである。

第１説　その法律は、その事件に関する限り裁判所によって適用されないだけで、依然として法律としての効力を有する。
第２説　その法律は、当該判決によって当然に効力を失う。

次の㋐から㋔までの記述のうち、「この見解」が第２説を指すものの組合せとして最も適切なものは、後記⑴から⑸までのうちどれか。

㋐　この見解は、憲法第98条第１項が憲法の条規に反する法律の全部又は一部はその効力を有しないと規定することを根拠とする。

㋑　この見解に対しては、法的安定性又は予見可能性を害し、また、不公平を生み、平等原則にも反するという批判がある。

㋒　この見解は、違憲審査権が具体的事件の裁判に付随してその解決に必要な範囲においてのみ行使されることを根拠とする。

㋓　この見解に対しては、裁判所による一種の消極的立法を認めることになり、憲法第41条が国会は国の唯一の立法機関であると規定することに反するという批判がある。

㋔　この見解は、憲法上、国会は違憲とされた法令を速やかに改廃し、また、政府はその執行を控えるなどの措置を採ることが期待されているとする。

⑴　㋐㋒　　⑵　㋐㋓　　⑶　㋑㋓　　⑷　㋑㋔　　⑸　㋒㋔

学習記録	／	／	／	／	／	／	／	／	／

裁判所

重要度　C	推論型			正解（2）

本問は、違憲判決の効力に関する問題である。第１説は、個別的効力説（最高裁判所が下した法令違憲の判決といえども、その効果は当該事件どまりであり、違憲と判断された法律は当該事件についてだけ適用が排除されるという見解)、第２説は、一般的効力説（最高裁判所によって違憲と判断された法律は当該具体的事件についてだけでなく、これを超えて、一般的にその効力を失うという見解）であり、本問で問われている「この見解」は、第２説である一般的効力説である。

(ア)　第２説を指す　　98条１項は、「憲法は、…その条規に反する法律、…の全部又は一部は、その効力を有しない。」と規定している。この条文によると判決により違憲と判断された法律は、当然に無効となることになる。これを根拠とするのは、判決によって法律が当然に効力を失うとする一般的効力説である。したがって、この見解は一般的効力説（第２説）を指す。

(イ)　第１説を指す　　個別的効力説は、その事件についてのみ違憲と判断された法律が適用されないだけであり、法律は依然として効力を有することになる。この説によると、同じ法律が問題となった他の事件について異なる判断が下される場合もあり得ることになり、法的安定性・予見可能性を害し、不公平を生み、平等原則に反することになるとの批判がある。したがって、この見解は個別的効力説（第１説）を指す。

(ウ)　第１説を指す　　違憲審査権が具体的事件の裁判に付随してその解決に必要な範囲で行使されるとする審査制度を、付随的違憲審査制という。この付随的違憲審査制を前提とすると、違憲判決の効力につき、一般的効力説よりもむしろその判決の効力も当該事件に関してのみ生ずると考える個別的効力説と結びつくのが論理的である。したがって、この見解は個別的効力説（第１説）を指す。

(エ)　第２説を指す　　一般的効力説は、その事件に限らず法律が一般的に効力を失うとする見解である。この説によると、国会が制定した法律について裁判所の違憲判決により一般的に効力を失わせ、法律を廃止することを認めることになる。これでは裁判所に消極的立法を認めることになり、41条が国会は唯一の立法機関であると規定することに反するといえ、この点で批判がある。したがって、この見解は一般的効力説（第２説）を指す。

(オ)　第１説を指す　　本肢は、国会は違憲とされた法令を速やかに改廃し、また、政府はその執行を控えるなどの措置をとることが期待されているとする。この点、一般的効力説によると、違憲判決によって当然に法律の効力が失われることになるので、法令の改廃や執行差控えなどの措置の問題が生ずる余地はない。他方、個別的効力説によると、当該事件についてのみ効力が及ぶことになるが、それについては前述の肢(イ)「法的安定性又は予見可能性を害し、また、不公平を生み、平等原則にも反する」という批判がある。この批判に対応して、個別的効力説からは、法令の改廃や執行差控えなどの措置が、期待されているといえる。したがって、この見解は個別的効力説（第１説）を指す。

以上から、この見解が第２説（一般的効力説）を指すのは(ア)(エ)であり、正解は(2)となる。

MEMO

15g−1(15−3)　司法権全般

司法権に関する次の(1)から(5)までの記述のうち、正しいものはどれか。

(1)　最高裁判所の裁判官及び下級裁判所の裁判官の任命は、内閣が行う。

(2)　裁判所は、衆議院及び参議院の議員の資格に関する争訟の裁判をすることができる。

(3)　裁判所は、裁判官の全員一致で、判決を公開法廷で行わない場合がある。

(4)　行政機関の審判に対する裁判所への出訴を認めない旨の立法は、憲法に違反しない。

(5)　法律の憲法適合性を審査する権限は、最高裁判所だけでなく、下級裁判所も有する。

学習記録	／	／	／	／	／	／	／	／	／

重要度　A　知識型　要 *Check!*　　**正解（5）**

⑴　誤　　最高裁判所の長たる裁判官以外の裁判官及び下級裁判所の裁判官の任命は、内閣が行う（79Ⅰ・80Ⅰ）。しかし、最高裁判所の長たる裁判官の任命は、天皇が行う（6Ⅱ）。

⑵　誤　　裁判所は、衆議院及び参議院の議員の資格に関する争訟の裁判をすることはできない。議員の資格争訟の裁判権（55）は、議員の資格の有無についての判断を専ら議院の自律的な審査に委ねる趣旨のものであり、その結論を通常裁判所で争うことはできないからである。

⑶　誤　　裁判所は、裁判官の全員一致で、公の秩序又は善良の風俗を害するおそれがあると決した場合には、対審は、公開しないでこれを行うことができるが、判決は常に公開法廷で行われる（82）。したがって、判決を公開法廷で行わない場合はない。なお、政治犯罪、出版に関する犯罪又は憲法第３章で保障する国民の権利が問題となっている事件の対審は、常に公開しなければならない（82Ⅱ）。

⑷　誤　　行政機関は、終審として裁判を行うことができない（76Ⅱ後段）。行政機関による終審裁判を認めることは、法の下の平等（14）と裁判を受ける権利（32）を保障しつつ、司法権の統一的行使を通じて、秩序ある法の解釈運用を図ろうとした憲法に反することになるからである。行政機関の審判に対する裁判所への出訴を認めない旨の立法は、行政機関の審判が終審となることを意味し、76条２項に違反することになる。

⑸　正　　法律の憲法適合性を審査する権限は、最高裁判所だけでなく、下級裁判所も有する（最大判昭25.2.1）。すべて裁判官は憲法と法律に拘束され（76Ⅲ）、憲法を尊重し擁護する義務を負っているので、具体的事件に法令を適用して裁判するに当たり、その法令が憲法に適合するか否かを判断することは、憲法によって課せられた裁判官の職務と職権だからである。

15g−2(28−3)　司法権全般

司法権に関する次の(ア)から(オ)までの記述のうち、判例の趣旨に照らし正しいものの組合せは、後記(1)から(5)までのうち、どれか。

(ア)　大学における単位認定行為は、一般市民法秩序と直接の関係を有するものであることを肯認するに足りる特段の事情のない限り、大学の内部的な問題として、司法審査の対象とならない。

(イ)　国会議員の資格に関する争訟は、法律上の争訟であるから、司法審査の対象となる。

(ウ)　下級裁判所の裁判官は、司法権の独立の観点から、最高裁判所によって任命される。

(エ)　再審を開始するか否かを定める刑事訴訟法の手続は、刑罰権の存否及び範囲を定める手続ではないから、公開の法廷における対審の手続によることを要しない。

(オ)　裁判所は、政治犯罪、出版に関する犯罪又は憲法第３章で保障する国民の権利が問題となっている事件を除いて、裁判官の過半数をもって、公の秩序又は善良の風俗を害するおそれがあると決した場合には、非公開で対審を行うことができる。

(1)　(ア)(エ)　　(2)　(ア)(オ)　　(3)　(イ)(ウ)　　(4)　(イ)(エ)　　(5)　(ウ)(オ)

学習記録	／	／	／	／	／	／	／	／	／

重要度　A	知識型	要 *Check!*	正解（1）

⑺　正　　大学における単位授与行為が司法審査の対象となるか否かが争われた事案について、判例は、一般市民社会の中にあってこれとは別個に自律的な法規範を有する特殊な部分社会における法律上の係争は、それが一般市民法秩序と直接の関係を有しない内部的な問題にとどまる限り、自主的、自律的な解決に委ねるのが適当であり裁判所の司法審査の対象とならないとした上で、大学は、一般市民社会とは異なる特殊な部分社会を形成しているから、単位授与行為は、他にそれが一般市民法秩序と直接の関係を有するものであることを肯認するに足りる特段の事情のない限り、純然たる大学内部の問題として、裁判所の司法審査の対象とはならないとした（最判昭52.3.15）。

⑷　誤　　裁判所は、日本国憲法に特別の定のある場合を除いて一切の法律上の争訟を裁判し、その他法律において特に定める権限を有する（裁判所法３Ⅰ）。この点、議員の資格に関する争訟（55）は、「日本国憲法に特別の定のある場合」に該当するため、司法審査の対象から除外される。

⑼　誤　　下級裁判所の裁判官は、最高裁判所の指名した者の名簿によって、内閣でこれを任命する（80Ⅰ前段）。これは、一方では内閣による恣意的な任命の危険を防ぎ、司法の独立性を確保し、他方では裁判所内部だけでの任命により司法が独善に陥るのを防止するものである。

⒈　正　　裁判の対審及び判決は、公開法廷でこれを行う（82Ⅰ）。この点、82条１項は、刑事訴訟においては、刑罰権の存否並びに範囲を定める手続について、公開の法廷における対審及び判決によるべき旨を定めたものであり、刑事訴訟法における再審開始のための手続は、同条に規定する対審に当たらない（最大決昭42.7.5）。

⒅　誤　　裁判の対審及び判決は、公開法廷でこれを行う（82Ⅰ）。ただし、政治犯罪、出版に関する犯罪又は憲法第３章で保障する国民の権利が問題となっている事件の対審を除き、裁判所が、裁判官の全員の一致で、公の秩序又は善良の風俗を害するおそれがあると決した場合には、対審は、公開しないでこれを行うことができる（82Ⅱ）。

以上から、正しいものは⑺⒈であり、正解は⑴となる。

16b－1(20－3)　予　算

次のＡ説からＣ説までは、予算の法的性格に関する見解である。次の(ア)から(オ)までの記述のうち、正しいものの組合せは、後記(1)から(5)までのうちどれか。

Ａ説：　予算は、国会が政府に対して１年間の財政計画を承認する意思表示であって、もっぱら国会と政府との間でその効力を有し、法的性格を有しない。
Ｂ説：　予算に法的性格は認めるが、法律とは異なった国法の一形式である。
Ｃ説：　予算は、いわば予算法ともいうべき法律それ自体である。

(ア)　Ａ説に対しては、財政民主主義の原則や財政国会中心主義の原則と矛盾するという批判が可能である。

(イ)　Ｂ説によれば、法律が制定されてもその執行に要する予算が成立していない場合には、予備費の支出等、別途の予算措置を講じることによる支出を除き、支出をすることはできないと解することになる。

(ウ)　Ｃ説の根拠として、予算は、いわば国家内部的に、国家機関の行為のみを規律し、１会計年度内の具体的な行為を規律するものであるという点をあげることができる。

(エ)　Ｃ説によれば、国会は、内閣が提出する予算の減額修正権は有するが、増額修正権は有しないと解することになる。

(オ)　Ｂ説及びＣ説のいずれの考え方によっても、予算は成立したが当該予算の執行を内容とする法律が不成立となった場合には、支出をすることはできないと解することになる。

(1)　(ア)(イ)　　(2)　(ア)(エ)　　(3)　(イ)(オ)　　(4)　(ウ)(エ)　　(5)　(ウ)(オ)

学習記録	／	／	／	／	／	／	／	／	／

重要度　C	推論型		正解（1）

(ア) 正　　A説は、予算行政説と呼ばれるものであり、予算が政府に対する拘束力を持つことは認めるが、この拘束力は法律の持つ拘束力とは異なるとして、予算の法的性格を否定する。これに対しては、財政民主主義の原則や財政国会中心主義の原則からは予算に法律と同じ法規範性を承認すべきであるとして、本肢のような批判がされている。

(イ) 正　　B説は、予算国法形式説と呼ばれるものであり、予算が政府の行為を規律する準則である以上、予算に法的性格は認めるが、憲法が予算と法律を区別していること（73⑤・86・60Ⅰ・Ⅱ）から、予算は法律とは異なった国法の一形式であるとする。この点、B説からは、内閣は「法律」を誠実に執行する義務を負う（73①）以上、法律が制定されてもそれに対応する予算が成立していなければ、別途の予算措置（ex. 補正予算を組むこと、経費を流用すること、予備費の支出）を講じない限り、支出をすることはできないと解されている。

(ウ) 誤　　B説（予算国法形式説）は、予算と法律との相違について、予算は、国家機関の財政行為のみを規律し、しかも一会計年度内の具体的行為のみを規律するという点で、国民の行為を一般的に規律する法律と区別されることを根拠に、予算を法律とは異なった国法の一形式であると説明する。したがって、本肢は、C説ではなくB説の根拠である。

(エ) 誤　　予算の減額修正権については、憲法の中に明治憲法67条のように国会の予算審議権を制限する規定が設けられておらず、また、財政国会中心主義の原則が確立していることから、いずれの説に立ったとしても、国会の修正権に制限がないと解されている。これに対して、予算の増額修正権については、予算の法的性格と関連して争いがある。この点、C説は、予算法律説と呼ばれるものであり、予算は法律それ自体であるとするものである。そして、C説（予算法律説）からは、予算が法律であることの当然の結果として、国家が予算を自由に修正することができると解されている。したがって、本肢は、後段において国会が増額修正権を有しないと解することになるとしている点で、誤っている。

(オ) 誤　　憲法上、予算と法律との法形式及び成立手続が異なるため、予算と法律との間に不一致が生ずる場合があり、その一場合として、本肢のような、予算は成立したが当該予算の執行を内容とする法律が不成立となった場合が挙げられる。この点、B説（予算国法形式説）によれば、予算はあくまで法律とは異なる国法の一形式であるから、内閣に支出を認めることは、内閣は「法律」を誠実に執行する義務を負うとする73条1号に反することになる以上、内閣は支出をすることはできず、法律案を提出し国会の議決を求めるしかないと解されている。これに対して、C説（予算法律説）によれば、予算は法律それ自体であるから、予算が成立すればそれに基づき支出をすることができるのであって、予算と法律の不一致の問題は生じないと解されている。したがって、本肢は、C説（予算法律説）によっても支出をすることはできないと解することになるとしている点で、誤っている。

以上から、正しいものは(ア)(イ)であり、正解は(1)となる。

MEMO

16d－1(18－2)　財政全般

財政に関する次の⑴から⑸までの記述のうち、正しいものはどれか。

⑴　地方公共団体が条例により税率や税目を定めることは、許されない。

⑵　法律案と同様に、予算は、衆議院と参議院のいずれに先に提出してもよい。

⑶　予算は、内閣が作成し、国会に提出するものであって、国会において予算を修正することは、許されない。

⑷　衆議院で可決された予算は、参議院で否決された場合でも、衆議院で３分の２以上の多数により再び可決されたときは、予算として成立する。

⑸　決算は、会計検査院が検査して、内閣が国会に提出するものであって、国会における審査の結果は、既にされた支出行為の効力に影響しない。

学習記録	／	／	／	／	／	／	／	／	／

重要度　A	知識型		正解（5）

⑴ 誤　　地方公共団体は自治権の一つとして課税権を有し、租税法律主義を定める84条の「法律」には条例も含まれると解されている。「税目、課税客体、課税標準、税率その他賦課徴収について定をするには、当該地方団体の条例によらなければならない。」とする地方税法3条の規定は憲法の趣旨を確認したものと解されている。

⑵ 誤　　法律案と異なり、予算は衆議院に先議権が認められ、先に衆議院に提出しなければならないと定められている（60Ⅰ）。なお、条約の承認につき衆議院に先議権は認められていない（61による60Ⅰの不準用）。

⑶ 誤　　予算は内閣によって作成され（73⑤）、国会の審議・議決を受ける。国会は議決に際し、廃除削減する修正はもとより、原案に新たな款項を設け、その金額を増加する修正を行うことができる。

⑷ 誤　　予算について、参議院で衆議院と異なった議決をした場合に、両院協議会を開いても意見が一致しないとき、又は参議院が、衆議院の可決した予算を受け取った後、国会休会中の期間を除いて30日以内に議決しないときは、衆議院の議決が国会の議決となる（60Ⅱ）。予算は、迅速かつ毎年必ず成立させなければならないことから、法律案の議決（59Ⅱ）とは異なり、衆議院による再議決は要求されていない。

⑸ 正　　国の収入支出の決算は、すべて毎年会計検査院がこれを検査し、内閣は、次の年度に、その検査報告とともに、これを国会に提出しなければならない（90Ⅰ）。そして、国会での審査において決算は、両院交渉の議案としてではなく、報告案件として扱われているのであり、審査の結果は既にされた支出行為の効力に影響しない。

16d−2(29−2)　財政全般

財政に関する次の(ア)から(オ)までの記述のうち、判例の趣旨に照らし正しいものの組合せは、後記(1)から(5)までのうち、どれか。

(ア)　国の収入支出の決算は、毎年会計検査院がこれを検査し、内閣は、次の年度に、その検査報告とともに、これを国会に提出しなければならないが、各議院がその決算を承認するかどうかを議決することはできない。

(イ)　内閣は、予見し難い予算の不足に充てるため、国会の議決に基づかずに予備費を設けることができるが、その支出については、事後に国会の承諾を得なければならない。

(ウ)　予算の法的性質を法律それ自体と解する見解の根拠としては、予算が政府のみを拘束することや、予算が会計年度ごとに成立することを指摘することができる。

(エ)　公の支配に属しない教育の事業に対し公金を支出することは、憲法に違反する。

(オ)　新たに租税を課すには、納税義務者、課税物件、課税標準、税率等の課税要件のみならず、その賦課・徴収の手続についても、法律又は法律の定める条件によることを必要とする。

(1)　(ア)(ウ)　　(2)　(ア)(エ)　　(3)　(イ)(ウ)　　(4)　(イ)(オ)　　(5)　(エ)(オ)

財政

学習記録	／	／	／	／	／	／	／	／	／

重要度　A　知識型　　**正解（5）**

(ア)　誤　　国の収入支出の決算は、すべて毎年会計検査院がこれを検査し、内閣は、次の年度に、その検査報告とともに、これを国会に提出しなければならない（90Ⅰ）。この点、ここにいう「国会に提出しなければならない」とは、国会が提出された決算を審議し、それを認めるか否か議決することを要するという意味である。したがって、各議院は、提出された決算を承認するかどうかの議決をしなければならない。

(イ)　誤　　予見し難い予算の不足に充てるため、国会の議決に基いて予備費を設け、内閣の責任でこれを支出することができる（87Ⅰ）。そして、すべて予備費の支出については、内閣は、事後に国会の承諾を得なければならない（87Ⅱ）。これは、不測の事態による予算の不足に対処するため、予備費の制度を設けるとともに、内閣の予備費の支出に対する国会の統制権を確保しようとするものである。なお、予備費の支出について、事後に国会の承諾が得られない場合においても、支出の法的効果に影響はなく、内閣の政治的責任が問題となるにすぎない。

(ウ)　誤　　予算の法的性質については、学説上争いがあり、予算を法律それ自体と解する見解（予算法律説）や、予算を法律とは異なる国法の一形式と解する見解（予算法形式説）がある。この点、予算法形式説は、予算が政府のみを拘束することや、予算が会計年度ごとに成立することを、その根拠とする。したがって、予算が政府のみを拘束することや、予算が会計年度ごとに成立することは、予算法形式説の根拠であり、予算法律説の根拠とはならない。

(エ)　正　　公金その他の公の財産は、公の支配に属しない慈善、教育若しくは博愛の事業に対し、これを支出し、又はその利用に供してはならない（89後段）。

(オ)　正　　あらたに租税を課し、又は現行の租税を変更するには、法律又は法律の定める条件によることを必要とする（84）。この点、租税の創設・改廃のほか、納税義務者、課税物件、課税標準、税率等の課税要件、及び税の賦課・徴収の手続についても、全て法律又は法律の定める条件に基づいて定められなければならない（最大判昭30.3.23）。なぜなら、これによって、法的安定性及び予測可能性が確保されることとなるためである。

以上から、正しいものは(エ)(オ)であり、正解は(5)となる。

16d−3(R5−3)　財政全般

財政に関する次の(ア)から(オ)までの記述のうち、判例の趣旨に照らし誤っているものの組合せは、後記(1)から(5)までのうち、どれか。

(ア)　公金を公の支配に属しない慈善事業に対して支出することは、憲法上禁じられている。

(イ)　国の収入支出の決算は、全て毎年会計検査院がこれを検査し、内閣は、次の年度に、その検査報告とともに、これを国会に提出しなければならない。

(ウ)　内閣は、国会の議決に基づいて設けられた予備費の支出について、事前にも事後にも国会の承諾を得る必要はない。

(エ)　市町村が行う国民健康保険の保険料は、賦課徴収の強制の度合いにおいては租税に類似する性質を有し、憲法第 84 条の趣旨が及ぶ。

(オ)　地方公共団体が条例により税目や税率を定めることは、憲法上予定されていない。

(参考)
憲法
第 84 条　あらたに租税を課し、又は現行の租税を変更するには、法律又は法律の定める条件によることを必要とする。

(1)　(ア)(ウ)　(2)　(ア)(エ)　(3)　(イ)(エ)　(4)　(イ)(オ)　(5)　(ウ)(オ)

学習記録	／	／	／	／	／	／	／	／	／

重要度　A	知識型		正解（5）

(ア)　正　　公金その他の公の財産は、宗教上の組織若しくは団体の使用、便益若しくは維持のため、又は公の支配に属しない慈善、教育若しくは博愛の事業に対し、これを支出し、又はその利用に供してはならない（89）。

(イ)　正　　国の収入支出の決算は、すべて毎年会計検査院がこれを検査し、内閣は、次の年度に、その検査報告とともに、これを国会に提出しなければならない（90 Ⅰ）。

(ウ)　誤　　すべて予備費の支出については、内閣は、事後に国会の承諾を得なければならない（87 Ⅱ）。したがって、事後にも国会の承諾を得る必要はないとする点で、本肢は誤っている。

(エ)　正　　憲法84条が規定する「租税」とは、国又は地方公共団体が、課税権に基づき、その経費に充てるための資金を調達する目的をもって、特別の給付に対する反対給付としてではなく、一定の要件に該当する全ての者に対して課する金銭給付のことをいうが、判例は、国民健康保険の保険料は、被保険者において保険給付を受け得ることに対する反対給付として徴収されるものであるから、「租税」に当たらず、憲法84条の規定が直接に適用されることはないとした（最大判平18.3.1・旭川市国民健康保険条例事件）。その上で、判例は、市町村が行う国民健康保険は、保険料を徴収する方式のものであっても、強制加入とされ、保険料が強制徴収され、賦課徴収の強制の度合いにおいては租税に類似する性質を有するものであるから、これについても憲法84条の趣旨が及ぶと解すべきであるとした（同判例）。

(オ)　誤　　判例は、普通地方公共団体は、地方自治の本旨に従い、その財産を管理し、事務を処理し、及び行政を執行する権能を有するものであり（92・94）、その本旨に従ってこれらを行うためにはその財源を自ら調達する権能を有することが必要であることからすると、普通地方公共団体は、地方自治の不可欠の要素として、その区域内における当該普通地方公共団体の役務の提供等を受ける個人又は法人に対して国とは別途に課税権の主体となることが憲法上予定されているものと解されるとした（最判平25.3.21・神奈川県臨時特例企業税事件）。

以上から、誤っているものは(ウ)(オ)であり、正解は(5)となる。

17a−1(22−3)　地方自治の本質

次の対話は、地方自治に関する教授と学生との対話である。後記の語句群の中から適切な語句を選択して対話を完成させた場合、（　①　）から（　⑤　）までに入る語句の組合せとして最も適切なものは、後記(1)から(5)までのうちどれか。

教授：　憲法には、地方自治の基本原則について、どのような定めがありますか。
学生：　憲法第92条は、地方自治の基本原則について、「地方公共団体の組織及び運営に関する事項は、地方自治の本旨に基いて、法律でこれを定める。」と規定しています。ここにいう「地方自治の本旨」には、一般に、（　①　）が含まれると解されています。
教授：　憲法による地方自治の保障の性質について、どのように考えますか。
学生：　私は、地方自治の保障は、地方公共団体の自然権的固有権的基本権を保障したものではなく、（　②　）を保障したものと考えます。
教授：　憲法上の地方公共団体の意義については、どのように考えますか。
学生：　私は、憲法上の地方公共団体であるといえるためには、（　③　）と考えます。判例も同様の立場を採っています。
教授：　現行の地方自治法では、普通地方公共団体として都道府県と市町村が規定されていますね。このような重層的な地方公共団体の在り方が憲法上の要請か否かについては、どのように考えますか。
学生：　私は、（　④　）を尊重する立場から、地方公共団体の重層的な構造は、憲法上の要請であると考えます。
教授：　では、憲法第94条は「地方公共団体は、その財産を管理し、事務を処理し、及び行政を執行する権能を有し、法律の範囲内で条例を制定することができる。」と規定していますが、この条例制定権の根拠については、どのように考えますか。
学生：　私は、条例は、（　⑤　）であると考えます。判例も同様の立場を採っています。

[語句群]

(ア)　地域の住民の選挙により選出された地方公共団体の長と地方公共団体の議事機関である議会とが相互に抑制均衡するという権力分立の原則

(イ)　国から独立した団体が自己の事務を自己の機関により自己の責任において処理するという団体自治の原則

(ウ)　地方自治という歴史的・伝統的・理念的な公法上の制度

(エ)　地方公共団体が国民の基本的人権と同じ意味において本来的に有する包括的な自治権

(オ)　住民の共同体意識という社会的基盤が存在し、沿革上及び行政上の実態として地方自治の基本的権能を付与された地域団体であることを必要とする

(カ)　住民に直接行政を執行する団体であって、その長が公選されていることをもって足りる

(キ)　地方自治が憲法によって保障されるに至った歴史的背景

(ク)　時代の進展に沿った国の立法政策

(ケ)　地方自治法の条項の授権に基づく委任立法の一種

(コ)　地方自治の本旨に基づき、直接憲法第94条により法律の範囲内において制定する権能を認められた自治立法

(1)	①(ア)	②(エ)	③(オ)	④(ク)
(2)	①(ア)	③(カ)	④(ク)	⑤(コ)
(3)	①(イ)	②(ウ)	③(オ)	⑤(コ)
(4)	①(イ)	②(ウ)	④(キ)	⑤(ケ)
(5)	②(エ)	③(カ)	④(キ)	⑤(ケ)

学習記録	／	／	／	／	／	／	／	／	／

MEMO

重要度　C	推論型		正解（3）

①　(イ)　①には、「地方自治の本旨」の内容を述べた語句が入る。「地方自治の本旨」の内容は、一般に「地域の住民が地域的な行政需要を自己の意思に基づき自己の責任において充足すること」という住民自治の原則と、「国から独立した団体を設け、この団体が自己の事務を自己の機関により自己の責任において処理すること」という団体自治の原則が含まれると解されている。したがって、①には、団体自治の原則を述べた(イ)が入る。

②　(ウ)　②には、地方自治の保障の性質について述べた語句が入る。地方自治の保障の性質については、個人が国家に対して固有かつ不可侵の権利を持つのと同様に、地方公共団体もまた固有の基本権を有すると解する見解（固有権説）や、地方自治という歴史的・伝統的・理念的な公法上の制度を保障したものと解する見解（制度的保障説）などがある。学生の解答は地方公共団体の自然権的固有権的基本権を保障したものではないとしており、固有権説を採っていない。したがって、②には、地方自治の保障の性質を制度的保障と解する(ウ)が入る。

③　(オ)　③には、憲法上の地方公共団体の意義についての判例の立場が入る。判例は、地方公共団体といい得るためには、単に法律で地方公共団体として取り扱われているということだけでは足らず、事実上住民が経済的文化的に密接な共同生活を営み、共同体意識を持っているという社会的基盤が存在し、沿革的にみても、また、現実の行政の上においても、相当程度の自主立法権、自主行政権、自主財政権等地方自治の基本的機能を付与された地域団体であることを必要とするとしている（最大判昭38.3.27）。したがって、③には、住民の共同体意識と沿革上、行政上の実態を基準とする(オ)が入る。

④　(キ)　④には、地方公共団体の重層的な構造を憲法上の要請とする見解の根拠が入る。地方公共団体の重層的構造（二段階制）については、時代の進展とともに立法政策によって変更することを認める見解（立法政策説）と、都道府県知事を明治憲法下の官選知事制から公選知事制に改め、都道府県を完全自治体とした歴史的背景を根拠に憲法上の要請であるとする見解（憲法保障説）がある。したがって、④には、憲法保障説の根拠である(キ)が入る。

⑤　(コ)　⑤には、条例制定権の根拠についての判例の立場が入る。判例は、「地方公共団体の制定する条例は、地方自治の本旨に基づき（92）、直接94条により法律の範囲内において制定する権能を認められた自治立法にほかならない。」としている（最大判昭37.5.30）。したがって、⑤には、条例制定権について94条を直接の根拠（または92条と94条とを根拠）と解する(コ)が入る。

以上から、①から⑤までに入る語句は、①(イ)、②(ウ)、③(オ)、④(キ)、⑤(コ)であり、正解は(3)となる。

17a−2(24−3)　地方自治の本質

条例に罰則を設けることについては、①法律による授権は不要であるとする見解、②法律による授権が必要であるが、一般的な委任も許されるとする見解及び③法律による授権が必要であるが、その授権は相当な程度に具体的であり、限定されていれば足りるとする見解がある。次の(ア)から(オ)までの記述における「この見解」が①の見解を指すものの組合せとして最も適切なものは、後記(1)から(5)までのうちどれか。

(ア)　この見解に対しては、条例が当該条例を制定した地方公共団体の住民以外の者にも適用され得ることからすると、法的安全の見地から、現実的な妥当性があるという評価がある。
(イ)　この見解に対しては、罰則の制定は、本来、国家事務であって、地方自治権の範囲内に属しないのではないかという批判がある。
(ウ)　この見解に対しては、憲法第73条第6号ただし書の規定を類推適用する点において、政令は、その効力を立法府の委任から得るところの国家法であるのに対し、条例は、地方公共団体の自主立法であって、その性質を異にするという批判がある。
(エ)　この見解によれば、地方自治法第14条第3項の規定は、地方公共団体の権限を確認し、条例によって制定することができる罰則の範囲を限定するものということになる。
(オ)　この見解に対しては、条例が地方議会の議決によって成立する自主立法であることを一部根拠とする点において、矛盾があるのではないかという批判がある。

（参考）
憲法
第73条　内閣は、他の一般行政事務の外、左の事務を行ふ。
一～五（略）
六　この憲法及び法律の規定を実施するために、政令を制定すること。但し、政令には、特にその法律の委任がある場合を除いては、罰則を設けることができない。
七　（略）

地方自治法
第14条（略）
2　（略）
3　普通地方公共団体は、法令に特別の定めがあるものを除くほか、その条例中に、条例に違反した者に対し、二年以下の懲役若しくは禁錮、百万円以下の罰金、拘留、科料若しくは没収の刑又は五万円以下の過料を科する旨の規定を設けることができる。

(1)　(ア)(ウ)　　(2)　(ア)(エ)　　(3)　(イ)(エ)　　(4)　(イ)(オ)　　(5)　(ウ)(オ)

学習記録	／	／	／	／	／	／	／	／	／

地方自治

重要度　C	推論型		正解（3）

(ア)　①の見解を指さない　　条例が住民以外の者に対しても適用され得ることからすれば、国民全体に基礎を置く国会が定立した法律の授権が必要であると考えることが、法的安全の見地から、現実的な妥当性があることとなる。したがって、「この見解」は、法律による授権を必要とする見解を指し、①の見解を指さない。

(イ)　①の見解を指す　　罰則の制定が、本来、国家事務であって、地方自治権の範囲内に属しないとすると、法律による授権が必要であると考えることとなる。すなわち、本肢は、法律による授権は不要であるとする見解に対する批判となる。したがって、「この見解」は、①の見解を指す。

(ウ)　①の見解を指さない　　73条６号ただし書は、「政令には、特にその法律の委任がある場合を除いては、罰則を設けることができない。」と規定しており、この規定を類推適用するということは、法律による授権が必要であると考えることとなる。したがって、「この見解」は、①の見解を指さない。

(エ)　①の見解を指す　　条例に罰則を設けるに当たり、法律による授権は不要であると考えると、地方自治法14条３項の規定は、条例に対する特別の委任規定ではなく、地方公共団体の権限を確認し、条例によって制定することができる罰則の範囲を限定するものにすぎないこととなる。したがって、「この見解」は、①の見解を指す。

(オ)　①の見解を指さない　　法律による授権を要求する見解は、条例の自主立法としての性格と罪刑法定主義との調和を図ろうとするものであるが、この見解に対しては、条例が自主立法であるとしながら、法律による授権を要求するのは矛盾しないのか、すなわち、法律による授権が必要であるような法形式が自主立法といえるのか、という批判がある。すなわち、本肢は、法律による授権を必要とする見解に対する批判となる。したがって、「この見解」は、①の見解を指さない。

以上から、①の見解を指すものは(イ)(エ)であり、正解は(3)となる。

17a−3(27−3)　地方自治の本質

　次の文章は、地方自治の本旨に関する文章である。（　　　）の中に後記の語句群の中から適切な語句を選択して文章を完成させた場合に、（　①　）から（　⑥　）までに入る語句として適切なものの組合せは、後記(1)から(5)までのうち、どれか。
　なお、（　　　）の中には、後記の語句群の(ア)から(ク)までの語句のうち一つのみが入り、各語句を２回以上使用することはないものとする。

　憲法は、「地方公共団体の組織及び運営に関する事項は、地方自治の本旨に基いて、法律でこれを定める。」と定めている。この「地方自治の本旨」とは、一般に、（　①　）とする住民自治の原則と、（　②　）とする団体自治の原則を意味するものと解されている。
　（　③　）旨を定めた憲法の規定は住民自治の原則を具体化したもので、（　④　）旨を定めた憲法の規定は団体自治の原則を具体化したものと説明される。東京都の特別区について区長の公選制を廃止することが憲法上許されるかどうかが争われた事件において、判例は、（　⑤　）とした。
　また、憲法は、地方公共団体が法律の範囲内で条例を制定することができる旨を定めているが、法律の範囲内といえるかどうかの判断基準について、判例は、（　⑥　）とした。

［語句群］
　(ア)　地方公共団体の長及びその議会の議員は、その地方公共団体の住民が直接これを選挙する
　(イ)　地方公共団体は、その財産を管理し、事務を処理し、及び行政を執行する権能を有する
　(ウ)　地方公共団体は、国が法令で明示又は黙示に規定を設けている事項については、法律の明示的な委任がない限り、条例を制定することができない
　(エ)　条例が法律に違反するかどうかは、両者の対象事項と規定文言を対比するのみでなく、それぞれの趣旨、目的、内容及び効果を比較し、両者の間に矛盾抵触があるかどうかによってこれを決しなければならない
　(オ)　地方の政治は、国から独立した団体に委ねられ、その団体の意思と責任において行われるべきである
　(カ)　地方の政治は、その地方の住民の意思に基づいて行われるべきである
　(キ)　東京都の特別区は、人口も多く、政治的、経済的、文化的活動も活発であり、法律によって、地方公共団体として規定され、一定の制約を受けながらも条例制定権等の権限が付与されているのであるから、憲法上の地方公共団体に当たる
　(ク)　憲法上の地方公共団体というためには、事実上住民が経済的文化的に密接な共同生活を営み、共同体意識を持っているという社会的基盤が存在し、沿

地方自治

革的にみても、現実の行政の上においても、地方自治の基本的機能を付与された地域団体であることを必要とするが、東京都の特別区は、そのような実体を備えておらず、憲法上の地方公共団体に当たらない

(1)	①(オ)	④(ア)	⑤(キ)	⑥(エ)
(2)	②(カ)	③(イ)	⑤(ク)	⑥(ウ)
(3)	①(カ)	④(イ)	⑤(キ)	⑥(エ)
(4)	②(オ)	④(イ)	⑤(ク)	⑥(エ)
(5)	①(カ)	③(ア)	⑤(ク)	⑥(ウ)

学習記録	／	／	／	／	／	／	／	／	／

MEMO

重要度　A	知識型		正解（4）

① ㈮　①には、「住民自治の原則」の内容を述べた語句が入る。この点、地方自治の本旨のうち、住民自治の原則とは、地方自治が住民の意思に基づいて行われるべきという原則のことを意味する。したがって、①には、㈮が入る。

② ㈬　②には、「団体自治の原則」の内容を述べた語句が入る。この点、地方自治の本旨のうち、団体自治の原則とは、地方自治が国から独立した団体に委ねられ、団体自らの意思と責任で行われるべきという原則のことを意味する。したがって、②には、㈬が入る。

③ ㈰　③には、住民自治の原則を具体化した憲法上の規定を述べた語句が入る。この点、憲法は、住民自治の原則を具体化するため、地方公共団体の長、議会の議員を住民が直接選挙することを定めている（93 Ⅱ）。したがって、③には、㈰が入る。

④ ㈪　④には、団体自治の原則を具体化した憲法上の規定を述べた語句が入る。この点、団体自治の原則は、94 条によって具体化されており、同条は、「地方公共団体は、その財産を管理し、事務を処理し、及び行政を執行する権能を有し、法律の範囲内で条例を制定することができる。」と規定している。したがって、④には、㈪が入る。

⑤ ㈱　⑤には、東京都の特別区が憲法上の地方公共団体に当たるか否かについての判例の結論が入る。この点、東京都の特別区について区長の公選制を廃止することが憲法上許されるか否かが争われた事件において、判例は、憲法上の地方公共団体というためには、「単に法律で地方公共団体として取り扱われているということだけでは足らず、事実上住民が経済的文化的に密接な共同生活を営み、共同体意識をもっているという社会的基盤が存在し、沿革的にみても、また現実の行政の上においても、相当程度の自主立法権、自主行政権、自主財政権等地方自治の基本的権能を附与された地域団体であることを必要とするものというべきである。」とした上で（最判昭 38.3.27）、東京都の特別区は、そのような実体を備えておらず、憲法上の地方公共団体に当たらないとしている。したがって、⑤には、㈱が入る。

⑥ ㈫　⑥には、地方公共団体の条例制定が「法律の範囲内」か否かの判断基準に関する判例の結論が入る。この点、「法律の範囲内」（94）といえるかどうかの判断基準について、判例は、「条例が国の法令に違反するかどうかは、両者の対象事項と規定文言を対比するのみでなく、それぞれの趣旨、目的、内容及び効果を比較し、両者の間に矛盾抵触があるかどうかによってこれを決しなければならない。」としている（最判昭 50.9.10）。したがって、⑥には、㈫が入る。

以上から、①から⑥までに入る語句は、①㈮、②㈬、③㈰、④㈪、⑤㈱、⑥㈫であり、正解は⑷となる。

17a−4(30−3)　地方自治の本質

次の文章は、条例制定権についての文章である。判例の趣旨に照らし、(　　　)の中に後記の語句群の中から適切な語句を選択して文章を完成させた場合に、(㋐)から(㋔)までに入る語句の組合せとして、最も適切なものは、後記(1)から(5)までのうち、どれか。

条例が国の法令に違反するかどうかは、両者の対象事項と規定文言を対比するのみではなく、それぞれの趣旨、(㋐)、内容及び効果を比較し、両者の間に矛盾抵触があるかどうかによってこれを決しなければならない。
例えば、ある事項について国の法令中にこれを規律する明文の規定がない場合でも、当該法令全体からみて、当該規定の欠如が特にその事項について(㋑)であると解されるときは、これについて規律を設ける条例の規定は国の法令に違反することとなり得る。
逆に、ある事項についてこれを規律する国の法令と条例とが併存する場合でも、後者が前者とは別の(㋐)に基づく規律を意図するものであり、その適用によって前者の規定の意図する(㋐)と効果を阻害することがないときや、両者が同一の(㋐)に出たものであっても、国の法令が必ずしもその規定によって(㋒)ではなく、(㋓)であると解されるときは、国の法令と条例との間には矛盾抵触はなく、条例が国の法令に違反する問題は生じない。
また、条例で罰則を定める場合、罪刑法定主義を定めた憲法第31条との関係でも問題となるが、憲法第31条は、必ずしも刑罰が全て法律そのもので定められなければならないとするものではなく、法律の授権によって、それ以下の法令によって定めることもできると解すべきである上、法律の授権については、(㋔)。

【語句群】
目的
立法の経緯
全国的に一律に同一内容の規制を施す趣旨
条例において法令の細目を定めることを委任する趣旨
地方の実情に応じて別段の規制を施すことを容認する趣旨
いかなる規制をも施すことなく放置すべきものとする趣旨
相当な程度に具体的であり、限定されていれば足りると解される
包括的な委任があれば足りると解される

(1)　㋐　目的
　　　㋒　条例において法令の細目を定めることを委任する趣旨

(2)　(ア)　立法の経緯
　　(エ)　全国的に一律に同一内容の規制を施す趣旨

(3)　(イ)　条例において法令の細目を定めることを委任する趣旨
　　(エ)　地方の実情に応じて別段の規制を施すことを容認する趣旨

(4)　(イ)　いかなる規制をも施すことなく放置すべきものとする趣旨
　　(オ)　相当な程度に具体的であり、限定されていれば足りると解される

(5)　(ウ)　全国的に一律に同一内容の規制を施す趣旨
　　(オ)　包括的な委任があれば足りると解される

学習記録	／	／	／	／	／	／	／	／	／

MEMO

重要度　A	知識型		正解（4）

(ア)から(エ)についての検討

条例の法律適合性につき、判例（最大判昭 50.9.10・徳島市公安条例事件）は、以下のように示している。

普通地方公共団体の制定する条例が国の法令に違反する場合には効力を有しないことは明らかであるが、条例が国の法令に違反するかどうかは、両者の対象事項と規定文言を対比するのみでなく、それぞれの趣旨、((ア)目的)、内容及び効果を比較し、両者の間に矛盾抵触があるかどうかによってこれを決しなければならない。

例えば、ある事項について国の法令中にこれを規律する明文の規定がない場合でも、当該法令全体からみて、右規定の欠如が特に当該事項について（(イ)いかなる規制をも施すことなく放置すべきものとする趣旨）であると解されるときは、これについて規律を設ける条例の規定は国の法令に違反することとなり得る。

逆に、特定事項についてこれを規律する国の法令と条例とが併存する場合でも、後者が前者とは別の（(ア)目的）に基づく規律を意図するものであり、その適用によって前者の規定の意図する（(ア)目的）と効果を何ら阻害することがないときや、両者が同一の（(ア)目的）に出たものであっても、国の法令が必ずしもその規定によって（(ウ)全国的に一律に同一内容の規制を施す趣旨）ではなく、（(エ)地方の実情に応じて別段の規制を施すことを容認する趣旨）であると解されるときは、国の法令と条例との間には何らの矛盾抵触はなく、条例が国の法令に違反する問題は生じない。

(オ)についての検討

条例における罰則につき、判例（最大判昭 37.5.30）は、以下のように示している。

31 条は必ずしも刑罰が全て法律そのもので定められなければならないとするものではなく、法律の授権によって、それ以下の法令によって定めることもできると解すべきである。そして、条例は、法律以下の法令といっても、公選の議員をもって組織する地方公共団体の議会の議決を経て制定される自治立法であって、行政府の制定する命令等とは性質を異にし、むしろ国民の公選した議員をもって組織する国会の議決を経て制定される法律に類するものであるから、条例によって刑罰を定める場合には、法律の授権については、((オ)相当な程度に具体的であり、限定されていれば足りると解される)。

以上から、(ア)から(オ)までに入る語句は、(ア)目的、(イ)いかなる規制をも施すことなく放置すべきものとする趣旨、(ウ)全国的に一律に同一内容の規制を施す趣旨、(エ)地方の実情に応じて別段の規制を施すことを容認する趣旨、(オ)相当な程度に具体的であり、限定されていれば足りると解される、であり、正解は(4)となる。

18−1(16−1)　統治全般

統治機構に関する次の(1)から(5)までの記述のうち、正しいものはどれか。

(1) 国会議員は、所属議院が行う資格争訟の裁判により議席を失うことがあるが、この裁判で資格なしと判断された議員は、裁判所に不服を申し立てることができない。

(2) 内閣総理大臣が衆議院の解散によって国会議員の地位を失った場合には、内閣総理大臣が欠けたことになるため、内閣は、総辞職しなければならない。

(3) 国務大臣は、内閣総理大臣から罷免されることによってその地位を失うが、罷免については、天皇の認証を要しない。

(4) 最高裁判所の裁判官は、その在任中、衆議院議員総選挙が行われるたびに国民の審査に付され、投票者の多数がその裁判官の罷免を可とするときは、その裁判官は、罷免される。

(5) 下級裁判所の裁判官は、行政機関による懲戒処分を受けず、また、弾劾裁判所が行う裁判によらない限り、罷免されることはない。

学習記録	/	/	/	/	/	/	/	/	/

重要度　A　知識型　　**正解（1）**

⑴ 正　　議院による国会議員の資格争訟裁判（55）については、裁判所法３条１項で裁判所に認められた「一切の法律上の争訟を裁判」する権限から除外される「日本国憲法に特別の定のある場合」に該当し、各議院における裁判が終審となることから、議院の議決により資格を有しないとされた議員が更に裁判所に救済を求めることはできない。

⑵ 誤　　内閣は、①衆議院が内閣不信任案の決議案を可決し、又は信任の決議案を否決した場合で、10 日以内に衆議院が解散されないとき（69）、②内閣総理大臣が欠けたとき（70）、③議員の任期満了又は解散による衆議院議員の総選挙後に初めて国会の召集があったときに総辞職しなければならない（70）。内閣総理大臣が衆議院の解散により国会議員の地位を失った場合でも、総選挙後の国会の召集まで内閣の総辞職の時期が延びることになる（70 参照）ため、内閣総理大臣の地位を失わないと解されている。したがって、国会議員の地位を失った場合は、内閣総理大臣が欠けたことになるとする点で、本肢は誤っている。

⑶ 誤　　国務大臣は内閣総理大臣の罷免によりその地位を失うが（68Ⅱ）、国務大臣の任免（任命及び罷免）には天皇の認証が必要である（７⑤）。

⑷ 誤　　最高裁判所の裁判官は、その任命後初めて行われる衆議院議員総選挙の際及びその後 10 年を経過した後初めて行われる衆議院議員総選挙の際に、国民審査に付される（79Ⅱ）。衆議院議員総選挙が行われるたびに国民審査に付されるわけではない。

⑸ 誤　　裁判官は行政機関による懲戒処分を受けない（78 後段）。しかし、憲法は、下級裁判所の裁判官が罷免される場合として、弾劾裁判（64）のほか、裁判により心身の故障のため職務を執ることができないと決定された場合を認めている（78 前段）。なお、裁判官に対する立法府による懲戒処分も禁止されている。

18－2(24－2)　統治全般

次の文章は、立法権と行政権の関係に関する文章である。（　　　）の中に後記の語句群の中から適切な語句を選択して文章を完成させた場合に、（　①　）から（　⑤　）までに入る語句の組合せとして最も適切なものは、後記⑴から⑸までのうちどれか。

なお、（　　　）の中には、後記の語句群の㋐から㋕までの語句のうち一つのみが入り、各語句を２回以上使用することはないものとする。

立法権と行政権との関係については、各国ごとに様々な類型がある。この点について米国と日本の制度を比較すると、米国においては、（　①　）という関係にあるのに対し、日本においては、（　②　）という関係にあるという違いがあるということができる。日本国憲法が、内閣は、行政権の行使について、国会に対し連帯して責任を負うと定めているのも、日本におけるそのような立法権と行政権との関係を表すものである。ところで、日本における内閣による衆議院の解散権については、内閣に無条件の解散権を認めると、（　③　）ことになるとして、内閣不信任決議があった場合にのみ認められるべきであるという考え方もあるが、慣行上、内閣は、衆議院による内閣不信任決議があった場合に限らず、衆議院を解散することができるという考え方による運用が確立している。内閣による解散権は、（　④　）という意義を有しており、加えて、内閣による無条件の解散権と衆議院による無条件の内閣不信任権が存在することにより、（　⑤　）ことになると考えられるということは、このような慣行を支持する根拠となる。

［語句群］

㋐　主権者としての国民に対し、国政の在り方について意見表明する機会を提供する

㋑　立法権が一般的、抽象的法規範たる法律を定立する作用を有し、行政権が法律を執行する

㋒　行政権と立法権が共に民主的基盤を有することを背景として、相互に、他方を抑制して均衡を保とうとしている

㋓　民主的基盤を有しない行政権が民主的基盤を有する立法権に強大な支配力を及ぼすことを可能とする

㋔　行政権の成立及び存続の基盤が立法権の信任を基礎としている

㋕　行政権と立法権は、他方の権限行使を抑止するために、常に民意に近づこうと行動する

統治全般

(1)　①(イ)　③(エ)
(2)　①(ウ)　④(エ)
(3)　②(オ)　④(ア)
(4)　②(イ)　⑤(カ)
(5)　③(カ)　⑤(オ)

学習記録	／	／	／	／	／	／	／	／	／

MEMO

重要度　C	推論型		正解（3）

①　(ウ)　大統領制を採用するアメリカにおいては、議院内閣制と比較して、立法権と行政権が厳格に分離している。これは、大統領は、実質上、国民により直接選出される点で立法権のみならず行政権も民主的基盤を有し、行政権が立法権と同等の立場で両者が抑制均衡を保持することを意味する。したがって、アメリカにおける立法権と行政権との関係を問う①には、(ウ)が入る。

②　(オ)　上述のように大統領制を採用するアメリカとは異なり、日本では議院内閣制が採用されていることは明らかといえる（66Ⅲ・67Ⅰ・68Ⅰ・69）。議院内閣制の本質の一つとして、内閣の存立が議会の信任に依拠している点が挙げられる。したがって、議院内閣制をとる日本の立法権と行政権との関係を問う②には(オ)が入る。

③　(エ)　衆議院の解散事由については、これを69条の衆議院で内閣不信任案が可決又は信任決議案が否決された時に限定するという考え方も存在する。その根拠としては、内閣の構成員の任命権が国民に存せず、内閣が国民との関係で間接選挙的な地位しか有しないにもかかわらず、行政権に広く解散権を与えると、立法権に対する行政権の過度の支配を認めることになることが挙げられる。したがって、③には(エ)が入る。

④　(ア)　日本国憲法下では、69条所定の事由以外の事由でも衆議院の解散を行うという慣行が定着している。衆議院の解散は、任期満了前に議員の資格を失わせる行為であり、これは、解散に続く総選挙によって主権者としての国民の審判を求めるという民主的契機を含む。そのため、このような運用を支持する根拠としては、解散事由を69条の場合に限定せず広く解することで、主権者としての国民に対し国政の在り方について意見表明する機会を多く提供することができるようになることが挙げられる。したがって、内閣不信任決議の場合に限らず、広く解散権を認める慣行の根拠を問う④には、(ア)が入る。

⑤　(カ)　議会も内閣も、自己の存在を否定しようとする力をもつ相手方の「武器」（不信任権、解散権）の行使を抑制するため、自らの方が相手方よりも少しでも国民の意思の近くに位置しようとするようになる。仮に、対抗手段としての解散制度がなければ、議会は、自己の気に入らない内閣は、国民の支持があろうと、不信任することにもなりかねない。そのため、無条件の解散制度と無条件の内閣不信任権の存在が、議会と内閣に対し、たえず国民の意思へ近づこうとする動因を与えることになる。そしてこれは、衆議院の解散事由を限定しないという慣行を支持する根拠となる。したがって、⑤には(カ)が入る。

以上から、正しいものは、②(オ)、④(ア)であり、正解は(3)となる。

18−3(29−3)　統治全般

条約に関する次の(ア)から(オ)までの記述のうち、誤っているものは、幾つあるか。

(ア)　国家間の合意であるとの条約の性質に照らし、内閣は、事前に国会の承認を経なければ、条約を締結することができない。

(イ)　既存の条約を執行するために必要な技術的・細目的な協定も国家間の合意であるから、これを締結する場合も、国会の承認を経なければならない。

(ウ)　条約の締結に必要な国会の承認については、衆議院に先議権はないが、議決に関する衆議院の優越が認められている。

(エ)　憲法と条約の関係についての憲法優位説を採ると、条約は裁判所の違憲審査の対象とならないという見解を採ることはできない。

(オ)　条約が裁判所の違憲審査の対象となるという見解を採った場合、条約について違憲判決がされたときは、条約の国内法としての効力のみならず国際法としての効力も失われる。

(1)　１個　　(2)　２個　　(3)　３個　　(4)　４個　　(5)　５個

学習記録	／	／	／	／	／	／	／	／	／

重要度　A	知識型		正解（4）

(ア)　誤　　内閣が条約を締結するには、事前に、時宜によっては事後に、国会の承認を経なければならない（73③但書）。したがって、事後に承認を経ることも許される。

(イ)　誤　　内閣は、条約を締結する権限を有するが、条約締結につき、事前に、時宜によっては事後に、国会の承認を経ることを必要とする（73③）。そして、73条３号により国会の承認に付される条約は、いわゆる実質的意味の条約を全て含むが、それらの条約を執行するために必要な技術的・細目的な協定は、原則として含まれない。

(ウ)　正　　60条１項は、予算について、衆議院が先議権を有する旨を規定し、同条２項は、予算の議決に関し、衆議院が優越する旨を定める。この点、２項の定める議決に関する衆議院の優越の規定については、条約についても準用されるが、１項の先議権に関する規定については、条約について準用されていない（61参照）。

(エ)　誤　　憲法優位説は、憲法が効力の点で条約に優越すると解する見解である。もっとも、憲法優位説を採った場合でも、条約は特に裁判所の違憲審査権について定める81条の列挙から除外されていること、条約は国家間の合意という特質を持ち、一国の意思だけで効力を失わせることはできないことなどの理由から、違憲審査の対象とならないと解することも可能である。

(オ)　誤　　条約が裁判所の違憲審査権の対象となるという見解を採った場合でも、条約の違憲審査はその国内法的効力にかかわるものであり、条約について違憲判決がされ、国内法としての効力を失ったとしても、当然に国際法としての効力まで否定されることにはならない。

以上から、誤っているものは(ア)(イ)(エ)(オ)の４個であり、正解は(4)となる。

18−4(31−3)　統治全般

次の三つの見解は、独立行政委員会を合憲とする見解に関するものである。次の(ア)から(オ)までの記述のうち、誤っているものの組合せは、後記(1)から(5)までのうち、どれか。

第１説　独立行政委員会は、内閣のコントロールの下にあり、合憲である。
第２説　独立行政委員会は、国会のコントロールの下にあり、合憲である。
第３説　独立行政委員会は、その職務の特殊性に鑑み、合憲である。

(ア)　第１説に対しては、内閣が人事権と予算権を有することのみでコントロールの下にあるとすれば、裁判所も内閣から独立していないことになるとの批判がある。

(イ)　第１説の理由の一つとして、独立行政委員会の職務全般に対して、内閣の直接的な指揮監督が及ぶことが挙げられる。

(ウ)　第１説の理由の一つとして、憲法第65条は、立法権や司法権と異なり、行政権を内閣に専属させるような限定的な文言を用いていないことが挙げられる。

(エ)　第２説の理由の一つとして、憲法第65条は行政への民主的コントロールを最終的に求めているものであり、仮に内閣のコントロールが十分に及ばなくとも、国会が直接にコントロールできるならば憲法上許容されることが挙げられる。

(オ)　第３説の理由の一つとして、多様な行政の中には、特に政治的に中立の立場で処理されなければならない行政事務があるため、内閣から独立の機関に処理させることが憲法上許容されることが挙げられる。

（参考）
憲法
第65条　行政権は、内閣に属する。

(1)　(ア)(イ)　(2)　(ア)(エ)　(3)　(イ)(ウ)　(4)　(ウ)(オ)　(5)　(エ)(オ)

学習記録	／	／	／	／	／	／	／	／	／

統治全般

重要度　A	知識型		正解（3）

㈠　正　　第１説は、65 条は全ての行政を内閣のコントロール下に置くものであるとの解釈に立ちつつ、独立行政委員会の人事権や予算権を内閣が有する等、独立行政委員会は何らかの意味で内閣のコントロール下にあるといえるから合憲であると説明する見解である。この点、第１説に対しては、人事権と予算権を有するだけで内閣のコントロール下にあるといえるなら、裁判所すらも内閣のコントロール下にあることになってしまうとの批判がある。

㈡　誤　　いずれの見解も、独立行政委員会が多かれ少なかれ内閣から独立して職務を遂行する行政機関であることを前提としてその合憲性を論じている。そのため、第１説も、独立行政委員会の職務全般に対して内閣の直接的な指揮監督が及ぶことを根拠とはしていない。

㈢　誤　　肢㈠で述べたとおり、第１説は、65 条は全ての行政を内閣のコントロール下に置くものであるとの解釈を前提とする見解である。一方、65 条が、立法権（41）や司法権（76 Ⅰ）と異なり、行政権を内閣に専属させるような限定的な文言を用いていないことを理由として挙げるのは、65 条は必ずしも全ての行政を内閣に帰属させることを要求するものではないとする立場を前提とする見解である。

㈣　正　　第２説は、65 条は必ずしも全ての行政を内閣に帰属させることを要求するものではないとの立場に立ちつつ、独立行政委員会が国会のコントロール下にあるから合憲であるとする見解である。この点、第２説は、自説の理由の一つとして、65 条が行政権を内閣に帰属させているのは、民主的コントロールを確保する趣旨であるから、仮に内閣からのコントロールが十分に及んでいなくても、国会が直接にコントロールを及ぼすことができるならば、独立行政委員会は憲法上許容されることを挙げる。

㈤　正　　第３説は、65 条は必ずしも全ての行政を内閣に帰属させることを要求するものではないとの解釈に立ちつつ、独立行政委員会の職務の特殊性に鑑み合憲であるとする見解である。この点、第３説は、行政事務の中には、その職務の性質上、政治的中立性が要求される事務があり、このような事務は内閣から独立の機関にこれを処理させることが適切であることを自説の理由として挙げる。

以上から、誤っているものは㈡㈢であり、正解は⑶となる。

刑 法

第１編　刑法総論
第２編　刑法各論

1−1(55−27)　罪刑法定主義

罪刑法定主義に関する次の記述のうち、正しいものはどれか。

(1)　刑法の規定について異なった解釈が数個ある場合に、被告人に最も有利なものを採用することは、罪刑法定主義の要請である。

(2)　犯罪後の法律の改正により刑が軽く変更された場合に、新法を適用するとすることは罪刑法定主義の要請である。

(3)　森林窃盗罪の成立について入会権の有無の判断を要する場合に、その判断の根拠を慣習法に求めてはならないとすることは、罪刑法定主義の要請である。

(4)　著しく不明確な構成要件を定めてはならないとすることは罪刑法定主義の要請ではない。

(5)　前に無罪となった行為についてさらに処罰することはできないとすることは罪刑法定主義の要請ではない。

学習記録	／	／	／	／	／	／	／	／	／

重要度　B	知識型		正解（5）

〈罪刑法定主義の意義・派生原則〉

意　義	法律がなければ犯罪はなく、刑罰はないという原則
派　生 原　則	(1)成文法主義（慣習刑法の排除） ①慣習は刑法の法源となり得ない ②ただし、構成要件の内容を解釈するにおいて、慣習を加味することはできる (2)類推解釈の禁止 被告人に有利な方向への類推解釈は許されるし、拡張解釈は許される (3)絶対的不定期刑の排除 相対的不定期刑は許される（少年法） (4)刑罰法規不遡及の原則 施行時以前の行為に対してさかのぼって適用されることは許されない（注） (5)明確性の要請 明確か否かは、通常の判断能力を備えた一般人が、処罰の範囲・適用の基準を読み取れるかどうかによって決定される（最大判昭 50.9.10） (6)罪刑の均衡の要請

(注)「犯罪後の法律によって刑の変更があったときは、その軽いものによる」とする6条は、刑罰法規不遡及の原則に対する例外である。

(1)　誤　　罪刑法定主義は、行為者の人権を保障し、その利益を保護するための原則であるから、犯罪行為時に処罰の予測の立ち得ない類推解釈は許されない。しかし、そのことから被告人に最も有利な解釈を採用すべきことまで導かれるものではない。

(2)　誤　　本来、罪刑法定主義から考えれば、犯罪時法と裁判時法とが異なる場合は裁判時法を適用すべきではない。しかし、6条は、裁判時法における刑が犯罪時法における刑よりも軽い場合には、裁判の遅速により生ずる処罰の不公平を回避して、法の適用を受ける者の利益を図る見地から、裁判時法の遡及を認めた。したがって、6条は罪刑法定主義の派生原則の一つである刑罰法規不遡及の原則に対する例外となる。本肢は6条の規定を述べたものであり、罪刑法定主義の要請ではない。

(3)　誤　　慣習刑法排除の原則とは、慣習を直接の法源とすることができないという意味であって、構成要件の内容の理解や、違法性の判断の根拠について慣習を援用することはできる。

(4)　誤　　構成要件の定め方が不明確であるときは、官憲の恣意を招くとともに、処罰の予見可能性を欠くことにより国民の自由な行動を萎縮させる（萎縮的効果)。そこで、罪刑法定主義は、刑罰法規の内容、ことに構成要件が法律によって明確に定められることを要請する（最大判昭 50.9.10・明確性の原則)。

(5) 正　　一事不再理の問題であり（憲 39 後段)、罪刑法定主義とは無関係である。

MEMO

1−2(63−24)　罪刑法定主義

罪刑法定主義に関する次の記述のうち、正しいものはどれか。

⑴　故意も過失もない行為を処罰することは、罪刑法定主義に反する。

⑵　長期も短期も定めずに言い渡される不定期刑も、法律の定めがあれば、罪刑法定主義に反しない。

⑶　既に無罪とされた行為について重ねて刑事上の責任を問わないのは、罪刑法定主義の要請である。

⑷　刑罰規定を類推解釈することはもちろん、その明文の意味を縮小して解釈することも、罪刑法定主義に反する。

⑸　法律の改正により罰則を廃止するに際して、廃止前の行為については廃止後も処罰する旨を定めることは、罪刑法定主義に反しない。

学習記録	／	／	／	／	／	／	／	／	／

重要度　B	知識型		正解（5）

(1) 誤　　罪刑法定主義とは、一定の行為を犯罪とし、これに刑罰を科するためには、あらかじめ成文法の規定が存在しなければならないとする原則であり、更に犯罪及び刑罰の内容が適正でなければならないことも含まれている。その根拠は、国民に犯罪の成立要件及び範囲を明示することによって、それ以外の領域での国民の自由を保障しようとするものである（憲31等）。罪刑法定主義の派生原則として、①刑罰不遡及の原則、②慣習刑法排除の原則、③類推解釈の禁止の原則、④絶対的不定期刑禁止の原則、⑤刑法の明確性の原則、⑥刑法の内容の適正の原則（罪刑の均衡の要請）がある。これに対して、故意も過失もない行為を処罰することは責任主義（38Ⅰ）に反するのであって罪刑法定主義の要請ではない。このような法律の定めがある限り、罪刑法定主義に反するものではない。

(2) 誤　　長期も短期も定めずに言い渡される不定期刑を絶対的不定期刑という。絶対的不定期刑の禁止は、罪刑法定主義の派生原則の一つであり、たとえ法律の定めがあったとしても罪刑法定主義に反する。絶対的不定期刑は、実質上、刑罰を法定したことにならないからである。

(3) 誤　　既に無罪とされた行為について刑事上の責任を問われないことを一事不再理の原則という（憲39前段後半）。これは、罪刑法定主義とは無関係である。

(4) 誤　　類推解釈は、罪刑法定主義に反する。不利益な類推解釈を認めると、処罰範囲の予測がつかず、国民の行動の自由が侵害されるからである。しかし、縮小解釈は、犯人に不利益な解釈とはならず、罪刑法定主義に反しない。

(5) 正　　このように規定した場合、廃止後は、行為規範としての刑罰法規はなくなるが、廃止前の行為に対する裁判規範としての刑罰法規はなお存続することになり、廃止前の行為はこの刑罰法規によって処罰される。この場合は、犯罪行為時には刑罰法規は存在していたのだから、罪刑法定主義に反しない。

1−3(9−23)　罪刑法定主義

罪刑法定主義に関する次の記述のうち、正しいものの組合せは、後記(1)から(5)までのうちどれか。

(ア)　罪刑法定主義は、一般に、「法律なければ犯罪なし、法律なければ刑罰なし」という言葉で表現され、国家による恣意的な刑罰権の行使から国民の権利を護ることをその目的としている。

(イ)　罪刑法定主義は、法律主義と事後法の禁止という考え方から成り立っているとみることができる。

(ウ)　法律主義からは、慣習刑法の排斥が導き出され、構成要件の内容の解釈や違法性の判断に当たって慣習法を考慮することは許されない。

(エ)　事後法の禁止からは刑罰法規の不遡及が導き出され、行為が行われた後に制定した法律で当該行為を処罰することはできない。

(オ)　法律主義及び事後法の禁止から類推解釈の禁止が導き出され、被告人にとって利益、不利益を問わず、法律が規定していない事項について類似の法文を適用することは許されない。

(1)　(ア)(イ)(ウ)　(2)　(ア)(イ)(エ)　(3)　(ア)(ウ)(オ)　(4)　(イ)(エ)(オ)
(5)　(ウ)(エ)(オ)

学習記録	／	／	／	／	／	／	／	／	／

重要度　B	知識型		正解（2）

(ア)　正　　罪刑法定主義とは、何が犯罪であるか、またいかなる刑罰が科されるかをあらかじめ法律で定めなければならないとする原則である（憲31）。罪刑法定主義は、国家の刑罰権の発動が恣意的に行われないようにして、われわれ国民の行動の自由を保障することを目的としている。

(イ)　正　　法律主義とは、犯罪と刑罰が、われわれ国民の代表者である国会により、法律という形式で定められなければならないということであり、また、事後法の禁止とは、犯罪と刑罰を事前に定めておかなければならないということである。法律主義については、憲法31条が「何人も、法律の定める手続によらなければ、その生命若しくは自由を奪はれ、又はその他の刑罰を科せられない。」と規定し、刑事手続においては手続法規だけでなく実体法規も適用されるので、この「法律の定める手続」という文言に実体法上の原則も含まれると解されている。また、事後法の禁止は、憲法39条が「何人も、実行の時に適法であつた行為…については、刑事上の責任を問はれない。」と明文で規定している。

(ウ)　誤　　刑罰法規は成文の法律で定めなければならないという法律主義から、慣習刑法の排斥が導き出されるが、これは、構成要件の内容の解釈や違法性の判断に当たり慣習法を考慮してはならないとすることを要請するものではない。慣習刑法の排斥は、「慣習そのもの」によって処罰することを禁止するものであって、刑罰法規が成文の法律で定めてあれば、その解釈に当たり慣習を考慮しても、慣習そのものによって処罰することにはならないからである。

(エ)　正　　刑罰法規は事前に定めておかなければならないという事後法の禁止、言い換えれば行為後に制定された法律に基づいて制定前の行為を処罰してはならないということであるから、当然そこからは、刑罰法規の不遡及が導かれる。この原則は、更に行為時の刑罰法規が後に重く変更された場合に行為後の新法を適用することをも禁止する。

(オ)　誤　　法律主義及び事後法の禁止から、類推解釈の禁止が導かれるが、これは被告人に不利益となる類推解釈を禁ずるのみで、利益となる類推解釈は許される。罪刑法定主義が類推解釈を禁止するのは、被告人に不利益となる類推解釈が許されるならば事前の法律なく処罰することとなり国民の予測可能性を奪うからであり、逆に被告人に利益となるように、法律が規定していない事項について類似の法文を適用することを許しても、予測可能性を奪うことにはならないからである。

以上から、正しいものは(ア)(イ)(エ)であり、正解は(2)となる。

2−1(56−25)　刑法の適用範囲

Ａ欄に掲げる者が日本国外においてＢ欄に掲げる罪を犯した場合に、Ａ欄に掲げる者にわが国の刑法が適用されないものは、幾つあるか。(改)

	Ａ　欄	Ｂ　欄
(ア)	日本人	外国人に対する傷害
(イ)	外国人	行使の目的をもってする日本の通貨の偽造
(ウ)	日本人	日本国の公務員に対する、その職務に関しての賄賂の供与
(エ)	日本人	外国人からの金銭の騙取
(オ)	日本国の公務員	行使の目的をもってするその職務に関しての虚偽の文書の作成

(1)　０個　　(2)　１個　　(3)　２個　　(4)　３個　　(5)　４個

学習記録	／	／	／	／	／	／	／	／	／

重要度　B	知識型		正解（1）

属地主義（原則）	国内犯	１条１項	日本国内において罪を犯した全ての者
		１条２項	日本国外にある日本船舶・航空機内において罪を犯した者
属人主義（補充）	日本国民の国外犯	３条	日本国民が国外で現住・非現住建造物等放火・現住建造物等浸害・私文書偽造等・虚偽診断書等作成・偽造私文書等行使・私印偽造及び不正使用等・不同意わいせつ・不同意性交等・贈賄・殺人・傷害・業務上堕胎・保護責任者遺棄等・遺棄等致死傷・逮捕監禁・略取誘拐・名誉毀損・窃盗・強盗・詐欺・背任・恐喝・業務上横領・盗品譲受け等などの罪を犯したとき
保護主義（補充）	日本の国家利益を害する国外犯	２条	内乱・外患・通貨偽造・公文書偽造等・有価証券偽造等・支払用カード電磁的記録不正作出等・御璽偽造・公印偽造などの罪を国外で犯した全ての者
	日本国民の生命・身体の自由を害する国外犯	３条の２	不同意わいせつ・不同意性交等・殺人・傷害・逮捕監禁・略取誘拐・強盗・強盗不同意性交等などの罪を犯した日本国民以外の者
	日本国公務員の国外犯	４条	日本国の公務員が国外で逃走援助・虚偽公文書作成・職権濫用・収賄などの罪を犯したとき
世界主義	条約による国外犯	４条の２	日本国外において日本国の刑法上の罪であって条約により日本国外で犯したときであっても罰することができるとされたものを犯した全ての者

(ア)　適用がある　　３条８号により 204 条が適用される。

(イ)　適用がある　　２条４号により 148 条が適用される。

(ウ)　適用がある　　３条６号により 198 条が適用される。

(エ)　適用がある　　３条 15 号により 246 条が適用される。

(オ)　適用がある　　４条２号により 156 条が適用される。

以上から、わが国の刑法が適用されないものはなく、正解は(1)となる。

2−2(61−24)　刑法の適用範囲

刑法の場所的適用範囲に関する次の記述のうち、正しいものはどれか。

(1)　日本国の領土上空を飛行中の外国旅客機内の外国人による犯罪には、日本国の刑罰権は及ばない。

(2)　日本国の領土内であっても、外国大使館の敷地内において行われた犯罪行為には、日本国の刑罰権は及ばない。

(3)　犯罪行為が日本国内で行われてその結果が日本国外で発生した場合及び犯罪行為が日本国外で行われてその結果が日本国内で発生した場合は、いずれも日本国の刑法が適用される。

(4)　公務員の国外犯の規定の適用がある場合、これに加功した日本人は、たとえその加功行為が日本国外で行われたとしても、当該犯罪の共犯としての責任を負う。

(5)　外国において正式に確定判決を受けた行為については、それが有罪であれ、無罪であれ、日本国で再び刑事責任を問われることはない。

学習記録	／	／	／	／	／	／	／	／	／

重要度　B	知識型		正解（3）

⑴　誤　　属地主義の原則を定めた１条１項にいう「日本国内」とは、日本国の領土、領海及び領空の全てを意味する。そして、領空は領土上及び領海上のすべての空間であるから、日本国の領土上空もやはり日本国内である。したがって、本肢では、日本国の刑罰権が及ぶことになる。

⑵　誤　　外国大使館の敷地内であっても日本国の領土内なので、属地主義により刑罰権が及ぶ（１Ⅰ、大判大7.12.16）。なお、行為者が外交官等の外交特権を持つ者であれば訴追条件が欠けることになるので刑罰権を実現できないが、これは刑法の人的効力の問題である。

⑶　正　　１条の「日本国内において罪を犯した」とは、構成要件に該当する行為と結果の一部が日本国内で行われたことを意味する（遍在説、行為のみが国内で行われた場合につき大判明44.6.16）。したがって、犯罪行為のみが日本国内で行われ、又は犯罪的結果のみが日本国内で生じた場合であっても、日本国の刑罰権が及ぶことになる。

⑷　誤　　公務員でない者は、公務員の国外犯の規定の適用がある公務員犯罪に日本国外で加功した場合には、共犯としての責任を負わない。４条は、日本の刑法を「…公務員に適用する」と規定しているので、公務員でない者に対しては４条による日本の刑法の適用がないと解されているからである。なお、加功行為が日本国内で行われたときには、共犯行為地も共犯の犯罪地となることから、国内犯（１Ⅰ）として共犯の責任を負う。

⑸　誤　　外国において確定判決を受けた場合でも、再び日本で刑事責任を問われることはある。刑法は外国裁判の効力を認めていないからである（５本文）。ただし、既に外国で刑の執行を受けたときは、これを考慮して、わが国における刑の執行を減軽又は免除することとしている（５但書）。また、同じ犯行について２度以上罪の有無に関する裁判を受ける危険にさらされるべきではないとする一事不再理の原則（憲39）は、日本国内の裁判の効力に関する原則であり、外国裁判と国内裁判との関係を規定したものではないので、５条は一事不再理の原則に反しない。

2-3(4-25)　刑法の適用範囲

刑法の場所的適用範囲に関する次の記述のうち、誤っているものの組合せは、(1)から(5)までのうちどれか。

(ア)　外国人が日本国外にある日本の航空機内で犯罪を犯した場合、日本の刑法が適用される。

(イ)　共犯者については、実行正犯の行為地が共犯者の犯罪地となる。

(ウ)　日本国外から毒薬を郵送し、国内でこれを服用した者が国外で死亡した場合、日本の刑法が適用される。

(エ)　日本国外で有価証券偽造又は通貨偽造についての犯罪を犯した場合、日本の刑法は犯人が日本人であるときのみ適用があるが、日本国外において日本人に対する殺人又は略取誘拐の罪を犯した場合には、犯人が何人であっても日本国刑法が適用される。

(オ)　日本国の公務員が外国で賄賂を収受した場合には、日本国内で教唆した者は賄賂罪の共犯者として処罰されることはない。

(1)　(ア)(ウ)　　(2)　(イ)(エ)　　(3)　(イ)(オ)　　(4)　(ウ)(エ)　　(5)　(エ)(オ)

学習記録									
	／	／	／	／	／	／	／	／	／

重要度　B	知識型		正解（5）

(ア)　正　　刑法は、日本国内で犯された犯罪につき、犯人の国籍を問わず適用されるのが原則である（１Ⅰ・国内犯）。これを、属地主義という。刑法は、日本の法秩序を維持することをその目的とし、国家刑罰権の発動の根拠となる法律であるから、その場所的範囲は国家の主権の及ぶ範囲すなわち日本の領土・領海・領空であり、適用の対象については内外国人を問わないというのがその趣旨である。そして、日本船舶又は日本航空機内は、日本の領土の延長とみることができるから、日本国外にある場合でも、日本の刑法が適用される（１Ⅱ）。

(イ)　正　　判例・通説は、正犯が実行行為を行わなければ共犯が成立しないと解している（大判大 4.2.16、大判大 12.7.12・共犯従属性説）。そして、判例は、この共犯の従属性を共犯の犯罪地の決定にまで及ぼしている。すなわち教唆犯については、教唆による正犯の実行行為は教唆犯成立の要件であり、教唆犯は正犯の実行行為により初めて完成するものであるから、教唆犯成立の場所は、正犯実行の場所である（大判大 4.10.29、大判大 11.9.8）とし、従犯については、従犯は実行行為に随伴して成立するものであるから、従犯成立の場所は正犯実行の場所であるとしている（大判大 11.3.15）。したがって、共犯者については、実行正犯の行為地が共犯者の犯罪地である。

(ウ)　正　　犯罪地が日本国内であるか否かについては、構成要件該当事実の一部が国内に存在する以上は、その犯罪は国内で行われたものとされる。すなわち、行為が国内で行われた限り、たとえ結果が国外で発生したとしても（大判明 44.6.16）、あるいは行為が国外で行われたとしても、結果が国内で発生した限り国内犯として日本の刑法が適用される。国外から毒物を郵送し、国内でこれを服用した者が国外で死亡した場合、被害者の服用という事実は殺人という犯罪の構成事実の一部であると考えられるから、やはり日本の刑法が適用される。

(エ)　誤　　刑法は、犯人の国籍のいかんを問わず、一定の場合に日本国外の行為を犯罪として刑罰の対象とすることによって、日本の国家的法益及び重要な社会的法益を保護している（２・保護主義）。有価証券偽造罪（162）は、今日の社会における経済取引の手段として極めて重要な役割を演じている有価証券に対する公共の信用をその保護法益とするものであり、通貨偽造罪（148）も、通貨に対する公共の信用を保護することによって、社会における取引の安全を図り、もって経済的秩序を維持し、また同時に国家の通貨発行権をも保護法益とする犯罪である。したがって、いずれも２条６号及び４号により、犯人が何人であっても日本の刑法の対象となる。２条に挙げられていないが、３条７号及び12号で外国で日本国民が犯した場合（属人主義）、また、３条の２の２号及び５号で外国で日本国民以外の者が日本国民に対し犯した場合（保護主義）、日本の刑法が適用される。

(オ)　誤　　日本の公務員が外国で収賄罪を犯した場合、当該公務員には日本の刑法が適用される（４③）。日本の公務員とは必ずしも日本人に限られないから、これは日本の公務を保護するための規定であり、やはり保護主義に基づく。(イ)の解説にあるように、教唆犯にとって正犯の犯罪の場所も、教唆という犯罪の結果の発生の場所という意味で犯罪の場所であるが、それだけではなく教唆行為もそれ自体犯罪性を有するがゆえに処罰されるものである以上、教唆行為の行われた場所もまた犯罪の場所である。したがって、本肢の場合も教唆行為が行われたのが日本国内である以上、教唆犯の犯罪の場所は日本といえるので、属地主義に基づく１条により日本の刑法が適用され、収賄罪の教唆犯として処罰される。

以上から、誤っているものは(エ)(オ)であり、正解は(5)となる。

MEMO

2-4(17-25)　刑法の適用範囲

刑法の適用範囲に関する次の(ア)から(オ)までの記述のうち、誤っているものの組合せは、後記(1)から(5)までのうちどれか。

(ア)　刑法には、我が国の国民が国外で刑法上の犯罪の被害者となったことにより我が国の国民以外の者に対して我が国の刑法が適用される場合は、規定されていない。

(イ)　刑法には、国外で刑法上の罪を犯したいかなる国籍の者に対しても我が国の刑法が適用される場合が規定されている。

(ウ)　刑法には、国外で公務員を主体とする刑法上の罪を犯した我が国の公務員に対して我が国の刑法が適用される場合は、規定されていない。

(エ)　刑法には、我が国が加入している条約が国外犯の処罰を求めている刑法上の罪を犯した者に対して我が国の刑法が適用される場合が規定されている。

(オ)　刑法には、国外で刑法上の罪を犯した我が国の国民に対して我が国の刑法が適用される場合が規定されている。

(1)　(ア)(ウ)　　(2)　(ア)(オ)　　(3)　(イ)(ウ)　　(4)　(イ)(エ)　　(5)　(エ)(オ)

学習記録	／	／	／	／	／	／	／	／	／

重要度　B	知識型		正解（1）

⑺　誤　　日本国外において日本国民に対して行った一定の重大犯罪については、日本国民以外の者にも、日本国の刑法が適用される（3の2）。従来、日本国外における日本国民に対する犯罪の処罰は行為地法に任せるべきであるとして、原則として日本の刑法は適用されなかった。しかし、国際的に人の移動が日常化し、国外において日本国民が犯罪の被害に遭うケースが増加している現状に鑑み、日本国民保護の観点から平成15年に規定されたものである。例えば、不同意性交等（177）、殺人（199）、強盗（236）などがこれに当たる。

⑷　正　　一定の重大な罪については、日本国外において刑法上の罪を犯したすべての者に日本国の刑法が適用される（2）。例えば､内乱（77）や外患（81以下)、通貨偽造（148)、公文書偽造等（155）などがこれに当たる。

⑼　誤　　日本国外において一定の刑法上の罪を犯した日本国の公務員には、日本国の刑法が適用される（4）。例えば､虚偽公文書作成（156)､収賄（197以下）などがこれに当たる。

⑽　正　　日本国外において、刑法第2編の罪であって、条約により日本国外において犯したときであっても罰すべきものとされているものを犯したすべての者に、日本国の刑法が適用される（4の2）。これは国際社会が共同して対処しなければならない行為について、何人がどの地域で犯したか、また自国の利益の侵害を伴うか否かにかかわらず、自国の刑法を適用するものである。例えば、ハイジャック行為や国際テロ行為などがこれに当たる。

⑾　正　　日本国外において一定の刑法上の罪を犯した日本国民には、日本国の刑法が適用される（3）。例えば、放火（108以下)、私文書偽造（159)、殺人（199）などがこれに当たる。

以上から、誤っているものは⑺⑼であり、正解は⑴となる。

2−5(R5−24)　刑法の適用範囲

刑法の適用範囲に関する次の(ア)から(オ)までの記述のうち、判例の趣旨に照らし誤っているものの組合せは、後記(1)から(5)までのうち、どれか。

(ア)　貿易商を営む外国人Ａは、外国人Ｂから日本での絵画の買付けを依頼され、その代金として日本国内の銀行に開設したＡの銀行口座に振り込まれた金銭を、日本国内において、業務のため預かり保管中、これを払い出して、日本人Ｃに対する自己の借金の返済に費消した。この場合、Ａには、我が国の刑法が適用され、業務上横領罪が成立する。

(イ)　外国人Ａは、外国のホテルの客室内において、観光客である日本人Ｂに対し、けん銃を突きつけて脅した上で持っていたロープでＢを緊縛し、反抗を抑圧されたＢから現金等在中の財布を強奪した。この場合、Ａには、我が国の刑法の適用はなく、強盗罪は成立しない。

(ウ)　外国人Ａは、日本国内で使用する目的で、外国において、外国で発行され日本国内で流通する有価証券を偽造した。この場合、Ａには、我が国の刑法が適用され、有価証券偽造罪が成立する。

(エ)　日本人Ａは、外国において、現に外国人Ｂが住居として使用する木造家屋に放火して、これを全焼させた。この場合、Ａには、我が国の刑法の適用はなく、現住建造物等放火罪は成立しない。

(オ)　外国人Ａは、外国において、日本人Ｂに対し、外国人Ｃ名義の保証書を偽造してこれを行使し、借用名下にＢから現金をだまし取った。この場合、Ａには、我が国の刑法の適用はなく、私文書偽造・同行使・詐欺罪は成立しない。

(1)　(ア)(ウ)　　(2)　(ア)(オ)　　(3)　(イ)(エ)　　(4)　(イ)(オ)　　(5)　(ウ)(エ)

学習記録	／	／	／	／	／	／	／	／	／

重要度　B	知識型		正解（3）

(ア)　正　　刑法は、日本国内において罪を犯したすべての者に適用される（１Ⅰ・属地主義）。この点、業務上横領罪（253）は、業務上の委託に基づき自己の占有する他人の物を横領した場合に成立する。したがって、本肢の場合、Ａには、我が国の刑法が適用され、業務上横領罪が成立する。

(イ)　誤　　刑法は、日本国外において日本国民に対して強盗罪（236）を犯した日本国民以外の者にも適用される（３の２⑥・保護主義）。この点、強盗罪は、暴行又は脅迫により、相手方の反抗を抑圧し、その意思に反して他人の財物を自己又は第三者の占有に移した場合に成立する。したがって、本肢の場合、Ａには、我が国の刑法が適用され、強盗罪が成立する。

(ウ)　正　　刑法は、日本国外において有価証券偽造罪（162）を犯した者にも適用される（２⑥・保護主義）。この点、有価証券偽造罪は、行使の目的で、公債証書、官庁の証券、会社の株券その他の有価証券を偽造した場合に成立する。したがって、本肢の場合、Ａには、我が国の刑法が適用され、有価証券偽造罪が成立する。

(エ)　誤　　刑法は、日本国外において現住建造物等放火罪（108）を犯した日本国民にも適用される（３①・属人主義）。この点、現住建造物等放火罪は、放火して、現に人が住居に使用し又は現に人がいる建造物、汽車、電車、艦船又は鉱坑を焼損した場合に成立する。したがって、本肢の場合、Ａには、我が国の刑法が適用され、現住建造物等放火罪が成立する。

(オ)　正　　刑法は、日本国外において刑法２条に列挙された罪を犯したすべての者に適用される（２・保護主義）。また、日本国外において、日本国民に対して刑法３条の２に列挙された罪を犯した日本国民以外の者にも、刑法が適用される（３の２・保護主義）。この点、刑法２条及び刑法３条の２には、「次に掲げる罪を犯した」と規定されているが、私文書偽造（159）・同行使（161）・詐欺罪（246）は、これらの規定で列挙されていない（２・３の２参照）。したがって、本肢の場合、Ａには、我が国の刑法の適用はなく、私文書偽造・同行使・詐欺罪は成立しない。

以上から、誤っているものは(イ)(エ)であり、正解は(3)となる。

3−1(59−25)　構成要件

不作為犯に関する次の記述のうち、誤っているものはどれか。

(1) 勤務先で宿直中、同僚が事務室内の金庫から現金を盗み出しているところを発見したが、後で口止料をもらう意図のもとに気付かぬふりをして何らの措置もとらないまま見逃した場合には、窃盗罪の正犯が成立する。

(2) 深夜に公園を通行中、泥酔して公園のベンチで寝込んでいる浮浪者を見かけ、放置しておけば厳寒のため凍死すると思いつつ、それでもかまわないと考えて何らの措置もとらないまま立ち去ったところ、同人が翌朝凍死していた場合でも、保護責任者遺棄致死罪は成立しない。

(3) 民家近くの空地でたき火をし、後始末をしておかないと火勢が強まって同家に燃え移るおそれがあると思いつつ、それでもかまわないと考えて何らの措置もとらないまま立ち去ったところ、同家に火が燃え移って全焼した場合には、現住建造物等放火罪が成立する。

(4) 建築資材置場として土地を賃借中、賃貸借契約が解除され、賃貸人から立退を強く要求されたのに、これを拒否して建築資材をそのまま放置した場合でも、不動産侵奪罪は成立しない。

(5) 鉄材を積載したトラックを運転して鉄道踏切を通過中、荷くずれにより鉄材が線路上に落下したことに気付いたのに、鉄道会社から損害賠償を請求されることをおそれるあまり、そのまま走行していった場合には往来危険罪が成立する。

学習記録	／	／	／	／	／	／	／	／	／

重要度　B	知識型		正解（1）

⑴ 誤　不作為による窃盗の正犯が成立するためには、作為義務が存在することのほかに、当該不作為が作為による窃取と同視できるだけの実行行為性を備えていることが必要である。宿直勤務中の者には盗難の発生を防止すべき契約上の作為義務が認められる。しかし、他人の窃取行為を見逃しただけでは、自ら法益侵害の現実的危険性を有する行為をしたとはいえず、正犯としての実行行為性は認められない。したがって、窃盗罪の正犯は成立しない。なお、その見逃しによって正犯（同僚）の犯行を物理的・有形的に容易にしたといえるので、窃盗罪の従犯（62Ⅰ）が成立する。たとえ正犯に幇助されていることの認識がなかったとしても、有形的幇助であれば、片面的従犯が認められる（東京高判平2.2.21）。

⑵ 正　保護責任者遺棄致死罪（219・218）の主体は老年、幼年、身体障害又は疾病のため保護（「扶助」）すべき義務がある者でなければならない。浮浪者と単なる通行人との関係では、通行人に浮浪者を保護すべき義務が発生することはない。したがって、本罪は成立しない。

⑶ 正　本肢では、先行行為に基づく作為義務が認められる。先行行為とは法益侵害行為に先行する行為をいい、本肢のたき火はこれに当たる。すなわち、たき火をした者は、その火から火災が発生し公共の危険を生ずることのないように諸措置をとる作為義務がある。したがって、たき火をした者が、民家の焼損を認識・認容した上で放置している以上、不作為による現住建造物等放火罪（108）が成立する。

⑷ 正　本肢の賃借人には、賃貸借契約の解除により建築資材を賃借地から除去すべき契約上の作為義務が認められる。しかし、単に資材を放置しただけでは不動産侵奪罪（235の2）の実行行為である「侵奪」があったとはいえず、不動産侵奪罪は成立しない。なぜなら、「侵奪」とは、他人の意に反して目的物の上における他人の占有を排除して自己の占有を設定することをいい（大阪高判昭40.12.17）、当該不作為（資材の放置）は他人の占有の排除も自己の占有の新たな設定も伴わないからである。

⑸ 正　自ら荷くずれを生じさせたという過失による先行行為から、鉄道会社に通報するなど電車の往来の危険を生じさせないように防止すべき作為義務が認められる。したがって、そのまま走行していった場合には、不作為による往来危険罪（125Ⅰ）が成立する。

3−2(2−27)

構成要件

次の場合のうち、末尾のかっこ内の不作為による犯罪が成立しないものはどれか。

⑴　河畔で分娩した母親が、嬰児を直ちに付近の砂中に埋めて窒息死させた後、死体をその場所に放置してそこから逃走した場合。(死体遺棄罪)

⑵　事務所の火気責任者が、自己の過失により火を出したが、容易に消火することができたにもかかわらず、自己の失敗の発覚をおそれるあまり、延焼の危険を知りながらこれを放置し立ち去ったので、当該事務所を全焼した場合。(放火罪)

⑶　土地に抵当権を設定し、登記をしているにもかかわらず、そのことを買主に告げないで、その土地を売った場合。(詐欺罪)

⑷　母親が、死んでもかまわないと思って、生後９日目の幼児にあえて授乳せず、餓死させた場合。(殺人罪)

⑸　近所の子供が喧嘩をしているところを見つけ、このままでは一方が殴られて傷害を負わせるだろうと思ったが、かかわりあいになるのを嫌い、それを制止せず立ち去ったために、子供が傷害を負った場合。(傷害罪)

学習記録	／	／	／	／	／	／	／	／	／

重要度　B	知識型		正解（5）

作為犯の形式で規定されている構成要件を不作為によって実現する場合を不真正不作為犯（不作為による作為犯）という。そして、この場合に、犯罪的結果を回避させる可能性がある全ての者の不作為が処罰の対象となるとすることは、刑法の謙抑性に反する。そこで、当該構成要件の予定する作為義務を有する者の不作為のみが、処罰の対象となるものとしなければならないとされる。

(1) 成立　　死体遺棄罪における「遺棄」(190) は、通常、死体の場所的移転を伴うべきであるとされる。しかし、法律上の埋葬義務者については、単に死体をその場所に放置する不作為も「遺棄」となる。本肢の母親には、監護者としての地位に基づく作為義務があり、死亡した嬰児の埋葬義務者といえるから、死体遺棄罪が成立する（大判大6.11.24)。なお、本罪と殺人罪（199）とは、併合罪（45）の関係に立つ（大判明44.7.6、大判昭8.7.8)。

(2) 成立　　不作為による放火罪も認められる。すなわち、自己の故意によらず発生した火力を、消火すべき作為義務を有する者が、容易に消し止め得る状況にあったのに、ことさらに消火の手段を怠った場合に認められるとされている。判例も、会社員が失火し、容易に消し止めることができたにもかかわらず、自己の失策の発覚をおそれて、そのまま逃走した事案で、会社員に先行行為に基づく作為義務（消火義務）を認め、放火罪を認めている（最判昭33.9.9)。本肢では、事務所の火気責任者であるから、判例と比較して作為義務は容易に肯定され、不作為による放火罪が成立する。

(3) 成立　　不作為による欺く行為によっても、詐欺罪（246）は成立する。すなわち、不動産の売主は、慣習又は条理上、その不動産に抵当権の負担があり登記されている旨を買主に告げる義務を有することから、これを怠って売却した売主に詐欺罪が認められる（大判昭4.3.7)。なお、財産罪である詐欺罪の成立要件として、被害者に何らかの財産的損害の発生を必要とするが、本肢では、抵当権者が既に登記を備えている場合であるから、買主に財産的損害も認められる。

(4) 成立　　母親が幼児に授乳しないという不作為は、法令に基づく親権者の子に対する監護義務（民820）に反するもので、場合によって保護責任者遺棄罪（219・218）又は殺人罪（199）が成立するとされている。本肢では、母親が、死んでもかまわないと思っており、殺人罪の故意が認められるから、殺人罪の成立が認められる（大判大4.2.10)。

(5) 不成立　　子供が負傷しないように喧嘩を制止すべきとする義務は単なる道徳上の義務であって、法律上の義務とはいえず、子供の喧嘩を発見した者に作為義務があるとはいえず、傷害罪（204）は成立しない。道徳上の作為義務が認められるにすぎないような場合にまで作為義務を肯定すると、処罰範囲が広範となり、作為義務を要求した趣旨に反するからである。

3−3(8−23)　構成要件

次の(ア)から(エ)までの事例について、因果関係に関する後記の二つの説の立場に立って、Ａにつき末尾の括弧内に記載した犯罪の成否を判断した場合に、いずれの立場に立っても犯罪の成立が認められるものと認められないものを選んだ組合せとして正しいものは、後記(1)から(5)までのうちどれか。

（条件説）　その行為がなければ、その結果は発生しなかったという関係（条件関係）があれば因果関係が認められるとする見解。

（客観的相当因果関係説）　条件説にいう条件関係がある場合のうち、その行為からその結果が発生するのが経験則に照らして相当であると認められるときに因果関係が認められるとし、その相当性は行為時に存在したすべての事情及び予見可能な行為後の事情を基礎に判断するとの見解。

(ア)　ＡがＢを殺害しようとしてＢをナイフで切りつけ、その結果入院したＢが、入院先の病院の他の入院患者Ｃの放火による病院の火災により死亡した場合（殺人既遂罪）

(イ)　Ａが列車で旅行中、Ｂとけんかになり、殺意をもってＢの腹部を突き刺して重傷を負わせたところ、列車が転覆してその衝撃によりＢが圧死した場合（殺人既遂罪）

(ウ)　ＡとＢがけんかになり、路上に突き飛ばしたところ、心臓疾患があったＢが急性心不全で死亡した場合（傷害致死罪）

(エ)　Ｃに対して殺意を抱いていたＡＢの両名が、それぞれ意思の連絡もなく無関係に、同時にＣに対して拳銃を発射して命中させ、その結果Ｃは死亡したが、ＡＢいずれの発射した弾丸によりＣが死亡したか不明である場合（殺人既遂罪）

	いずれの説によっても犯罪が成立する場合	いずれの説によっても犯罪が成立しない場合
(1)	(ア)	(イ)
(2)	(ア)(ウ)	(イ)(エ)
(3)	(ア)(ウ)	(エ)
(4)	(ウ)	(エ)
(5)	(ウ)	(イ)(エ)

学習記録	／	／	／	／	／	／	／	／	／

重要度　C	推論型		正解（5）

犯罪の客観的構成要件としては、実行行為、結果、及び因果関係（実行行為と結果との間に原因・結果の関係があること）がある。いかなる場合に因果関係が認められるかについては、現在、条件説と相当因果関係説が主張されており、この相当因果関係説の内部でも主観説、客観説及び折衷説が主張されている。本問は、このうち、条件説と客観的相当因果関係説との違いを問う出題である。なお、判例の立場は、従来、条件説に立つと解されていたが、最決昭和42年10月24日は、相当因果関係説に立ったものと評されている。ただし、それが客観説か折衷説かについては論者によって見解が分かれている。

(ア)　条件説のみ犯罪が成立する　　AがBを殺害しようとしてBをナイフで切りつけるという行為がなければ、Bが病院に入院することはなく、病院火災で焼死するという結果も発生しなかったのであるから、行為と結果との間の条件関係は認められる。したがって、条件説からは殺人既遂罪（199）が成立する。しかし、他の入院患者の放火により死亡することは、予見不可能な行為後の事情であるから、客観的相当因果関係説（以下「客観説」という。）の相当性判断の基礎事情とすることはできない。したがって、Bをナイフで切りつける行為から病院での焼死という結果が発生するのは経験則に照らして相当であるとは認められないので、客観説からは殺人既遂罪は成立しない。

(イ)　いずれの説によっても犯罪が成立しない　　「その行為がなくてもその結果は発生した」といえるときには、条件説における条件関係は否定される。列車の転覆の衝撃によるBの圧死という結果は、AがBの腹部を突き刺す行為がなくても生じたものであるから、条件関係はない。また、客観説は条件関係があることを前提としているので、この説によっても因果関係は否定される。したがって、いずれの説によっても殺人既遂罪（199）は成立しない。

(ウ)　いずれの説によっても犯罪が成立する　　Bの急性心不全による死という結果は、AがBを路上に突き飛ばさなければ生じなかったのであるから、条件関係は認められる。また、Bの心臓疾患は行為時に存在した事情であるから、因果関係の存否の基礎事情に含まれる。この事情を基礎に判断すると、心臓疾患のあるBを路上に突き飛ばす行為から、急性心不全による死の結果が発生するのは経験則に照らして相当であると認められる。したがって、いずれの説からも傷害致死罪（205）が成立する。

(エ)　いずれの説によっても犯罪が成立しない　　Cの死亡の結果がＡＢいずれの発射した弾丸によるものか判明しない以上、条件関係の判断の対象となる「その行為」をした者を特定することができないから、いずれの説によっても因果関係は認められない。同時傷害であれば因果関係の立証の困難を回避するために特則（207）が置かれているが、同条は殺人罪には適用されない。また、それぞれ意思の連絡もなく無関係に行っているので共同正犯（60）における「一部行為の全部責任」の法理によって行為者全員に既遂の責任を負わせることもできない。したがって、いずれの説からも殺人既遂罪（199）は成立しない。

以上から、いずれの立場に立っても犯罪の成立が認められるものは(ウ)、認められないものは(イ)(エ)であり、正解は(5)となる。

MEMO

3−4(25−24)　構成要件

【　　】内の犯罪の成否を検討するに当たっての因果関係の存否に関する次の(ア)から(オ)までの記述のうち、判例の趣旨に照らし正しいものの組合せは、後記(1)から(5)までのうち、どれか。

(ア)　Ａは、乗用車のトランク内にＢを入れて監禁し、信号待ちのため路上で停車していたところ、後方から脇見をしながら運転してきたトラックに追突され、Ｂが死亡した。この場合において、Ａの監禁行為とＢの死亡の結果との間には、因果関係がある。【監禁致死罪】

(イ)　Ａは、Ｂの腹部をナイフで突き刺し、重傷を負わせたところ、Ｂは、医師の治療により一命を取り留めたものの、長期入院をしていた間に恋人に振られたため、前途を悲観して自殺した。この場合において、Ａがナイフで刺した行為とＢの死亡の結果との間には、因果関係がある。【殺人罪】

(ウ)　柔道整復師Ａは、医師免許はないものの、客の健康相談に応じて治療方法の指導を行っていたが、風邪の症状を訴えていたＢに対し、水分や食事を控えて汗をかけなどと誤った治療方法を繰り返し指示したところ、これに忠実に従ったＢは、病状を悪化させて死亡した。この場合において、Ａの指示とＢの死亡の結果との間には、因果関係がない。【業務上過失致死罪】

(エ)　Ａは、Ｂの頭部等を多数回殴打するなどの暴行を加えて脳出血等の傷害を負わせた上で、路上に放置したところ、その傷害によりＢが死亡したが、Ｂの死亡前、たまたま通り掛かったＣが路上に放置されていたＢの頭部を軽く蹴ったことから、Ｂの死期が早められた。この場合において、Ａの暴行とＢの死亡の結果との間には、因果関係がない。【傷害致死罪】

(オ)　Ａは、多数の仲間らと共に、長時間にわたり、激しく、かつ、執ようにＢに暴行を加え、隙を見て逃げ出したＢを追い掛けて捕まえようとしたところ、極度に畏怖していたＢは、交通量の多い幹線道路を横切って逃げようとして、走ってきた自動車に衝突して死亡した。この場合において、Ａの暴行とＢの死亡の結果との間には、因果関係がある。【傷害致死罪】

(1)　(ア)(ウ)　　(2)　(ア)(オ)　　(3)　(イ)(ウ)　　(4)　(イ)(エ)　　(5)　(エ)(オ)

学習記録	／	／	／	／	／	／	／	／	／

重要度　B	知識型		正解（2）

(ア) 正　　被害者の死亡原因が直接的には追突事故を起こした第三者の甚だしい過失行為にあるとしても、道路上で停車中の乗用車後部のトランク内に被害者を監禁した監禁行為と被害者の死亡との間の因果関係を肯定することができる（最決平18.3.27）。

(イ) 誤　　因果関係とは、実行行為と結果との間にある一定の原因と結果の関係をいい、社会生活上の経験に照らし、行為から結果が生ずることが相当と認められなければならない。本肢において、Bが死亡したのは、恋人に振られ前途を悲観し自殺したためであるが、AがナイフでBを刺したという行為からBの自殺という死亡結果が生ずるのは、社会生活上の経験に照らして相当とはいえず、因果関係がない。

(ウ) 誤　　医師免許のない者が行った死亡の危険性のある指示に被害者が忠実に従って、その結果被害者が死亡した場合には、上記者の行為と被害者の死亡との間に因果関係が認められる（最決昭63.5.11）。

(エ) 誤　　行為者の暴行により被害者の死因となった傷害が形成された場合には、仮にその後第三者により加えられた暴行によって死期が早められたとしても、行為者の暴行と被害者の死亡との間の因果関係を肯定することができる（最決平2.11.20）。

(オ) 正　　長時間激しく執拗な暴行を受けていた被害者が逃走中に高速道路に侵入したことは、行為者からの暴行から逃れる方法として、著しく不自然、不相当であったとはいえず、実行行為と高速道路上での交通事故による被害者の死亡との間には因果関係がある（最決平15.7.16）。したがって、Aの暴行と交通量の多い幹線道路上を走行中の自動車と衝突したことによるBの死亡との間には因果関係が認められる。

以上から、正しいものは(ア)(オ)であり、正解は(2)となる。

3−5(R4−24)　構成要件

因果関係に関する次の(ア)から(オ)までの記述のうち、判例の趣旨に照らし正しいものの組合せは、後記(1)から(5)までのうち、どれか。

(ア)　Ａは、Ｂに対し、胸ぐらをつかんで仰向けに倒した上、首を絞めつける暴行を加えた。Ｂには重篤な心臓疾患により心臓発作を起こしやすいという身体的な事情があり、Ｂは、Ａから暴行を受けたショックにより心臓発作を起こして死亡した。Ａは、Ｂの心臓疾患について知らず、Ｂの心臓疾患という特殊事情がなければＢは死亡しなかったと認められた。この場合、Ａの暴行とＢの死亡との間には因果関係が認められない。

(イ)　Ａは、５人の仲間と共謀して、Ｂに対し、マンションの居室で、約３時間にわたって、激しい暴行を加え続けた。Ｂは、隙を見て、同居室から逃走し、追跡してきたＡらから逃れるために高速自動車国道に進入したが、進行してきた普通貨物自動車に衝突され外傷性ショックにより死亡した。Ｂは、Ａらから暴行を受けたことにより、Ａらに対して極度の恐怖心を抱いて逃走を図る過程で、Ａらからの暴行や追跡から逃れるために、とっさに高速自動車国道に進入したものであり、その行動は著しく不自然、不相当ではなかったと認められた。この場合、Ａらの暴行とＢの死亡との間には因果関係が認められる。

(ウ)　Ａは、Ｂに対し、底の割れたビール瓶で後頸部を突き刺す暴行を加えて、後頸部刺創の重症を負わせた。Ｂは、病院で緊急手術を受け、いったんは容態が安定し、治療を受け続ければ完治する見込みであると診断された。Ｂは、その後、医師に無断で退院しようとして、治療用の管を抜くなどして暴れたことにより容態を悪化させ、前記後頸部刺創に基づく脳機能障害により死亡した。Ａの暴行によりＢが負った傷害は死亡の結果をもたらし得るものであった一方で、Ｂが医師の指示に従わず安静に努めなかったことで治療の効果が上がらずＢが死亡したと認められた。この場合、Ａの暴行とＢの死亡との間には因果関係が認められない。

(エ)　Ａは、Ｂとけんかになり、金属バットでＢの右足を殴打する暴行を加えて、Ｂに右大腿骨骨折の傷害を負わせた。Ｂは、自ら呼んだ救急車で病院に向けて搬送されたが、その途中、当該救急車が突如発生した竜巻によって空中に巻き上げられた上地面に落下したことによって、全身打撲により死亡した。ＡがＢに負わせた傷害ではＢは死亡しなかったと認められた一方で、ＢはＡに傷害を負わせられなければ救急車で搬送されることも、竜巻が発生した場所に赴くこともなかったであろうと認められた。この場合、Ａの暴行とＢの死亡との間には因果関係が認められる。

(オ)　Aは、深夜、普通乗用自動車（甲車）の後部トランクにBを閉じ込めて監禁し、その状態で市街地の片側１車線の道路上に甲車を停車させた。その数分後、普通貨物自動車（乙車）を運転してきたCが脇見運転をしたことにより甲車の存在に至近距離に至るまで気付かず、乙車を甲車の後部に追突させ、それにより、Bは、頸髄挫傷の傷害を負い、その傷害が原因で死亡した。Bの直接の死因は乙車による追突であり、Cの過失は甚だしいものと認められた。この場合、Aによる監禁行為とBの死亡との間には因果関係が認められる。

(1)　(ア)(エ)　　(2)　(ア)(オ)　　(3)　(イ)(ウ)　　(4)　(イ)(オ)　　(5)　(ウ)(エ)

学習記録	／	／	／	／	／	／	／	／	／

MEMO

重要度　B	知識型		正解（4）

(ア)　誤　　本肢と同様の事案において、判例は、被告人の本件暴行が、被害者の重篤な心臓疾患という特殊の事情さえなかったならば致死の結果を生じなかったであろうと認められ、しかも、被告人が行為当時その特殊事情のあることを知らず、また、致死の結果を予見することもできなかったものとしても、その暴行がその特殊事情とあいまって致死の結果を生じさせたものと認められる以上、その暴行と致死の結果との間に因果関係を認める余地があるといわなければならないとした（最判昭46.6.17）。

(イ)　正　　本肢と同様の事案において、判例は、被害者は、被告人らから激しくかつ執ような暴行を受け、被告人らに対し極度の恐怖感を抱き、必死に逃走を図る過程で、とっさにそのような行動を選択したものと認められ、その行動が、被告人らの暴行から逃れる方法として、著しく不自然、不相当であったとはいえないとして、被害者自身の危険な行動が介在していても、加害者の暴行と被害者の死亡の結果との間の因果関係を肯定するとした（最決平15.7.16）。

(ウ)　誤　　本肢と同様の事案において、判例は、被害者の受けた傷害は、それ自体死亡の結果をもたらし得る身体の損傷であって、仮に被害者が医師の指示に従わず安静に努めなかったという事情が介在していたとしても、傷害と死亡との間には因果関係を肯定するとした（最決平16.2.17）。

(エ)　誤　　判例は、条件関係が存在することを前提に、行為の危険が結果に現実化したときに因果関係を認める見解を採用している（最決平22.10.26、最決平24.2.8参照・危険の現実化説）。そして、行為後に介在事情が存在する場合には、介在事情の結果への寄与度を考慮し、介在事情の結果への寄与度が大きい場合には、原則として危険の現実化は否定される。本問において、傷害を負ったBを搬送中の救急車が、突如発生した竜巻によって空中に巻き上げられ地面に落下したという介在事情により、Bは全身打撲で死亡しているが、これは介在事情の結果への寄与度が大きく、危険の現実化は否定される。

(オ)　正　　本肢と同様の事案において、判例は、被害者の死亡原因が直接的には追突事故を起こした第三者の甚だしい過失行為にあるとしても、被告人が自動車のトランク内に被害者を監禁した行為と被害者の死亡との間の因果関係を肯定することができるとした（最決平18.3.27）。

以上から、正しいものは(イ)(オ)であり、正解は(4)となる。

4－1（59－24）　違法性

被害者の承諾と犯罪の成否に関する次の記述のうち、正しいものはどれか。（改）

⑴　強制執行により商品の差押えを受けた債務者が、差押えのための封印が施された商品を倉庫から搬出して売却した場合でも、債権者が承諾していたときは、封印破棄罪は成立しない。

⑵　弁護士が、受任事件の調査過程で知った第三者の秘密を同人の承諾のもとに漏らした場合でも、事件の依頼人が承諾していなかったときは、秘密漏示罪が成立する。

⑶　保護者でない者が、12歳の児童を保護者の不知の間に１泊旅行に連れて行った場合でも、児童本人が本心から承諾していたときは、未成年者誘拐罪は成立しない。

⑷　犯罪の被害者でない者が虚偽の被害事実を内容として告訴をした場合には、被告訴人がその事実により告訴されることを承諾していたとしても、虚偽告訴罪が成立する。

⑸　医師が献血者の承諾のもとに同人の血管に針を刺して採血した場合でも、同人が献血の対価として得る金で強盗の手段に用いる凶器を購入するつもりであることを医師が知っていたときは、傷害罪が成立する。

学習記録	／	／	／	／	／	／	／	／	／

重要度　A	知識型	要 *Check!*	正解（4）

〈被害者の承諾が犯罪の成否に及ぼす影響〉

国家的法益・社会的法益に対する犯罪	何ら影響を及ぼさない	虚偽告訴罪 特別公務員暴行陵虐罪	同意は法益の主体が与えるが、社会的法益・国家的法益の主体は実際上同意を与え得ない
	適用法条の変化	放火罪	個人の財産を第２次的法益とする
個人的法益に対する犯罪	何ら影響を及ぼさない	未成年者に対する準詐欺 16歳未満の者に対する不同意性交等・不同意わいせつ（注１）	一般的に有効な同意が期待し得ない
	構成要件該当性を阻却	財産罪・ 自由に対する罪・ 住居侵入罪	行為態様として被害者の意に反する態様を予定している
	適用法条の変化	殺人罪	殺人罪→同意殺人罪（減軽類型）
	違法性阻却事由	傷害罪（注２、３）	

（注１）　当該16歳未満の者が13歳以上である場合については、行為者が５歳以上年長である場合に限る。

（注２）　この点につき、現行法上同意傷害を処罰する規定がないので、同意傷害は傷害罪に該当するか否か、そして該当する場合があるとすれば、その限界はどこかが問題となる。
通説は、行為の社会的相当性の判断の問題として、公序良俗に反した傷害は違法性を阻却しないとする（例：やくざの指詰め）。

（注３）　社会的相当性に関する判例
被害者が身体傷害を承諾した場合に傷害罪が成立するか否かは、単に承諾が存在するという事実だけでなく、その承諾を得た動機・目的、身体傷害の手段・方法、損傷の部位・程度など、諸般の事情を照らし合わせて決すべきものである。過失による自動車衝突事故のように装って保険金を騙し取る目的で、被害者の承諾を得てその者に故意に自己の運転する自動車を衝突させて傷害を負わせた場合には、その承諾は保険金を騙し取るという違法な目的に利用するために得られた違法なものであり、当該傷害行為の違法性を阻却するものではない（最決昭55.11.13）。

(1)　誤　　封印破棄罪（96）の保護法益の性格は、国家的法益であるから、債権者が同意しても犯罪の成否に影響はなく、本罪は成立する。

(2)　誤　　秘密漏示罪（134）は、一定の業務者に委ねられた人の秘密を保護する趣旨である。したがって、その秘密の主体が同意している場合、その秘密は要保護性を欠き、本罪は成立しない。

⑶ 誤　　未成年者誘拐罪（224）は、未成年者の自由とともに親権者の監護権もその保護法益とする。したがって、親権者が同意していない以上、本罪は成立する。

⑷ 正　　虚偽告訴罪（172）は、国家の審判作用を保護法益とするので、被告訴人の同意があっても、本罪は成立する。

⑸ 誤　　判例（最決昭55.11.13）は、加害者が被害者から承諾を得た動機・目的の違法性が承諾の効果に影響を与え得ることを認めているが、被害者が承諾を与えた動機・目的を問題とはしていないものと思われる。傷害行為の社会的相当性の判断についての問題だからである。

MEMO

4−2(60−25)　違法性

正当防衛に関する次の記述のうち、正しいものはどれか。

(1)　自己に対する急迫・不正の侵害に対しては、正当防衛が認められるが、他人に対する急迫・不正の侵害に対しては認められない。

(2)　客観的に正当防衛の要件が備わっていても、防衛の意思で行為をした場合でなければ、正当防衛とはならない。

(3)　正当防衛となるためには、その防衛行為が侵害を排除するための唯一の方法であることを要する。

(4)　急迫・不正の侵害がないにもかかわらず、そのような侵害があるものと誤想して防衛行為を行った場合、正当防衛は成立しないが、刑を減軽又は免除することができる。

(5)　正当防衛は、社会的名誉に対する侵害に対しては、認められない。

学習記録	／	／	／	／	／	／	／	／	／

重要度　A	知識型	要 *Check!*	正解（2）

〈正当防衛の要件〉

要　　件	具　　体　　化
⑴急迫不正の侵害に対するものであること	①急迫性→法益侵害が間近に迫っていること ・過去及び将来の侵害に対しては正当防衛は認められない ・将来の侵害を予想して行われた防衛行為であっても、将来、侵害が現実化して初めて防衛の効果を生ずるようなものであれば、急迫性を満たす ・予期された侵害については、急迫性は否定されるか否かが問題となる ②不　正 ・違法なこと ・責任無能力者による侵害も不正の侵害である ・正当防衛に対する正当防衛は成立しない ③侵　害 ・法益の侵害を目的とする攻撃
⑵自己又は他人の権利を防衛するため、やむを得ずにしたこと	①保全法益→広く法益を指す ②防衛するため ・防衛の意思 ・性質上、侵害者の法益に対する反撃行為に限る ③やむを得ない行為 具体的事情の下で社会的・一般的見地からみて必要かつ相当とされること (イ)必要性→侵害回避のための必要性ではなく、侵害の抑止・排除という意味での必要性 (ロ)相当性→当該具体的事態の下において、社会通念上、防衛行為としての妥当性を認められるもの ④法益の均衡→不正対正の関係であるから、厳格な意味での均衡は不要である

(1)　誤　　正当防衛には、不正から法秩序を守るという面もあり、保全される法益は自己のものであると否とを問わない。条文上も、「他人の権利」（36 I）とあることから、正当防衛は他人に対する急迫不正の侵害に対しても認められる。

(2)　正　　正当防衛が成立し違法性が阻却されるためには、その行為が社会的にみて相当であることが必要であり、そのためには、防衛の意思が必要とされる（大判昭 11.12.7）。したがって、客観的に正当防衛の要件が備わっていても、防衛の意思のないいわゆる偶然防衛の場合、正当防衛とはならない。

(3) 誤　　正当防衛はやむを得ない場合に認められるが、正当防衛は緊急避難(37) とは異なり正対不正の関係にあるから、このやむを得ないとは、必ずしも侵害を排除するための唯一の方法である必要はなく、客観的にみて適正・妥当であればよい（大判昭 2.12.20)。

(4) 誤　　誤想防衛の場合、急迫不正の侵害が客観的に存在しないため、正当防衛（36 I）は成立しない。ただし、行為者は正当防衛の状況と誤解していたものであるので、故意が認められず（大判昭 8.6.29)、故意による犯罪は成立しない（38 I)。もっとも、行為者が不注意であった場合には、過失による犯罪が成立するが、この場合でも、正当防衛状況を前提とした過剰防衛（36 II）の規定の適用はなく、刑を減軽又は免除することはできない。

(5) 誤　　「権利」(36 I）とは、広く法益を意味し、社会的名誉も法により保護されるべき利益であるから（230 I・名誉権)、これに対する侵害に対しても正当防衛（36 I）が認められる。

MEMO

4−3(62−25)　違法性

緊急避難に関する次の記述のうち、正しいものはどれか。

(1) 業務上特別の義務がある者については、緊急避難の法理は適用されない。

(2) 緊急避難は自己の法益に対する現在の危難があることが要件であって、正当防衛と異なり、他人の法益に対する現在の危難がある場合には認められない。

(3) 正当防衛も緊急避難も、その行為から生じた損害が防衛しようとした権利又は避けようとした危害の程度を超えないことがその成立要件となる点では同じである。

(4) 正当防衛が成立するときはその行為はそもそも罪とならないが、緊急避難が成立してもその行為は刑が減軽又は免除されるにとどまる。

(5) 緊急避難は生命、身体又は自由に対する現在の危難があることが要件であって、財産権に対する現在の危難がある場合には認められない。

学習記録	／	／	／	／	／	／	／	／	／

重要度　A　**知識型**　**要 *Check!***　**正解（1）**

(1) 正　　37条２項により正しいと思われる。37条２項で業務上の特別義務者に緊急避難の成立が否定されるのは、そのような義務がある者が、他人の犠牲において自己の法益を救うことには、もはや社会的相当性が認められないからである。しかし、自己の法益のための避難行為についても、緊急避難の規定の適用がないというのは、一般に、絶対的なものではなく、例えば、消防団員であっても、消火作業中に自己の生命の危難を避けるため他人の財産を犠牲にすることは許されると解されている。したがって、厳密には本肢は誤りとも考えられる。しかし、他の肢が明らかに誤りであって、他の肢との対比では本肢が最も正解と考えられ、出題者の意図も、上述のような細かい解釈まで要求したのではなく、単に条文の存在を知っていたかを問うものと考えられる。

(2) 誤　　明文上、正当防衛と同様、他人の法益に対する現在の危難がある場合にも、緊急避難が認められる（37Ⅰ）。自己の法益のみならず、他人の法益のための避難行為も、社会的相当性が肯定される点で変わりがないからである。

(3) 誤　　正対正の関係を前提とする緊急避難において、社会的相当性が認められるためには、厳密な法益の均衡が要求され、37条１項の明文でも「これによって生じた害が避けようとした害の程度を超えなかった場合に限り」とされており、この点、本肢は正しい。しかし、不正対正の関係を前提とする正当防衛においては、社会的相当性を認めるのに、厳密な法益の均衡までは要求されず、場合にもよるが、侵害者に生じた損害が、避けようとした危害の程度を超える場合も、正当防衛の成立は必ずしも否定されない。この点で、本肢は誤りである。

(4) 誤　　正当防衛も緊急避難も、違法性阻却事由であって、「罰しない」とされる。刑の減免事由にとどまるものではない。

(5) 誤　　明文上、財産権に対する現在の危難がある場合にも、緊急避難の成立を認めている（37Ⅰ）。なお、通説は、「生命、身体、自由又は財産」というのは例示列挙であり、その他にも、貞操、名誉も含まれるとする。

4−4(4−26)　違法性

正当防衛及び緊急避難に関する次の記述のうち、誤っているものの組合せは、後記の(1)から(5)までのうちどれか。

(ア)　正当防衛は不正な侵害に対する反撃であるから、侵害者以外の者に対する正当防衛はあり得ない。

(イ)　正当防衛は急迫な侵害に対する反撃であるから、不作為による侵害に対する正当防衛の成立する余地はない。

(ウ)　緊急避難は、侵害者以外の第三者の法益を侵害するものだから、補充の原則及び均衡の原則が要求される。

(エ)　過剰防衛は正当防衛の要件を満たさないため、違法性は阻却されないが、情状により刑を減軽又は免除することができる。

(オ)　誤想防衛は正当防衛の要件を満たさないため、違法性は阻却されないが、必ず刑が減軽される。

(1)　(ア)(ウ)　　(2)　(イ)(エ)　　(3)　(イ)(オ)　　(4)　(ウ)(エ)　　(5)　(エ)(オ)

学習記録	／	／	／	／	／	／	／	／	／

重要度 A	知識型	要 *Check!*		正解（3）

正当防衛及び緊急避難は、違法性阻却事由である点では共通している。しかし、正当防衛は、不正の侵害に対する反撃行為であり、いわば「不正対正」の関係にあるのに対し、緊急避難は、危難を何ら違法行為を行っていない第三者に転嫁するものであり、いわば「正対正」の関係にある。このことから、両者の成立要件に差異が生じている。

(ア) 正　　正当防衛は、「急迫不正の侵害」（36Ⅰ）に対する反撃行為である。したがって、防衛行為は侵害者に対して行われることが予定されており、侵害者以外の者に対する防衛行為はあり得ない。

(イ) 誤　　「侵害」（36Ⅰ）とは、他人の権利に対して実害又は危険を与えることをいう。不作為であっても、他人の権利に対して実害又は危険を与えることは可能である。例えば、適法に他人の住居に立ち入った者が退去するよう要求を受けたにもかかわらず退去しない行為は、不作為による「侵害」に当たる（大阪高判昭29.4.20）。

(ウ) 正　　「やむを得ずにした」（37Ⅰ）とは、法益保全のために唯一の方法であって、他に可能な方法がないことをいう（補充の原則）。「これによって生じた害が避けようとした害の程度を超えなかった」（37Ⅰ）とは、避難行為によって生じた法益侵害の結果が、避難行為によって回避された法益侵害の結果よりも重大でないことをいう（法益均衡の原則）。緊急避難は、無関係な第三者の法益を犠牲にするものなので、第三者の法益を不当に侵害しないようにするために、正当防衛よりも厳格な成立要件が要求されている。

(エ) 正　　過剰防衛とは、防衛行為が相当性の程度を超えた場合をいう（36Ⅱ）。過剰防衛は、正当防衛の要件を満たさない以上、違法性は阻却されず、犯罪は成立する。しかし、情状により刑の減軽又は免除が認められる（36Ⅱ）。急迫不正の侵害に直面している状況では、恐怖・狼狽等により防衛行為者の期待可能性が低減するため、その責任が減少するからである。

(オ) 誤　　誤想防衛の場合、急迫不正の侵害が客観的に存在しないため、正当防衛（36Ⅰ）は成立しない。ただし、行為者は正当防衛の状況と誤解していたものであるので、故意が認められず（大判昭8.6.29）、故意による犯罪は成立しない（38Ⅰ）。もっとも、行為者が不注意であった場合には、過失による犯罪が成立するが、この場合でも、正当防衛状況を前提とした過剰防衛（36Ⅱ）の規定の適用はなく、刑を減軽又は免除することはできない。

以上から、誤っているものは(イ)(オ)であり、正解は(3)となる。

4-5(5-23)　違法性

被害者の承諾と犯罪の成否に関する次の記述のうち、判例の趣旨に照らし、正しいものの組合せは後記(1)から(5)までのうちどれか。

(ア)　横領罪は、個人の財産を保護法益とするものであるから、被害者の承諾があれば、常に犯罪は成立しない。

(イ)　虚偽告訴罪は、個人の法的安定性を主要な保護法益とするものであるから、被害者の承諾があれば、常に犯罪は成立しない。

(ウ)　傷害罪は、個人の身体の自由を保護法益とするものであるから、被害者の承諾があれば、常に犯罪は成立しない。

(エ)　放火罪は、個人の財産を主要な保護法益とするものであるから、被害者の承諾があれば、常に犯罪は成立しない。

(オ)　住居侵入罪は、個人の住居の平穏を保護法益とするものであるから、被害者の承諾があれば、常に犯罪は成立しない。

(1)　(ア)(ウ)　(2)　(ア)(オ)　(3)　(イ)(ウ)　(4)　(ウ)(オ)　(5)　(エ)(オ)

学習記録	／	／	／	／	／	／	／	／	／

重要度　A	知識型	要 *Check!*	正解 (2)

被害者の承諾とは、法益の主体である被害者が、その者の法益に対する侵害に同意することをいう。それが犯罪の成否にいかなる効果を及ぼすかについては、保護法益との関係で法益の主体である被害者の処分可能な法益かなど、各犯罪構成要件の解釈によって決せられることになる。なお、被害者の承諾は行為時に有効に存在することを前提とする。

(ア)　正　　横領罪（252）は、個人的法益に対する犯罪としての財産罪であり、その保護法益は財物に対する所有権その他の本権である。それは法益の主体である被害者の処分可能な法益であり、行為態様としても被害者の意に反する態様を予定している。被害者の承諾がある場合には他人の物を「横領」したとはいえない。したがって、被害者の承諾があれば、常に横領罪の構成要件該当性を阻却し、犯罪は成立しない。

(イ)　誤　　虚偽告訴罪（172）は、被告訴者の私生活の平穏等個人的法益に関する犯罪の側面も有するが、第１次的には、国家の審判作用を害する犯罪として国家的法益に対する犯罪である。したがって、被告訴者の承諾があっても、本罪は成立する（大判大 1.12.20）。

(ウ)　誤　　傷害罪（204）の保護法益は、身体の安全であり、被害者の処分可能な法益である。したがって、被害者の承諾があれば、保護すべき法益が存在しないものとして、違法性が阻却されるともいえそうである。しかし、判例は、保険金詐欺の目的で被害者の承諾を得て、故意に自動車を衝突させて傷害を負わせたという事案において、「単に承諾が存在するという事実だけでなく、右承諾を得た動機・目的、身体傷害の手段・方法、損傷の部位・程度など諸般の事情」に照らして、違法性が阻却されるかどうか決すべきであると解している（最判昭 55.11.13）。これは、法益侵害の有無のみだけでなく、行為態様の社会的相当性からの逸脱の程度も加味しながら違法性を判断したものといえる。したがって、「被害者の承諾があれば常に犯罪は成立しない」とする本肢は、判例の趣旨に照らし誤りである。

(エ)　誤　　放火罪（108 以下）の保護法益は、第１次的には公共の安全であり、個人の財産的利益は第２次的なものにすぎない。したがって、被害者の処分不可能な法益であり、被害者の承諾があっても違法性を阻却せず、ただ承諾に基づいて処罰規定が変更されるにすぎない（例えば、現住建造物等に放火するについて、その住居者・現住者が承諾したときは、非現住建造物等に放火する場合と同視される。）。

㈪　正　　住居侵入罪（130）の保護法益については、これを私生活上の住居の平穏と解するか、個人の住居権と解するかなど、学説・判例上争いがあるが、いずれにしても個人的法益に対する犯罪であることに変わりはない。したがって、被害者の処分可能な法益として、被害者の真意かつ任意の承諾があれば、住居の「侵入」に当たらず、住居侵入罪の構成要件該当性を阻却し、常に犯罪は成立しない（最判昭25.11.24）。なお、承諾が錯誤に基づく場合等、真意かつ任意の承諾でなかった場合には、承諾は無効となるが（最判昭23.5.20）、本問における肢の組合せとの関係から、本肢の被害者の承諾は、このような場合に該当しないものとして解答すべきである。

以上から、判例の趣旨に照らし正しいものは㈎㈪であり、正解は⑵となる。

〈被害者の承諾が犯罪の成否に及ぼす影響〉

国家的法益・社会的法益に対する罪	何ら影響を及ぼさない	虚偽告訴罪	第１次的に国家的法益に対する罪（国家の審判作用）
	適用法条が変化する	放火罪	現住建造物等→非現住建造物等
個人的法益に対する罪	何ら影響を及ぼさない	16歳未満の者に対する不同意性交等・不同意わいせつ（注）	一般的に有効な同意が期待し得ない
	構成要件該当性を阻却する	窃盗・横領等の財産罪 自由に対する罪 住居侵入罪	行為態様として被害者の意に反する態様を予定している
	適用法条が変化する	殺人罪	殺人→同意殺人（違法性減軽）
	違法性を阻却する場合がある	傷害罪	「承諾を得た動機・目的、身体傷害の手段・方法、損傷の部位・程度など諸般の事情」に照らして（最判昭55.11.13）

（注）　当該16歳未満の者が13歳以上である場合については、行為者が５歳以上年長である場合に限る。

MEMO

4−6(8−24)　違法性

次の左欄に掲げたＡの行為についての刑法における正当防衛又は緊急避難の成否に関する記述として右欄の記載が正しいものはどれか。

(1)　Ａが道路を歩いていたところ、Ｂがその飼犬をＡにけしかけたので、Ａはこれを避けるためその犬を蹴飛ばしてけがをさせた。	正当防衛も緊急避難も成立しない。
(2)　Ａが道路を歩いていたところ、飼主の不注意で鎖から離れた犬が襲ってきたので、これを避けるためその犬を蹴飛ばしてけがをさせた。	正当防衛も緊急避難も成立しない。
(3)　Ａはバッグを盗まれたので、その犯人を捜していたところ、数日後、駅前でＢが自分のバッグを持っているのを発見したのでＢに返すように要求した。しかし、Ｂがこれに応じなかったのでＡは実力でバッグを取り返した。	正当防衛が成立する。
(4)　Ｂが背後からＡを刃物で狙っているのを見つけたＣがＡを助けるためにＢに組みついたのを見たＡは、ＣがＢに暴行を加えているものと勘違いして、Ｃを突き飛ばして転倒させた。	正当防衛が成立する。
(5)　ＡとＢが口論中、ＢはＡがポケットに手を入れたのを見て、隠し持っているナイフを取り出すものと勘違いし、持っていたナイフでＡに突きかかった。そこでＡはＢの足を払い転倒させた。	正当防衛が成立する。

学習記録	／	／	／	／	／	／	／	／	／

重要度 A | 知識型 | 要 *Check!* | 正解（5）

⑴ 誤　動物による侵害行為であっても、動物による侵害が飼主の故意に基づく場合には、法的には人の行為に基づく侵害と評価できるので、対物防衛（動物の攻撃に対する正当防衛）の問題は生じない。AがBの飼犬を蹴飛ばしけがをさせた行為は、「急迫不正の侵害」に対するものとして正当防衛（36Ⅰ）が成立する。

⑵ 誤　動物による侵害が飼主の不注意（過失）に基づく場合も、法的には人の行為に基づく侵害と評価でき、対物防衛の問題は生じない。⑴の解説同様、正当防衛（36Ⅰ）が成立する。

⑶ 誤　正当防衛（36Ⅰ）が成立するためには、防衛行為は、「急迫不正の侵害」に対するものでなければならない。そして、「急迫」とは、法益侵害が現に存在しているか、又はその危険が押し迫っていることをいうので（最判昭46.11.16）、過去の侵害に対しては、正当防衛は成立しない。Aが実力でバッグを取り返したのは、窃盗行為が終了した数日後であるから、急迫性を欠き正当防衛は成立しない。なお、Aの行為は自救行為として違法性が阻却される余地はある。

⑷ 誤　Cは、Bが背後からAを刃物で狙っているのを見つけて、Aを助けるためBに組みついたのであるから、Cの行為は正当防衛（36Ⅰ）に当たる。そして、36条1項にいう「不正」とは、違法と同義であるから、適法である正当防衛行為に対しては、正当防衛は成立しない。したがって、AがCを突き飛ばした行為について正当防衛は成立しない。なお、Aは、CがBに暴行を加えていると勘違いしていたので、誤想防衛の成立により、責任故意が阻却される余地はある。

⑸ 正　Bは、Aがポケットからナイフを取り出すものと勘違いして、ナイフでAに突きかかったのであるから、Bの行為は「不正の侵害」に対するものではなく、正当防衛（36Ⅰ）は成立しない（誤想防衛が成立する。）。したがって、Bの行為は違法性が阻却されないので「不正の侵害」に当たり、AがBの足を払い転倒させた行為は、「急迫不正の侵害」に対する反撃行為として、正当防衛が成立する。

4−7(9−24)　違法性

違法性

暴力団甲組の組員であるＢは、甲組の掟に背いたため、いわゆる指詰めをして、組長の許しを得ようと考えたが、自分で指詰めできず、仲間の組員であるＡに頼んで、ナイフで右手の小指を第一関節から切断してもらった。Ａの罪責に関する次の記述のうち、誤っているものはどれか。

(1)　被害者の承諾があった場合には、被害者が自分の利益を放棄しているのだから、これに国家が関与する必要がないという考え方に立てば、Ａには傷害罪は成立しないという結論を導き出すことができる。

(2)　被害者の承諾が犯罪の成否に消長を来すのは、被害者の承諾がないことが犯罪の成立要件となっている場合のほか、侵害される被害者の利益が、所有権のように、法律上処分が可能とされているものである場合に限られるという考え方に立てば、Ａには傷害罪が成立しないという結論を導き出すことができる。

(3)　被害者の承諾があった場合には、生じた結果がその承諾の範囲を超えていたり、その手段が承諾の範囲を超えていたときに限り、その承諾が犯罪の成否の消長を来さないという考え方に立てば、Ａには傷害罪は成立しないという結論を導き出すことができる。

(4)　被害者の承諾があったとしても、それが社会的相当性を欠き法的に許容できないものであるときは、その承諾は犯罪の成否に消長を来さないという考え方に立てば、Ａには傷害罪は成立するという結論を導き出すことができる。

(5)　刑法は、殺人罪については被害者の承諾がある場合に刑を減軽して処罰する202条の規定を置いているが、傷害罪については同条に相当する規定を置いていない。この規定のもとでは、Ａには傷害罪が成立するという結論も、成立しないという結論も導き出すことができる。

学習記録	／	／	／	／	／	／	／	／	／

重要度　C	推論型		正解（2）

(1) 正　本肢の考え方からは、傷害罪の構成要件該当性阻却ないし違法性阻却による国家の刑罰権排除を導くことになるから、被害者Bの承諾を得て小指を切断したAには、傷害罪（204）は成立しないという結論を導くことができる。

(2) 誤　本肢の考え方からは、傷害罪は被害者の承諾がないことが成立要件になっている犯罪ではなく、また、身体の安全という利益は法律上処分が可能とされていないので、被害者Bの承諾は犯罪の成否に消長を来さないことになる。したがって、被害者Bの承諾を得て小指を切断したAには、傷害罪が成立することになるのであって、傷害罪（204）は成立しないという結論を導くことはできない。

(3) 正　本肢の考え方からは、Bからいわゆる指詰めの依頼を受けて小指を切断したAは、小指の切断という「結果」、及びナイフでの切断という「手段」ともにBの承諾（依頼）の範囲内と認められるから、被害者Bの承諾により傷害罪の成否に消長を来すことになる。したがって、Aには傷害罪（204）は成立しないという結論を導くことができる。

(4) 正　本肢の考え方からは、暴力団の組員がその組の掟に背いた行為を組長に謝罪する目的での承諾は、社会的相当性を欠き法的に許容できないと認められるから、被害者Bの承諾は傷害罪の成否に消長を来さないことになる。したがって、Aには傷害罪（204）が成立するという結論を導くことができる。

(5) 正　殺人について被害者の承諾がある場合に刑を減軽して処罰する同意殺人罪（202）の性質につき、異なる考え方があり得る。同意殺人については「特に刑を減軽する旨」を定めた規定と解する立場は、本来被害者の承諾があっても犯罪が成立するという前提に立つから、同意傷害の場合にも傷害罪（204）が成立し、ただ減軽規定が存しないだけになる。これに対して、同意殺人については「特に処罰する旨」を定めた規定と解する立場からは、本来被害者の承諾があれば犯罪は成立しないという前提に立つので、同意傷害につき同意殺人罪と同様の規定がない以上、傷害罪は成立しないことになる。したがって、刑法の条文構造からは、Aには傷害罪が成立するという結論も成立しないという結論も導き出すことができる。

4-8(13-24)　違法性

正当防衛に関する次の(ア)から(オ)までの記述のうち、正しいものの組合せは、後記(1)から(5)までのうちどれか。

(ア)　正当防衛の要件である急迫の侵害とは、法益侵害の危険が切迫していることをいい、将来起こり得る侵害は、これには当たらないので、将来の侵害を予想してあらかじめ自宅周囲に高圧電線をはりめぐらせた場合、その後に侵入者がこれに触れて傷害を負ったとしても、正当防衛は成立しない。

(イ)　正当防衛の要件である不正の侵害とは、違法なものをいうが、動物による侵害は違法ではあり得ないので、突然襲いかかってきた他人の飼い犬から自己の生命身体を守るためにその犬を殺害した場合、正当防衛は成立しない。

(ウ)　正当防衛は、不正の侵害に対して許されるので、Ａから不意にナイフで切り付けられたＢが自己の生命身体を守るために手近にあったＣの花びんをＡに投げ付けた場合、その結果花びんを壊した点を含めて、自己の生命身体を防衛するためやむを得ずにした行為として、正当防衛が成立し得る。

(エ)　正当防衛の要件として防衛の意思の存在を要しないとの考え方からすると、ＡがＢを殺そうとしてけん銃を発射し、一方Ｂもたまたま、コート内に隠し持っていたけん銃を発射してＡを殺そうとしていたところであったが、Ａの弾丸が一瞬早く命中してＢを殺害した場合、正当防衛が成立し得る。

(オ)　正当防衛の要件として防衛の意思の存在を要するとの考え方からすると、攻撃の意思が併存していても防衛の意思を認めることはできるが、防衛に名を借りて積極的な加害行為に出た場合は、防衛の意思を欠くことになるので、過剰防衛として刑が減軽され、又は免除されることはない。

(1)　(ア)(イ)　　(2)　(ア)(エ)　　(3)　(イ)(ウ)　　(4)　(ウ)(オ)　　(5)　(エ)(オ)

学習記録	／	／	／	／	／	／	／	／	／

重要度　A	知識型	要 *Check!*		正解（5）

(ア)　誤　　正当防衛（36Ⅰ）の要件である急迫の侵害とは、法益侵害の危険が切迫していることをいい、将来起こり得る侵害は、これに当たらない。しかし、将来の侵害を予想し、それに備えてあらかじめ防衛対策を立てていた場合であっても、防衛行為の効果が、将来、侵害が現実化したときに初めて生ずるものであるときは、その現実化した侵害は、急迫の侵害に当たる。したがって、将来の侵害を予想してあらかじめ自宅周囲に高圧電線をはりめぐらせた場合に、その後に侵入者がこれに触れ傷害を負ったとしても、正当防衛が成立し得る。

(イ)　誤　　動物による侵害は違法ではあり得ず、「不正の侵害」（36Ⅰ）に当たらないとするならば、これに対する防衛行為については、正当防衛が成立しないことになる。しかし、動物による侵害は違法であり得ないと考えたとしても、動物が、その飼い主ないし管理者に故意又は過失に基づく犯行の道具として利用されている場合（例えば、けしかけ、鎖のつなぎ忘れ等）には、動物による侵害は、飼い主自身の侵害行為と評価できるから、これに対する正当防衛が成立し得る。

(ウ)　誤　　正当防衛は正当な利益を守るために「不正の侵害」それ自体に反撃を加える行為「不正対正」である。BがAの攻撃に対してC所有の花びんをAに投げつけた行為は、Aに対する関係では、急迫不正の侵害に対する反撃行為である。しかし、花びんの所有者Cとの関係では、不正の侵害に対する防衛行為として第三者の所有物を使用した場合であって、Cによる「不正の侵害」ではない以上、「正対正」の関係であることから、花びんを壊した点については緊急避難（37Ⅰ）の問題となり、正当防衛は成立し得ない。

(エ)　正　　行為者の行為がその意思とは関係なく偶然に正当防衛の客観的要素を満たす場合を偶然防衛という。偶然防衛の事例において正当防衛（36Ⅰ）が成立するか否かは、その成立要件として防衛の意思を要すると解するか否かによって結論が異なる。防衛の意思不要説からは、偶然防衛の場合、急迫不正の侵害の事実、及び防衛行為と防衛効果は客観的に存在していたのであり、客観的には不正対正の関係にあるから、AがBにけん銃を発射し殺害することにより客観的にAの生命という法益が守られている以上、正当防衛が成立し得る。

(オ)　正　　防衛の意思とは、急迫不正の侵害を意識しつつ、これを避けようとする単純な心理状態をいう（通説）。そして、緊急状態の下でいわば反射的・本能的に行われるという防衛行為の性質に鑑みて、急迫不正の侵害に対し自己又は他人の権利を防衛するためにした行為と認められる限り、その行為は、同時に侵害者に対し憎悪や怒りの念を抱き攻撃的な意思に出たものであっても、防衛の意思は否定されない（最判昭46.11.16、最判昭60.9.12）。これに対して、急迫不正の侵害を受けた行為者が、防衛に名を借りて侵害者に対し積極的に攻撃を加える行為については、専ら攻撃の意思で反撃行為が行われたものであるから、防衛の意思を欠き、正当防衛は成立しない（最判昭50.11.28）。過剰防衛（36Ⅱ）は、正当防衛の要件のうち、防衛行為の相当性の要件だけを欠いている場合をいうから、防衛の意思を欠くときには、過剰防衛として刑が減軽され、又は免除されることはない。

以上から、正しいものは(エ)(オ)であり、正解は(5)となる。

MEMO

4−9(18−25)　違法性

刑法における被害者の同意に関する次の(ア)から(オ)までの記述のうち、判例の趣旨に照らし誤っているものの組合せは、後記(1)から(5)までのうちどれか。

(ア)　Ａは、Ｂの同意を得て、Ｂが所有し、かつＢが一人で居住する、住宅密集地にあるＢ宅に放火し全焼させた。この場合、Ａには、放火罪は成立しない。

(イ)　４歳のＢの母親であるＡは、Ｂと一緒に心中しようとして、Ｂに対し、「おかあさんと一緒に死のう。」と言って、Ｂの同意を得てＢを殺害した。この場合、Ａには、同意殺人罪ではなく殺人罪が成立する。

(ウ)　Ａは、Ｂとともに保険金詐欺を企て、Ｂの同意を得て、Ｂに対し、故意にＡの運転する自動車を衝突させて傷害を負わせた。この場合、Ａには、傷害罪は成立しない。

(エ)　Ａは、強盗する意図でＢ宅に立ち入る際に、「こんばんは」と挨拶し、これに対してＢが「お入り」と応答したのに応じてＢ宅に立ち入った。この場合、Ａには、住居侵入罪が成立する。

(オ)　Ａは、Ｂ宅において現金を盗み、Ｂ宅を出たところでＢと出会い、Ｂに説諭されて盗んだ現金をＢに返そうとしたが、Ａを哀れんだＢから「その金はやる。」と言われ、そのまま現金を持って立ち去った。この場合、Ａには、窃盗罪が成立する。

(1)　(ア)(ウ)　　(2)　(ア)(エ)　　(3)　(イ)(ウ)　　(4)　(イ)(オ)　　(5)　(エ)(オ)

学習記録	／	／	／	／	／	／	／	／	／

重要度 A　知識型　要 *Check!*　　**正解（1）**

(ア) 誤　　同意が犯罪の成立を阻却するのは、同意の内容が個人的法益に関するものである場合に限られる。国家的法益・社会的法益は、個人が同意によってこれを放棄することができないからである。放火罪は公共危険罪であるから同意によって構成要件該当性ないし違法性は阻却されない。したがって、放火罪が成立する。

(イ) 正　　被害者の同意が有効なものと認められるためには、同意者が法益の処分権を有し、かつ、その同意が同意能力を有する者の真意によるものであることが必要となる。4歳の幼児の同意を得てこれを殺害した場合、幼児に生命の処分に関する同意能力があるとはいえず、有効な同意は認められない（大判昭9.8.27）から、同意殺人罪は成立しない。したがって、殺人罪が成立する。

(ウ) 誤　　被害者が身体傷害を承諾した場合に傷害罪が成立するか否かは、単に承諾が存在するという事実だけでなく、承諾を得た動機、目的、身体傷害の手段、損傷の部位、程度など諸般の事情を照らし合わせて決すべきものである。そして、過失による自動車衝突事故であるかのように装い保険金を騙取する目的をもって、被害者の承諾を得てその者に故意に自己の運転する自動車を衝突させて傷害を負わせた場合は、承諾は保険金を騙取するという違法な目的のためにされたものであるから、これによって傷害行為の違法性は阻却されない（最決昭55.11.13）。したがって、傷害罪が成立する。

(エ) 正　　被害者の錯誤に基づく同意は無効である。強盗の意図を秘して「こんばんは」と挨拶した者に対して家人が「お入り」と応答した場合、確かに外見上同意があったように見えても、住居の立入りについて同意があったとは認められないから、同意は無効であり、立ち入った者には住居侵入罪が成立する（最大判昭24.7.22）。

(オ) 正　　同意は実行行為の時に存在することを要し、事後の同意は、違法性を阻却しない（大判昭16.5.22）。そして窃盗罪の既遂時期は、他人の占有を排除して財物を行為者又は第三者の占有に移した時とされており、住居からの窃取の場合は、原則として屋外に搬出した時に既遂となる。本肢では、AがB宅を出た後にBから同意を得ているからBは窃盗罪が既遂になった後に同意を与えたにすぎず、窃盗罪の成立には影響を与えない。したがって、窃盗罪が成立する。

以上から、誤っているものは(ア)(ウ)であり、正解は(1)となる。

4−10(18−27)　違法性

刑法における正当防衛に関する次の(ア)から(オ)までの記述のうち、判例の趣旨に照らし誤っているものの組合せは、後記(1)から(5)までのうちどれか。

(ア)　正当防衛の成立要件の一つとして、急迫不正の侵害に対する行為であったことが必要とされるが、この場合の不正とは、違法性を有することを意味し、侵害者に有責性が認められる必要はない。

(イ)　正当防衛の成立要件の一つとして、急迫不正の侵害に対する行為であったことが必要とされるが、この場合の侵害の急迫性は、ほとんど確実に侵害が予期されただけで直ちに失われるものではないが、その機会を利用して積極的に相手に対して加害行為をする意思で侵害に臨んだ場合には、失われる。

(ウ)　正当防衛の成立要件の一つとして、急迫不正の侵害に対し自己又は他人の権利を防衛するためにした行為であったことが必要とされるが、突然に殴りかかられたのに対し、殴られるのを避けて逃げるために、そばにいた侵害者以外の第三者を突き飛ばして怪我をさせた行為は、正当防衛となり得る。

(エ)　正当防衛の成立要件の一つとして、「防衛の意思」による行為であったことが必要とされるが、防衛の意思と攻撃の意思とが併存している場合の行為であっても、「防衛の意思」を欠くものではなく、正当防衛となり得る。

(オ)　正当防衛の成立要件の一つとして、やむを得ずにした行為であったことが必要とされるが、反撃行為が侵害に対する防衛手段として相当性を有するものであっても、当該行為により生じた結果が侵害されようとした法益より大であれば、やむを得ずにした行為とはいえず、正当防衛は認められない。

(1)　(ア)(イ)　(2)　(ア)(エ)　(3)　(イ)(ウ)　(4)　(ウ)(オ)　(5)　(エ)(オ)

学習記録	／	／	／	／	／	／	／	／	／

重要度 A	知識型	要 *Check!*	正解（4）

(ア) 正　　正当防衛における「不正の侵害」とは、必ずしも犯罪として処罰される行為である必要はなく、違法性があれば有責性を欠く行為であっても、これに対して正当防衛が可能である。例えば、刑事未成年者（41）である13歳の少年が切りかかってきた場合、これに対して正当防衛は可能である。

(イ) 正　　侵害の急迫性は、相手方の侵害が当然又はほとんど確実に予期される場合でも直ちに失われるわけではないが、その機会を利用して積極的に相手方を加害する意思で侵害に臨んだ場合には失われる（最決昭52.7.21）。

(ウ) 誤　　正当防衛（36）は、自己又は他人の権利を防衛するために、侵害の相手方に対して防衛行為をした場合に成立する。正当防衛における防衛行為は侵害者に対して行われることが予定されており、侵害者以外の者に対する防衛行為はあり得ない。本肢のように防衛行為が侵害者以外の第三者に対して行われた場合には、緊急避難（37）が成立し得るにすぎず、正当防衛が成立する余地はない。

(エ) 正　　判例は、防衛に名を借りて侵害者に対して積極的に攻撃を加える行為は、防衛の意思を欠く結果、防衛のための行為と認めることはできないが、防衛の意思と攻撃の意思が併存している場合の行為は、防衛の意思を欠くものとはいえない（最判昭50.11.28）としている。すなわち、積極的加害意思まである場合には防衛の意思は認められないが、防衛の意思と攻撃の意思が併存するにすぎない場合には防衛の意思は認められる。

(オ) 誤　　「やむを得ずにした行為」とは、急迫不正の侵害に対する反撃行為が、自己又は他人の権利を防衛する手段として必要最小限度のものであること、すなわち、反撃行為が侵害に対する防衛手段として相当性を有するものであることを意味する。防衛行為が相当性を有する以上、反撃行為から生じた結果がたまたま侵害されようとした法益より大であっても、その反撃行為が正当防衛行為でなくなるものではない（最判昭44.12.4）。

以上により、誤っているものは(ウ)(オ)であり、正解は(4)となる。

4−11(21−25)　違法性

正当防衛の成立に関する次の(ア)から(オ)までの記述のうち、判例の趣旨に照らし正しいものの組合せは、後記(1)から(5)までのうちどれか。

(ア)　Ａは、見ず知らずのＢと殴り合いのけんかになった。最初は互いに素手で殴り合っていたが、突然、Ｂが上着のポケットからナイフを取り出して切りつけてきたので、Ａは、ナイフを避けながら、Ｂの顔面をこぶしで殴りつけた。この場合、Ａは、けんかの当事者であるので、ＡがＢの顔面をこぶしで殴りつけた行為には、正当防衛は成立しない。

(イ)　Ａは、知人のＢと飲酒していたが、酒癖の悪いＢは、Ａに絡み出し、Ａの顔面をこぶしで数回殴りつけ、更に殴りかかってきた。Ａは、自分の身を守ろうと考えるとともに、Ｂの態度に憤激し、この際、Ｂを痛い目にあわせてやろうと考え、Ｂの頭髪を両手でつかんでＢを床に引き倒した。この場合、ＡのＢに対する積極的加害意思が認められるので、ＡがＢの頭髪を両手でつかんでＢを床に引き倒した行為には、正当防衛は成立しない。

(ウ)　Ａは、普段から仲の悪いＢと殴り合いのけんかになったが、Ｂは、「金属バットを取ってくるから、そこで待っていろ。」と言って、いったんその場を立ち去った。Ａは、ＢがＡを攻撃するため、金属バットを持って再びその場にやって来ることを予期し、この際、Ｂを痛めつけてやろうと考え、鉄パイプを準備して待っていた。すると、案の定、Ｂが金属バットを持って戻ってきて、Ａに殴りかかってきたので、Ａは、Ｂを鉄パイプで殴りつけた。この場合、侵害の急迫性が認められないので、ＡがＢを鉄パイプで殴りつけた行為には、正当防衛は成立しない。

(エ)　Ａは、知人のＢと口げんかになった。Ａは、Ｂが普段からズボンのポケットの中にナイフを隠し持っていることを知っており、きっとＢはナイフを取り出して切りつけてくるだろうと考えた。そこで、Ａは、自分の身を守るため、先制してＢの顔面をこぶしで殴りつけた。この場合、侵害の急迫性が認められないので、ＡがＢの顔面をこぶしで殴りつけた行為には、正当防衛は成立しない。

(オ)　Ａは、見ず知らずのＢから因縁を付けられて、顔面をこぶしで数回殴りつけられた。そのため、Ａは、Ｂの攻撃を防ぐため、Ｂの胸付近を両手で押したところ、たまたまＢはバランスを崩して路上に転倒し、打ち所が悪かったため死亡した。この場合、Ａの反撃行為によって生じた結果は、Ｂによって侵害されようとしていた法益よりも大きいので、ＡがＢの胸付近を両手で押した行為には、正当防衛は成立しない。

(1)　(ア)(ウ)　　(2)　(ア)(オ)　　(3)　(イ)(エ)　　(4)　(イ)(オ)　　(5)　(ウ)(エ)

学習記録	／	／	／	／	／	／	／	／	／

違法性

重要度　A	知識型	要 *Check!*	正解（5）

(ア)　誤　　けんかであっても正当防衛を認める余地が全くないとはいえない（最判昭32.1.22）。例えば、いったんけんかが中断した後に別個の侵害が開始したと認められる場合や攻撃が質的に急激に変化した場合などは、これに対する反撃行為について正当防衛が成立し得る。

(イ)　誤　　「急迫性」は反撃行為に及ぶ以前の意思内容に関する問題であり、「防衛の意思」は反撃行為を行う時点での意思内容についての問題である。本肢は防衛の意思の存否についての問題であるところ、判例は、防衛の意思について、防衛に名を借りて侵害者に対し積極的に攻撃を加える行為は、防衛の意思を欠く結果、正当防衛とは認めることはできないが、防衛の意思と攻撃の意思とが併存している場合の行為は、防衛の意思を欠くものではないとする（最判昭50.11.28）。

(ウ)　正　　正当防衛について侵害の急迫性を要件としているのは、予期された侵害を避けるべき義務を課する趣旨ではないから、当然又はほとんど確実に侵害が予期されたとしても、そのことから直ちに侵害の急迫性が失われるとはいえない。しかし、単に予期された侵害を避けなかったというにとどまらず、その機会を利用し積極的に相手に対して加害行為をする意思で侵害に臨んだときは、もはや侵害の急迫性の要件を満たさない（最決昭52.7.21）。正当防衛の本質である緊急行為性を欠いているからである。

(エ)　正　　36条にいう「急迫」とは、法益の侵害が現に存在しているか、又は間近に押し迫っていることを意味する（最判昭46.11.16）。将来の侵害に対する先制的な防衛行為については、急迫性の要件を満たさず、正当防衛は成立しない。

(オ)　誤　　反撃行為が防衛手段としての相当性を有する場合、反撃行為によって生じた結果が侵害されようとした法益よりたまたま大きなものとなっても、その反撃行為が正当防衛行為でなくなるものではない（最判昭44.12.4）。したがって、Bからこぶしで殴られたAがBの胸付近を押して反撃したところ、たまたまBが転倒により打ち所が悪かったために死亡したとしても、Aの行為には正当防衛が成立し得る。

以上から、正しいものは(ウ)(エ)であり、正解は(5)となる。

4−12(24−25)　違法性

被害者の承諾に関する次の(ア)から(オ)までの記述のうち、判例の趣旨に照らし正しいものは、幾つあるか。

(ア)　現に他人が居住する家屋の前を通り掛かったところ、その窓越しに当該家屋内で炎が上がっているのを発見し、その火を消そうと考え、当該家屋の住人の承諾を得ることなく、家屋内に立ち入った場合には、住居侵入罪は成立しない。

(イ)　けじめをつけると称し、暴力団組員が同じく暴力団組員である知人の承諾を得た上、当該知人の小指の第一関節を包丁で切断した場合には、傷害罪は成立しない。

(ウ)　過失による自動車事故により他人を負傷させたかのように装って保険金の支払を受けようと企て、その情を知った知人の承諾を得た上、自らが運転する自動車を当該知人に衝突させて傷害を負わせた場合には、傷害罪は成立しない。

(エ)　12歳の少女にわいせつ行為を行った場合には、当該少女の真摯な承諾があれば、不同意わいせつ罪は成立しない。

(オ)　交通違反を犯して免許停止等の行政処分を受けるのを回避するため、友人からあらかじめその氏名及び住所を使用することの承諾を得た上で、交通取締りを受けた際、交通事件原票中の供述書に当該友人の氏名及び住所を記載した場合には、私文書偽造・同行使罪は成立しない。

(1)　1個　(2)　2個　(3)　3個　(4)　4個　(5)　5個

学習記録	／	／	／	／	／	／	／	／	／

重要度　A	知識型	要 *Check!*	正解（1）

(ア)　正　　住居侵入罪（130）において、被害者の承諾があるときは、当該承諾は構成要件を阻却する。そして、被害者が現実に承諾を与えていなかったとしても、もし被害者が事態を正しく認識していたならば承諾をしたであろうといえる場合は、推定的承諾があるといえる。本肢の場合、火を消す目的の立ち入りは、被害者が事態を正しく認識していたならば承諾したであろうと合理的に判断できるから、推定的承諾があると認められ、住居侵入罪は成立しない。

(イ)　誤　　傷害罪（204）における被害者の承諾は、違法性を阻却する。ただし、違法性が阻却されるためには、社会的に相当な行為であることが必要と解されている。判例も本肢と同様の事案において、「被害者の承諾があったとしても、被告人の行為は、公序良俗に反するとしかいいようのない指つめにかかわるものであり、その方法も…全く野蛮で残虐な方法であり、このような態様の行為が社会的に相当な行為として違法性が失われると解することはできない。」とした（仙台地石巻支判昭62.2.18）。したがって、傷害罪が成立する。

(ウ)　誤　　判例は、本肢と同様の事案において、「被害者が身体傷害を承諾した場合に傷害罪が成立するか否かは、単に承諾が存在するという事実だけでなく、右承諾を得た動機、目的、身体傷害の手段、方法、損傷の部位、程度など諸般の事情を照らし合わせて決すべきものであるが、本件のように過失による自動車衝突事故であるかのように装い保険金を騙取する目的をもって、被害者の承諾を得てその者に故意に自己の運転する自動車を衝突させて傷害を負わせた場合には、右承諾は、保険金を騙取するという違法な目的に利用するために得られた違法なものであって、これによって当該傷害行為の違法性を阻却するものではないと解するのが相当である。」とした（最決昭55.11.13）。

(エ)　誤　　16歳未満の者に対し、わいせつな行為をした者（当該16歳未満の者が13歳以上である場合については、その者が生まれた日より５年以上前の日に生まれた者に限る。）には不同意わいせつ罪が成立する（176 Ⅲ）。同項は構成要件の性質上、被害者の承諾があっても犯罪成立要件に影響を与えないため、不同意わいせつ罪が成立する。

(オ)　誤　　判例は、本肢と同様の事案において、「交通事件原票中の供述書は、その文書の性質上、作成名義人以外の者がこれを作成することは法令上許されないものであって、右供述書を他人の名義で作成した場合は、あらかじめその他人の承諾を得ていたとしても、私文書偽造罪が成立すると解すべきである。」とした（最決昭56.4.8）。

以上から、正しいものは(ア)の１個であり、正解は(1)となる。

4−13(25−25)　違法性

正当防衛の成否に関する次の(ア)から(オ)までの記述のうち、判例の趣旨に照らし正しいものの組合せは、後記(1)から(5)までのうち、どれか。

(ア)　Ａは、Ｂと口論になり、鉄パイプで腕を殴られたため、Ｂから鉄パイプを奪った上、逃げようとしたＢを追い掛けて、その鉄パイプで後ろからＢの頭部を殴り付け、全治１週間程度のけがを負わせた。この場合において、ＡがＢを殴った行為について、正当防衛が成立する。

(イ)　Ａは、散歩中、塀越しにＢ方の庭をのぞいたところ、前日に自宅から盗まれたＡ所有の自転車が置かれていたのを発見したため、直ちにＢ方の門扉の鍵を壊して立ち入り、自転車を自宅に持ち帰った。この場合において、ＡがＢ方の門扉の鍵を壊して立ち入り、自転車を持ち出した行為について、正当防衛が成立する。

(ウ)　女性であるＡは、人通りの少ない夜道を帰宅中、見知らぬ男性Ｂに絡まれ、腕を強い力でつかまれて暗い脇道に連れ込まれそうになったため、Ｂの手を振りほどきながら、両手でＢの胸部を強く突いたところ、Ｂは、よろけて転倒し、縁石に頭を打って、全治１週間程度のけがを負った。この場合において、ＡがＢを突いた行為について、正当防衛が成立する。

(エ)　暴走族のメンバーであるＡは、当該暴走族の集会に際して対立関係にある暴走族のメンバーであるＢらが襲撃してくるのではないかと予想し、返り討ちにしてやろうと考えて角材を用意して待ち構えていたところ、Ｂがバットを手にして向かってきたため、用意していた角材で殴り掛かり、Ｂに全治１週間程度のけがを負わせた。この場合において、ＡがＢを角材で殴った行為について、正当防衛が成立する。

(オ)　Ａは、歩行中にすれ違ったＢと軽く肩がぶつかったものの、謝ることなく、立ち去ろうとしたところ、激高したＢがいきなりサバイバル・ナイフを取り出して切り掛かろうとしてきたため、手近にあった立て看板を振り回して対抗し、立て看板が当たったＢに全治１週間程度のけがを負わせた。この場合において、ＡがＢに立て看板を当てた行為について、正当防衛が成立する。

(1)　(ア)(イ)　　(2)　(ア)(エ)　　(3)　(イ)(ウ)　　(4)　(ウ)(オ)　　(5)　(エ)(オ)

学習記録	／	／	／	／	／	／	／	／	／

重要度　A	知識型	要 *Check!*	正解（4）

⑺　誤　　正当防衛が成立するためには「急迫不正の侵害」（36 Ⅰ）が存在しなければならないところ、防衛者Aが、侵害者Bから鉄パイプを奪いBが逃げようとしている時点では、侵害の急迫性が失われていると評価できる。したがって、正当防衛は成立しない。

⑷　誤　　正当防衛が成立するためには「急迫不正の侵害」（36 Ⅰ）が存在しなければならないところ、過去の侵害は侵害が終わってしまっている以上、これに対して正当防衛は成立しない。この点、本肢では、自転車に対する侵害があったのは前日であり、侵害の急迫性は存しないため、正当防衛は成立しない。

⑼　正　　正当防衛が成立するためには「やむを得ずにした行為」（36 Ⅰ）、すなわち防衛行為の相当性があることが必要である。この点、腕をつかまれた侵害行為に対し胸を強く突く防衛行為が相当といえるか否かが問題となるが、本肢のように、女性が人通りの少ない夜道を帰宅中に見知らぬ男性に絡まれ腕を強い力でつかまれて暗い脇道に連れ込まれそうになったという事情の下では、胸を強く突く行為にも防衛行為の相当性が認められ、正当防衛が成立する。

⑺　誤　　正当防衛が成立するためには「急迫不正の侵害」（36 Ⅰ）が存在しなければならない。この点、侵害が予期されただけでなく、その機会を利用し積極的に相手に対して加害行為をする意思（積極的加害意思）で侵害に臨んだときは、侵害の急迫性が失われるため、正当防衛は成立しない（最決昭52.7.21 参照）。そして、本肢では、防衛者であるAは対立関係にある暴走族のメンバーらが襲撃してくることを予想するにとどまらず、返り討ちにしてやろうと考えて角材を用意して待ち構えていたという積極的加害意思を持って防衛に臨んでいるから、侵害の急迫性がなく正当防衛は成立しない。

⑺　正　　本肢では、歩行中に衝突後、謝ることなく立ち去ろうとした事情が、侵害を自招したものとして正当防衛が成立しないのではないか否かが問題になる。この点、相手方の侵害を誘発する行為（相手を挑発する行為など）により侵害行為が引き起こされたときには、正当防衛は制限され得る（自招侵害、最決平 20.5.20 参照）。しかしながら、本肢では、Aは歩行中に衝突後、謝ることなく立ち去ろうとしたにすぎず、これに対するBの侵害行為がAの防衛行為の程度を大きく超えているので、正当防衛が成立する。

以上から、正しいものは⑼⑺であり、正解は⑷となる。

4−14(29−25)　違法性

正当防衛に関する次の(ア)から(オ)までの記述のうち、判例の趣旨に照らし正しいものの組合せは、後記(1)から(5)までのうち、どれか。

(ア)　正当防衛は、財産権への不正の侵害に対して、その財産権を防衛するため、相手の身体の安全を侵害した場合であっても、成立する。

(イ)　正当防衛は、侵害が確実に予期されている場合には、侵害の急迫性が失われるから、成立しない。

(ウ)　正当防衛は、反撃行為が侵害行為に対する防衛手段として相当性を有する場合には、反撃行為によって生じた結果が侵害されようとした法益よりも大きいときであっても、成立する。

(エ)　正当防衛は、法益に対する侵害を避けるため、他に採るべき方法がない場合に限り、成立する。

(オ)　正当防衛は、互いに暴行し合う喧嘩闘争の場合には、成立しない。

(1)　(ア)(ウ)　　(2)　(ア)(オ)　　(3)　(イ)(ウ)　　(4)　(イ)(エ)　　(5)　(エ)(オ)

学習記録	／	／	／	／	／	／	／	／	／

重要度　A	知識型	要 *Check!*	正解（1）

(ア) 正　　正当防衛は、自己又は他人の権利を防衛するため（36Ⅰ）にした行為につき認められるとされており、全ての個人的法益を防衛するためにした行為について成立することがある。したがって、生命、身体、財産、自由その他の全ての法益について防衛が可能である。

(イ) 誤　　正当防衛（36Ⅰ）が成立するためには、「急迫不正の侵害」の存在が必要である。この点、同条が侵害の急迫性を要件としていることは、予期された侵害を避けるべき義務を課する趣旨ではないから、当然又はほとんど確実に侵害が予期されたとしても、そのことから直ちに侵害の急迫性が失われるわけではない（最決昭52.7.21）。

(ウ) 正　　正当防衛（36Ⅰ）の成立要件である「やむを得ずにした行為」とは、反撃行為が侵害に対する防衛手段として相当性を有することを意味するものであり、その反撃行為により生じた結果がたまたま侵害されようとした法益より大であっても、相当性が認められる限り、その反撃行為が正当防衛でなくなるものではない（最判昭44.12.4）。

(エ) 誤　　正当防衛は、やむを得ずにした行為でなければ成立しない（36Ⅰ）。これは、正当防衛における防衛行為が必要かつ相当であることを要求する趣旨であるが、法益を救助するための唯一の方法という意味での補充性まで要求すべきでないとされる。

(オ) 誤　　いわゆる喧嘩状態においても、正当防衛（36Ⅰ）が成立する余地がある（最判昭32.1.22）。なぜなら、例えば、初めは素手で殴り合っていたのに、突然、一方が包丁を取り出して切りかかってきた場合に、野球用バットで反撃するというように、闘争の全般からみて社会的相当性を逸脱しない場合があり得るからである。

以上から、正しいものは(ア)(ウ)であり、正解は(1)となる。

4−15(R6−24)　違法性

刑法における違法性阻却事由に関する次の(ア)から(オ)までの記述のうち、判例の趣旨に照らし正しいものの組合せは、後記(1)から(5)までのうち、どれか。

(ア)　他人に対し権利を有する者がその権利を実行する行為は、その権利の範囲内であり、又はその方法が社会通念上一般に許容されるものと認められる程度を超えない場合には、違法の問題を生ずることはない。

(イ)　行為者が、単に予期された侵害を避けなかったというにとどまらず、その機会を利用し積極的に相手に対して加害行為をする意思で侵害に臨んだときは、侵害の急迫性の要件を充たさず、正当防衛は成立し得ない。

(ウ)　急迫不正の侵害に対し自己又は他人の権利を防衛するためにした行為と認められる限り、その行為は、同時に侵害者に対する攻撃的な意思に出たものであっても、正当防衛が成立し得る。

(エ)　過失による事故であるかのように装い保険金を騙し取る目的をもって、被害者の承諾を得てその者に故意に自己の運転する自動車を衝突させて傷害を負わせた場合には、被害者の承諾が保険金を騙し取るという目的に利用するために得られたものであっても、その承諾が真意に基づく以上、当該傷害行為の違法性は阻却される。

(オ)　いわゆる喧嘩闘争については、闘争のある瞬間においては闘争者の一方がもっぱら防御に終始し、正当防衛を行う観を呈することがあっても、闘争の全般からみて防衛行為とみることはできず、正当防衛は成立し得ない。

(1)　(ア)(イ)　　(2)　(ア)(エ)　　(3)　(イ)(ウ)　　(4)　(ウ)(オ)　　(5)　(エ)(オ)

学習記録	／	／	／	／	／	／	／	／	／

重要度 A　**知識型**　**要 *Check!***　**正解 (3)**

(ア) 誤　権利者による権利の実行が、権利の範囲内であり、かつ、権利実行の方法が社会通念上一般に許容される程度を超えない場合には、行為の違法性が阻却される（最判昭30.10.14）。

(イ) 正　刑法36条1項が正当防衛について侵害の急迫性を要件としているのは、予期された侵害を避けるべき義務を課する趣旨ではないから、当然又はほとんど確実に侵害が予期されたとしても、そのことから直ちに侵害の急迫性が失われるわけではないが、同条が侵害の急迫性を要件としている趣旨から考えて、単に予期された侵害を避けなかったというにとどまらず、その機会を利用し積極的に相手に対して加害行為をする意思で侵害に臨んだときは、もはや侵害の急迫性の要件を満たさない（最決昭52.7.21）。

(ウ) 正　防衛の意思と攻撃の意思とが併存している場合の行為は、防衛の意思を欠くものではないため、これを正当防衛のための行為と評価することができる（最判昭50.11.28）。

(エ) 誤　被害者が身体傷害を承諾した場合に違法性が阻却されるか否かは、承諾が存在するという事実だけでなく、その承諾を得た動機、目的、傷害の手段、方法、損傷の部位、程度などの諸般の事情を照らし合わせて決すべきであり、保険金詐取の目的で身体傷害の承諾を得た場合には、傷害罪（204）の違法性は阻却されない（最決昭55.11.13）。

(オ) 誤　喧嘩は、闘争者双方が攻撃及び防衛を繰り返す一連の闘争行為であるから、闘争のある瞬間においては闘争者の一方が専ら防御に終始し正当防衛（36 Ⅰ）を行う観を呈することがあっても、闘争の全般からみて防衛行為とみるのは一般的には困難である（最大判昭23.7.7参照）。しかし、喧嘩闘争においてもなお正当防衛が成立する場合があり得る（最判昭32.1.22参照）。

以上から、正しいものは(イ)(ウ)であり、正解は(3)となる。

5−1(15−25)　責任能力

原因において自由な行為に関する次の記述の（　ア　）から（　オ　）までに当てはまる語句の組合せとして正しいものは、後記(1)から(5)までのうちどれか。

「原因において自由な行為については、間接正犯と類似した考え方に基づき、責任無能力の状態にある自分を道具として利用し犯罪を実行したものとして、その可罰性を認める見解（A説）や、原因行為から結果行為までの一連の過程を一つの意思決定に貫かれた一つの行為と見て、その意思決定が責任能力ある状態でされた場合には、行為者はその行為全体について責任能力あるものとして、その可罰性を肯定する見解（B説）などがある。

A説は、実行行為を（　ア　）に、B説は、一つの行為のうちの実行行為を（　イ　）に認めるものである。したがって、責任無能力の状態を利用して人を殺そうとして酒を飲み、飲み過ぎて眠ってしまった場合の殺人未遂罪の成立については、A説は（　ウ　）し、B説は（　エ　）する。ただし、A説の中には、実行行為の定型性を要求し、殺人未遂の成立を（　オ　）する見解もある。」

	(ア)	(イ)	(ウ)	(エ)	(オ)
(1)	結果行為	原因行為	否　定	肯　定	肯　定
(2)	結果行為	原因行為	肯　定	否　定	否　定
(3)	原因行為	結果行為	肯　定	否　定	肯　定
(4)	原因行為	結果行為	肯　定	否　定	否　定
(5)	原因行為	原因行為	否　定	肯　定	肯　定

学習記録	／	／	／	／	／	／	／	／	／

重要度　C	推論型		正解（4）

原因において自由な行為とは、行為者が、故意又は過失により自己を責任無能力の状態に陥れ、責任無能力の状態において構成要件的結果を惹起することをいう。例えば、酒を飲むと我を忘れて暴力的になるという性癖をもともと有しているAが、その性癖を利用してBを殺害しようと考え、Bを酒席に誘ったところ、Aは計画どおりBを殴って殺害したが、その際、泥酔によって心神喪失状態になっていたという場合、Aに殺人罪（199）は成立するのか。責任能力のない状態で行った行為については非難できないから（責任主義）、責任能力のある時点で犯罪行為が行われなければならないという「行為と責任の同時存在の原則」によると、39条1項が適用され、Aを処罰することはできないとの結論となるが、これでは犯罪抑止という点からも、正義・公平の点からも妥当でなく、一般人の法感情に反するもので不当である。そこで、原因において自由な行為の理論によって39条1項の適用を排除できないか否かが問題となる。

原因において自由な行為の可罰性を認めるための理論構成には、原因設定行為は、責任無能力状態の自己を道具として利用して犯罪を実現するもので、間接正犯に類似することから、原因設定行為が実行行為といえるとするものがある（間接正犯類似説：A説）。この見解は、原因設定行為＝実行行為時に責任能力が存在することから、行為と責任の同時存在の原則は満たしている。もっとも、この見解は、原因設定行為を実行行為と解することから、責任無能力状態を利用して人を殺そうとして酒を飲み、飲み過ぎて眠ってしまった場合の殺人未遂罪の成否につき、論理的には肯定することになってしまい、実行の着手時期が早すぎるとの批判を受けている（なお、この説の中には、実行行為の定型性を要求し、酒を飲み、飲み過ぎて眠ってしまった場合には実行の着手を否定する説もある。）。

それに対して、責任非難を加えるには、行為者が行為にでる意思決定をした時に責任能力が存在しなければならないところ、原因設定行為時の責任能力ある状態での最終的意思決定が、結果発生に至る行為の全体（原因設定行為～結果行為）に貫かれている場合には、行為者は、その行為全体について責任能力あるものとして責任を負うべきである、とする説もある（修正説：B説）。

これによれば、同時存在の原則を、行為（原因設定行為と結果行為を含む広義の行為）と責任能力の同時存在の原則と捉えることになり、結果発生に至る行為の最終的意思決定の際に責任能力があれば、結果行為時に責任能力が失われていても完全な責任を問い得ることになる。

そして、結果行為は責任能力がある状態下での意思決定の実現過程にほかならず、このような場合は、結果行為の時点で責任無能力・限定責任能力であっても完全な責任を問うことが可能であり、結果行為が実行行為であるとする。この見解は、結果行為を実行行為と解することから、責任無能力状態を利用して人を殺そうとして酒を飲み、飲み過ぎて眠ってしまった場合の殺人未遂罪の成否につき、いまだ実行行為が行われていないことから、否定することになる。

⑺　原因行為　　A説（間接正犯類似説）は原因設定行為を実行行為と解することから、原因行為が入る。

⑷　結果行為　　B説（修正説）は、一つの行為のうちの実行行為を結果行為と解することから、結果行為が入る。

⑼　肯定　　A説（間接正犯類似説）は原因設定行為を実行行為と解することから、責任無能力状態を利用して人を殺そうとして酒を飲み、飲み過ぎて眠ってしまった場合の殺人未遂罪の成否につき、論理的には肯定することになる。

⑽　否定　　B説（修正説）は、結果行為が実行行為であると解するので、酒を飲み、飲み過ぎて眠ってしまった場合には、いまだ実行行為が行われていないことから、殺人未遂罪の成立を否定することになる。

⑾　否定　　A説（間接正犯類似説）の中には、酒を飲み、飲み過ぎて眠ってしまった場合には実行行為の定型性を欠くことから、実行の着手を否定する説もある。

以上から、順に、⑺原因行為、⑷結果行為、⑼肯定、⑽否定、⑾否定が入り、正解は⑷となる。

MEMO

5−2(R2−24)　責任能力

責任に関する次の(ア)から(オ)までの記述のうち、判例の趣旨に照らし正しいものの組合せは、後記(1)から(5)までのうち、どれか。

(ア)　刑法第39条第1項の「心神喪失」とは、精神の障害により事物の理非善悪を弁識する能力と、この弁識に従って行動する能力のいずれもがない状態をいい、同条第2項の「心神耗弱」とは、これらの能力のうち、一方がない状態をいう。

(イ)　満14歳以上の者であっても、実際の知的能力が14歳未満である場合には、刑法第41条が適用され、責任無能力者として不処罰となる。

(ウ)　刑法上の「公務員」に該当する非常勤の公務員について、当該公務員に対する贈賄罪は成立しないものと合理的な根拠なく独自に解釈をして、当該公務員に対して賄賂を供与したときは、自己の行為が犯罪に当たる認識がないが、故意は阻却されず、贈賄罪が成立する。

(エ)　過失犯における注意義務の内容をなす予見可能性は、結果の発生について、行為者自身が予見できなかった場合には、当該行為者と同じ立場にある通常人が予見できるときであっても、否定される。

(オ)　いわゆる結果的加重犯である不同意わいせつ致死傷罪の成立には、基本犯（不同意わいせつ）と結果（致死傷）との間に因果関係が認められれば足り、結果の発生について予見可能性がない場合であっても、不同意わいせつ致死傷罪は成立する。

（参考）
刑法
第39条　心神喪失者の行為は、罰しない。
2　心神耗弱者の行為は、その刑を減軽する。
第41条　14歳に満たない者の行為は、罰しない。

(1)　(ア)(ウ)　　(2)　(ア)(エ)　　(3)　(イ)(エ)　　(4)　(イ)(オ)　　(5)　(ウ)(オ)

学習記録	／	／	／	／	／	／	／	／	／

重要度　C	知識型			正解 (5)

(ア) 誤　　39条1項の心神喪失とは、精神の障害により、事物の理非善悪を弁識する能力がないか又はこの弁識に従って行動する能力のない状態をいい、同条2項の心神耗弱とは、精神の障害がまだこのような能力を欠如する程度には達していないが、その能力が著しく減退した状態をいう（大判昭6.12.3）。したがって、精神の障害により、事物の理非善悪を弁識する能力又はこの弁識に従って行動する能力のいずれかがない状態が心神喪失であり、精神の障害により、事物の理非善悪を弁識する能力又はこの弁識に従って行動する能力が著しく限定されている状態が心神耗弱である。

(イ) 誤　　14歳に満たない者の行為は、罰しない（41）。この点、人の精神的発育には個人差があるものの、刑法は14歳未満の者を一律に責任無能力としているのであって、14歳以上の者について、その知的能力が14歳に満たない者と同程度であるからといって、その者の責任能力が否定されることにはならない。

(ウ) 正　　刑罰法規の存在は知っているが、その法規の解釈を誤り、自己の行為はそれに当たらず法律上許されていると誤信した場合（あてはめの錯誤）、何らの根拠もなく自分勝手な解釈を行ったときは、故意は阻却されない。なお、犯罪の構成要件に該当する違法な行為である旨の意識がなく、かつ、その意識を欠いていたことについて相当な理由がある場合に故意が阻却されることは有り得る（大阪高判平21.1.20）。

(エ) 誤　　過失犯における注意義務の内容をなす予見可能性の有無は、それを負担すべき行為者の属性によって類型化された一般通常人の注意能力を基準として判断される（東京地判平13.3.28）。そして、ここにいう一般通常人とは、行為者と同じ立場にある通常人を基準とする。

(オ) 正　　結果的加重犯とは、基本となる犯罪から生じた結果を重視して、基本となる犯罪に対する刑よりも重い法定刑を規定した犯罪のことをいう。そして、結果的加重犯が成立するためには、基本犯と重い結果との間に因果関係があれば足り、重い結果について予見可能性があることを要しない（最判昭32.2.26、最判昭26.9.20）。

以上から、正しいものは(ウ)(オ)であり、正解は(5)となる。

6－1(55－25)　錯　誤

甲は海岸で乙を殺害しようとして、乙の首をしめたところ乙は失神して身動きしなくなった。甲は乙が死亡したものと思い、犯行を隠すために乙を船にのせて沖合で海中に投げ込んだところ、乙は溺死した。甲の罪責は次のいずれにあたるか。

(1)　殺人未遂

(2)　殺人既遂

(3)　殺人既遂と過失致死

(4)　殺人未遂と死体遺棄

(5)　殺人既遂と死体遺棄

学習記録	／	／	／	／	／	／	／	／	／

重要度　B	知識型		正解（2）

甲の第一行為と第二行為とを分けずに、第二の行為は殺人行為のいわば一過程としてみるべきであるから、全体を１個の行為と解し、その全体行為につき相当因果関係が認められれば、最初の故意が実現しており殺人既遂罪を認めることができる。なぜなら、第二の行為は第一の行為による犯罪の証拠を隠滅する目的でされたものであって、第一・第二の行為の、時間的・場所的関係からみて、社会観念上一体的に捉えられるべきである。そして、そのような行為の経過は社会生活上通常といえるから、行為者の予見した因果経過と実際の因果経過とは相当因果関係の範囲内にあると認めることができるからである。

また、判例は、本問の基礎になったであろう、「Aの首を絞め、Aがすでに死んだものと誤信し、犯行の発覚を防ぐ目的で十数町離れた砂浜に放置したところ、Aが砂末を吸引し死亡した。」（大判大 12.4.30）という事案において、殺人既遂罪の成立を認めている。

以上から、判例・通説いずれの立場によっても本問の甲の罪責は殺人既遂罪のみであり、正解は(2)となる。

6−2(61−25)　錯　誤

故意の成立に関する次の記述のうち、判例の趣旨によれば、正しいものはどれか。

(1) 甲が乙を殺すつもりで、乙をめがけて発砲したところ、弾丸がそれて丙に当たった場合には、乙に対する殺人未遂罪と丙に対する過失致死罪が成立する。

(2) 甲及び乙が窃盗を共謀し、乙が屋外で見張りをしていた場合において、甲が進んで屋内で強盗を行ったときは、乙も強盗の共犯として責任を免れない。

(3) 甲及び乙が、丙に対して、虚偽公文書の作成を教唆することを共謀したが、乙が甲に無断で丁を教唆して、同一目的の公文書を偽造させた場合には、甲は公文書偽造教唆の責任を負うべきである。

(4) 甲及び乙が丙に対して暴力を加えることを共謀し、乙が実行行為を担当したところ、乙の当該暴行により、丙に傷害致死の結果を生じさせたときは、甲は暴行罪の限度で責任を負う。

(5) 甲及び乙が丙を殺すことを共謀しても、乙が丙と誤認して丁を殺してしまった場合には、甲については丁に対する殺人未遂罪が成立することにとどまる。

学習記録	／	／	／	／	／	／	／	／	／

重要度　B	知識型		正解 (3)

(1) 誤　　判例のとる法定的符合説は、行為者の意図した結果と実際に生じた結果が同一構成要件内にあるときは、その生じた結果について行為者の故意（38Ⅰ）を認めるものである。この範囲内であれば行為者に反対動機の形成が可能だからである。したがって、本肢の場合、丙に対する殺人罪（199）が成立する。過失致死罪（210）を認めるのは、いわゆる具体的符合説の立場である。

(2) 誤　　共犯と錯誤の問題についても構成要件論を前提とした法定的符合説の立場を採るのが判例である。そして、判例が共謀共同正犯を認めるといっても、それは共謀の範囲内で、構成要件の重なり合う限度で認められるのである（38Ⅱ参照）。したがって、甲が強盗（236）を行っても、乙は甲と共謀した構成要件的に重なり合う窃盗罪（235）の限度で共犯の責任を負うことになる。

(3) 正　　虚偽公文書作成罪（156）と公文書偽造罪（155）とは構成要件が異なることから、法定的符合説の立場からは甲に公文書偽造教唆の責任（61Ⅰ）を負わせることができないようにも思われるが、両者の保護法益は同一であり、しかも、両者の実行行為は実質的には同一とみることができるので、両者は構成要件的に重なり合い、その場合には客観的に成立している公文書偽造教唆罪で処断される（最判昭23.10.23）。

(4) 誤　　傷害致死罪（205）という結果的加重犯について、共同正犯（60）が認められるかどうかという問題である。そもそも結果的加重犯は、基本犯自体に加重結果の発生の高度の危険性を有するものであるから、基本犯たる故意犯すなわち、暴行罪について共謀があれば暴行罪の結果的加重犯たる傷害致死罪の共同正犯（205・60）が成立し、甲も傷害致死罪（205）の責任を負わなければならない（最判昭23.5.8）。

(5) 誤　　丙と誤認して丁を殺してしまったことは客体の錯誤であり乙は殺人の故意は阻却されない。そして、乙と共同正犯（60）の関係にある甲については、方法の錯誤になると考えられるが、法定的符合説によれば、殺人罪の範囲内で反対動機の形成が可能であり、故意は阻却されないので、甲も丁に対する殺人既遂罪（199）が成立する。

6−3(7−26)　錯　誤

次の事例のうち、「事実の錯誤に関しては、行為者の認識していた犯罪事実と、発生した犯罪事実とが構成要件的評価として一致する限度で、発生した犯罪事実についても故意の成立を認めるべきである。」との考え方を前提にした場合に、かっこ内の罪が成立するものはどれか。

(1)　Aを殺害する意思であったが、BをAと見誤り、殺意をもって、Bに向けて拳銃を発砲し、Bを死に至らしめた。（Bに対する過失致死罪）

(2)　Aを殺害する意思であったが、A宅に飾ってあったA所有の人形をAと見誤り、殺意をもって、人形に向けて拳銃を発砲し、人形を損壊した。（人形についての器物損壊罪）

(3)　Aを殺害する意思で、Aに向けて拳銃を発砲したが、手元が狂ってAには当たらず、近くにいたBに命中させ、Bを死に至らしめた。（Bに対する殺人罪）

(4)　Aを殺害する意思で、Aに向けて拳銃を発砲したが、手元が狂ってAには当たらず、近くにあったA所有の人形に命中させ、人形を損壊した。（人形についての器物損壊罪）

(5)　A所有の人形を損壊する意思で、人形に向けて拳銃を発砲したが、手元が狂って人形には当たらず、近くにいたAに命中させ、Aを死に至らしめた。（Aに対する殺人罪）

学習記録	／	／	／	／	／	／	／	／	／

重要度　C	推論型		正解（3）

事実の錯誤とは、行為者が認識していた犯罪事実と発生した犯罪事実とが一致しないことをいう。両者が一致すれば故意が認められるが、両者の間にずれが生じた場合に、発生した事実について故意が認められるかどうかが問題となる。本問の見解は、この点について、両者が構成要件的評価として一致する限度で故意の成立を認める、法定的符合説を採るものである。

(1)　成立しない　　行為者が認識していた犯罪事実はAの殺害であるが、BをAと見誤ったことにより、Bの殺害という犯罪事実が発生している（客体の錯誤）。そして、AもBも「人」であり、その生命を侵害するという点において、殺人罪（199）の構成要件的評価として一致しているといえる。したがって、本問の見解によれば、Bに対する殺人罪の故意（38Ⅰ）が成立し、Bに対する殺人罪が成立する。

(2)　成立しない　　行為者が認識した犯罪事実はAの殺害であるが、人形をAと見誤ったことにより、人形の損壊という犯罪事実が発生している（客体の錯誤）。本肢は、異なった構成要件間にまたがって錯誤が生じた場合であり、構成要件的評価として一致しない。したがって、本問の見解によれば、人形の損壊について故意は成立しない。なお、刑法上、過失による器物損壊は処罰されないから（261参照）、本肢の場合、犯罪不成立となる。

(3)　成立する　　行為者が認識した犯罪事実はAの殺害であるが、手元が狂ったことにより、Bの殺害という犯罪事実が発生している（方法の錯誤）。本肢の場合、両者は構成要件的評価として一致しているといえる（(1)の解説参照）。したがって、本問の見解によればBに対する殺人罪（199）の故意が成立し、Bに対する殺人罪が成立する。

(4)　成立しない　　行為者が認識した犯罪事実はAの殺害であるが、手元が狂ったことにより、人形の損壊という犯罪事実が発生している（方法の錯誤）。本肢の場合、両者は構成要件的評価として一致しない（(2)の解説参照）。したがって、本問の見解によれば、人形の損壊について故意は成立せず、人形に対する器物損壊罪（261）は成立しない。

(5)　成立しない　　行為者が認識した犯罪事実は人形の損壊であるが、手元が狂ったことにより、Aの殺害という犯罪事実が発生している（方法の錯誤）。本肢の場合、両者は構成要件的評価として一致しない（(2)の解説参照）。したがって、本問の見解によれば、Aの殺害について故意の成立は認められず、Aに対する殺人罪（199）は成立しない。なお、行為者がAを死に至らしめた点について過失があれば、過失致死罪（210）が成立する。

6−4(23−24)　錯　誤

故意に関する次の(ア)から(オ)までの記述のうち、判例の趣旨に照らし正しいものの組合せは、後記(1)から(5)までのうちどれか。

(ア)　Aは、知人Bとアメリカに旅行した際、Bから腹巻きと現金30万円を渡され、「腹巻きの中に、開発中の化粧品が入っている。これを着用して先に日本に帰ってほしい。後で自分が帰国したら連絡する。30万円は、お礼である。」旨の依頼を受けた。腹巻きの中には覚醒剤が入っており、Aは、中身が覚醒剤かもしれないし、その他の身体に有害で違法な薬物かもしれないと思いながら、この腹巻きを身に着け、覚醒剤を日本国内に持ち込んだ。この場合、Aには、覚醒剤取締法違反（輸入）の罪は成立しない。

(イ)　Aは、Bを殺害しようと考え、クロロホルムを吸引させて失神させたBを自動車ごと海中に転落させて溺死させるという一連の計画を立て、これを実行してBを死亡させた。この場合において、Aの認識と異なり、海中に転落させる前の時点でクロロホルムを吸引させる行為によりBが死亡していたときは、Aには、殺人罪は成立しない。

(ウ)　Aは、深夜、1階が空き部屋で、2階にBが一人で住んでいる二階建て木造家屋に放火して全焼させた。火をつける前に、Aが1階の窓から室内をのぞいたところ、誰も住んでいる様子がなく、2階にも灯りがついていなかったことから、Aは、この建物は空き家だと思っていた。この場合、Aには、現住建造物等放火罪は成立しない。

(エ)　Aは、Bに貸金債権を有していたが、Bが返済を滞らせていたため、配下のC及びDに対し、「Bと会って、借金を返すように言え。Bが素直に借金を返さないときは、Bを車のトランクに押し込んで連れてこい。ただし、なるべく手荒なことはしたくないから、できるだけ金を取り立ててこい。」と命じた。C及びDは、Bと会ったものの、Bが言を左右にして返済に応じなかったため、あらかじめ準備していた手錠をBにかけ、車のトランクに押し込み、Aの事務所まで連行した。この場合、Aには、逮捕・監禁罪は成立しない。

(オ)　Aは、Bを殺害しようと決意し、Bの首を絞めたところ、動かなくなったので、Bが死んだものと思い、砂浜に運んで放置した。砂浜に運んだ時点では、Bは気絶していただけであったが、砂浜で砂を吸引して窒息死した。この場合、Aには、殺人（既遂）罪が成立する。

(1)　(ア)(イ)　　(2)　(ア)(エ)　　(3)　(イ)(ウ)　　(4)　(ウ)(オ)　　(5)　(エ)(オ)

学習記録									
	／	／	／	／	／	／	／	／	／

重要度　B	知識型		正解（4）

(ア)　誤　　Aは知人Bから開発中の化粧品が入っているという腹巻きを受け取っているが、その中身が覚醒剤か、他の身体に有害で違法な薬物かもしれないと思いながら日本国内に持ち込んでおり、違法な薬物と認識している以上、故意は認められ、Aには覚醒剤取締法違反（輸入）の罪が成立する（最決平 2.2.9）。

(イ)　誤　　行為者の予定と異なった因果経過をたどった結果の発生であっても、故意は阻却しない。判例は、同種の事案で、「殺人の故意に欠けるところは」ないとしている（最決平 16.3.22）。そのため、Aがクロロホルムを吸引させて失神させたBを自動車ごと海中に転落させて溺死させるという計画に基づいて犯罪を実行し、Bを死亡させたが、Aの認識と異なり、海中に転落させる前の時点でクロロホルムを吸引させる行為によりBが死亡していたとしても、故意を阻却することはなくAには殺人罪が成立する。

(ウ)　正　　現に人が住居に使用し又は現に人がいるものであることの認識を欠く場合には、現住建造物等放火罪は成立せず、非現住建造物等放火罪が成立するにとどまる。本肢では、Aは二階建て木造家屋に放火して全焼させているが、この建物は空き家だと思っていたことから、現に人が住居に使用し又は現に人がいるものであることの認識を欠いているため、現住建造物等放火罪は成立しない。

(エ)　誤　　犯罪遂行意思は明確であるが、その遂行が一定の条件にかかっている場合を、条件付故意という。本肢でも、逮捕・監禁罪の実行は、Bが借金を返さないことを条件とするが、借金を返さないときはトランクに押し込んででも連れてこいと命じており、犯罪遂行意思は明確といえ、Aに条件付故意が認められる。

(オ)　正　　本肢の事例では、Aが首を絞めたこととBの死の間に因果関係がある。したがって、Aに殺人罪が成立する（大判大 12.4.30）。因果関係の錯誤は故意を阻却しない。

以上から、正しいものは(ウ)(オ)であり、正解は(4)となる。

6−5(27−24)　錯　誤

刑法における故意に関する次の(ア)から(オ)までの記述のうち、判例の趣旨に照らし正しいものの組合せは、後記(1)から(5)までのうち、どれか。

(ア)　Ａは、Ｂを脅迫しようと考え、パソコン上で「お前を殺してやる」との内容の電子メールを作成し、これを送信したが、その際、送信先を間違えてＣに送信してしまい、Ｃがこれを読んで畏怖した。この場合、Ａには、Ｃに対する脅迫罪が成立する。

(イ)　Ａは、鹿の狩猟のために山中に入ったところ、山菜採りのために山中に入っていたＢ（人間）を鹿であると誤信してライフル銃を発射し、その弾がＢの脚に当たって重傷を負わせた。この場合、Ａには、傷害罪が成立する。

(ウ)　Ａは、勤務する会社で担当した会計処理の誤りを取り繕うため、取引先であるＢ名義の領収証を偽造したが、その際、領収証は私文書偽造罪における「文書」には当たらないと思っていた。この場合、Ａには、私文書偽造罪は成立しない。

(エ)　Ａは、酒場で口論となったＢの顔面を拳で殴り、その結果、Ｂが転倒して床で頭を強く打ち、脳挫傷により死亡したが、Ａは、Ｂを殴った際、Ｂが死亡するとは認識も予見もしていなかった。この場合、Ａには、傷害致死罪が成立する。

(オ)　Ａは、殺意をもって、Ｂの頭を鉄パイプで数回殴り、Ｂが気絶したのを見て、既に死亡したものと誤信し、犯行を隠すためにＢを橋の上から川に投げ入れたところ、Ｂは転落した際に頭を打って死亡した。この場合、Ａには、殺人罪は成立しない。

(1)　(ア)(ウ)　　(2)　(ア)(エ)　　(3)　(イ)(ウ)　　(4)　(イ)(オ)　　(5)　(エ)(オ)

学習記録	／	／	／	／	／	／	／	／	／

重要度　B	知識型		正解（2）

(ア)　正　　Aは、Bを脅迫しようとする意思であったが、「お前を殺してやる」との内容の電子メールを間違えてCに送信してしまい、これを読んだCが畏怖した。このように、同一の構成要件の範囲内における具体的な事実について錯誤が生じている場合を具体的事実の錯誤という。この点、行為者の認識していた事実と現に発生した事実とが構成要件において符合している場合は、故意は阻却されない（最判昭53.7.28）。そして、行為の客体である「人」が誰であるかは、構成要件上重要ではないから、客体について錯誤がある場合は、故意は阻却されない（大判大11.2.4）。したがって、Aには、Cに対する脅迫罪（222）が成立する。

(イ)　誤　　本肢のAは、B（人間）を鹿であると誤信してライフル銃を発射しているため、Bに対する傷害の故意は認められず、Aに傷害罪（204）は成立しない。この点、Aには業務上過失傷害罪（211）が成立する（最決昭53.3.22）。

(ウ)　誤　　本肢では、Aは、他人名義の領収証を偽造しているという認識はあるが、それが私文書偽造罪（159）にいう「文書」に当たらないと認識しているため、違法性の錯誤に陥っている。判例は、違法性の錯誤について、違法性の意識は不要であるとしている（最判昭23.7.14）。したがって、錯誤により、本肢のAの故意は阻却されず、私文書偽造罪が成立する。

(エ)　正　　結果的加重犯とは、基本となる犯罪から生じた結果を重視して、基本となる犯罪に対する刑よりも重い法定刑を規定した犯罪のことをいう。そして、結果的加重犯が成立するためには、基本犯と重い結果との間に因果関係があれば足り、重い結果について行為者に過失があることを要しないというのが判例である（最判昭32.2.26、最判昭26.9.20）。したがって、Aには、傷害致死罪（205）が成立する。

(オ)　誤　　本肢においては、侵害が生じた客体に錯誤はないが、侵害に至る因果経過に錯誤があるいわゆる因果関係の錯誤の処理が問題となる。この点について、判例は、殺人の意思で被害者の首を麻縄で絞めたところ（第1行為）動かなくなったので、死亡したと思い、犯行の発覚を防ぐ目的で離れた海岸砂上に運び放置した（第2行為）ところ、被害者は砂末を吸引し、頸部絞扼と砂末吸引により死亡したという事案について、殺人既遂罪の成立を認めている（大判大12.4.30）。これは、第1行為について故意がある限り、第2行為の介在にもかかわらず、第1行為と結果との間に因果関係がある以上、故意既遂犯の成立を肯定したものであると評価されている。したがって、本肢においても、ＡがＢの頭を鉄パイプで殴る行為（第１行為）に殺意があり、Ｂを橋の上から川に投げ入れた行為（第２行為）の介在にもかかわらず、ＡがＢの頭を鉄パイプで殴る行為（第１行為）とＢの死亡との間に因果関係がある以上、Ａには殺人罪が成立する。

以上から、正しいものは(ア)(エ)であり、正解は(2)となる。

MEMO

6-6(R3-24)　錯　誤

故意に関する次の(ア)から(オ)までの記述のうち、判例の趣旨に照らし正しいものの組合せは、後記(1)から(5)までのうち、どれか。

(ア)　Aは、Bを殺害する意図で、B及びその同居の家族が利用するポットであることを知りながら、これに毒物を投入したところ、B並びにその同居の家族であるC及びDがそのポットに入った湯を飲み、それぞれその毒物が原因で死亡した。この場合、Bの同居の家族がC及びDの2名であることをAが知らなかったとしても、Aには、B、C及びDに対する殺人罪の故意が認められる。

(イ)　Aは、Bとの間で、Cに対して暴行を加えて傷害を負わせる旨を共謀したが、殺意を有してはいなかったところ、実行行為を担当するBが、呼び出したCの言動に激高して突発的にCに対する殺意を抱き、持っていた警棒でその頭部を殴り付けてCを殺害した。この場合、Aには、殺人罪の故意が認められ、同罪の共同正犯が成立するが、Aに科される刑は、傷害致死罪の法定刑の範囲内に限定される。

(ウ)　Aは、覚醒剤を所持していたが、これについて、覚醒剤であるとは知らなかったものの、覚醒剤などの身体に有害で違法な薬物かもしれないが、それでも構わないと考えていた。この場合、Aには、覚醒剤所持罪の故意が認められる。

(エ)　Aは、住居侵入罪の構成要件に該当する行為について、当該行為が同罪の構成要件に該当するかを弁護士に尋ねたところ、当該弁護士が法律の解釈を誤って当該行為は同罪の構成要件には該当しない旨の回答をしたことから、同罪は成立しないと誤解して実際に当該行為に及んだ。この場合、Aには、住居侵入罪の故意は認められない。

(オ)　Aは、Bをクロロホルムにより失神させてから海中に転落させて溺死させようと考え、Bにクロロホルムを吸引させたところ、Bは、クロロホルム摂取に基づく呼吸停止により死亡した。この場合、Aには、殺人罪の故意は認められない。

(1)　(ア)(ウ)　　(2)　(ア)(オ)　　(3)　(イ)(ウ)　　(4)　(イ)(エ)　　(5)　(エ)(オ)

学習記録	／	／	／	／	／	／	／	／	／

重要度　B	知識型		正解（1）

(ア) 正　　判例は、行為者が認識した事実と現実に発生した事実とが法定の範囲内で符合している場合には、現実に発生した事実についての故意を認め（最判昭53.7.28、法定的符合説）、その上で、発生した結果に対応する複数の故意犯の成立を認めている（同判例）。本肢において、AはBの同居の家族がC及びDの２名であることを具体的に知らないものの、およそ人を殺すという故意の下行為に及んでいることから、B、C及びDに対する殺人罪の故意が認められる。

(イ) 誤　　暴行を共謀した者のうち一人が殺意をもって被害者を殺害した場合、殺意がなかった者については、殺人罪の共同正犯（60・199）と傷害致死罪の共同正犯（60・205）の構成要件が重なり合う限度で軽い傷害致死罪の共同正犯が成立する（最決昭54.4.13）。本肢においては、暴行を共謀したAとBのうち、Bのみが殺意をもってCを殺害しており、殺意がなかったAには、構成要件が重なり合う限度で軽い傷害致死罪の共同正犯が成立する。

(ウ) 正　　密輸入した物が、覚醒剤かもしれないし、その他の身体に有害で違法な薬物かもしれないとの認識があった場合、覚醒剤輸入罪（覚醒剤取締13・41）・同所持罪（覚醒剤取締14・41の２）の故意に欠けるところはない（最決平2.2.9）。

(エ) 誤　　私人の見解を信頼した場合は、弁護士などの法律専門家であったとしても、原則として自己の行為が許されると信じることにつき相当の理由がなく、違法性の意識の可能性は肯定される。なぜなら、大学教授や弁護士などの法律専門家であっても法律の解釈・運用・執行について責任をもつ公務員ではないので、そのような私人の意見を信頼して行為した場合は犯罪ではないとすると、法の運用・執行が私人の意見によって左右され、法制度の統一性が害されるからである。この点、判例においても、弁護士の意見に従って住居侵入を行った事案で有罪としたものがある（大判昭9.9.28参照）。

(オ) 誤　　本肢と同様の事案において、判例は、クロロホルムを吸引させる行為を開始した時点で殺人罪の実行の開始があったと認められるとした上で、一連の殺人行為に着手して、その目的を遂げた以上、行為者の認識と異なり、海中に転落させる前の時点でクロロホルムを吸引させる行為により被害者が死亡していたとしても、殺人の故意に欠けるところはなく、殺人罪（199）が成立するとした（最決平16.3.22）。

以上から、正しいものは(ア)(ウ)であり、正解は(1)となる。

7－1(元－25)　過　失

過失に関する次の記述のうち、誤っているものはどれか。

⑴　過失行為は、法律に過失行為を処罰する規定がある場合のほかは、処罰されない。

⑵　認識ある過失と未必の故意とは、行為者が行為による結果の実現を認容していたか否かによって区別されるとする説がある。

⑶　重過失とは、行為者に通常人より重い注意義務が課され、このような重い注意義務に違反することをいう。

⑷　信頼の原則とは、過失の有無の判断上、交通秩序に従って交通に関与する者は、特別な事情がない限り、他の交通関与者も交通法規その他の交通秩序を守って行動することを信頼してよいとする考え方である。

⑸　酒に酔った状態で自動車を運転中、運転を誤って人に傷害を負わせた場合、道路交通法違反（酒酔運転の罪）と業務上過失傷害の罪とは、併合罪の関係にある。

学習記録	／	／	／	／	／	／	／	／	／

重要度　C	知識型		正解（3）

(1)　正　　刑法は故意犯の処罰を原則としている（38 I）。これは、犯罪事実を認識し反対動機を形成し得たにもかかわらず、あえて行為に出た点に積極的な反規範的人格態度が認められ、重い責任非難が可能だからである。したがって、故意のない過失行為の場合、法律に処罰する規定のある場合以外は、処罰されない（38 I但書）。

(2)　正　　故意と過失を分ける基準には、表象説、蓋然性説、認容説などがあるが、現在の通説は行為者が犯罪の実現を認容していたか否かを基準とする認容説に立っている。すなわち、認識ある過失とは、犯罪事実の表象はあるが、その実現についての認容を欠く場合をいい、未必の故意とは、結果の発生自体が不確実であるが、発生するかもしれないことを表象し、かつ、発生するならば発生してもかまわないと認容することをいい、故意と過失とは認容の有無で区別されるとする。

(3)　誤　　重大な過失とは、通常の過失に対して、行為者の注意義務に違反した程度が著しい場合をいう。すなわち、行為者が些細な注意を払うことによって注意義務を尽くすことができたのに、これを怠って注意義務に違反した場合をいう。課せられる注意義務自体は、通常の場合と同じである。

(4)　正　　信頼の原則とは、一般人にとって予見可能性のある場合についても注意義務を制限し、行為者の自由な活動の領域を広げる意図に出た理論である。本肢のごとく、当初は自動車事故をめぐる判例において適用されていた（最判昭 41.12.20、最判昭 42.10.13）。今日においては、医療事故における医師の責任などに関しても及ぼされるなど、過失犯の注意義務を定める上で一般的に考慮すべき原理と解されている。

(5)　正　　酒酔運転行為は、時間的継続と場所的移動を伴うのに対して、人身事故を発生させる行為は運転継続中の一時点一場所における行為であり、観念的競合にいう1個の行為とみることはできない。したがって、両罪は併合罪となる（最判昭 49.5.29）。

8－1(56－24)　予備・未遂・不能犯

かっこ内の犯罪について、その実行の着手が認められないものはどれか。

(1)　甲は、通行人乙のポケットから財布をすりとろうとして、そのポケットの外側に手を触れたが、財布が入っていない様子であったので、あきらめた。(窃盗)

(2)　甲は、強盗の目的で乙の家に侵入したところ家人がいなかったので、居間の金庫をこじ開けて金をとろうとしたが、失敗してそのまま帰った。(強盗)

(3)　甲は、現に人の住居に使用する家屋を焼損する目的でこれに接続する犬小屋に放火したが、通行人に消し止められてその犬小屋を焼くだけにとどまった。(現住建造物等放火)

(4)　甲は、乙から金銭をだましとるつもりで、乙に対して返済する意思もないのに「明日返すから金を貸してくれ」と嘘をいったところ、乙は、これを嘘だと見破ったが、甲に同情して金を渡した。(詐欺)

(5)　催眠術師の甲は、乙に催眠術をかけ、意識に一時的な障害をもたらして金をとろうと思い、部屋で乙に対して催眠術をかけ始めたが、他人が部屋に入ってきたのでその目的を遂げなかった。(昏酔強盗)

学習記録	／	／	／	／	／	／	／	／	／

重要度　A	知識型		正解（2）

〈実行の着手時期についての判例〉

住居侵入窃盗――侵入後物色を開始した時、例えば、 ①たんすに近づいた時点、 ②現金レジスターのある煙草売場へ行こうとした時点、で着手を認める
窃盗目的で土蔵に侵入――侵入行為時に窃盗の着手を認める
鶏を盗もうとして鶏小屋の狭い入口から右足と右肩を入れた時――窃盗の着手を否定
すり――窃取しようとしてポケットの外側に手を触れた時に実行の着手を認める 「あたり行為」――金品等の目的物の存在を確かめるために他人のポケットに手を触れる行為は予備行為にすぎない
不同意性交等――被害者をダンプカーの運転席に引きずり込もうとした時に実行の着手がある（改正前強姦罪につき最判昭 45.7.28）
誘拐を目的とする待ちうけや追尾――予備
離隔犯――到達した時に実行の着手を認める

(1)　認められる　　窃盗罪（235）の実行の着手時期は、占有侵害行為の開始時とされるが、具体的にどの場合がそれに該当するかはかなり微妙な問題である。とりわけ「すり」の場合については、最高裁は「ポケットから現金をすり取る目的でポケットの外側に触れた以上、窃盗の実行に着手したもの」としている（最決昭 29.5.6）。

(2)　認められない　　強盗罪（236）の実行の着手は、財物奪取の目的で被害者の反抗を抑圧するに足りる程度の暴行脅迫を開始した時点であって、たとえ強盗目的で住居に侵入し、金庫をこじ開けようとしても、窃盗罪（235）の実行の着手があったにすぎない。

(3)　認められる　　現住建造物放火の目的で、処罰規定を異にする非現住建造物その他の物件に放火し、それを焼損するにとどまった場合でも、焼損された物件を現住建造物の導火媒介物とみて、現住建造物等放火罪（108）の実行の着手が認められる（大判大 12.11.12）。

(4)　認められる　　財物を交付させる目的で人を錯誤に陥れるような行為を行えば、詐欺罪（246）の実行に着手したといえる。甲の欺く行為によって錯誤に陥らず同情によって金品の交付をしたとしても、そのことは既遂かどうかを判断するに際して問題になるのであって、詐欺罪（246）の実行の着手の有無には影響がない。

(5) 認められる　　財物窃取の目的で人を昏酔させる行為に及べば、昏酔強盗罪（239）の着手が認められる。「昏酔させる」とは、被害者の意識作用に一時的又は継続的な障害を生じさせる行為をいい、催眠術を施すこともこれに該当する。

MEMO

8−2(元−26)　予備・未遂・不能犯

未遂に関する次の記述のうち、正しいものはどれか。

(1) 放火の目的で他人の住居に侵入した場合、放火の未遂になる。

(2) 電気配線を直結する方法によってエンジンを始動させ、他人の自動車を窃取しようとしたが、たまたまその自動車の電池が切れていたために、エンジンを始動させることができなかった場合、窃盗の未遂にならない。

(3) すりの目的で電車の乗客のポケットに手指を入れたが、財物がなかった場合、窃盗の未遂にならない。

(4) 殺人の目的で炊飯釜の中に青酸カリを入れた結果、炊いた米飯が黄色を呈し、臭気を放って人が食べるおそれが少ない場合、殺人未遂にならない。

(5) 強盗の目的で、甲方に侵入し、女性一人だけだと思って脅迫を加えたところ、隣室にその夫がいる事実を知って、その後の犯行を断念した場合、強盗の中止未遂にならない。

学習記録	／	／	／	／	／	／	／	／	／

重要度　A	知識型		正解（5）

(1)　誤　　未遂犯が成立するためには、①実行に着手し、②既遂に達しないことが必要である（43本文）。実行の着手とは、法益侵害に対する現実的危険性を含む行為を開始することをいう。放火罪の実行の着手時期は、目的物に伝火することが物理的に明白な状態で、放火用の材料に点火した時点に認められる。放火の目的で他人の住居に侵入しても、他人の財産の燃焼による公共の危険は発生せず、いまだ実行の着手があったとはいえないので、放火罪の未遂犯（112）は成立しない。

(2)　誤　　未遂犯と不能犯は、犯罪結果発生の現実的危険性がある場合が未遂犯、犯罪結果発生の現実的危険性がない場合が不能犯であると一般に区別される。本肢のように、他人の自動車を窃取しようとしたところ、たまたま電池が切れていた場合であっても、通常の状況では電池が切れているとは考えにくく、犯罪結果発生の現実的危険性がないとはいえないため、未遂犯となる。したがって、窃盗未遂罪が成立する（235・243）。

(3)　誤　　本肢も(2)の解説と同様に考えればよい。本肢のような状況の下で、通常、電車の乗客は何らかの財物を所持していると考えられ、乗客のポケットに手指を入れる行為につき、犯罪結果発生の現実的危険性がないとはいえないため、未遂犯となる。したがって、窃盗未遂罪が成立する（235・243）。

(4)　誤　　本肢も(2)(3)の解説と同様に考えればよい。本肢のような状況の下で、青酸カリ入りの米飯を絶対に誰も食べないとはいえず、殺人目的で炊飯釜の中に青酸カリを入れる行為につき、犯罪結果発生の現実的危険性がないとはいえないため、未遂犯となる。したがって、殺人未遂罪が成立する（199・203）。

(5)　正　　中止犯が成立するには、「自己の意思により」犯罪を中止したことが必要である（43但書）。ここに自己の意思によりとは、一般的に、外部的障害がないのに、行為者が自由な意思決定によって中止することをいう（大判昭12.3.6）。本肢では、隣室に夫がいるという外部的障害があるから、「外部的障害がないのに、行為者が自由な意思決定によって中止した」とはいえない。したがって、強盗罪の障害未遂（236・243）となり、中止未遂にはならない。

8-3(3-27)　予備・未遂・不能犯

窃盗未遂罪が成立する場合に関する次の記述について判例の趣旨に照らし、その正誤を正しく指摘しているものは、後記(1)から(5)までのうちどれか。

(ア)　盗みの目的で、他人の家の玄関の鍵を壊して屋内に侵入した場合

(イ)　他人の家から自転車を盗み出して路上に出たが、家人に発見され、自転車を放置して逃げた場合

(ウ)　他人のズボンのポケットに現金があることを確認した後、この現金をすり取ろうとして、そのポケットの外側に手を触れた場合

(エ)　宝石店から宝石を窃盗する目的でショーウィンドーの中に手を入れて指輪をつかんで取り出そうとしたが、店員が来る気配を察してショーウィンドーの中に指輪を落として手を引っ込めた場合

(オ)　盗みの目的で他人の家に侵入した上、手提金庫を発見し、これに近づいた場合

(1)　(ア)　正　(イ)　誤　(ウ)　誤　(エ)　正　(オ)　誤

(2)　(ア)　誤　(イ)　誤　(ウ)　正　(エ)　正　(オ)　誤

(3)　(ア)　誤　(イ)　誤　(ウ)　正　(エ)　正　(オ)　正

(4)　(ア)　誤　(イ)　正　(ウ)　正　(エ)　誤　(オ)　正

(5)　(ア)　正　(イ)　正　(ウ)　誤　(エ)　誤　(オ)　正

学習記録	／	／	／	／	／	／	／	／	／

重要度　A	知識型		正解（3）

窃盗未遂罪（235・243）が成立するには、まず、窃盗の実行の着手があったこと、かつ既遂に達しなかったことが必要である。以下、検討する。

㋐　誤　　盗みの目的で、他人の家の玄関の鍵を壊して屋内に侵入しただけでは、窃盗未遂罪（235・243）は成立しない（窃盗の実行の着手は、金品物色のためたんすに近寄った時とする、大判昭9.10.19）。窃盗罪と住居侵入罪（130）は牽連犯の関係にあるとする判例の立場からは、各構成要件ごとに法益侵害の危険性を判断すべきであり、他人の住居に侵入しただけでは財物の占有侵害行為（及びこれと接着する行為）は開始されていないからである。

㋑　誤　　窃盗罪の既遂時期については、判例は、他人の占有を排して、財物を行為者又は第三者の占有に移した時と解している（最判昭23.10.23）。本肢においては、他人の家から自転車を盗み出して路上に出た時点で窃盗罪は既遂に達している。その後、家人に発見され、自転車を放置して逃げたとしても、いったん既遂となった窃盗罪に影響しない。したがって、窃盗未遂罪（235・243）は成立しない。

㋒　正　　他人のズボンのポケットに現金があることを確認した後、この現金をすり取ろうとして、そのポケットの外側に手を触れた場合、窃盗罪（235）の実行の着手があったと認められる（最決昭29.5.6）。現金の占有を行為者又は第三者の占有に移していないので、窃盗未遂罪（235・243）が成立する。

㋓　正　　宝石店から宝石を窃盗する目的でショーウィンドーの中に手を入れて指輪をつかんで取り出そうとした時点で、窃盗罪（235）の実行の着手があったと認められる。しかし、店員が来る気配を察してショーウィンドーの中に指輪を落として手を引っ込めているので、指輪を自己の占有に移したとは言い難い。したがって、既遂にはならず、窃盗未遂罪（235・243）が成立する。

㋔　正　　盗みの目的で他人の家に侵入した上、手提金庫を発見し、これに近づいた場合、この時点で、窃盗罪（235）の実行の着手が認められる（大判昭9.10.19）。なぜなら、目的物である手提金庫は占有の移転が容易なものであり、しかも、家の中という他人により犯行が発見されにくい状況で、窃盗行為が行われている。このことからすれば、窃盗の意思で、行為者が、目的物に近づいた時点で、財物についての他人の占有を侵害する危険が現実化したといえるからである。そして、手提金庫の占有を自己又は第三者の占有に移していないので、窃盗未遂罪（235・243）が成立する。

以上から、㋐誤、㋑誤、㋒正、㋓正、㋔正であり、正解は⑶となる。

8-4(10-23)　予備・未遂・不能犯

Ａに深い恨みをもつＢが、ある日の夜中、人里離れた山中で、頭にろうそくを立て手に五寸釘を持ち、大木に向かって「Ａよ、死ね！」と叫びながら、Ａのわら人形を打ちつけていたところ、偶然通りかかったＡがそれを見て尋常ではないＢの様子に驚き、その場に卒倒した。卒倒しているＡに気付いたＢは、それを奇貨として、持っていた金槌でＡの頭部を数回強打して、Ａを死に至らしめた。

この事例におけるＢの殺人行為の実行の着手時期についての次の記述のうち、判例の趣旨に照らし最も適切なものはどれか。

⑴　ＢはＡを呪い殺すつもりで山の中に入り、一連の事実の連鎖の結果、現実にＡの死という結果を発生させているのであるから、山の中に踏み入った時点で実行の着手があったと認めるべきである。

⑵　Ｂには当初から殺意が認められるが、実行の着手があったといえるためには殺意を外形的に表象する何らかの具体的な行為が開始される必要があるから、わら人形に五寸釘を打ち込み呪文を唱え始めた時点で実行の着手があったと認めるべきである。

⑶　Ａが殺害される危険性は、Ｂが卒倒しているＡに気付き、その確認のために歩を進め始めた時点から既に発生したといえるから、ＢがＡに向かって一歩踏み出した時点で実行の着手があったと認めるべきである。

⑷　Ａの生命に対する現実的危険性のある行為とは、金槌による打撃行為をいうと解すべきであるから、ＢがＡの頭部を強打すべく金槌を振り下ろした時点で現実的危険性のある行為が始まったとして実行の着手があったと認めるべきである。

⑸　殺人罪に関する実行の着手時期は、これを厳格に、行為者が人の生命に対する危険を実際に発生させた時点と解すべきであるから、Ｂの振り下ろした金槌がＡの頭部の一部に接触した時点で実行の着手があったと認めるべきである。

予備・未遂・不能犯

学習記録	／	／	／	／	／	／	／	／	／

重要度　A　知識型　　正解（4）

実行の着手に至らなければ予備・陰謀にとどまるから原則として処罰されないが、実行の着手が認められれば、未遂として多くは処罰されることになる（43本文）。すなわち実行の着手は、犯罪の実現過程における予備罪・陰謀罪と未遂犯の分水嶺として極めて重要である。

43条が、「犯罪の実行に着手してこれを遂げなかった者は、その刑を減軽することができる。」と規定しているように、実行の着手は、未遂犯として処罰するか否かを決定する中心的要素である。判例は、結果発生の現実的危険を惹起する行為があった時点で実行の着手と認める（最決昭45.7.28・実質的客観説）。殺人罪についていえば、「自然の死期に先立って、他人の生命を侵害する現実的危険を惹起する行為を開始した時」に実行の着手が認められることになる。以上を前提に各肢を検討する。

(1)　適切でない　　「Aを呪い殺すつもりで…山の中に踏み入った時点」で実行の着手があったとは認められない。「人を殺す」行為とは、類型的に人の死を導く行為でなければならず、「一連の事実の連鎖の結果」として死の結果を生ぜしめた行為の全てを含むわけではないからである。

(2)　適切でない　　「わら人形に五寸釘を打ち込み呪文を唱え始めた時点」で実行の着手があったとは認められない。いわゆる「丑の刻参り」のような場合は、構成要件的結果を実現する可能性が全くないので構成要件該当性を欠き、犯罪を構成しないからである。

(3)　適切でない　　「卒倒しているAに気付き、その確認のために…Aに向かって一歩踏み出した時点」で実行の着手があったとは認められない。この時点では、まだ「自然の死期に先立って、他人の生命を侵害する現実的危険を惹起する行為を開始した時」とはいえないからである。

(4)　最も適切である　　「BがAの頭部を強打すべく金槌を振り下ろした時点」で実行の着手があったと認めるのが、判例の趣旨に照らし最も適切なものといえる。Bの「金槌による打撃行為」は、「他人の生命を侵害する現実的危険を惹起する行為」と認められる。したがって、Bが金槌を振り下ろした時点でAの生命を侵害する現実的危険を惹起しており、殺人罪（199）の実行の着手が認められる。

(5)　適切でない　　「BがAの頭部を強打すべく金槌を振り下ろした時点」で既に実行の着手が認められるので（(4)の解説参照）、その後の「振り下ろした金槌がAの頭部の一部に接触した時」は実行の着手時期とはならない。

〈参考〉　殺人罪における実行の着手時期に関する判例

①特定人を殺す目的で、毒物を含有するまんじゅうを「交付」したときは、その者が現にそれを食べなくても殺人罪の着手が認められる（大判昭7.12.12）
②殺人の目的で、毒物を郵送した場合は、相手方がこれを「受領」した時に毒殺行為の着手があったということができる（大判大7.11.16）

MEMO

8−5(13−23)　予備・未遂・不能犯

中止未遂に関する次の(ア)から(オ)までの記述のうち、正しいものの組合せは、後記(1)から(5)までのうちどれか。

(ア)　中止未遂の要件である「自己の意思により」について、行為者本人が犯罪の完成を妨げる認識を有していたか否かを基準とする見解は、中止未遂の根拠について責任が減少すると解する立場と結び付きやすいが、違法性が減少すると解する立場からも、この見解を採ることは可能である。

(イ)　中止未遂の効果は、行為者が中止した犯罪と併合罪の関係にある別罪には及ばないが、科刑上一罪の関係にある別罪には及ぶので、窃盗目的で他人の住居に侵入した後、窃盗を中止した場合には、住居侵入罪についても中止未遂が成立する。

(ウ)　中止犯が成立するためには、中止行為により犯罪の完成が妨げられたことが必要であるので、殺意をもって被害者に重傷を負わせた後、悔悟して被害者を病院に搬送し、一命を取り留めさせたが、たまたま落雷で病院が火事になり被害者が焼死した場合には、中止犯は成立し得ない。

(エ)　被害者に傷害を負わせる意図で暴行に及んだところ、被害者が転倒し、頭部から血を流して失神したのを見て、死亡させてはいけないと思い、病院に搬送して治療を受けさせたため、脳挫傷を負わせるにとどまり一命を取り留めさせた場合には、傷害致死罪の中止犯が成立する。

(オ)　共同正犯者が実行行為に着手した後、一部の関与者について中止未遂が認められるためには、その関与者が自己の犯行を中止したことだけでなく、着手未遂の場合には他の共犯者の行為を阻止したこと、実行未遂の場合には自己及び共犯者の行為から生ずべき結果を阻止したことが必要である。

(1)　(ア)(エ)　　(2)　(ア)(オ)　　(3)　(イ)(ウ)　　(4)　(イ)(オ)　　(5)　(ウ)(エ)

学習記録	／	／	／	／	／	／	／	／	／

重要度　A	知識型		正解（2）

(ア)　正　　中止未遂（43 但書）の要件である「自己の意思により」について、行為者本人が犯罪の完成を妨げる認識を有していたか否かを基準とする見解は、行為者本人の主観を基準とするものであり、本来、主観的要素は責任の要素であることから、責任減少説に結びつきやすい。しかし、違法減少説に立ったとしても、主観的違法要素を認める見解に立ち、違法性を減少させる原因が故意の放棄にあると考えれば、当該行為者を基準にして故意の放棄と認められるかどうかを考えることにより、行為者本人が犯罪の完成を妨げる認識を有していたか否かを基準とする見解を採ることは可能である。

(イ)　誤　　中止未遂（43 但書）は一罪についてのみ及び、別罪については及ばない。併合罪（45 以下）はもちろん、科刑上一罪（54・観念的競合・牽連犯）も複数の犯罪（数罪）が成立する場合であり、本来的に数罪の関係にあるから、併合罪及び科刑上一罪に当たる別罪には中止未遂の効果は及ばない。したがって、窃盗罪（235）と住居侵入罪（130 前段）は牽連犯の関係に立つことから（大判明 45.5.23、最判昭 28.2.20）、窃盗を中止した場合であっても、住居侵入罪について中止未遂は成立しない。

(ウ)　誤　　「たまたま落雷で病院が火事になり」発生した被害者の「焼死」という結果と加害者が殺意をもって被害者に重傷を負わせた行為との間には、法的な評価としては因果の進行過程に自然力が介入していることから、加害行為と被害者の死という結果との間の因果関係は認められない。したがって、未遂の一態様としての中止犯（43 但書）の成否が問題となる。殺意をもって重傷を負わせた被害者を悔悟して病院に搬送する行為は、一命を取り留めたのが医師の治療によるものであったとしても、行為者自らの意思により、結果防止に当たったのと同視できる程度の努力が払われたものであるから、中止行為に当たり、その結果、被害者は「一命を取り留め」ていることから、殺人未遂罪（199・203）につき、中止犯が成立し得る（福岡高判昭 61.3.6）。

(エ)　誤　　被害者に傷害を負わせる意図で暴行に及び、脳挫傷を負わせている以上、傷害罪（204）が成立し、その後、死亡させてはいけないと思い、病院に搬送し、一命を取り留めたとしても、傷害罪は既遂に達している以上、未遂の一態様である中止犯（43 但書）は成立しない。なお、傷害致死罪のような結果的加重犯に未遂はない以上、中止未遂もまた想定できない。結果的加重犯とは、重い結果の発生を待って刑が加重される犯罪類型であり、この意味で、結果的加重犯として成立するかしないかのいずれかであって、それ以外ではないからである。

㈲　正　　共同正犯者は、他の共犯者が発生させた結果も含めて全体として責任を負うから（60）、実行の着手後その終了前に、その後の実行を放棄した場合（着手未遂）に中止未遂（43但書）が認められるためには、その関与者が自己の犯行を任意に中止しただけでは足りず、他の共犯者の実行行為を阻止したことが必要である。これに対して、既に実行を終えた後に、それによる結果の発生を防止した場合（実行未遂）に中止未遂が認められるには、自己及び共犯者の行為から生ずべき結果を阻止したことまで必要となる。

以上から、正しいものは㈠㈲であり、正解は⑵となる。

MEMO

8−6(20−25)　予備・未遂・不能犯

実行の着手に関する次の(ア)から(オ)までの記述のうち、判例の趣旨に照らし誤っているものの組合せは、後記(1)から(5)までのうちどれか。

(ア)　窃盗の目的で他人の家に侵入し、金品の物色のためにたんすに近寄ったときには、窃盗罪の実行の着手が認められる。

(イ)　すり犯が、人込みの中において、すりをする相手方を物色するために、他人のポケット等に手を触れ、金品の存在を確かめるいわゆる「当たり行為」をした場合、それだけでは窃盗罪の実行の着手は認められない。

(ウ)　為替手形を偽造・行使して割引名下に現金を詐取しようとした場合、相手方に嘘を言って偽造手形の割引の承諾をさせたとしても、まだ偽造手形を相手方に示すなどして行使していなければ、詐欺罪の実行の着手は認められない。

(エ)　保険金詐欺の目的で、家屋に放火したり、船舶を転覆･沈没させた場合には、まだ保険会社に保険金支払の請求をしていなくとも、詐欺罪の実行の着手が認められる。

(オ)　不実な請求によるいわゆる訴訟詐欺を目的として、裁判所に対し訴えを提起したとき、すなわち、訴状を裁判所に提出したときには、詐欺罪の実行の着手が認められる。

(1)　(ア)(イ)　　(2)　(ア)(オ)　　(3)　(イ)(エ)　　(4)　(ウ)(エ)　　(5)　(ウ)(オ)

予備・未遂・不能犯

学習記録	／	／	／	／	／	／	／	／	／

重要度　A	知識型		正解（4）

(ア)　正　　判例は、「他人の財物に対する事実上の支配を侵すにつき、密接なる行為」をしたときに窃盗罪の実行の着手を認めている。そのため、窃盗犯人が家宅に侵入して金品物色のため、たんすに近づくというような行為は、他人の財物に対する事実上の支配を侵すにつき密接な行為をしたものとして、窃盗罪の実行の着手を認めている（大判昭 9.10.19）。

(イ)　正　　すりについては、目的物をすり取ろうとして着衣の外側に手を差し伸べて触れた時点に実行の着手があるとされており、財物の存在を確かめるための当たり行為をしただけでは実行の着手はないとしている（最決昭 29.5.6）。

(ウ)　誤　　詐欺罪の実行の着手時期は、行為者が欺く行為を開始した時である。そして、判例は、手形を偽造行使して金品を詐取しようと企て、相手方を欺いて偽造手形の割引を承諾させた時に、詐欺罪の実行の着手を認めている（大判昭 2.3.16）。

(エ)　誤　　保険金詐欺目的で、家屋に放火等をした場合には、それらの行為だけでなく、保険会社に保険金の支払を請求した時点で初めて実行の着手が認められる（大判昭 7.6.15）。したがって、保険金詐欺の目的で保険の目的物である家屋に放火したり、船舶を転覆・沈没させただけでは詐欺罪の実行の着手があったとはいえない。

(オ)　正　　訴訟詐欺の場合、不実な請求を目的として訴状を裁判所に提出した時点で、詐欺罪の実行の着手を認めている（大判大 3.3.24）。

以上から、誤っているものは(ウ)(エ)であり、正解は(4)となる。

8-7(21-24)　予備・未遂・不能犯

中止未遂の成否に関する次の(ア)から(オ)までの記述のうち、判例の趣旨に照らし正しいものの組合せは、後記(1)から(5)までのうちどれか。

(ア)　Aは、B宅を全焼させるつもりで、B宅の前に積み上げられている木材に灯油をまいて点火したが、思った以上に燃え上がるのを見て怖くなり、たまたま近くを通りかかったCに「火を消しておいてくれ。」と頼んで逃走したところ、Cが家屋に燃え移る前に木材の火を消し止めた。この場合、Aには、現住建造物等放火罪の中止未遂は認められない。

(イ)　Aは、Bを脅して現金を強奪するつもりで、けん銃を用意し、B宅に向かったものの、途中で反省悔悟し、けん銃を川に捨てて引き返した。この場合、Aには、強盗予備の中止未遂が認められる。

(ウ)　Aは、Bを殺害するため、その腹部を包丁で1回突き刺したものの、致命傷を与えるには至らず、Bが血を流してもがき苦しんでいるのを見て、驚くと同時に怖くなってその後の殺害行為を行わなかった。この場合、Aには、殺人罪の中止未遂が認められる。

(エ)　Aは、早朝に留守中の民家に盗みに入り、物色を始めたが、玄関に近づいた新聞配達員を帰宅した家人と誤認し、犯行の発覚を恐れ、何も盗まずに逃走した。この場合、Aには、窃盗罪の中止未遂は認められない。

(オ)　Aは、就寝中のBを殺害するため、バットでその頭部を数回殴打したが、Bが血を流しているのを見て、驚くと同時に悪いことをしたと思い、119番通報をして救助を依頼したため、Bは救急隊員の救命措置により一命を取り留めた。この場合、Aには、殺人罪の中止未遂は認められない。

(1)　(ア)(イ)　　(2)　(ア)(エ)　　(3)　(イ)(ウ)　　(4)　(ウ)(オ)　　(5)　(エ)(オ)

学習記録	/	/	/	/	/	/	/	/	/

重要度　A	知識型		正解 (2)

(ア) 正　　驚愕・恐怖により中止することは、犯罪の完成を妨害するに足りる障害に基づくものであるから、「自己の意思により」とはいえず、中止犯は成立しない（最判昭32.9.10）。また、実行行為終了後に中止未遂が認められるためには、結果発生を防止するための真摯な努力を要し、他人の助力を受ける場合は少なくとも犯人自身が防止に当たったと同視するに足る程度の努力を要する（大判昭12.6.25）。したがって、放火に着手したAが、火勢に恐怖し、Cに消火を依頼して逃走しCによって消火されたときは、「自己の意思により」とはいえず、A自身が結果発生の防止に当たったと同視するに足る程度の真摯な努力もされていないから、Aには現住建造物等放火罪の中止未遂は認められない。

(イ) 誤　　予備罪に中止犯の規定は準用されない（最大判昭29.1.20）。予備罪は予備行為により完成し、中止未遂を観念する余地がないからである。したがって、Aが強盗目的でけん銃を用意すれば、途中で反省悔悟し、けん銃を捨て引き返したとしても、強盗予備の中止未遂は認められない。

(ウ) 誤　　驚愕・恐怖により中止することは、犯罪の完成を妨害するに足りる障害に基づくものであるから、「自己の意思により」とはいえず、中止犯は成立しない（最決昭32.9.10）。したがって、殺人の実行行為に着手したAが、Bが血を流してもがき苦しんでいるのを見て、驚くと同時に怖くなってその後の殺害行為を行わなかったとしても、殺人罪の中止未遂は認められない。

(エ) 正　　犯行の発覚を恐れ中止することは「自己の意思により」とはいえず、中止犯は成立しない（大判昭12.9.21）。したがって、窃盗行為に着手したAが、家人が帰宅したと誤認し、犯行の発覚を恐れ、何も盗まず逃走しても、窃盗罪の中止未遂は認められない。

(オ) 誤　　驚愕と悔悟の情から中止したときは、外部的事実の表象が中止行為の契機となっている場合でも、犯人がその表象によって必ずしも中止行為に出るとは限らない場合にあえて中止行為に出たときには、「自己の意思により」といえる（福岡高判昭61.3.6）。また、実行行為終了後に中止未遂が認められるためには、結果発生を防止するための真摯な努力を要し、他人の助力を受ける場合は少なくとも犯人自身が結果発生の防止に当たったと同視するに足る程度の努力を要する。したがって、殺人の実行行為に着手したAは、驚愕・悔悟し119番通報しているから、「自己の意思により」結果防止への真摯な努力をしたといえ（東京地判平8.3.28参照）、殺人罪の中止未遂は認められる。

以上から、正しいものは(ア)(エ)であり、正解は(2)となる。

8−8(24−24)

予備・未遂・不能犯

犯罪の実行の着手に関する次の(ア)から(オ)までの記述のうち、判例の趣旨に照らし誤っているものの組合せは、後記(1)から(5)までのうちどれか。(改)

(ア)　電車内で、他の乗客のズボンのポケットから財布をすり取ろうと考え、そのポケットに手を伸ばしてポケットの外側に手を触れたものの、別の乗客に発見されて取り押さえられたため、財布に触れることができなかった場合でも、窃盗罪の実行の着手がある。

(イ)　タクシーの売上金を強取しようと考え、出刃包丁をバッグに入れてタクシーに乗車し、虚偽の行き先を告げてタクシーを発車させたものの、その後間もなく怖くなったため、タクシーが赤信号で停車した際に逃げ出した場合でも、強盗罪の実行の着手がある。

(ウ)　土蔵内の金品を盗み取ろうと考え、その扉の錠を破壊して扉を開いたものの、母屋から人が出てくるのが見えたため、土蔵内に侵入せずに逃走した場合でも、窃盗罪の実行の着手がある。

(エ)　知人を毒殺しようと考え、毒入りの菓子を小包郵便でその知人宅宛てに郵送したものの、知人がたまたま既に転居していたため、転居先不明により返送されてきた場合でも、殺人罪の実行の着手がある。

(オ)　二人がかりで通り掛かった女性に暴行・脅迫を加え、他所に連行した上でそれぞれ不同意性交をしようと考え、それぞれ暴行・脅迫を加えて無理矢理自動車に乗せたものの、間もなく警察官の検問を受けたため、性交行為に至らなかった場合でも、不同意性交等罪の実行の着手がある。

(1)　(ア)(イ)　　(2)　(ア)(ウ)　　(3)　(イ)(エ)　　(4)　(ウ)(オ)　　(5)　(エ)(オ)

学習記録	／	／	／	／	／	／	／	／	／

重要度　A	知識型		正解（3）

(ア)　正　　すり行為については、目的物をすり取ろうとして着衣の外側に手を差し伸べて触れた時点で、窃盗罪の実行の着手が認められる（最決昭29.5.6）。本肢において、財布をすり取ろうと考え、ポケットの外側に手が触れた以上、財布に触れることができなかった場合でも、窃盗罪の実行の着手が認められる。

(イ)　誤　　強盗罪の実行の着手は、財物奪取の目的で被害者の反抗を抑圧するに足りる程度の暴行･脅迫を開始した時点である。本肢において、出刃包丁は、バッグに入れたままであり、虚偽の行き先を告げたにすぎず、暴行・脅迫が加えられていない。したがって、強盗罪の実行の着手は認められない。

(ウ)　正　　土蔵のように財物しか存在しない建造物への侵入窃盗の場合、外扉の錠前や壁の損壊を開始した時点で、窃盗罪の実行の着手が認められる（名古屋高判昭25.11.14）。本肢において、土蔵内の金品を盗むために、その扉の錠を破壊している以上、土蔵内に侵入しなくても、窃盗罪の実行の着手が認められる。

(エ)　誤　　殺人の目的で毒物入りの飲食物を発送した場合、相手方が実際に毒物の飲食が可能となる到着時に実行の着手が認められる（大判大7.11.16）。本肢において、毒入りの菓子が転居先不明により返送されてきていることから、殺人罪の実行の着手は認められない。

(オ)　正　　性交の目的で、嫌がる女性をダンプカーに引きずり込んだ時点で、強制性交等（現：不同意性交等）に至る客観的な危険性が明らかに認められるから、強制性交等罪（現：不同意性交等罪）の実行の着手が認められる（改正前強姦罪につき最決昭45.7.28）。本肢において、不同意性交をするために暴行･脅迫を加えて、無理矢理自動車に乗せている以上、性交行為に至らなかった場合でも、不同意性交等罪の実行の着手が認められる。

以上から、誤っているものは(イ)(エ)であり、正解は(3)となる。

8−9(27−25)　予備・未遂・不能犯

中止未遂の成否に関する次の(ア)から(オ)までの記述のうち、判例の趣旨に照らし正しいものの組合せは、後記(1)から(5)までのうち、どれか。

(ア)　Ａは、Ｂを殺そうと考え、刺身包丁をＢに向かって振り下ろしたが、Ｂが身をかわしたためにＢの衣服が切れたにとどまり、その際、Ｂから涙ながらに「助けてくれ」と懇願されたため、Ｂを哀れに思い、殺害するのをやめてその場を立ち去った。この場合、Ａには、殺人罪の中止未遂は成立しない。

(イ)　Ａは、一戸建てのＢ宅に放火しようと考え、その軒先に、準備した段ボールを置いて火をつけたが、Ｂが死んでしまっては申し訳ないと思い、大声で「火事だ」と叫びながら立ち去り、その声を聞いたＢが消火したため、Ｂ宅には燃え移らなかった。この場合、Ａには、現住建造物等放火罪の中止未遂は成立しない。

(ウ)　Ａは、日々の生活費に窮し、金属買取店で換金して現金を得ようと考え、道路に設置されたマンホールの蓋を三つ盗んで自宅に持ち帰ったが、その後、他人が転落してしまう危険があると考えて反省し、翌日、全てのマンホールの蓋を元の場所に戻しておいた。この場合、Ａには、窃盗罪の中止未遂が成立する。

(エ)　Ａは、Ｂを殺そうと考え、青酸化合物をＢに飲ませたが、Ｂが苦しむ姿を見て、大変なことをしてしまったと悟り、直ちに消防署に電話をかけ、自己の犯行を正直に話して救急車を呼び、その結果、Ｂが病院に搬送されて治療が施されたが、Ｂは青酸化合物の毒性により死亡した。この場合、Ａには、殺人罪の中止未遂は成立しない。

(オ)　Ａは、Ｂが旅行に出かけている間に、Ｂ宅に侵入して金品を盗もうと考え、深夜、侵入に使うためのドライバーなどを準備してＢ宅の前まで行ったが、Ｂが金品を盗まれて落胆する姿を想像し、それがかわいそうになって、Ｂ宅に侵入することなく帰宅した。この場合、Ａには、窃盗罪の中止未遂が成立する。

(1)　(ア)(イ)　　(2)　(ア)(オ)　　(3)　(イ)(エ)　　(4)　(ウ)(エ)　　(5)　(ウ)(オ)

学習記録	／	／	／	／	／	／	／	／	／

重要度　A	知識型		正解（3）

㋐ 誤　　中止未遂が成立するためには、「自己の意思により」犯罪を中止した（43但書）ことが必要である。「自己の意思により」とは、外部的障碍によってではなく、犯人の任意の意思によってなされることをいう（福岡高判昭61.3.6）。本肢においては、Aは、Bを哀れに思い殺害をやめているので、任意の意思により犯罪を中止したといえる。したがって、Aには殺人罪（199）の中止未遂が成立する。

㋑ 正　　結果発生防止につき他人の助力を得た場合に、「中止した」（43但書）といえるためには、犯人自身が結果発生防止に当たったのと同視するに足りる程度の努力を払うことを要する（大判昭12.6.25）。本肢においては、Aは「火事だ」と叫びながら立ち去り、その声を聞いたBが消火したのであり、犯人自身が結果発生防止に当たったのと同視するに足りる程度の努力を払ったとはいえない。したがって、Aに現住建造物等放火罪（108）の中止未遂は成立しない。

㋒ 誤　　中止犯は、未遂犯の一態様であるから既遂に達した場合には成立しない。本肢においては、Aはマンホールの蓋を自宅に持ち帰っており、この時点で窃盗罪は既遂に達している。したがって、Aが翌日、全てのマンホールの蓋を元の場所に戻したとしても、窃盗罪（235）の中止未遂は成立しない。

㋓ 正　　肢㋒の解説のとおり、犯罪が既遂に達した場合には、中止犯は成立しない。本肢においては、Aは、Bが苦しむ姿を見て、大変なことをしてしまったと悟り、病院に搬送させて治療が施されたが、青酸化合物の毒性によりBが死亡しており、殺人罪の既遂結果が発生している。したがって、Aには、殺人罪（199）の中止未遂は成立しない。

㋔ 誤　　中止未遂が成立するためには、「犯罪の実行に着手」（43本文）する必要がある。この点、実行の着手時期は、既遂犯の構成要件的結果を生じさせる危険性が認められる行為への着手の時点と解されている。そして、窃盗罪の実行の着手時期につき、判例は一般に、物色すれば着手が認められるとする（最判昭23.4.17）。本肢においては、Aは、結局B宅に侵入することなく帰宅しているため、物色行為が認められず、窃盗罪の実行の着手は認められない。したがって、Aには、窃盗罪（235）の中止未遂は成立しない。

以上から、正しいものは㋑㋓であり、正解は⑶となる。

8−10(R2−25)　予備・未遂・不能犯

未遂に関する次の(ア)から(オ)までの記述のうち、判例の趣旨に照らし正しいものの組合せは、後記(1)から(5)までのうち、どれか。

(ア)　Aは、満員電車の車内で、目の前に立っているBのズボンの尻ポケットから現金がのぞいているのに目をつけ、それをすり取ろうとして尻ポケットに右手を差し伸べ尻ポケットの外側に触れた。
　この時点において、Aには窃盗罪の実行の着手が認められ、窃盗未遂罪が成立する。

(イ)　Aは、Bを殺害しようと考え、コンビニエンスストアに行き、致死性の毒物を混入した砂糖を梱包した小包を宅配便でB方に発送するための手続をし、店員にその小包を手渡した。
　この時点において、Aには殺人罪の実行の着手が認められ、殺人未遂罪が成立する。

(ウ)　Aは、B方に電話をかけ、Bに対し、「Bの孫がトラブルに巻き込まれており、その解決のために至急100万円が必要となるので、これからB方を訪ねる者に100万円を渡してほしい。」旨うそを言った。Bは、詐欺ではないかと疑い、警察に通報したところ、警察官から捜査協力を依頼され、そのままだまされたふりをし、B方を訪ねてくる者を待った。Bが警察官からの協力依頼を引き受けた後、Aは、Cに対し、B方に行ってBから現金を受け取ってくれば報酬を支払う旨申し向け、Cは、詐欺の被害金を受け取る役割を担う認識でB方に赴いたところ、周囲で警戒していた警察官に発見された。
　この場合において、Cには、詐欺未遂罪の共同正犯は成立しない。

(エ)　Aは、Bに対する不同意性交を企て、深夜、B方に侵入し、就寝中のBに馬乗りになった上、目を覚ましたBに対し、持っていたナイフを示し、「騒いだら殺すぞ。」などと申し向けて脅迫し、その反抗を抑圧した状態で、Bの陰部に指を挿入したところ、手が血に染まったので驚愕し、不同意性交を中止してB方から立ち去った。
　この場合において、Aには、不同意性交等未遂罪の中止未遂が成立する。

(オ)　Aは、Bの住居に放火するため、その外壁付近に枯れ木を積み上げて着火したところ、想像以上の火勢となったため驚愕し、Bの住居の隣家であるC方の庭先に居合わせたCと目が合い、Cに対し、「放火したのであとは頼む。」旨伝えてその場から逃走した。その後、Cは、Bの住居に火が燃え移る前に火を消し止めた。

この場合において、Aには、現住建造物等放火未遂罪の中止未遂は成立しない。

(1)　(ア)(イ)　(2)　(ア)(オ)　(3)　(イ)(ウ)　(4)　(ウ)(エ)　(5)　(エ)(オ)

学習記録	／	／	／	／	／	／	／	／	／

MEMO

重要度　A	知識型		正解（2）

(ア) 正　　窃盗罪（235）の実行の着手時期は、他人の財物に対する事実上の支配を侵すにつき密接な行為を開始した時である（大判昭 9.10.19）。すなわち、占有侵害の現実的危険性が生じた時点で、実行の着手が認められる。この点、すり行為については、目的物をすり取ろうとして着衣の外側に手を差し伸べて触れた時点で、窃盗罪の実行の着手が認められる（最決昭 29.5.6）。したがって、Ａは現金をすり取ろうとしてＢの尻ポケットの外側に触れているため、Ａには、窃盗罪の実行の着手が認められ、この時点において、窃盗未遂罪（243・235）が成立する。

(イ) 誤　　殺人の目的で遠隔地から毒物を発送した場合、相手方がこれを受領した時において、毒殺行為の実行の着手が認められる（大判大 7.11.16）。なぜなら、毒物を発送したのみでは、いまだ人の生命を侵害する現実的危険性が認められないからである。本肢では、Ａが、Ｂを殺害する目的で、コンビニエンスストアにおいて致死性の毒物を混入した砂糖を梱包した小包を宅配便でＢ方に発送するための手続をし、店員にその小包を手渡しているが、この時点において、毒物はＢ方へ到着していないため、Ａには殺人罪（199）の実行の着手は認められず、殺人予備罪（201）が成立するにすぎない。

(ウ) 誤　　共犯者による欺罔行為がされた後、だまされたふり作戦（だまされたことに気付いた、あるいはそれを疑った被害者側が、捜査機関と協力の上、引き続き犯人側の要求どおり行動しているふりをして、受領行為等の際に犯人を検挙しようとする捜査手法）が開始されたことを認識せずに共犯者と共謀の上、詐欺を完遂する上で欺罔行為と一体のものとして予定されていた現金の受領行為に関与した者は、その加功前の欺罔行為の点も含め、詐欺未遂罪（250・246 Ⅰ）の共同正犯としての責任を負う（最判平 29.12.11 参照）。

(エ) 誤　　不同意性交の実行に着手した者が、陰部に挿入した指から手首まで一面に血が付着しているのを見て驚愕して性交を中止した場合は、中止犯は成立しない（改正前強姦罪につき最判昭 24.7.9）。

(オ) 正　　結果発生防止につき他人の助力を得た場合に、「中止した」（43 但書）といえるためには、犯人自身が結果発生防止に当たったのと同視するに足りる程度の努力を払うことを要する（大判昭 12.6.25）。本肢においては、Ａは、Ｂの住居の隣家であるＣ方の庭先に居合わせたＣに「放火したのであとは頼む。」旨伝えて、その場から逃走しており、犯人自身が結果発生防止に当たったのと同視するに足りる程度の努力を払ったものとはいえない。したがって、Ａに現住建造物等放火未遂罪（112・108）の中止未遂は成立しない。

以上から、正しいものは(ア)(オ)であり、正解は(2)となる。

9−1(60−26)　共　犯

共犯に関する次の記述のうち、正しいものはどれか。

(1)　従犯は、正犯に従属するので、従犯の行為がすでに終了していても、正犯の実行行為が終了するまでは、公訴時効は、進行しない。

(2)　数人が順次に連絡し合うことによって、共通した犯罪意思を形成する形態の共謀については、共謀共同正犯理論は、適用されない。

(3)　幇助犯が成立するためには、幇助された正犯において、幇助されていることの認識を有することが必要である。

(4)　業務上の占有者でない甲が業務上の占有者である乙と共謀して、共同占有に係る他人の物を横領すれば、甲については単純横領罪が成立するとするのが判例である。

(5)　賭博常習者の賭博行為を幇助した場合、幇助者に賭博の常習性がなくても、常習賭博の幇助罪が成立するとするのが判例である。

学習記録	／	／	／	／	／	／	／	／	／

重要度　A	知識型		正解（1）

⑴ 正　　公訴時効とは、時間の経過により、国の訴追権を消滅させる制度であり（刑訴250）、その起算点は、共犯の場合には、最終の行為が終わった時である（刑訴253Ⅱ）。時効の成否は、時間の経過による事実状態の尊重という趣旨から、事実を基準にして考えるべきであるので、共犯の場合には、合一的に判断される。従犯の公訴時効は正犯の行為の終了時から進行するとする。

⑵ 誤　　判例は、共謀共同正犯（60）を肯定しており、その共謀は同時に行われると順次に行われるとを問わないとしている（最判昭33.5.28）。

⑶ 誤　　判例は、片面的幇助犯の成立を肯定している（大判大14.1.22）。幇助とは、実行行為（基本的構成要件該当行為）以外の行為であり正犯者の実行を容易にすることをいうが、仮に正犯者が幇助行為を認識していなくても、幇助の方法が凶器を供与し犯罪の場所を提供するような有形的―物理的方法であれば、正犯者の実行を容易にすることは可能である。したがって、相互的な意思の連絡がない場合でも、幇助犯が成立する余地はある。

⑷ 誤　　非占有者（業務性を欠き占有もない）と業務上の占有者が共同して占有物を横領した場合について、非占有者には業務上横領罪（253）が成立し、刑は単純横領罪（252）の刑を科すべきであるとする判例はある（最判昭32.11.19）。しかし、本肢のように業務上の占有者でない者（占有はある）と業務上占有者が共同して占有物を横領した場合について明確に結論を出した判例はまだない。

⑸ 誤　　賭博常習者の賭博行為を非常習者が幇助した場合は、65条2項を適用し単純賭博罪の幇助犯（185・62）となるとするのが判例である（大判大2.3.18）。

9-2(62-24)　共　犯

共犯に関する次の記述のうち、正しいものはどれか。

(1) 13歳の児童に指示して他人の財物を盗み出させたときは、当該児童に対し暴行、脅迫等その意思を抑圧する手段を用いたと否とを問わず、間接正犯による窃盗罪が成立する。

(2) 犯意のない他人を教唆して殺人の決意をさせるに至ったときは、同人がその実行に着手していなくても、殺人教唆罪が成立する。

(3) 未遂及び過失はそれぞれ特別の明文規定がある場合にのみ処罰の対象とされるが、教唆及び幇助は、あらゆる犯罪について処罰の対象となる。

(4) 公務員でない者が公務員と共謀して賄賂を収受しても、収賄罪の共同正犯にはなり得ない。

(5) 詐欺罪を犯した者が自ら行方をくらませても犯人隠避罪は成立しないが、他人を教唆して自己をかくまわせたときは、犯人隠避罪の教唆犯が成立する。

学習記録	／	／	／	／	／	／	／	／	／

重要度　A	知識型		正解（5）

⑴ 誤　　実行行為に出た者について是非弁別能力が認められるときでも、常に教唆犯が成立するわけではなく、暴行、脅迫等意思を制圧するような手段を用いることにより、被利用者を道具と評価できる場合、利用者には間接正犯が成立し得る。この点につき、判例（最判昭58.9.21）も、日頃顔面にタバコの火を押しつけるなどして自己の意のままにしてきた12歳の養女に窃盗を行わせたという事例において、「自己の日頃の言動に畏怖し意思を制圧されている同女を利用して右窃盗を行ったのであるから、たとえ同女が是非弁別能力を有するとしても、間接正犯が成立する。」としている。したがって、「意思を制圧する手段を用いたと否とを問わず」とする点で、本肢は誤りである。

⑵ 誤　　共犯成立の要件として、正犯が実行に着手したことを要する（共犯従属性説）のが判例であり、いまだ被教唆者が実行に着手していない本肢では、教唆者に殺人教唆罪（199・61Ⅰ）は成立しない。

⑶ 誤　　未遂に関する記述は、44条の規定に照らし、正しい。しかし、過失に関する記述は、38条1項ただし書の「特別の規定」とは必ずしも明文の規定でなくてもよい（大判昭12.3.31）ことから、誤りである。また、教唆及び幇助に関する記述は、拘留・科料のみを法定刑とする罪には、原則として教唆・幇助は成立しないとする64条に明らかに反しており、誤りである。

⑷ 誤　　公務員でない者が、公務員と共謀して賄賂を収受すれば、収賄罪（197以下）の共同正犯が成立する（65Ⅰ・60・197）。収賄罪は、公務員たる「身分によって構成すべき犯罪」（真正身分犯）であり、かかる真正身分犯に共同加功した非身分者の罪責が問題となるが、身分犯の処罰根拠を専ら法益侵害性に求め、非身分者も、身分者に共同加功することにより法益侵害をすることができる以上、共同正犯が成立する。

⑸ 正　　詐欺罪（246）は、「罰金以上の刑に当たる罪」であり、詐欺罪（246）の犯人を蔵匿・隠避すれば、犯人蔵匿・隠避罪（103）が成立するが、詐欺罪の犯人自らが自己をかくまう自己蔵匿については、期待可能性に乏しいことから、犯罪は成立しない。そして、犯人が他人を教唆して自己をかくまわせる場合には、もはや期待可能性に乏しいとはいい難いことから、犯人蔵匿・隠避罪の教唆犯（103・61Ⅰ）が成立する（最決昭40.2.26）。

9-3(2-25)　共　犯

共犯に関する次の記述のうち、判例の趣旨に照らし、正しいものはどれか。(改)

(1) 傷害の意思で共謀した共犯者の一人が、殺意をもって被害者を殺害した場合には、殺意のなかった共犯者にも殺人罪の共同正犯が成立する。

(2) 人を殺害することを教唆したところ、被教唆者が殺人の実行行為に出たものの、その目的を遂げなかったときには、教唆者には殺人未遂の教唆犯が成立する。

(3) 博徒の親分が賭博場を開張した際に、これを知った子分が顧客を誘って賭博を行わせた場合でも、親分がそのことを知らないときは、子分について賭博場開張図利罪の幇助犯が成立することはない。

(4) 平成29年刑法改正により削除

(5) 医師が、看護師に指示して患者に毒薬を投与して、患者を殺害した場合には、看護師が毒薬であることを知らなくても、医師については、殺人罪の教唆犯が成立する。

学習記録	／	／	／	／	／	／	／	／	／

重要度　A	知識型		正解（2）

(1) 誤　　判例は、本肢と類似の事例を共同正犯の錯誤の問題として捉え、法定的符合説の立場から、殺意のなかった共犯者には殺人罪（199）と傷害致死罪（205）の構成要件の重なり合う範囲の犯罪、すなわち傷害致死罪の共同正犯が成立するとしている（最決昭54.4.13）。

(2) 正　　正犯者たる被教唆者が殺人の実行行為に着手した以上、殺人未遂の教唆犯（203・61 I）が成立する（大判大6.7.5・共犯従属性説）。

(3) 誤　　子分には賭博場開張図利罪の幇助犯（186 II・62）が成立する。幇助犯の成立には、幇助者において正犯の行為を認識し、これを幇助する故意的行為のあったこと、並びに正犯が犯罪の実行行為に出たことを要するが、正犯者が幇助者の幇助行為を認識する必要はない（大判大14.1.22、大判昭8.12.9）。正犯者が幇助行為を認識していなくとも、幇助行為により正犯者の犯行を容易にすることができ、片面的幇助も認められるからである。

(4) 平成29年刑法改正により削除

(5) 誤　　看護師は毒薬であることを知らないのであるから、看護師には殺人罪の構成要件的故意（199・38 I 本文）が欠ける以上、正犯者といえず、医師に殺人罪の教唆犯は成立せず（61 I）、殺人罪の間接正犯が問題となる。そして、構成要件的故意を欠く者を利用する間接正犯を認めるのが判例及び通説であるから、本肢の医師にも殺人罪（199）の間接正犯が認められる。

9-4(4-28)　共　犯

共犯に関する次の記述のうち、判例の趣旨に照らし、誤っているものは幾つあるか。(改)

(ア)　平成29年刑法改正により削除

(イ)　平成7年刑法改正により削除

(ウ)　公務員でない者も、収賄罪の共同正犯になり得る。

(エ)　賭博の非常習者が賭博常習者の賭博行為を幇助した場合、賭博罪の従犯になる。

(オ)　共犯者の一人が自首した場合でも、それにより他の共犯者について刑を減軽することはできない。

(1)　0個　　(2)　1個　　(3)　2個　　(4)　3個

学習記録	／	／	／	／	／	／	／	／	／

重要度　A	知識型		正解（1）

(ア)　平成29年刑法改正により削除

(イ)　平成7年刑法改正により削除

(ウ)　正　　収賄罪（197～197の4）は、行為者が公務員という身分を有することが犯罪の成立要素となる真正身分犯である。そのため、公務員でない者が収賄罪に加功した場合、65条1項が適用される。この点、65条1項の「共犯」には、狭義の共犯だけでなく共同正犯をも含む（大判昭9.11.20、最決昭40.3.30）。なぜなら、身分のない者も、身分のある者の行為を利用することによって、真正身分犯の保護法益を侵害することができるからである。したがって、公務員でない者も収賄罪の共同正犯（60）になり得る。

(エ)　正　　常習賭博罪（186Ⅰ）は、単純賭博罪（185）の加重類型なので、常習性という身分が刑の加重又は減軽の要素となる不真正身分犯である（大判大2.3.18）。そのため、本肢の場合、65条2項が適用される。したがって、賭博の常習性のない者が、賭博の常習性のある者の賭博行為を幇助した場合は、単純賭博罪の従犯（185・62Ⅰ）が成立する。

(オ)　正　　自首とは、罪を犯した者が、捜査官憲に発覚する前に自発的に自己の犯罪事実を申告し、その処分を求める行為をいう。自首をした場合は、その刑が任意的に減軽される（42Ⅰ）。その趣旨は、犯罪の捜査を容易にするという政策的理由及び改悛による非難の減少にある。そのため、この刑の減軽は、自首した者についてだけ認められる一身専属的なものである。したがって、共犯者の一人が自首しても、それによって他の共犯者の刑を減軽することはできない。

以上から、誤っているものはなく、正解は(1)となる。

9−5(5−24)　共　犯

次の記述のうち、判例の趣旨に照らし、Bに末尾かっこ内の罪について、Aとの共同正犯が成立するものはどれか。

(1)　Aは、金品を強取する意思で、Cを縄で縛り上げたが、人の足音が近づいて来るのが聞こえたので、Cをその場に放置して何も取らずに逃走した。そこへたまたま通りかかったBは、Cが縄で縛られているのを見て、その懐中から金品を奪い取った。(強盗罪)

(2)　Aは、返済の意思も能力もないのに、Cに対して、嘘を言って借金を申し込んだが、CはAの嘘を真実と錯誤して、Aに金員を貸す約束をした。CがAに欺かれていることを知らないBは、Aからこの借入金の受取方を依頼され、Aの妻だと詐称して、Cから金員を受領した。(詐欺罪)

(3)　Aは、ささいなことからCと口論になり、路上でCと殴り合いのけんかを始めた。近くでこれを見物していたBは、自己の顔面をCが誤って殴りつけたため、これに腹を立て、Cの腹部を足蹴りにして、同人に傷害を負わせた。(傷害罪)

(4)　Aは、Cの名誉を毀損する事実を文章にしてY新聞社に投稿した。Y新聞社の編集人Bは、Aの投稿文がCの名誉を毀損することになることを認識しながら、日刊Y新聞紙上に掲載した。(名誉毀損罪)

(5)　Bは、友人Aと同行中、Aがたまたま通りかかった公園のベンチで眠っているCの上着のポケットから財布を抜き取ろうとしているのを認めながら、Aの行為を制止せず終始傍観していた。(窃盗罪)

学習記録	／	／	／	／	／	／	／	／	／

重要度　A	知識型		正解（4）

(1)　成立しない　　強盗罪（236）は、相手方の反抗を抑圧する程度の暴行・脅迫をもって他人の財物を強取する場合に成立する。本肢の場合、ＡがＣに金品強取の目的で暴行（縄で縛り上げる行為は反抗抑圧程度の暴行といえる。）を加え、Ｃをその場に放置して逃走した後、Ｂがたまたま通りかかりＣから金品を奪い取ったのであるから、Ａ・Ｂ間には強盗罪における実行行為である暴行・脅迫を手段とする金品奪取の点について相互に相手の行為を利用し合い、補充し合おうとする共同実行の意思は認められない。したがって、強盗罪について、Ａ・Ｂ間に共同正犯は成立しない。

(2)　成立しない　　詐欺罪（246）は、人を欺いて錯誤に陥れ、その錯誤に基づく相手方の処分行為によって財物ないし財産上の利益を取得し相手方に財産上の損害を与えることにより成立する。本肢の場合、詐欺犯人のＡから依頼を受け、その妻と称して被害者から金員を受け取っても、Ｂが基本たる詐欺の事実を知らない以上、詐欺罪の実行行為たる「欺いて」財物を「交付」させる点について、Ａ・Ｂ間に相互に相手の行為を利用し合い、補充し合おうとする共同実行の意思は認められない。したがって、詐欺罪について、Ａ・Ｂ間に共同正犯は成立しない（広島高判昭29.4.21）。

(3)　成立しない　　Ｂの傷害行為（204）は、Ａの意思とかかわりなく偶然に行われたにすぎないので、Ａ・Ｂ間には、Ｃを傷害するについての共同実行の意思は認められない。したがって、Ａ・Ｂ間には、傷害罪の共同正犯は成立しない（東京高判昭35.10.4）。なお、Ｃに傷害を負わせたのがＢであることが明らかであるため、同時傷害の特則（207）の適用もない。

(4)　成立する　　新聞紙上に他人の名誉を毀損する文書を投稿しそれが掲載された場合、それを執筆・投稿した者には、新聞紙上を利用し、「公然と事実を摘示して人の名誉を毀損した」ものとして、その事実の有無を問わず、名誉毀損罪（230Ⅰ）が成立する。その投稿文を新聞紙上に掲載した編集人についても同罪の共同正犯が成立するかどうかは、編集人にも他人の名誉を毀損することについて相互に相手の行為を利用し合い、補充し合おうとする共同実行の意思があったかどうかにかかわる。この場合、共同実行の意思は必ずしも行為者相互間に明示的に生じたものである必要はなく、行為者相互間の暗黙の認識でもって足りる（最判昭23.11.30）。そこで新聞紙上に名誉毀損文書を掲載した編集人が、名誉毀損の事実につき情を知らなければ共同正犯とならないが（大判昭13.2.28）、暗黙のうちにでも情を知っていれば共同正犯となる。本肢の場合、編集人ＢはＡの投稿文がＣの名誉を毀損するのを認識しながら新聞紙上に掲載したのであるから、Ａの名誉毀損行為を利用し、補充する意思が認められる。したがって、A・B間に名誉毀損罪の共同正犯（230Ⅰ・60）が成立する。

⑸　成立しない　　Bは同行中のAの窃盗行為（235）を制止せず、終始傍観していただけであるから、Bには、窃盗につき、Aの窃盗行為を積極的に利用し、補充しようという意思は認められない。したがって、A・B間に共同正犯は成立しない。

MEMO

9-6(6-25)　共　犯

次の記述のうち、判例の趣旨に照らし、Aが末尾かっこ内の罪の刑で処断されるものの組合せは、後記(1)から(5)までのうちどれか。

(ア)　ABは、甲方に盗みに入ることを共謀した。Aには窃盗の意図しかなかったが、Bは最初から強盗行為に及ぶつもりであり、そのことはAには秘していた。犯行に際し、Bが屋内に侵入して甲にナイフをつきつけ金員を強取したが、Aは、甲方の玄関先で見張りをしていて、Bの行為を認識していなかった。その後、手に入れた金員を2人で分配した。(強盗)

(イ)　ABは、共謀して、Bのみが業務上占有する金員を両名で着服消費した。(業務上横領)

(ウ)　Aは、甲を殺害する意思をもっていたBから、その真意を打ち明けられて甲殺害のための毒薬の入手方を依頼され、これに応じて毒薬をBに手交したが、Bは、その後、甲の殺害を思いとどまり、その毒薬を廃棄した。(殺人予備)

(エ)　ABCDは、いずれも甲に対して恨みをもっていたが、BCD3名は、甲に対する殺意までは抱いていなかった。甲の殺害を願っていたAは、Bに対して甲を殺害するようにそそのかしたが、これを受けたBは自ら実行せず、Cに対して、甲の殺害をそそのかした。しかし、Cも、Bと同様、自ら実行せずに、Dに対して甲の殺害をそそのかした結果、Dがその決意をして甲を殺害した。(殺人教唆)

(オ)　ABは、甲に対して暴行を加えることを事前に共謀し、両名で甲の部屋に赴き、かねて謀議のとおり、甲が逃走できないようにAが部屋の出入口をふさぎ、Bが甲の顔面を殴打したところ、甲は脳内出血を起こして死亡した。(傷害致死)

(1)　(ア)(イ)(ウ)　(2)　(ア)(ウ)(エ)　(3)　(イ)(ウ)(オ)　(4)　(イ)(エ)(オ)
(5)　(ウ)(エ)(オ)

学習記録	／	／	／	／	／	／	／	／	／

共犯

重要度 A	知識型		正解 (5)

(ア) 処断されない　　共謀にかかわる犯罪事実の内容と、その共謀に基づいて実行された事実との間に食い違いがある場合、それが同一構成要件内の錯誤である場合、共同正犯の故意は阻却されない。異なった構成要件間の錯誤であるときは、責任主義の見地から、原則として故意を阻却するが、それぞれの構成要件が同質的で重なり合う場合には、重なり合う限度で故意を認めることができる（最判昭25.7.11・法定的符合説）。ＡＢの共謀した内容は窃盗罪（235）であるのに対して、実際にＢによって実行された犯罪は強盗罪（236）であり、異なった構成要件間の錯誤であるが、両罪は他人の財物の占有を侵害するという点で共通し、その手段が、強盗罪が暴行・脅迫を手段とする点で異なるにすぎないから、窃盗罪の限度で同質といえ、その限度で重なり合いを認めることができる。したがって、Ａには窃盗罪の共同正犯が成立し、その限度で処断されることになるのであって、強盗罪の共同正犯として処断されるものではない（最判昭23.5.1）。

(イ) 処断されない　　業務上他人の金員を占有する者と業務者でない非占有者が、共同してその金員を費消した場合、判例は、全く身分を有しない非占有者が共犯者として加功したときには、業務者でない非占有者についても、65条１項によりいったん業務上横領罪（253）が成立するが、同条２項により単純横領罪（252）の刑を科すべきとしている（最判昭32.11.19）。この判例に従うと、Ａには、業務上横領罪の共同正犯（253・60）が成立するものの、単純横領罪（252）の刑で処断されることになる。

(ウ) 処断される　　殺人の目的を有する者から毒物の入手を依頼され、その使途を認識しながら毒物を入手して依頼者に手交した者は、殺人が予備に終わったときは、毒物を入手する行為は予備行為そのものであるから、殺人予備罪（201）の責任を負う（最決昭37.11.8）。したがって、Ａは殺人予備罪（201）の刑で処断される。

(エ) 処断される　　教唆犯を教唆することを間接教唆といい、間接教唆者も教唆犯として正犯に準じて処罰される（61Ⅱ）。間接教唆者を更に教唆した場合を再間接教唆というが、これについても、明文の規定はないが、間接教唆（61Ⅱ）と同様、教唆犯として正犯に準じて処罰される（大判大11.3.1）。したがって、Ａは殺人罪の教唆（199・61Ⅱ）で処断される。

(オ) 処断される　　判例は、結果的加重犯の成立要件としては、基本的犯罪と重い結果との間に条件的因果関係が存在すれば足りると解して、結果的加重犯の共同正犯（60）を肯定している（最判昭32.2.26）。ＡＢは基本的犯罪である暴行罪（208）について共謀があるので、致死の結果について認識を欠いている場合でも、その結果的加重犯である傷害致死罪（205）につき共同正犯（60）が成立する（最判昭23.5.8）。したがって、Aは傷害致死罪で処断される。

以上から、Aが末尾かっこ内の罪で処断されるのは(ウ)(エ)(オ)であり、正解は(5)となる。

MEMO

9−7(7−23)　共　犯

次の記述のうち、「教唆犯が成立するためには、正犯の行為が構成要件に該当し、かつ、違法・有責であることを要する。」との説の帰結としての説明として正しいものはどれか。

(1)　心神耗弱者が殺人を犯したが、正当防衛に当たる場合、その殺人をそそのかした者につき、殺人教唆罪の成立を認めることになる。

(2)　医師が病気の子供の開腹手術を行った場合、これを依頼した親について、傷害教唆罪の成立を認めることになる。

(3)　是非弁別能力が十分に認められる13歳の子供が盗みをした場合、これをそそのかした者につき、窃盗教唆罪の成立を認めないことになる。

(4)　心神耗弱者が盗みをした場合、これをそそのかした者につき、窃盗教唆罪の成立を認めないことになる。

(5)　刑事責任能力のある者が実父の金員を盗んだ場合、これをそそのかした者について、窃盗教唆罪の成立を認めないことになる。

学習記録	／	／	／	／	／	／	／	／	／

重要度　C	推論型		正解 (3)

「人を教唆して犯罪を実行させた者」(61Ⅰ) が処罰されるのは、正犯をそそのかして犯罪実行の決意を生じさせ、それによって正犯が犯罪を実行したことに基づく。すなわち、教唆犯は、正犯の成立とは無関係に教唆行為のみの犯罪性によって処罰されるもの (共犯独立性説) ではなく、正犯の実行行為を待って初めて処罰が可能になると解される (共犯従属性説)。そこで、次にどの程度の従属性が必要かが問題となるが、本問の見解は、正犯の行為が構成要件に該当し、かつ違法・有責の場合に教唆犯が成立するとする極端従属性説を採るものである。

(1) 誤　心神耗弱者 (39Ⅱ) が殺人を犯した場合も、その行為は殺人罪 (199) の構成要件に該当する。しかし、正当防衛 (36Ⅰ) に当たる場合、その行為の違法性が阻却される。したがって、本問の見解によれば、これをそそのかした者について、殺人教唆罪 (199・61Ⅰ) の成立は認められないことになる。

(2) 誤　医師の開腹手術も傷害罪 (204) の構成要件に該当する。しかし、治療の目的で、医学上一般に承認されている方法で行われる限り、正当業務行為として違法性が阻却される (35)。したがって、本問の見解によれば、手術を依頼した親には、傷害教唆罪 (204・61Ⅰ) の成立は認められないことになる。

(3) 正　是非弁別能力がある13歳の子供の窃盗行為も、窃盗罪 (235) の構成要件に該当し、違法性が認められる。しかし、法は14歳に満たない者を一律に責任無能力者とする (41) から、13歳の子供には責任が認められない。したがって、本問の見解によれば、これをそそのかした者には窃盗教唆罪 (235・61Ⅰ) の成立は認められないことになる。

(4) 誤　心神耗弱者の窃盗行為は、窃盗罪の構成要件該当性・違法性・責任のいずれも充足する。ただ、その刑が減軽されるにすぎない (39Ⅱ)。したがって、本問の見解によれば、これをそそのかした者には、窃盗教唆罪 (235・61Ⅰ) の成立が認められることになる。

(5) 誤　刑事責任能力のある者が実父の金員を窃取した場合、その行為は窃盗罪の構成要件該当性・違法性・責任のいずれも充足する。ただ、親族間の犯罪に関する特例により処罰阻却事由として刑が免除されるにすぎない (244Ⅰ)。したがって、本問の見解によれば、これをそそのかした者には、窃盗教唆罪 (235・61Ⅰ) の成立が認められることになる。

9−8(10−24)　共　犯

共同正犯に関する次の記述のうち、判例の趣旨に照らし正しいものはどれか。(改)

(1)　自ら実行行為をしていない者については、共同正犯は成立しない。

(2)　公務員の身分を有しない者については、収賄罪の共同正犯は成立しない。

(3)　平成29年刑法改正により削除

(4)　共犯者間に共同実行の意思がない場合については、共同正犯は成立しない。

(5)　過失犯については、共同正犯は成立しない。

共犯

学習記録									
	／	／	／	／	／	／	／	／	／

重要度　A	知識型		正解（4）

共同正犯とは、「二人以上共同して犯罪を実行」することをいう（60）。個人は本来、その自ら犯した罪についてのみ責任を負い、他人の犯した罪については責任を課されないのが原則である（個人責任の原則）。しかし、60条は、共同正犯者は「すべて正犯とする」と規定しており、犯罪を実行するための行為の一部を行えば、現実に生じた犯罪的結果の全部の責任を課されることになる（一部実行全部責任の原則）。

(1)　誤　　判例は、「…共謀に参加した事実が認められる以上、直接実行行為に関与しない者でも、他人の行為をいわば自己の手段として犯罪を行ったという意味において」共同正犯の成立を認める余地があることを認めている（最大判昭33.5.28）。このような判例の趣旨に照らせば、自ら実行行為をしていない者であっても、共同正犯の成立する余地がある。

(2)　誤　　収賄罪（197以下）は、行為者が公務員という身分の存在により初めて犯罪が構成される真正身分犯（65Ⅰ）である。そして、65条1項の「共犯」には、教唆犯や幇助犯という狭義の共犯だけでなく、共同正犯も含むというのが判例である（大判昭9.11.20）。この判例の趣旨に照らせば、非身分者は、自ら実行行為ができないとしても、身分者である公務員とともに行為することにより、賄賂罪（197以下）の保護法益を侵害することができる（実質的共犯論）ことから、公務員の身分を有しない者について収賄罪の共同正犯は成立し得る（65Ⅰ・197・60）。

(3)　平成29年刑法改正により削除

(4)　正　　共同実行の意思は、共同行為者のそれぞれについて、相互的に存在する必要があるか、一方的に認められれば足りる（片面的共同正犯）かという問題につき、判例は片面的共同正犯を否定している（大判大11.2.25）。共同正犯において、一部実行全部責任の原則（60）が認められる根拠は、共同者各自が相互に他人の行為を利用し補充し合って構成要件的事実を実現することにある。つまり、自ら直接実行していない部分についても、規範的にみて自ら実行しているものと評価できるのである。そして、そのように規範的に評価するためには、各共同者は、それぞれ相手方の行為を補充し、また相手方の行為によって補充されることの認識（「共同実行の意思」）が必要である。

(5)　誤　　最高裁は、共同して飲食店を経営していたXとYが、ウイスキーと称する液体をメタノールを含んでいるか否かを十分注意せず販売した事案につき、過失によるメタノール含有飲料販売の罪の共同正犯の成立を認めた（最判昭 28.1.23)。この判例の趣旨に照らせば、本肢のように過失犯について共同正犯は成立しないと断定することはできない。単に危険な行為を共同で行っているというだけでなく、構成要件的結果発生の危険が予想される状態の下で、事故防止の具体的対策を行うについての相互利用・補充という関係に立ちつつ、結果回避のための共同の注意義務があると評価できる場合には、その義務に違反する行為が過失であり、このような過失行為を共同することは十分可能であるとして過失犯についても共同正犯を認めることができる。

MEMO

9−9(11−23)　共　犯

予備罪の共同正犯に関する次の記述中の（　ア　）から（　カ　）までに当てはまる用語の組合せとして正しいものは、後記(1)から(5)までのうちどれか。

刑法第43条本文は「犯罪の実行に着手してこれを遂げなかった者は、その刑を減軽することができる。」と規定し、同法第60条は「二人以上共同して犯罪を実行した者は、すべて正犯とする。」と規定しています。これらの条文に規定された「実行」という概念を同一に理解する立場においては、「実行」は、（　ア　）の段階で初めて問題となることから、（　ア　）の前段階である（　イ　）に関して「実行」が問題となる余地はなく、したがって、殺人予備罪に関し共同正犯が（　ウ　）ことになります。これに対し、未遂犯成立のための実行行為概念は（　エ　）を確定するための概念であり、共犯成立の前提となる実行行為概念は（　オ　）を確定するための概念であるとして、両者の「実行」概念の（　カ　）を認めた上で、予備罪についても、構成要件の修正形式としての実行行為を観念することができるとする立場があります。

	(ア)	(イ)	(ウ)	(エ)	(オ)	(カ)
(1)	未遂	予備	成立する余地はない	処罰範囲	処罰時期	絶対性
(2)	既遂	未遂	成立する場合がある	処罰時期	処罰範囲	相対性
(3)	未遂	予備	成立する場合がある	処罰範囲	処罰時期	相対性
(4)	既遂	未遂	成立する余地はない	処罰時期	処罰範囲	絶対性
(5)	未遂	予備	成立する余地はない	処罰時期	処罰範囲	相対性

学習記録	／	／	／	／	／	／	／	／	／

重要度　C	推論型		正解（5）

43 条本文及び 60 条には、ともに「実行」という文言が使われている。この「実行」をどのように解するかについては、争いがある。まず、43 条本文及び 60 条の「実行」という概念を同一に理解する立場は、43 条本文の「実行」を既遂犯が成立するための「実行行為」と解し、犯罪の実行に着手して（すなわち「実行行為」を行って）これを遂げなかった場合が(ア)「未遂」であって、この「実行行為」を行う前段階の準備行為にすぎない場合が(イ)「予備」となるとする。すなわち、「実行行為」の有無が未遂と予備とを分けることになる。そして、60 条の「実行」もまた 43 条本文と同様に既遂犯が成立するための「実行行為」と解するので、この「実行行為」を行う前段階である準備行為を二人以上の者が共同して行っても 60 条に該当せず、予備の共同正犯が(ウ)「成立する余地はない」ことになる。この立場は、恣意的な処罰を防止するためには刑罰法規の解釈も形式的に行うべきであり、同じ文言が使われているときは同一の意味に解釈すべきである、という考え方に基づいている。

```
┌「実行」なし：予備行為を行ったにすぎない場合……………予備
│
│            ┌実行行為から結果が発生しなかった場合……未遂
└「実行」あり┤
             └実行行為から結果が発生した場合……………既遂
```

これに対して、43 条本文及び 60 条の「実行」を同一に解釈したからといって妥当な処罰範囲を導けるわけではないし、また、刑法典上、同一の文言が使われていても、必ずしも同一の意味に解釈されているわけではないことから（例えば「業務」「暴行」「傷害」「遺棄」）、43 条本文の「実行」と 60 条の「実行」とは同一に理解する必要はないとする見解が対立する。この立場は、43 条本文の「犯罪の実行に着手して…」という場合の「実行」は、いかなる時点で未遂として処罰するか、すなわち(エ)「処罰時期」を確定するための概念であるのに対し、60 条の「二人以上共同して犯罪を実行…」という場合の「実行」は、どこまでの範囲で共同正犯を認めるか（例えば、殺人罪と傷害致死罪の共同正犯を認めるか否か）、すなわち、(オ)「処罰範囲」を確定するための概念であるとする。この立場からは、43 条本文の「実行」と 60 条の「実行」とは異なる概念であって、その(カ)「相対性」を認めることになるので、43 条本文の「実行」の前段階である予備であっても、60 条においては、予備罪という犯罪を「二人以上共同して…実行」することができるのであり、予備罪の「実行行為」を観念することができるので、予備に関しても共同正犯を認めることができることになる。なお、判例（最決昭 37.11.8）も、殺人予備罪（201）の共同正犯を肯定している。

以上から、順に、(ア)未遂、(イ)予備、(ウ)成立する余地はない、(エ)処罰時期、(オ)処罰範囲、(カ)相対性が入り、正解は(5)となる。

9−10(12−23)　共　犯

過失犯の共同正犯の成否に関する次の(1)から(5)までの記述のうち、明らかに誤っているものはどれか。

(1) 共犯の本質は、犯罪を実行し、又はこれに加功するという犯罪的意思の共同に存するから、犯罪的結果発生についての無意識を本質とする過失犯については、共同正犯の成立を認める余地はない。

(2) 共犯とは、自己の犯罪遂行の方法的類型にすぎないから、行為・因果関係の共同が存する限り、過失による共同正犯を認めることができる。

(3) 共犯の本質は犯罪を共同にすることであると解しても、過失犯についても客観的注意義務に反した危険な行為という実行行為が存する以上は、これを共同にする意思と事実が認められる場合には、過失犯の共同正犯を肯定することができる。

(4) 結果発生の危険が予想される状態の下で、事故防止の具体的対策を講ずるについての相互利用・補充という関係に立ちつつ、結果回避のための共通の注意義務を負う者に共同作業上の落ち度が認められる場合に、初めて過失犯の共同正犯を肯定することができる。

(5) 過失犯の構造に関し、結果を認識し、又は予見しなかった心理状態に過失の実体があると解すると、過失犯の共同正犯は肯定しやすいが、過失犯の客観的な行為態様そのものに着目する見解に立つと、過失犯の共同正犯は否定しやすい。

学習記録	／	／	／	／	／	／	／	／	／

重要度　A	知識型		正解（5）

(1)　明らかに誤っているとはいえない　　共犯の本質は、犯罪を実行し、又はこれに加功するという犯罪的意思の共同に存する、と考える立場（犯罪共同説）に立つと、過失の共同正犯の肯否は、過失犯の本質をどのように理解するかによってその結論が異なる。そして、過失犯の本質はその無意識的部分にあるという点を強調すると、そのような無意識的部分を共同して実行することはあり得ないから、過失犯の共同正犯を認めることはできないことになる。

(2)　明らかに誤っているとはいえない　　共犯を自己の犯罪遂行の方法的類型にすぎないとみれば、共同正犯の成立には自然的行為の共同があれば足り（行為共同説）、行為・因果関係といった事実を共同している限り、過失による共同正犯を認めることができる。

(3)　明らかに誤っているとはいえない　　犯罪共同説によっても、過失犯にも客観的注意義務違反行為（過失行為）という実行行為があることを強調すれば、そのような過失行為を共同することは十分可能であるから、過失犯の共同正犯を肯定することができる（最判昭28.1.23、名古屋高判昭61.9.30）。

(4)　明らかに誤っているとはいえない　　過失犯の共同正犯を認める実益は、結果と個々の過失との間の因果関係が不明であるという場合に、行為者全員に対し発生した結果全部につき帰責し得るという点にある（60）。しかし、これは同時に処罰範囲の拡大をもたらすので、単に危険な作業を共同でしているというだけでは足りず、本肢のような場合に限定して過失犯の共同正犯を認めようとするのが、肯定説の傾向である（東京地判平4.1.23）。

(5)　明らかに誤っている　　過失犯の構造に関し、結果を認識し、又は予見しなかった心理状態に過失の実体があると解すると、このような無意識部分を共同して実行することはあり得ないから、過失犯の共同正犯は否定しやすい（(1)の解説参照）。これに対して、過失犯の客観的な行為態様そのものに着目する見解に立つと、このような過失行為を共同することは十分可能であるから、過失犯の共同正犯は肯定しやすい（(3)の解説参照）。本肢は、過失犯の共同正犯の成否についての結論が逆転している。

9−11(14−23)　共　犯

教唆犯に関する次の(ア)から(オ)までの記述のうち、誤ったものの組合せは、後記(1)から(5)までのうちどれか。

(ア) 教唆犯は、自らは実行行為をせず犯罪実行者の背後にあって他人の犯罪に加功するにすぎない点で幇助犯と共通の性質を有するが、犯罪の決意を実行者に生じさせる点で幇助犯と異なる。

(イ) 教唆犯は、自らは実行行為を行わない点で共謀共同正犯の共謀者と類似しているが、犯罪の実行を実行者の意思にゆだねるものであって共同犯行の意識を欠く点で共謀共同正犯と異なる。

(ウ) 教唆者を教唆することを間接教唆といい、間接教唆者を教唆することを再間接教唆又は順次教唆という。間接教唆も再間接教唆も、処罰されない。

(エ) 当初から未遂に終わらせることを意図しながら教唆行為を行った場合を未遂の教唆という。教唆の故意は、被教唆者に特定の犯罪を実行する決意を生じさせる意思であると考えると、未遂の教唆については、教唆犯は成立しない。

(オ) 既に特定の犯罪を実行することを決意している者に対し、これを知らずに、当該犯罪を実行するよう働き掛けた場合には、教唆犯は成立しない。

(1)　(ア)(ウ)　　(2)　(ア)(オ)　　(3)　(イ)(エ)　　(4)　(イ)(オ)　　(5)　(ウ)(エ)

学習記録	/	/	/	/	/	/	/	/	/

重要度　A	知識型		正解（5）

(ア)　正　　教唆犯とは、人を教唆して犯罪を実行させた者をいい（61Ⅰ）、幇助犯とは、正犯を幇助した者をいう（62Ⅰ）。また、教唆とは、人に犯罪実行の決意を生じさせることをいい、幇助とは、実行行為以外の行為をもって正犯の実行行為を容易にするものをいう。したがって、いずれも、自らは実行行為をせず正犯に加功するにすぎない点は共通する。しかし、教唆犯は、犯罪の決意を実行者に生じさせる点で、既に犯罪の決意をしている者に対して、その決意を強めるなどにより、実行行為を容易にする幇助犯とは異なる。

(イ)　正　　共謀共同正犯とは、二人以上の者が共謀の上、その中の一人に実行させたときは、全員が共同正犯になる場合をいう（最大判昭33.5.28等）。したがって、教唆犯も共謀共同正犯の共謀者も、自らは実行行為を行わない点で類似している。しかし、共謀とは、数人相互の間に共同犯行の認識があることをいい、単に他人の犯行を認識しているだけでは足りない（最判昭24.2.8）。したがって、犯罪の実行を実行者の意思に委ねる教唆犯は、共同犯行の認識を欠く点で、これを要求される共謀共同正犯とは異なる。

(ウ)　誤　　教唆者を教唆することを間接教唆といい、間接教唆者を教唆することを再間接教唆又は順次教唆という。間接教唆は、教唆と同様に処罰される（61Ⅱ）。また、間接教唆者も61条2項の「教唆者」であるから、再間接教唆も、教唆と同様に処罰される（61Ⅱ）。

(エ)　誤　　未遂の教唆とは、例えば、刑事が初めから逮捕の目的で人に犯罪を教唆し実行を始めたところを直ちに逮捕するという場合などのように、当初から未遂に終わらせることを意図しながら教唆行為を行った場合をいう。未遂の教唆について教唆犯が成立するか否かは、教唆の故意をどのように考えるかによって結論が異なる。そして、教唆の故意を「被教唆者に特定の犯罪を実行する決意を生じさせる意思」で足り、かつ、十分であると考えるならば、未遂の教唆についても、教唆者は当該意思を有している以上、教唆犯が成立することになる（麻薬取締法の事犯につき最決昭28.3.5）。なお、教唆の故意として「正犯の構成要件的結果の発生についての認識」を要すると考えるならば、未遂の教唆については、教唆犯は成立せず、不可罰となる。

(オ)　正　　教唆とは、人に犯罪実行の決意を生じさせることをいうから、既に特定の犯罪を実行することを決意している者に対し、当該犯罪を実行するよう働き掛ける行為は、幇助行為であって、教唆行為に該当しない。したがって、正犯者が特定の犯罪の実行を決意しているにもかかわらず、これを知らずに、教唆の故意を持っていたとしても、幇助犯が成立するにすぎず、教唆犯は成立しない（38Ⅱ参照）。

以上から、誤っているものは(ウ)(エ)であり、正解は(5)となる。

9−12(16−26)　共　犯

共犯に関する次の(ア)から(オ)までの記述のうち、判例の趣旨に照らし誤っているものの組合せは、後記(1)から(5)までのうちどれか。

(ア)　AがBに対して甲宅に侵入して絵画を盗んでくるよう教唆したところ、Bは、甲宅に侵入したが、絵画を見付けることができなかったため、現金を盗んだ。Aには、住居侵入・窃盗罪の教唆犯が成立する。

(イ)　AがBに対して甲宅に侵入して金品を盗んでくるよう教唆したところ、Bは、誤って乙宅を甲宅と思って侵入し、金品を盗んだ。Aには、住居侵入・窃盗罪の教唆犯が成立する。

(ウ)　AがBに対して甲宅に侵入して金品を盗んでくるよう教唆したところ、Bは、甲宅に人がいたので、甲宅に侵入することをあきらめたが、その後、金品を盗もうと新たに思い付き、乙宅に侵入して金品を盗んだ。Aには、住居侵入・窃盗罪の教唆犯が成立する。

(エ)　AがBに対して甲宅に侵入して金品を盗んでくるよう教唆したところ、Bは、甲宅に侵入して金品を物色したが、その最中に甲に発見されたので、甲に刃物を突き付けて甲から金品を強取した。Aには、住居侵入・強盗罪の教唆犯が成立する。

(オ)　AがBに対して甲宅に侵入して金品を強取するよう教唆したところ、Bは、甲宅に侵入して甲を殴って金品を強取したが、甲は、殴られた際に倒れて頭を打ち、死亡した。Aには、住居侵入・強盗致死罪の教唆犯が成立する。

(1)　(ア)(イ)　(2)　(ア)(エ)　(3)　(イ)(オ)　(4)　(ウ)(エ)　(5)　(ウ)(オ)

学習記録	／	／	／	／	／	／	／	／	／

重要度　A	知識型		正解（4）

教唆犯とは、人を教唆して犯罪を実行させた者（61Ⅰ）であり、教唆犯が成立するためには、①他人に犯罪の決意を生じさせる故意的教唆行為と、②それによって正犯者が犯罪の実行に出たことの二つの要件が必要とされる。

そして、正犯者が実行した犯罪事実と、他の共同正犯者又は教唆者・幇助者の認識していた犯罪事実とが異なる場合を共犯の錯誤（共犯の錯誤のうち、正犯者が教唆者等の認識以上の実行行為をした場合を特に共犯の過剰という。）という。

共犯の錯誤において、異なる構成要件間の錯誤である場合には犯罪は成立しない。構成要件が同質的で重なり合うときに、その重なり合う限度で共同正犯、又は教唆犯・幇助犯が成立することになる。

(ア)　正　　AはBに対して甲宅に侵入して絵画を盗んでくるように教唆しており、Bは甲宅に侵入していることから、Aには住居侵入罪（130前段）の教唆犯が成立する。更に、Bは絵画を見つけることができなかったため現金を盗んでいることから、具体的事実の錯誤が問題となるが、判例の立つ法定的符合説によれば「他人の財物（絵画）を窃取しようとして、他人の財物（現金）を窃取」しており、窃盗の故意は阻却されないことから、Aには窃盗罪（235）の教唆犯が成立する。したがって、Aには、住居侵入・窃盗罪の教唆犯が成立する。

(イ)　正　　AはBに対して甲宅に侵入して金品を盗んでくるように教唆したところ、Bは乙宅を甲宅だと思って侵入し、金品を盗んでいることから、具体的事実の錯誤が問題となる。この点、判例の立つ法定的符合説によれば、「人の住居に侵入し、他人の財物を窃取」していることに変わりはないから、住居侵入・窃盗の故意は阻却されない。したがって、Aには、住居侵入・窃盗罪の教唆犯が成立する。

(ウ)　誤　　AはBに対して甲宅に侵入して金品を盗んでくるように教唆したところ、Bは甲宅に人がいたので甲宅への侵入をあきらめ、その後、金品を盗もうと新たに思い付き、乙宅に侵入して金品を盗んでいる。そこでBの乙宅への住居侵入・窃盗罪につき、Aが教唆犯の罪責を負うか否かが問題となるが、Bは「新たに」思い付き、「乙宅に」侵入・窃盗をしているので、Bの犯罪はAが決意させたものとはいえず、Aの行為は教唆行為とはいえない。したがって、Aには、住居侵入・窃盗罪の教唆犯は成立しない。

(エ)　誤　　AはBに対して甲宅に侵入して金品を盗んでくるように教唆しており、Bは甲宅に侵入していることから、Aには住居侵入罪（130前段）の教唆犯が成立する。更に、甲に発見されたので刃物を突き付けて甲から金品を強取していることからBには強盗罪（236）が成立するが、Aにはいかなる罪の教唆犯が成立するか、共犯の過剰が問題となる。判例は、窃盗を教唆したところ、被教唆者が強盗をした場合には、教唆者には軽い窃盗罪（235）の範囲において教唆犯が成立する（最判昭25.7.11）としている。したがって、Aには、住居侵入罪のほか、強盗罪ではなく窃盗罪の教唆犯が成立する。

㈿　正　　AはBに対して甲宅に侵入して金品を強取するように教唆しており、Bは甲宅に侵入していることから、Aには住居侵入罪（130前段）の教唆犯が成立する。更に、Bは甲を殴って金品を強取しており、甲は殴られた際に倒れて頭を打ち死亡していることから、Aが強盗罪（236Ⅰ）の結果的加重犯である強盗致死罪（240）の教唆犯としての罪責を負うか否かが問題となるが、判例は、結果的加重犯の教唆犯を肯定している（傷害致死罪につき大判大13.4.29）。したがって、Aには、住居侵入・強盗致死罪の教唆犯が成立する。

以上から、誤っているものは㈷㈸であり、正解は⑷となる。

共
犯

MEMO

9-13(19-25)　共　犯

次の事例における共犯の成否に関する次の(ア)から(オ)までの記述のうち、判例の趣旨に照らし正しいものの組合せは、後記(1)から(5)までのうちどれか。

【事例】
Aは、強盗を企て、B及びCとともに、「ABCの3人で宝石店に赴き、AとBとがその店の前で見張りをしている間に、CがAの用意した拳銃で店員を脅して宝石を強取する。分け前は山分けする。」という計画を立てた。計画に従い、Aは、拳銃を用意してこれをCに手渡し、A、B及びCは、宝石店に向けて車で出発することとなった。

(ア)　出発直前、Bは、急に怖くなって「おれはやめる」と言い出し、A及びCが仕方なくこれを了承したため、Bは、その場から立ち去ったが、A及びCは、そのまま強盗を実行した。この場合、Bは、強盗の共犯の罪責を負わない。

(イ)　出発直前、Aは、急に怖くなって「おれはやめる」と言い出し、B及びCが仕方なくこれを了承したため、Aは、その場から立ち去ったが、拳銃を残していったので、B及びCは、そのままAの用意した拳銃を用いて強盗を実行した。この場合、Aは、強盗の共犯の罪責を負わない。

(ウ)　Cは、宝石店付近で車を降りて宝石店に入り、宝石を強取する目的で拳銃で店員を脅し始めたが、A及びBは、車から降りるのが遅れ、Cが店員に拳銃を向けた時点では、いまだ宝石店の前に到着しておらず、見張りもしていなかった。この場合、Cが店員に拳銃を向けた時点では、A及びBは、強盗未遂の共犯の罪責を負わない。

(エ)　Cは、宝石店で、拳銃で店員を脅して宝石を強取したが、逮捕されないようにするためには、いっそ店員を殺害した方が良いと決意し、拳銃を発射して店員を殺害した。この場合、A、B及びCには、強盗殺人の共同正犯が成立する。

(オ)　Cは、宝石店で、拳銃で店員を脅して宝石を強取したが、拳銃を向けられた店員は、動転のあまり、あわてて後ずさりしたため仰向けに転倒し、全治1か月の頭部外傷を負った。この場合、A、B及びCには、強盗致傷の共同正犯が成立する。

(1)　(ア)(イ)　(2)　(ア)(オ)　(3)　(イ)(ウ)　(4)　(ウ)(エ)　(5)　(エ)(オ)

学習記録	/	/	/	/	/	/	/	/	/

重要度　A	知識型		正解（2）

(ア)　正　　実行の着手前に共犯関係からの離脱が認められるためには、①離脱者が他の行為者に離脱の意思を表明し、②他の者がそれを承諾すればよい。実行の着手前の共犯関係からの離脱に関する判例として、東京高判昭25.9.14は、「他の共謀者にもこれが実行を中止する旨を明示して他の共謀者がこれを諒承し、同人等だけの共謀に基づき犯罪を実行した場合には前の共謀は全くこれなかりしと同一に評価すべきものである」とした。このような判例の趣旨からすると、本件では、A、B及びCは強盗の共謀をしたものの、出発直前、すなわち実行の着手前に、Bは「おれはやめる」と言い出し、共犯者A及びCがこれを了承しているから、上記①②の要件を満たし、共犯関係の離脱が認められる。したがって、Bは強盗の共犯の罪責を負わない。

(イ)　誤　　共犯からの離脱が認められるためには、共同行為者間の相互利用補充関係が解消されることが必要であり、実行の着手前であれば、原則として、①離脱者の意思の表明及び②他の行為者の了承があれば、離脱が認められる。ただし、③離脱者が関与に際して、情報や道具などを用意していた場合には、単に離脱を表明したのみでは相互利用補充関係が解消されたとはいえず、道具を返してもらうなどまでする必要がある。この点、本肢では、Aは「おれはやめる」と離脱の意思を表明し、これに対して、B及びCが了承しているものの、B及びCがAの用意した拳銃を用いて実行に及んでいることから、上記③の要件を満たさず相互利用補充関係が解消されたとはいえない。したがって、Aは共犯関係から離脱せず、強盗の共犯の罪責を負う。

(ウ)　誤　　二人以上の者が一定の犯罪を実現することを共謀し、共謀した者の一部がその犯罪を実行した場合には、実行行為に関与しなかった者も含め、共謀者全員について共同正犯が成立する共犯形態を共謀共同正犯という。共謀共同正犯が成立するためには、①二人以上の者が相互に他人の行為を利用して各人の意思を実行に移す謀議をし、②共同して犯罪を実行する意思の下に、③共謀者のある者がその犯罪を実行することが必要である。判例も、「共謀共同正犯が成立するには、二人以上の者が、特定の犯罪を行うため、共同意思の下に一体となって互いに他人の行為を利用し、各自の意思を実行に移すことを内容とする謀議をし、よって犯罪を実行した事実が認められなければならない。」とした（最判昭33.5.28）。本肢では、事前に強盗の共謀があるので上記①及び②の要件を満たす。そして、Cは店員に拳銃を向けているので、③の要件も満たす。したがって、共謀共同正犯が成立するので、A及びBは、未だ宝石店の前に到着しておらず、見張りもしていないが、強盗未遂の共犯の罪責を負う。

(エ)　誤　　共謀の内容と、その共謀に基づいて行われた犯罪事実が不一致である問題を共同正犯の錯誤という。そして異なった構成要件間の錯誤（抽象的事実の錯誤）の場合、構成要件が重なり合う限度で軽い罪につき共同正犯が成立する。共犯と錯誤に関して判例は、暴行の共謀をした共犯者のうち一部の共犯者が殺意をもって被害者を殺害した場合に、「殺人罪の共同正犯と傷害致死罪の共同正犯の構成要件が重なり合う限度で軽い傷害致死罪の共同正犯が成立する。」とした（最判昭 54.4.13）。本肢では、Cは逮捕されないようにするためにはいっそ店員を殺害した方がよいと決意し、拳銃を発射して店員を殺害しているが、この場合、共謀した強盗の行為しか行わなかったA、Bは、殺人について責任を負わず、強盗殺人の共同正犯は成立しない。

(オ)　正　　基本犯を共同して行い、共同者の一部が加重結果を発生させた場合、基本犯について共犯関係が認められる以上、加重結果の発生について共同の注意義務違反が認められるから、結果的加重犯の共同正犯が認められる。判例は、「強盗を共謀した場合に共同者の一人が強盗致傷罪を犯したときは、共同者全員について強盗致傷罪の共同正犯が成立する。」としている（最判昭 22.11.5）。本肢では、A、B及びCは強盗を共謀したが、Cが拳銃を向けた店員が動転のあまり、あわてて後ずさりしたため仰向けに転倒し、全治1か月の頭部外傷を負っている。したがって、A、B及びCには、強盗致傷の共同正犯が成立する。なお、本肢のように強盗の機会に他人に傷害を与えた場合にも、強盗致傷罪は成立する。

以上から、正しいものは(ア)(オ)であり、正解は(2)となる。

MEMO

9−14(22−24)　共　犯

刑法における共犯に関する次の(ア)から(オ)までの記述のうち、判例の趣旨に照らし正しいものの組合せは、後記(1)から(5)までのうちどれか。

(ア)　Aは、BがCに対して暴行を加えるのを手助けする意思で、Bに凶器の鉄パイプを貸したところ、Bは、殺意をもって、その鉄パイプでCを撲殺した。この場合、Aには、殺人罪の幇助犯が成立する。

(イ)　公務員でないAは、情を知らない公務員Bに内容虚偽の申告をし、Bをして、その職務に関し、内容虚偽の証明書を作成させた。この場合、Aには、虚偽公文書作成罪が成立する。

(ウ)　Aは、生活費欲しさから、中学1年生の息子Bに包丁を渡して強盗をしてくるよう指示したところ、Bは、嫌がることなくその指示に従って強盗することを決意し、コンビニエンスストアの店員にその包丁を突き付けた上、自己の判断でその場にあったハンマーで同人を殴打するなどしてその反抗を抑圧して現金を奪い、Aに全額を渡した。この場合、Aには、強盗罪の共同正犯が成立する。

(エ)　Aは、Bとの間で、Cを脅して現金を強奪する計画を立て、その計画どおりBと一緒にCをピストルで脅したところ、Cがおびえているのを哀れに思い、現金を奪うことを思いとどまり、その場にいたBに何も言わず立ち去ったが、Bは、引き続き現金を奪い取った。この場合、Aには、強盗（既遂）罪の共同正犯が成立する。

(オ)　Aは、Bが留守宅に盗みに入ろうとしていることを知り、Bが現金を盗み出している間に、Bが知らないまま外で見張りをしていた。この場合、Aには、窃盗の共同正犯が成立する。

(1)　(ア)(イ)　　(2)　(ア)(ウ)　　(3)　(イ)(オ)　　(4)　(ウ)(エ)　　(5)　(エ)(オ)

学習記録	／	／	／	／	／	／	／	／	／

重要度　A	知識型		正解（4）

(ア) 誤　　正犯が共犯の故意よりも重い犯罪を実行した場合（共犯の過剰）、共犯には共犯の故意と正犯の犯した犯罪の構成要件が実質的に重なり合う範囲で軽い犯罪の共犯が成立する（最判昭25.10.10）。本問においては、ＡはＢの暴行を幇助する意思で凶器を貸したにすぎないことから、Ｂが殺人を実行しても、Ａには殺人罪の幇助犯は成立せず、傷害致死罪（205）の幇助犯が成立する。

(イ) 誤　　公務員でない者が情を知らない公務員に対し内容虚偽の申告をして、内容虚偽の公文書を作成させた場合、虚偽公文書作成罪は成立しない（最判昭27.12.25）。なぜなら、虚偽の申告に基づく虚偽公文書作成罪の間接正犯形態は、公正証書原本不実記載罪（157）が成立する範囲で限定的に処罰されるにすぎず、これとは別に虚偽公文書作成罪によって処罰する趣旨ではないと解されるからである。

(ウ) 正　　まず、親Ａは刑事未成年者である息子Ｂに強盗を指示し実行させているものの、Ｂは指示に嫌がることなく自己の判断で強盗を実行していることから、ＡがＢの意思を抑圧しているものとはいえず、Ａに強盗罪（236Ⅰ）の間接正犯は成立しない。また、Ａは生活費欲しさから包丁を与えた上でＢに強盗を指示し、Ｂが奪った現金をすべて受け取っていることから、Ａには正犯性が認められ、教唆犯（61Ⅰ）ではなく共同正犯（60）が成立する（最決平13.10.25）。

(エ) 正　　本問ではＡについて共犯からの離脱が認められれば、Ａは離脱後に生じた結果について責任を負わないことになる。実行の着手後に共犯からの離脱が認められるためには、単に離脱の意思を表明し、その了承を他の共犯者から得るだけでは足りず、積極的な結果防止措置が必要である（最決平1.6.26）。本問のＡはＢに何も言わずに立ち去ったにすぎず、積極的な防止措置があるとはいえないことから、Ａに共犯からの離脱は認められない。したがって、Ａには、強盗既遂罪（236）の共同正犯が成立する。

(オ) 誤　　共同正犯の成立には、主観的要件として共犯間に共同実行の意思の連絡を要し、共同実行の意思が共犯の一方にのみ存在する片面的共同正犯は成立しない（大判大11.2.25）。したがって、Ｂが現金を盗み出している間に、Ｂが知らないままＡが外で見張りをしていた場合、Ａには窃盗罪（235）の共同正犯は成立しない。なお、従犯のみが幇助の意思を有する片面的従犯は成立し得る（大判大14.1.22）。

以上から、正しいものは(ウ)(エ)であり、正解は(4)となる。

9−15(26−24)　共　犯

刑法における共犯に関する次の(ア)から(オ)までの記述のうち、判例の趣旨に照らし正しいものの組合せは、後記(1)から(5)までのうち、どれか。

(ア)　Aは、知人Bとの間で、飲食店の店員に暴行を加えて現金を強奪することを計画し、Aが凶器を準備し、Bが実行役となって強盗をすることについて合意した。ところが、Bは、一人で実行するのが不安になり、Aに相談しないまま、Cに協力を持ち掛け、BとCとが一緒になって強盗をすることについて合意した。犯行当日、Bは、Cと二人で飲食店に押し入り、店員に暴行を加えて現金20万円を奪い取った。この場合、Aには、Cとの間でも強盗罪の共謀共同正犯が成立する。

(イ)　AとBは、Cに対し、それぞれ金属バットを用いて暴行を加えた。その際、Aは、Cを殺害するつもりはなかったが、Bは、Cを殺害するつもりで暴行を加えた。その結果、Cが死亡した場合、殺意がなかったAには、Bとの間で殺人罪の共同正犯が成立するが、傷害致死罪の刑の限度で処断される。

(ウ)　AとBは、態度が気に入らないCを痛め付けようと考え、それぞれ素手でCの顔面や腹部を殴り続けていたが、Aは、途中で暴行をやめ、暴行を続けていたBに「俺はもう帰るから。」とだけ言い残してその場を離れた。Bは、その後もCを殴り続けたところ、間もなくCは死亡した。Cの死亡の原因がAの暴行によるものかBの暴行によるものか不明であった場合、Aには、Bとの間で傷害罪の共同正犯が成立し、傷害致死罪の共同正犯は成立しない。

(エ)　顧客から委託を受けて現金1,000万円を業務上占有していた銀行員Aは、業務とは無関係の知人Bと相談し、当該現金を横領しようと考え、Bに当該現金を手渡して横領し、その後、当該現金を二人で折半して費消した。この場合、Bには、業務上横領罪の共同正犯が成立し、刑法第65条第2項により単純横領罪の刑が科される。

(オ)　Aは、Bから「友人Cが、多数の者を相手にわいせつ動画を見せるので、わいせつ動画が録画されたＤＶＤディスクを貸してほしい。」と依頼され、わいせつ動画が録画されたＤＶＤディスク１枚をBに貸与した。その結果、Bは、同ディスクをCに貸与し、Cがこれを上映して、多数の者にわいせつ動画を観覧させた。この場合、Aには、わいせつ図画公然陳列幇助罪は成立しない。

共
犯

(参考)
刑法
第65条　犯人の身分によって構成すべき犯罪行為に加功したときは、身分のない者であっても、共犯とする。
2　身分によって特に刑の軽重があるときは、身分のない者には通常の刑を科する。

(1)　(ア)(イ)　(2)　(ア)(エ)　(3)　(イ)(オ)　(4)　(ウ)(エ)　(5)　(ウ)(オ)

学習記録	／	／	／	／	／	／	／	／	／

MEMO

重要度　A	知識型		正解（2）

(ア) 正　　共謀共同正犯とは、二人以上の者が一定の犯罪を実現することを共謀し、共謀した者の一部の者がその犯罪を実行した場合には、実行行為に関与しなかった者も含め、共謀者全員について共同正犯が成立することをいう。この点、判例は、二人以上の者が、特定の犯罪を行うため、共同意思の下に一体となって互いに他人の行為を利用し、各自の意思を実行に移すことを内容とする謀議をなし、よって犯罪を実行した事実が認められれば、共謀共同正犯が成立するとしている（最大判昭 33.5.28）。また、数人の共謀が順次に行われた場合でも、全ての者に共謀の成立が認められる（同判例）。本肢において、A及びBの共謀と、B及びCの共謀は順次に行われているが、この場合でもすべての者に共謀の成立が認められ、B及びCが強盗の実行行為を行っているので、共謀者全員に強盗罪の共謀共同正犯が成立する。したがって、Aには強盗罪の共謀共同正犯（236・60）が成立する。

(イ) 誤　　暴行を共謀した者のうち一人が殺意をもって被害者を殺害した場合、殺意がなかった者については、殺人罪の共同正犯と傷害致死罪の共同正犯の構成要件が重なり合う限度で軽い傷害致死罪の共同正犯が成立する（最決昭 54.4.13）。本肢においては、暴行を共謀したAとBのうち、Bのみが殺意をもって、Cを死亡させており、殺意がなかったAには、構成要件が重なり合う限度で軽い傷害致死罪の共同正犯（205・60）が成立する。

(ウ) 誤　　実行に着手した後に共犯関係からの離脱が認められるためには、①共謀者の一人が他の共謀者に対し離脱の意思を表明し、②残余の共謀者がこれを了承したことに加え、③積極的な結果防止行為によって他の共犯者の実行行為を阻止して、当初の共謀に基づく実行行為が行われることがないようにすることを要する（最判平 1.6.26）。本肢において、Aは、Bに「俺はもう帰るから。」とだけ言い残してその場を離れただけであり、Bのその後の暴行を阻止する積極的な行為をしておらず、共犯関係からの離脱は認められない。したがって、Aには傷害致死罪の共同正犯（205・60）が成立する。

(エ) 正　　業務者と非業務者とが横領罪を共同して実行したという事案について非業務者には 65 条１項により業務上横領罪(253)の共同正犯が成立するが、65 条２項により通常の横領罪（252 Ⅰ）の刑が科される（最判昭 32.11.19)。本肢においては、非業務者Bは業務上占有者であるAと共同して横領行為を行っており、非業務者Bには、65 条１項により業務上横領罪が成立し、65 条２項により単純横領罪の刑が科される。

(オ) 誤　　幇助犯を幇助した者（いわゆる間接幇助犯）が処罰の対象となるか

否かについては、直接の明文規定がないため、争いがある。この点、判例はXがYにわいせつな映画フィルムを貸与し、Yが更にZに貸与し、Zが多数人に観覧させて公然陳列したという事案につき、Xは正犯たるZの犯行を間接に幇助したものとして、幇助犯（62Ⅰ）の成立を認めている（最決昭44.7.17）。本肢においても、AがBに貸与したDVDディスクがCのわいせつ図画公然陳列行為に用いられたことにより、Aは正犯Cを間接に幇助したといえ、わいせつ図画公然陳列幇助（175・62Ⅰ）が成立する。

以上から、正しいものは(ア)(エ)であり、正解は(2)となる。

MEMO

9−16(28−24)　共　犯

間接正犯に関する次の(ア)から(オ)までの記述のうち、判例の趣旨に照らし正しいものの組合せは、後記(1)から(5)までのうち、どれか。

(ア)　Aは、是非弁別能力はあるものの13歳である息子Bに対し、通行人を刃物で脅して現金を奪って小遣いにすればいいと促し、Bは、小遣い欲しさから、深夜、道を歩いていた女性Cにナイフを突きつけて現金2万円を奪った。この場合、Aには、強盗罪の間接正犯は成立しない。

(イ)　Aは、Bに対し、執拗に暴行を加えながら、車に乗ったまま海に飛び込んで自殺するよう要求し、Aの指示に従うしかないという精神状態にまで追い詰められたBは、Aの目前で、車を運転して漁港の岸壁から海に飛び込んで溺死した。この場合、Aには、自殺教唆罪の間接正犯が成立する。

(ウ)　Aは、知人Bを殺害しようと考え、毒入りの和菓子が入った菓子折を用意し、その事情を知らないAの妻Cに対し、その菓子折をB宅の玄関前に置いてくるよう頼んだが、Aの言動を不審に思ったCは、B宅に向かう途中でその菓子折を川に捨てた。この場合、Aには、殺人未遂罪の間接正犯は成立しない。

(エ)　Aは、多額の借金のために将来を悲観し、毒薬を調達した上で、妻Bに心中を持ちかけ、それに同意したBにその毒薬を渡したところ、先にBが毒薬を飲んで死亡し、続いてAも致死量を超える毒薬を飲んだが、嘔吐して死亡することができなかった。この場合、Aには、殺人罪の間接正犯が成立する。

(オ)　Aは、Bが同人所有の空き地に自動車の中古部品を多数保管していることを知り、Bに無断で、金属回収業者Cに対し、その中古部品が自己のものであるかのように装って売却し、Cは、その中古部品を自己のトラックで搬出した。この場合、Aには、窃盗罪の間接正犯は成立しない。

(1)　(ア)(ウ)　　(2)　(ア)(オ)　　(3)　(イ)(エ)　　(4)　(イ)(オ)　　(5)　(ウ)(エ)

学習記録	／	／	／	／	／	／	／	／	／

重要度　A	知識型		正解（1）

(ア)　正　　是非弁別能力のある刑事未成年者の利用について、判例は、当該未成年者の意思が抑圧されていれば間接正犯（最判昭58.9.21）、意思の抑圧に達していなければ教唆犯又は共同正犯（最判平13.10.25）が成立するとしている。本肢において、BはAによって意思を抑圧されているとはいえず、Aには、強盗罪の間接正犯は成立しない。また、間接正犯とは、他人を利用・支配することにより、自己の意思どおりに犯罪を実現することをいうが、Aは、Bに対して強盗をそそのかしているにすぎず、自己の犯罪を実現する意思を有しているとはいえない。

(イ)　誤　　被害者を車ごと海中に飛び込む以外の選択肢がない精神状態に陥らせて岸壁から車ごと海中に転落することを命じ、被害者をして、車ごと海中へ転落するという自らを死亡させる現実的危険性の高い行為に及ばせた行為は、殺人罪の実行行為に当たる（最決平16.1.20）。したがって、Aには、殺人罪の間接正犯が成立する。

(ウ)　正　　殺人の目的で、事情を知らない郵便職員等を利用して、毒入りの食品を郵送した事案において、判例は、相手方がこれを受領した時に、殺人罪の実行の着手が認められるとした（大判大7.11.16）。本肢において、Cは、Aの言動を不審に思い、B宅に向かう途中で毒入りの和菓子が入った菓子折を川に捨てており、Bは当該菓子折を受領しておらず、Aには殺人罪の実行の着手は認められない。したがって、Aには、殺人未遂罪の間接正犯は成立しない。

(エ)　誤　　追死の意思がないのに、被害者を欺罔し、追死を誤信させて自殺させた場合は、殺人罪の間接正犯が成立する（最判昭33.11.21）。なぜなら、被害者は、欺罔により、欺罔者の追死を予期して死を決意したものであり、その決意は真意に添わない重大な瑕疵ある意思であることが明らかであるからである（同判例）。本肢において、Aは、心中の目的で毒薬を飲んでおり、追死の意思が認められることから、殺人罪の間接正犯は成立しない。

(オ)　誤　　他人の所有物を、事情を知らない第三者に対し、自己の所有物と偽って売却して搬出させた場合には、窃盗罪の間接正犯が成立する（最決昭31.7.3）。したがって、Aには、窃盗罪の間接正犯が成立する。

以上から、正しいものは(ア)(ウ)であり、正解は(1)となる。

9−17(31−24)　共　犯

共同正犯に関する次の(ア)から(オ)までの記述のうち、判例の趣旨に照らし誤っているものの組合せは、後記(1)から(5)までのうち、どれか。

(ア)　Ａ及びＢがＣの殺害を共謀したが、ＢがＤをＣと誤認して殺害したときは、Ａには、Ｄに対する殺人罪の共同正犯は成立しない。

(イ)　ＡがＢからＣを毒殺する計画を打ち明けられるとともに、毒物の入手を依頼されて承諾し、致死性の毒物を入手してＢに手渡した場合において、Ｂが殺人の実行に着手しなかったときは、Ａには、殺人予備罪の共同正犯が成立する。

(ウ)　他人の財物を業務上占有するＡが、当該財物の非占有者であるＢと共謀の上、横領行為に及んだときは、Ｂには、刑法第65条第１項により業務上横領罪の共同正犯が成立し、同条第２項により単純横領罪の刑が科されることとなる。

(エ)　Ａ及びＢが共謀の上、Ｃ所有の建造物を損壊している際、Ａ及びＢの知らないところで、ＤがＡ及びＢに加勢するつもりで、当該建造物を損壊する行為を行ったときは、Ｄには建造物損壊罪の共同正犯は成立しない。

(オ)　Ａ及びＢがＣに対する暴行・傷害を共謀し、Ｃの下に赴いて、こもごもＣを殴打する暴行を加えているうち、Ｂがその際のＣの言動に立腹してＣに対する殺意を覚え、持っていた刃物でＣを刺して殺害したときは、Ａには傷害致死罪の共同正犯ではなく、傷害罪の共同正犯が成立する。

（参考）
刑法
第65条　犯人の身分によって構成すべき犯罪行為に加功したときは、身分のない者であっても、共犯とする。
２　身分によって特に刑の軽重があるときは、身分のない者には通常の刑を科する。

(1)　(ア)(イ)　(2)　(ア)(オ)　(3)　(イ)(ウ)　(4)　(ウ)(エ)　(5)　(エ)(オ)

学習記録	／	／	／	／	／	／	／	／	／

重要度　A	知識型		正解 (2)

(ア)　誤　　共犯において、共謀の内容と共謀に基づき行われた犯罪事実との間に不一致が生ずる場合があり、これを共犯の錯誤という。この点、共同正犯において同一の構成要件内で錯誤が生じている場合（具体的事実の錯誤）、共同者全員について共同正犯が成立する。なぜなら、認識していた事実と発生した事実とが構成要件において一致している限り、故意は阻却されないからである（法定的符合説）。本肢において、Cの殺害もDの殺害も同じ殺人罪（199）に当たる行為であるため、Aの故意は阻却されず、Aには、Dに対する殺人罪の共同正犯（60・199）が成立する。

(イ)　正　　殺人目的で使用するものであることを知りつつ毒物を交付したところ、交付された者が殺人予備にとどまった場合、交付者に殺人予備罪の共同正犯（60・201）が成立する（最決昭37.11.8）。なぜなら、予備罪も基本的な構成要件の修正形式であり、その実行行為を観念することができるため、予備の実行行為を共同でした場合、「共同して犯罪を実行した」（60）といえるからである。

(ウ)　正　　業務上横領罪（253）は、他人の物の占有者という真正身分と、業務者という不真正身分の組み合わさった複合的身分犯である。同罪に関し、判例は、業務上占有者と非占有者が共同して他人の物を横領したときは、非占有者については、65条１項により業務上横領罪の共同正犯が成立するが、65条２項により単純横領罪の刑が科されるとする（最判昭32.11.19）。

(エ)　正　　実行共同正犯が成立するためには、二人以上の者が客観的に実行行為の分担を行い、かつ、共同者間に意思の連絡が存在することが必要である。この点、本肢におけるA及びBとDとの間には互いに何ら意思の連絡がないことから、60条の「共同して犯罪を実行した」とはいえず、各々の行為を別個に評価することとなる。そして、Dは、C所有の建造物を損壊する行為を行っているから、Dには建造物等損壊罪（260前段）の単独犯が成立する。

(オ)　誤　　傷害を共謀した共犯者の一人が殺意をもって暴行を加え、被害者が死亡した場合、他の共犯者については、傷害致死罪の共同正犯が成立する（最決昭54.4.13）。なぜなら、殺人罪の共同正犯と傷害致死罪の共同正犯の構成要件には軽い傷害致死罪の共同正犯の限度で重なり合いが認められるからである（同判例）。したがって、Aには、傷害致死罪の共同正犯（60・205）が成立する。

以上から、誤っているものは(ア)(オ)であり、正解は(2)となる。

9−18(R5−25)　共　犯

刑法の共犯に関する次の(1)から(5)までの記述のうち、判例の趣旨に照らし正しいものは、どれか。

(1) 教唆犯を教唆した者には、教唆犯は成立しない。

(2) 他人を唆して特定の犯罪を実行する決意を生じさせた場合には、唆された者が実際に当該犯罪の実行に着手しなくても、教唆犯が成立する。

(3) 拘留又は科料のみに処すべき罪を教唆した者は、特別の規定がなくても、教唆犯として処罰される。

(4) 不作為により正犯の実行行為を容易にさせた場合には、幇助犯は成立しない。

(5) 幇助者と正犯との間に意思の連絡がなく、正犯が幇助者の行為を認識していない場合であっても、正犯の実行行為を容易にさせる行為をしたときは、幇助犯が成立する。

学習記録	／	／	／	／	／	／	／	／	／

重要度　A　**知識型**　　**正解（5）**

⑴　誤　　間接教唆とは、「教唆者を教唆した」場合をいい、教唆犯と同様に正犯に準じて処罰される（61 Ⅱ）。なお、教唆者を教唆した者も教唆者であるとして、さらにこれを教唆した者（再間接教唆）も刑法61条2項により処罰しうる（大判大11.3.1）。

⑵　誤　　共犯が成立するためには、正犯者が少なくとも基本的構成要件に該当する行為を行ったことを要する（共犯従属性説）。そのため、教唆行為が行われても、それだけでは原則として犯罪を構成せず、被教唆者が犯罪を実行したことを必要とする。

⑶　誤　　拘留又は科料のみに処すべき罪の教唆者及び従犯は、特別の規定がなければ、罰しない（64）。これは、拘留又は科料のみに処すべき犯罪は罪質軽微であるから、その教唆犯及び従犯は罪質さらに軽微であって、一般にこれを処罰する必要がないとし、特に必要のあるものに限って、各本条の規定にゆずる趣旨の規定である。

⑷　誤　　不作為による幇助犯は、正犯者の犯罪を防止しなければならない作為義務のある者が、一定の作為によって正犯者の犯罪を防止することが可能であるのに、そのことを認識しながら、当該一定の作為をせず、これによって正犯者の犯罪の実行を容易にした場合に成立し、以上が作為による幇助犯の場合と同視できることが必要と解される(札幌高判平12.3.16)。したがって、幇助犯は成立しないとする点で、本肢は誤っている。

⑸　正　　幇助犯（62 Ⅰ）の成立には、幇助者に、正犯の行為を認識してこれを幇助する意思があれば足り、幇助者と正犯者の間の相互の意思連絡は必要とされていない（大判大14.1.22・片面的幇助犯）。

10－1(57－24)　各種の刑罰

労役場留置に関する次の記述のうち、誤っているものはどれか。

(1) 科料を完納することができない者については、裁判確定後10日内は、本人の承諾があっても、労役場に留置することができない。

(2) 罰金を完納することができない者については、裁判確定後30日内は、本人の承諾がなければ、労役場に留置することができない。

(3) 罰金と科料を併科した場合における労役場の留置期間は、3年を超えることができない。

(4) 法人が罰金を完納することができない場合においても、その法人の代表者を労役場に留置することはできない。

(5) 少年については、科料を完納することができない場合においても、労役場に留置することはできない。

学習記録	／	／	／	／	／	／	／	／	／

重要度　A	知識型		正解（1）

罰金及び科料を完納することができない者については労役場留置の処分が行われるが、これは罰金・科料の納付を促進するためには有効な手段である。

⑴ 誤　18条5項後段は、科料を完納し得ないとしても裁判確定後10日以内は「本人の承諾がなければ」労役場に留置することはできないとしている。これは反対解釈すれば「本人の承諾があれば」裁判確定後10日以内であっても労役場に留置することができることになる。したがって、「本人の承諾があっても」労役場に留置することはできないとしている点で、本肢は誤っている。

⑵ 正　罰金については裁判が確定した後30日以内は、本人の承諾がなければ労役場に留置することができない（18Ⅴ前段）。

⑶ 正　罰金も科料もそれを完納し得ない場合には労役場留置の処分がされる（18Ⅰ・Ⅱ）。そして罰金と科料とが併科される場合もあるが、ともに完納し得ない場合の労役場留置の期間は、3年を超えることはできない（18Ⅲ前段）。

⑷ 正　法人が罰金を完納できない場合に代表者を労役場に留置することは、刑罰を他人に転嫁するものである。したがって、これを行うには明文の規定が必要であるが、現行法上このような規定はない。

⑸ 正　少年法54条は、労役場留置は少年にとって酷であり、また悪風感染のおそれも十分にあるので、少年に対しては労役場留置を行わないことにしている。

10−2(57−25)　各種の刑罰

犯人の所有に属する次の物件のうち、没収することができないものはどれか。

(1)　賄賂として提供したが受領を拒絶された金

(2)　殺人犯人をかくまったことの謝礼として受け取った金

(3)　詐欺犯人が人を欺いて交付させた金で買ったカメラ

(4)　賭博によって取得した金を貸して得た利子

(5)　殺人に使用した刀のさや

学習記録	／	／	／	／	／	／	／	／	／

重要度　A	知識型		正解（4）

(1) 没収できる　　贈賄罪（198）は、賄賂を提供したが受領を拒絶された場合にも成立する。したがって、賄賂申込罪の目的物である金銭が犯人の所有に属する以上、犯罪行為を組成した物として没収することができる（19Ⅰ①・Ⅱ、最判昭24.12.6）。

(2) 没収できる　　殺人犯人をかくまえば、犯人蔵匿罪（103）が成立する。したがって、その謝礼として受け取った金は犯人の所有に属する以上、犯罪行為の報酬として得た物として没収することができる（19Ⅰ③・Ⅱ）。

(3) 没収できる　　詐欺犯人が人を欺いて交付させた金で買ったカメラは、犯罪行為によって得た物の対価として得た物（19Ⅰ④）として没収することができる。

(4) 没収できない　　犯罪行為によって得た物は犯人の所有に属する以上、没収することができる（19Ⅰ③・Ⅱ）。したがって、賭博によって取得した犯人の所有に属する金そのものは、これに当たるので没収することができる。これに対して、賭博によって取得した金を貸して得た「利子」は、犯人がそれ自体は犯罪でない行為つまり「金を貸す行為」によって得た物であるので、この利子は犯罪行為によって得た物とはいえず、没収することができない。

(5) 没収できる　　犯罪行為に供した物は、犯人の所有に属する以上、没収することができる（19Ⅰ②・Ⅱ）。そして、主物を没収することができる場合、その従物をも没収することができる（大判明44.4.18）。したがって、主物である刀は殺人に使用した物として没収することができるので、従物であるその刀のさやも没収することができる。

10−3(58−24)　各種の刑罰

累犯に関する次の記述のうち、正しいものはどれか。

(1)　累犯加重の要件が備わっている場合には、裁判官は必ず累犯加重をしなければならない。

(2)　累犯加重をする場合には、前刑より重い刑を言い渡さなければならない。

(3)　累犯の刑を加重するのは、専ら常習犯に対する刑を加重するためである。

(4)　累犯加重は有期の懲役又は禁錮に処すべき場合に行われる。

(5)　累犯加重は懲役刑の執行中にさらに罪を犯し有期懲役に処する場合にも行われる。

学習記録	／	／	／	／	／	／	／	／	／

重要度　A	知識型		正解（1）

〈累犯加重の要件（56）〉

(1)	前犯として懲役に処せられた者、又はこれに準ずべき者
(2)	前犯の刑の執行を終わった日、又は執行の免除があった日から５年内に犯罪を犯したこと ①執行を終わった日は受刑の最終日ではなく、刑期終了の翌日である（最判昭 57.3.11） ②前犯の刑の執行が猶予された場合に、その猶予期間中に犯した犯罪がこれと累犯関係に立つものではない ③仮釈放中の犯罪も累犯とはならない ④「５年内」とは、その間実行の着手があればよいとする趣旨である
(3)	後犯につき有期懲役に処すべき場合 処断刑が有期懲役であることを意味し、法定刑にその他の刑が含まれていてもよい

(1)　正　　累犯加重は必要的である（57）。したがって、累犯の要件が整っていれば裁判官は必ず累犯加重をしなければならない。

(2)　誤　　累犯加重は、処断刑の幅を広げる趣旨であって、現実の宣告刑はその範囲内にある限り、前犯の刑より軽くても差し支えない。なぜなら、例えば前犯が放火で後犯が占有離脱物横領のようなこともあるのであって、具体的事情を考慮して宣告刑を定めるべきことは当然だからである。

(3)　誤　　累犯は前に懲役に処せられたことが要件になるのに対し、常習犯人は特にこれを要件としないことから、累犯加重は常習犯人に対する対策も含むが、56条の要件を満たせば、必ずしも常習犯である必要はない。したがって、「専ら」これを目的とするわけではない。

(4)　誤　　累犯加重は、有期の懲役に処すべきときに認められ、禁錮に処すべきときは認められない（56Ⅰ）。

(5)　誤　　累犯加重は、懲役刑の執行後又は執行の免除後に更に罪を犯した場合に認められ、執行中に罪を犯した場合は認められない（56Ⅰ）。なぜなら、累犯加重される趣旨は、既に刑罰をもって前犯の非を改めることを求められたのに、更に罪を繰り返したのであるから行為に対する非難はより高くなり、また人格的危険性も顕現されるという点にあるからである。

10－4(62－26)　各種の刑罰

自首に関する次の記述のうち、誤っているものはどれか。

(1)　罪を犯しても進んで捜査機関に自首した者については、刑が免除されることはないが、必ず刑が減軽される。

(2)　捜査機関が事件の発生を知った後でも、犯人を何ら特定し得ないでいる段階で進んで自己の犯行である旨を申告すれば、自首に当たる。

(3)　親告罪については、捜査機関に申告しなくても、告訴権を有する者に自己の犯罪事実を申し出れば、自首したと同じ法的効果が発生する。

(4)　自首は、必ずしも罪を犯した者本人がする必要はなく、他人を介して捜査機関に自己の犯罪事実を申告してもよい。

(5)　自首は未遂罪及び予備罪についても適用がある。

学習記録	／	／	／	／	／	／	／	／	／

重要度 A | **知識型** | | **正解（1）**

(1) 誤　刑法総則上、自首は、刑の任意的減軽事由とされている（42Ⅰ）。犯罪の捜査及び処罰を容易にしようとする政策的意図とともに、罪を悔いた行為者の責任が事後的に軽減したことを考慮したものである。なお、刑法各論により、内乱予備・陰謀罪（78）や内乱幇助罪（79）を犯した者が暴動に至る前に自首したとき、及び私戦予備・陰謀罪（93本文）を犯した者が自首をしたときは、刑が必ず免除される（80・93但書）。本犯の結果の重大性にかんがみ、犯罪の進展を防止しようとする政策的理由に基づく。

(2) 正　自首とは、犯人が捜査機関の取調べを待たずに、自発的に自己の犯罪事実を申告し、その処分を求める行為をいう。「捜査機関に発覚する前に」(42Ⅰ）とは、犯罪事実が、全く捜査機関に発覚していない場合、及び犯罪事実は発覚していても、その犯人が誰であるかは発覚していない場合を含む（最判昭24.5.14)。したがって、捜査機関が犯人を何ら特定し得ない段階であれば、自首となり得る。

(3) 正　親告罪の犯人が、自己の犯罪事実を告訴権者に告白し、その告訴に委ねることは、自首と同様の趣旨から、任意的減軽事由とされている（42Ⅱ）。したがって、その法的効果は自首と同じといえる。

(4) 正　自首は、犯人が自発的に自己の犯罪事実を捜査機関に申告することを必要とするが、その申告の方法は、自ら直接行うと、他人を介して行うとを問わない（最判昭23.2.18)。このような方法でも、自首が自発的に行われている以上、犯人に改悛の情が認められるからである。

(5) 正　「罪を犯し」とは、犯罪が成立していれば足りるから、実行行為に着手すれば、結果が発生しなくとも自首の余地がある。また実行の着手以前でも、それが予備罪として処罰されるときは、犯罪が既に成立しているといえ、自首をなし得る。なお、各則の特別規定（80・93但書）も、予備・陰謀罪の自首を定めたものであるが、これら以外の予備罪（201本文・237等）について自首を認めないものではない。

10−5(63−25)　各種の刑罰

刑の減免に関する次の記述のうち、誤っているものはどれか。

(1) 過剰防衛については、防衛者の責任が軽度である場合が多いため、情状により、刑を減軽又は免除することができるものとされている。

(2) 心神耗弱者は、是非善悪を弁別する能力はあっても、その弁別に従って行動する能力がないため、その行為については刑を減軽するものとされている。

(3) 罪を犯した者が自首した場合、犯罪事実が既に発覚していても犯人が誰であるか発覚する前であれば、刑を減軽することができるものとされている。

(4) 中止未遂については、実害の発生をできるだけ防止しようとの政策的理由から、必ず刑を減軽又は免除するものとされている。

(5) 幇助犯の刑は、正犯の刑に照らして減軽するものとされているが、これは、正犯に適用されるべき法定刑を減軽した処断刑の範囲内で処罰されるという趣旨である。

学習記録	／	／	／	／	／	／	／	／	／

重要度　A	知識型		正解（2）

〈法律上の減免事由〉

	任　意　的	必　要　的
減　軽	①自首等（42） ②法律の錯誤（38Ⅲ但書） ③酌量減軽（66） ④障害未遂（43）	①身代金拐取解放（228の2） ②従犯（63） ③心神耗弱（39Ⅱ）
減　免	①過剰防衛（36Ⅱ） ②過剰避難（37） ③偽証自白（170） ④虚偽告訴自白（173） ⑤虚偽鑑定・通訳自白（171）	①中止犯（43） ②身代金拐取予備自首（228の3）
免　除	①蔵匿・証拠隠滅の罪の親族（105） ②殺人予備（201） ③放火予備（113）	①親族相盗（244） ②盗品等の罪の親族（257） ③私戦予備陰謀自首（93） ④内乱予備・陰謀・幇助の自首（80）

⑴　正　　過剰防衛（36Ⅱ）とは、防衛の程度を超えた行為、すなわち、防衛行為がやむを得ずにした行為とはいえないことをいう。急迫不正の侵害に対して、被害者が恐怖・興奮・狼狽などから過剰防衛行為に出た場合には、責任が減少するので「情状により、その刑を減軽し、又は免除することができる」ものとしている（36Ⅱ）。

⑵　誤　　心神喪失（39Ⅰ）とは、精神の障害により事物の是非善悪を弁別する能力又はその弁別に従って行動する能力のない状態をいい、心神耗弱（39Ⅱ）とは、精神の障害がまだこのような能力を欠如する程度には達しないが、その能力が著しく減退した状態をいう（大判昭6.12.3）。是非弁別能力又はその弁別に従って行動する能力の、どちらか一方がなければ心神喪失といえる。そして、心神喪失者の行為は、罰しない（39Ⅰ）。

⑶　正　　自首（42Ⅰ）とは、犯人が捜査機関の取調べを待たずに自発的に自己の犯罪事実を申告し、その処分を求める行為をいう。犯罪の捜査及び処罰を容易にしようとする政策的意図とともに改悛した行為者への責任非難が減少することから、自首は任意的な刑の減軽事由とされる。かかる趣旨から、「捜査機関に発覚する前」とは、犯罪事実が全く捜査機関に発覚していない場合、及び犯罪事実は発覚していてもその犯人が誰であるかが発覚していない場合を含む。なぜなら、前者の場合はもとより、後者の場合にも、犯罪の捜査及

び処罰が容易になり、行為者への責任非難は減少するからである。

⑷　正　　中止犯とは、広義の未遂犯のうち行為者が「自己の意思により」犯罪を完成させることを「中止した」場合をいい、刑の必要的減免事由とされている（43但書）。その根拠については、「あと戻りのための黄金の橋」を行為者に与えるものとする刑事政策説、中止により結果発生の具体的危険性が減少すると考える違法性減少説及び自己の意思により止めたことによって責任が軽くなると考える責任減少説とがある。

⑸　正　　幇助犯とは、「正犯を幇助した者」をいう（62Ⅰ）。「従犯の刑は正犯の刑を減軽する」が（63）、これは正犯の法定刑に対して、法律上の減軽を施したものによって処断するという意味であり（処断刑）、正犯の宣告刑に照らして減軽する趣旨ではない（大判昭8.7.1）。

MEMO

10－6(元－24)　各種の刑罰

次の記述のうち、刑法上の没収の対象にならないものはどれか。

(1)　殺人事件に使用された拳銃の弾倉及びサック

(2)　強制執行を免れるために通謀して仮装譲渡した自家用車

(3)　正当な権限なく他人の土地を占拠して建築した物置小屋

(4)　賭博で得た金銭を自己の銀行口座に預金して得た預金利子

(5)　違法な堕胎手術に対する報酬として得た金銭

学習記録	／	／	／	／	／	／	／	／	／

重要度　A　知識型　　**正解（4）**

〈没収の対象物〉

<table>
<tr><th colspan="2">没収の対象物</th><th>具体例</th></tr>
<tr><td colspan="2">犯罪組成物件（19Ⅰ①）
法律上犯罪構成要素に属する物件、すなわちその物件の存在なしには、当該犯罪構成要件が充足されるに至らないもの</td><td>偽造変造通貨・文書・有価証券・印章等の行使罪（148・149・152・158・161・163～167）
→偽造変造通貨・公私文書・有価証券・印章
贈賄罪→賄賂
賭博罪（185）→賭物</td></tr>
<tr><td colspan="2">犯罪供用物件（19Ⅰ②）
単に結果からみて犯行に役立っただけでは足りず、犯人がこれを犯行の用に供し、又は供しようとする意図で使用したものであることを要する</td><td>文書偽造の用に供した偽造の印章・殺人に用いた凶器</td></tr>
<tr><td rowspan="3">19条1項3号</td><td>犯罪生成物件（19Ⅰ③）</td><td>通貨偽造変造罪における偽造・変造通貨</td></tr>
<tr><td>犯罪取得物件（19Ⅰ③）</td><td>賭博により得た金品</td></tr>
<tr><td>犯罪行為の報酬として得たもの（19Ⅰ③）</td><td>犯人が犯罪行為をしたことの対価報酬として取得した金品</td></tr>
<tr><td colspan="2">３号の対価として得たもの（19Ⅰ④）</td><td>盗品等の売得金</td></tr>
</table>

⑴　なる　　殺人事件に使用された拳銃自体は、犯罪行為に供したものとして没収することができる（19Ⅰ②）。そして、主物を没収できる場合は、その従物も没収することができる。したがって、拳銃の従物である拳銃の弾倉及びサックは没収することができる。

⑵　なる　　強制執行妨害罪（96の２）が成立し、そこで仮装譲渡した自家用車は、犯罪組成物件として没収できる（19Ⅰ①）。

⑶　なる　　不動産侵奪罪（235の２）が成立し、物置小屋は犯罪供用物件として没収できる（19Ⅰ②）。

⑷　ならない　　賭博で得た金銭は、犯罪行為によって得たものとして没収できる（19Ⅰ③）。しかし、賭博によって得た金銭を自己の銀行口座に預金して預金利子を得ることは、それ自体何ら犯罪を構成しない行為なので、預金利子は犯罪行為によって得たものとはいえず、没収することはできない。

⑸　なる　　犯罪行為、すなわち堕胎の罪（212～216）の報酬として得たものとして没収できる（19Ⅰ③）。

10−7(30−25)　各種の刑罰

自首に関する次の(ア)から(オ)までの記述のうち、判例の趣旨に照らし正しいものの組合せは、後記(1)から(5)までのうち、どれか。

(ア)　Ａは、窃盗により逮捕された際に、取調官Ｂが余罪の嫌疑を持ってＡの取調べを行ったことが契機となって、反省悔悟し、その余罪についても供述した。この余罪については、Ａには、自首は成立しない。

(イ)　Ａは、Ｂの財物を窃取したが、その後、警察に自首した。この場合、Ａの窃盗罪の刑は任意的減軽又は免除の対象となる。

(ウ)　Ａは、Ｂを殺害した後に逃走した。警察は、捜査の結果Ａがその犯人であることを把握したものの、Ａの所在を全く把握することができなかった。Ａは、犯行から10年経過後、反省悔悟し、警察に出頭して、自己の犯罪事実を自発的に申告した。この場合、Ａには、自首は成立しない。

(エ)　Ａは、生活保護費を詐取していたが、その後、区役所の担当職員Ｂに対し、生活保護費を詐取していた事実を申告し、自らの処置を委ねた。この場合、Ａには、自首が成立する。

(オ)　Ａは、路上でＢを殺害したが、そこには多数の目撃者がいた。Ａは、逃げられないと観念し、警察署に出頭し、自己の犯罪事実を自発的に申告したが、たまたまその時点で警察はＡがその殺人事件の犯人であることを把握していなかった。この場合、Ａには、自首は成立しない。

(1)　(ア)(ウ)　　(2)　(ア)(オ)　　(3)　(イ)(ウ)　　(4)　(イ)(エ)　　(5)　(エ)(オ)

学習記録	／	／	／	／	／	／	／	／	／

重要度 A 　**知識型**　　　　**正解（1）**

(ア) 正　　自首（42）とは、犯人が捜査機関に自発的に自己の犯罪事実を申告し、その訴追を含む処分を求めることをいう。そして、自首が成立するためには、自ら進んで行うことを要する。そのため、余罪の嫌疑を持った捜査機関の取調べが契機となって自己の犯罪事実を申告する場合には、自首は成立しない（東京高判昭55.12.8、東京高判平18.4.6）。

(イ) 誤　　自首については、刑の任意的減軽事由とされている（42 Ⅰ）。これは、犯罪の捜査及び処罰を容易にしようとする政策的意図と、行為者の改悛による非難の減少という2点を考慮したものである。したがって、Aの窃盗罪の刑は免除の対象となるとする点で、本肢は誤っている。なお、内乱予備･陰謀罪（78）、内乱等幇助罪（79）、私戦予備・陰謀罪（93本文）を犯した者が自首をした場合については、刑の免除規定がある（80・93但書）。

(ウ) 正　　42条1項の「発覚」とは、犯罪事実及び犯人の発覚をいう。そして、犯罪事実及び犯人の両者は既に発覚しているが、単に犯人の所在だけが不明である場合には、「発覚する前」には該当せず、自首は成立しない（最判昭24.5.14）。

(エ) 誤　　自首（42）とは、犯人が捜査機関に自発的に自己の犯罪事実を申告し、その訴追を含む処分を求めることをいう。したがって、捜査機関ではない区役所の職員に生活保護費を詐取していた事実を申告し、自らの処置を委ねても、自首は成立しない。

(オ) 誤　　自首は、必ずしも反省悔悟にまで至っていることは要しないとされ、犯罪が露見したと錯覚し、観念して犯行を申告した場合にも、自首は成立する（福島地判昭50.7.11）。本肢において、Aは、逃げられないと観念した上でAを犯人とは把握していない警察に出頭し、自己の犯罪事実を自発的に申告しているが、反省悔悟せず犯行を申告した場合であっても、Aには自首が成立しうる。また、捜査機関はAが殺人事件の犯人であることを把握していなかったのであるから、これは肢(ウ)で述べた「発覚する前」に該当し、Aが警察署に出頭したことにより自首が成立する。

以上から、正しいものは(ア)(ウ)であり、正解は(1)となる。

11－1(57－26)　罪　数

牽連犯に関する次の(ア)から(オ)の記述のうち、その関係が成立すると認められるものは幾つあるか。(改)

(ア) 放火をし、その対象物について保険金詐欺をした。

(イ) 殺人をし、その死体を遺棄した。

(ウ) 窃盗教唆をし、その盗品について有償で譲り受けた。

(エ) 業務上横領をし、その犯跡を隠蔽するため文書偽造をした。

(オ) 不法監禁をし、その被害者を恐喝した。

(1) 0個　(2) 1個　(3) 2個　(4) 3個　(5) 4個

学習記録	／	／	／	／	／	／	／	／	／

重要度　B	知識型		正解（1）

牽連犯とは、「犯罪の手段若しくは結果である行為が他の罪名に触れるとき（54Ⅰ後段）」をいうのであるが、犯罪を数個犯した場合、それらが牽連犯となるか併合罪（45）となるかは処断の仕方に大きな差がある以上、重要な問題である。そこで本問は、判例上牽連犯となるものを正確に理解しているかどうかを問うている。判例によると、犯罪の手段とは、ある犯罪の性質上その手段として普通に用いられる行為をいい、また犯罪の結果とは、ある犯罪から生ずる当然の結果を指すとしている（最判昭24.7.12）。

〈牽連犯となるもの〉

①	住居侵入と殺人（傷害・窃盗・強盗・不同意性交等・放火）
②	公文書偽造と同行使
③	業務妨害と恐喝
④	有価証券偽造と同行使
⑤	住居侵入と不動産侵奪
⑥	偽造私文書行使と横領
⑦	偽証と訴訟詐欺

〈牽連犯とならないもの〉

①	強盗殺人と犯跡を隠すための放火
②	保険金取得目的の放火と保険金詐欺
③	窃盗教唆と盗品有償譲受
④	殺人と死体遺棄
⑤	手形用紙の横領と手形偽造
⑥	監禁と恐喝

(ア)　成立しない　　放火罪（108、なお115参照）と保険金詐欺（246）との関係については、客観的に目的・手段の関係にないので併合罪（45）となる（大判昭5.12.12）。

(イ)　成立しない　　殺人罪（199）と死体遺棄罪（190）についても、客観的に目的・手段の関係にないので併合罪（45）となる（大判明43.11.1）。

(ウ)　成立しない　　窃盗教唆罪（235・61Ⅰ）とその盗品の有償の譲受け罪（256Ⅱ）については、客観的に目的・手段の関係にないので併合罪（45）となる（大判明42.3.16）。

㈡　成立しない　　業務上横領とその犯跡を隠蔽するための文書偽造についても、客観的に目的・手段の関係にないので併合罪（45）となる（大判大11.9.19）。業務上横領の後に文書偽造をするとは必ずしもいえないからである。

㈤　成立しない　　従来、監禁罪と恐喝罪は牽連犯となるとされていた（大判大15.10.14）が、最判平成17年4月14日により、「恐喝の手段として監禁が行われた場合であっても、両罪は、犯罪の通常の形態として手段又は結果の関係にあるものとは認められず、牽連犯の関係にはない」と判例変更された。したがって、監禁罪と恐喝罪は併合罪となった。これにより、本肢も、「成立する」を「成立しない」に改めた。

以上により、㈠から㈤の記述に関し、牽連犯の関係が成立するものはなく、正解は⑴となる。

罪数

MEMO

11−2(58−25)　罪　数

次の記述のうち、観念的競合とならないものはどれか。

(1)　自動車を運転中に不注意によってバスに衝突し、バスの乗客数名を負傷させた。

(2)　散歩中の二人連れをねらって散弾銃を１回発射し、その二人を負傷させた。

(3)　通行中の二人連れを呼び止めて、ピストルで脅迫しながらその場で各人から順次金員を交付させた。

(4)　男女二人が密会している物置小屋の扉に鍵をかけ、これを監禁した。

(5)　一度に数人の者に対し、わいせつ写真を販売した。

学習記録	／	／	／	／	／	／	／	／	／

重要度　B	知識型		正解（5）

(1) なる　　判例は、自動車運転中の過失によりバスに衝突し、バスの乗客数名を負傷させた場合、その人数分の業務上過失致傷罪（211）が成立し、観念的競合（54Ⅰ前段）となるとした（大判大7.1.19）。業務上過失致傷罪は、人の身体を保護法益とする犯罪であり、当該法益は、被害者各人ごとに別個であるから、数名を負傷させれば、構成要件的評価として数罪が成立し、しかも、行為者の動態が社会的見解上１個のものと評価できるからである。なお、平成25年改正により、自動車の運転により人を死傷させる行為等の処罰に関する法律が新設され、同法第５条に過失運転致死傷罪が規定された。本事例の場合、数個の過失運転致死傷罪が成立し、観念的競合となると思われる。

(2) なる　　二人連れをねらって散弾銃を１回発射し、両名を負傷させた場合、両名に対する殺人未遂（203・199）又は傷害罪（204）が成立し、観念的競合（54Ⅰ前段）となる。殺人罪は人の生命を、傷害罪は人の身体を、それぞれ保護法益とする犯罪であり、当該法益は、被害者各人ごとに別個であるから、数名を負傷させれば、構成要件的評価として数罪が成立し、しかも、これが社会的見解上１個の行為で行われているからである。なお、殺人未遂か傷害かは、行為者の故意の内容によって定まる。

(3) なる　　二人連れを脅迫し、各人から財物を交付させた場合、両名に対する強盗罪（236）が成立し、観念的競合（54Ⅰ前段）となる（最判昭22.11.29）。強盗罪は基本的には財産罪であるが、人の生命・身体をも保護法益としており、当該法益は、被害者各人ごとに別個であるから、数名を脅迫して財物を交付させれば、構成要件的評価として数罪が成立し、しかも、これが社会的見解上１個の行為で行われているからである。なお、脅迫行為が相手方の反抗を抑圧する程度に至らなければ恐喝罪（249）となる。

(4) なる　　二人が密会している物置小屋の扉に鍵をかけて、両名を監禁した場合、両名に対する監禁罪（220）が成立し、観念的競合（54Ⅰ前段）となる。逮捕・監禁罪は、被害者の行動の自由を保護法益とする犯罪であり、当該法益は、被害者各人ごとに別個であるから、数名を監禁すれば、構成要件的評価として数罪が成立し、しかも、これが社会的見解上１個の行為で行われているからである。

(5) ならない　　わいせつ物販売罪（175）は、その性質上反復される多数の行為を予想するものであるから、同一の意思の下に行われた数個の行為は、包括的一罪として処断されるべきである。したがって、犯罪は一つであるから観念的競合とはならない（福岡高判昭27.2.15）。

11−3(3−28)　罪　数

罪数に関する次の記述のうち、判例の趣旨に照らし誤っているものは幾つあるか。(改)

(ア)　公務員が職務の執行に当たり、その公務員を殴打して職務の執行を妨げると同時に、公務員に傷害を与えた場合、傷害罪と公務執行妨害罪の牽連犯となる。

(イ)　盗品その他財産に対する罪にあたる行為によって領得された物と知りながらこれを賄賂として受け取った場合、盗品等無償譲受け罪と収賄罪の併合罪となる。

(ウ)　日本刀を窃取した後所持している場合、窃盗罪と銃砲刀剣類所持等取締法違反の罪の観念的競合となる。

(エ)　保険金取得の目的で放火の後、保険会社を欺いて保険金を交付させた場合、放火罪と詐欺罪の牽連犯となる。

(オ)　手形用紙を横領し、手形を偽造した場合、横領罪と有価証券偽造罪の牽連犯となる。

(1)　1個　　(2)　2個　　(3)　3個　　(4)　4個　　(5)　5個

学習記録	／	／	／	／	／	／	／	／	／

重要度　B	知識型		正解（5）

複数の犯罪を構成する余地のある場合、まず、①それが「一罪か数罪か」を判断しなければならない。「数個の罪数に触れ」とは、法的評価において、数個の犯罪構成要件に該当し、数個の犯罪が認められることを意味する。一罪か数罪かは、意思・行為・結果・法益など一切の事情の総合的な判断である構成要件的な評価の回数によって決せられる。特に法益侵害の数が重要な要素となる。次に、②数罪であれば、「１個の行為か数個の行為か」を判断し、「１個の行為」で行われた場合には観念的競合（54Ⅰ前段）となる。「１個の行為」とは法的評価を離れ構成要件的観点を捨象した自然的観察の下で、行為者の動態が社会的見解上１個のものと評価を受ける場合をいう（最大判昭49.5.29）。なお、③数罪が数個の行為で行われた場合、両罪が「手段・結果の関係」にあるかを判断し、これが認められれば牽連犯（同後段）となり、認められなければ併合罪（45）となる（下図参照）。そして、数罪が禁錮以上の確定判決を隔てて行われた場合には、併合罪関係は遮断されて独立数罪となる。

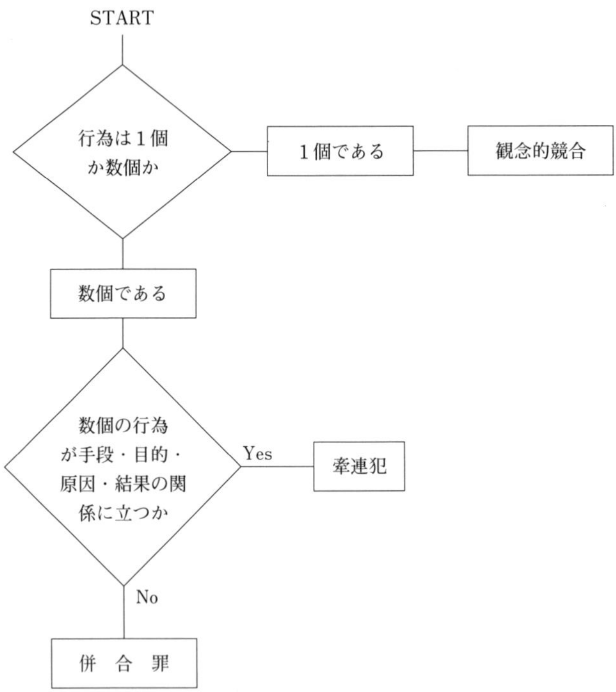

(ア)　誤　　職務執行中の公務員に暴行を加えて傷害を負わせた場合、公務執行妨害罪（95Ⅰ）と傷害罪（204）とが成立し、両罪は牽連犯（54Ⅰ後段）ではなく観念的競合（54Ⅰ前段）となる（大判明42.7.1）。公務執行妨害罪は公務員によって行われる公務を保護法益とするのに対し、傷害罪は人の身体を保護法益とするものであって、構成要件的な評価として複数であるから両罪が成立し、しかも、これらの数罪が「1個の行為」で行われているからである。

(イ)　誤　　盗品等であると知りながら、これを賄賂として受け取った場合、盗品等無償譲受け罪（256Ⅰ）と収賄罪（197）とが成立し、両罪は併合罪（45）ではなく観念的競合（54Ⅰ前段）となる（最判昭23.3.16）。盗品等に関する罪は被害者の追求権を保護法益とするのに対し、賄賂罪は国家作用の公正さに対する国民の信頼を保護法益とし、構成要件的な評価として複数であるから両罪が成立し、しかも、これらの数罪が「1個の行為」で行われているからである。

(ウ)　誤　　日本刀を窃取した後、そのまま所持している場合、窃盗罪（235）と銃砲刀剣類所持等取締法違反の罪が成立し、両罪は観念的競合（54Ⅰ前段）ではなく併合罪（45）となる（広島高判昭30.6.4）。54条1項前段の「1個の行為」とは、法的評価を離れ、構成要件的観点を捨象した自然的観察の下で、行為者の動態が社会的見解上1個のものと評価される場合をいい（最大判昭49.5.29）、他人から財物を盗取する行為と禁制品を保持する行為とは、社会的見解上1個の行為と評価することはできず別個の行為だからである。

(エ)　誤　　保険金取得の目的で放火の後、保険金を騙取した場合、放火罪（108）と詐欺罪（246）とが成立し、両罪は牽連犯（54Ⅰ後段）ではなく併合罪（45）となる（大判昭5.12.12）。54条1項後段の犯罪の「手段」とは、ある犯罪の性質上その手段として普通に用いられる行為をいい、また、犯罪の「結果」とは、ある犯罪より生ずる当然の結果をいう（最判昭24.7.12）。そして、手段結果の関係にあるか否かは、行為者の主観的な目的ではなく、客観的に判断される（最大判昭24.12.21）ところ、詐欺罪と放火罪とは客観的に目的手段の関係にはないからである。

(オ)　誤　　手形用紙を横領し、手形を偽造した場合、横領罪（252）と有価証券偽造罪（162）とが成立し、両罪は牽連犯（54Ⅰ後段）ではなく併合罪（45）となる（東京高判昭38.7.25）。手段結果の関係にあるか否かは主観的にではなく客観的に判断されるので（(エ)の解説参照）、行為者が主観的に手形を偽造する手段として手形用紙を横領しても、有価証券偽造罪と横領罪とが客観的に手段結果の関係にあるとは認められないからである。

以上から、誤っているものは(ア)(イ)(ウ)(エ)(オ)の5個であり、正解は(5)となる。

MEMO

11-4(14-26)　罪　数

次の記述中の(ア)から(キ)までに、下記のaからkまでの文言のうち適切なものを入れて文章を完成させた場合、判例の趣旨に照らして正しいものの組合せは、後記(1)から(5)までのうちどれか。

一人の行為者について複数の犯罪が成立する場合でも、「一個の行為が二個以上の罪名に触れるとき」と「犯罪の手段又は結果である行為が他の罪名に触れるとき」は、その最も重い刑によって処断される。この「一個の行為が二個以上の罪名に触れるとき」を(ア)、「犯罪の手段又は結果である行為が他の罪名に触れるとき」を(イ)、両者を合わせて(ウ)と呼んでいる。
具体的な(ア)の例としては(エ)、(オ)を、(イ)の例としては(カ)、(キ)を挙げることができる。

a　他人の住居に侵入し、被害者の反抗を抑圧して金員を奪った場合の住居侵入罪と強盗罪
b　職務執行中の警察官に暴行を加えて負傷させた場合の公務執行妨害罪と傷害罪
c　小切手を偽造し、その偽造小切手を銀行員に呈示した場合の有価証券偽造罪と同行使罪
d　駅構内で一つの爆弾を爆発させることによって複数の駅員、乗客及び通行人を殺害した場合の複数の人に対する殺人罪
e　保険金目的で放火し、火災保険金をだまし取った場合の放火罪と詐欺罪
f　1時間以内に3回に分けて同一の倉庫から財物を搬出して盗んだ場合の窃盗罪
g　併合罪
h　科刑上一罪
i　評価上一罪
j　牽(けん)連犯
k　観念的競合

(1)	(ア)g	(イ)j	(ウ)i	(エ)b	(オ)d	(カ)a	(キ)e
(2)	(ア)g	(イ)k	(ウ)i	(エ)a	(オ)c	(カ)b	(キ)f
(3)	(ア)k	(イ)j	(ウ)h	(エ)b	(オ)d	(カ)a	(キ)c
(4)	(ア)j	(イ)k	(ウ)h	(エ)a	(オ)c	(カ)b	(キ)f
(5)	(ア)k	(イ)j	(ウ)h	(エ)b	(オ)d	(カ)a	(キ)e

学習記録	／	／	／	／	／	／	／	／	／

罪数

重要度　B	知識型		正解（3）

「一個の行為が二個以上の罪名に触れるとき」（54Ⅰ前段）を「k　観念的競合」という(ア)。「犯罪の手段又は結果である行為が他の罪名に触れるとき」（54Ⅰ後段）を「j　牽連犯」という(イ)。観念的競合も牽連犯も、複数成立した犯罪のうちの最も重い刑により処断されることから、両者を合わせて「h　科刑上一罪」という(ウ)。

観念的競合の例としては、「b　職務執行中の警察官に暴行を加えて負傷させた場合の公務執行妨害罪（95）と傷害罪（204）」、及び、「d　駅構内で一つの爆弾を爆発させることによって複数の駅員、乗客及び通行人を殺害した場合の複数の人に対する殺人罪（199）」が挙げられる(エ)・(オ)。

また、牽連犯の例としては、「a　他人の住居に侵入し、被害者の反抗を抑圧して金員を奪った場合の住居侵入罪（130）と強盗罪（236）」、「c　小切手を偽造し、その偽造小切手を銀行員に呈示した場合の有価証券偽造罪（162）と同行使罪（163）」が挙げられる(カ)・(キ)。

これに対して、「e　保険金目的で放火し、火災保険金をだまし取った場合の放火罪（108以下）と詐欺罪（246Ⅰ）」とは、客観的にみて目的手段・原因結果の関係にないことから、牽連犯とならず、併合罪（45）となる。また、「f　1時間以内に3回に分けて同一の倉庫から財物を搬出して盗んだ場合の窃盗罪（235）」は、包括して一罪と評価される。

以上から、かっこ内に入る文言は、(ア)k、(イ)j、(ウ)h、(エ)b、(オ)d、(カ)a、(キ)cであり、正解は(3)となる。

11－5(26－25)　罪　数

刑法における罪数に関する次の(ア)から(オ)までの記述のうち、判例の趣旨に照らし正しいものの組合せは、後記(1)から(5)までのうち、どれか。

(ア)　Ａは、不法に他人の住居に侵入し、そこに居住するＢ及びＣの２名を殺害した。この場合、Ａに成立する住居侵入罪とＢ及びＣに対して成立する各殺人罪とがそれぞれ牽連犯の関係にあり、これらは、併合罪となる。

(イ)　Ａは、Ｂを殺害した後、Ｂの死体を山林に遺棄した。この場合、Ａに成立する殺人罪と死体遺棄罪とは、併合罪となる。

(ウ)　私人であるＡは、何の権限もないのに、私人であるＢの名義の委任状を作成し、これを登記官に提出して行使し、Ｂ名義の不動産についての登記を申請した。この場合、Ａに成立する私文書偽造罪と偽造私文書行使罪とは、観念的競合となる。

(エ)　Ａは、１回の焼却行為により、Ｂが所有する物とＣが所有する物を損壊した。この場合、Ａに成立するＢに対する器物損壊罪とＣに対する器物損壊罪とは、観念的競合となる。

(オ)　Ａは、Ｂが所有する時計を窃取したものの、自分が欲しかった時計ではなかったことに気付き、ハンマーで叩いて粉々にした上で山中に投棄した。この場合、Ａに成立する窃盗罪と器物損壊罪とは、牽連犯となる。

(1)　(ア)(イ)　　(2)　(ア)(オ)　　(3)　(イ)(エ)　　(4)　(ウ)(エ)　　(5)　(ウ)(オ)

学習記録	／	／	／	／	／	／	／	／	／

重要度　B	知識型		正解（3）

(ア) 誤　　他人の住居に侵入し、別々の部屋で就寝している者二人を殺害した場合、住居侵入罪（130 前段）と二つの殺人罪（199）が成立し、住居侵入罪とそれぞれの殺人罪は牽連犯の関係に立ち、３罪全体が科刑上一罪と扱われる（最判昭 29.5.27）。すなわち、人を二人殺害した場合、二つの殺人罪は通常、併合罪となるはずであるが、それぞれ住居侵入罪と 54 条１項後段の目的手段の関係にあるので、住居侵入罪によって結びつけられ、これらの罪は全体として科刑上一罪と扱われるのである（かすがい現象）。

(イ) 正　　殺人罪（199）と死体遺棄罪（190）は、併合罪の関係にある（大判明 44.7.6）。

(ウ) 誤　　私文書偽造罪（159）と偽造私文書行使罪（161 Ⅰ）とは牽連犯となる（大判昭 7.7.20）。

(エ) 正　　１個の行為が２個以上の罪名に触れる場合を、観念的競合という（54 Ⅰ前段）。ここにいう１個の行為とは、法的評価を離れ構成要件的観念を捨象した自然的観察の下で、行為者の動態が社会的見解上１個のものとの評価を受ける場合をいう（最大判昭 49.5.29）。本肢において、Ａは、Ｂが所有する物とＣが所有する物を損壊しており、それぞれの行為につき器物損壊罪（261）が成立するが、当該損壊行為は１回の焼却行為により行われていることから、Ｂに対する器物損壊罪とＣに対する器物損壊罪とは、観念的競合となる。

(オ) 誤　　窃盗罪（235）は状態犯であり、財物奪取後の違法状態は既に当初の時計の窃取の中で評価し尽されており、その後の財産処分行為は新たな法益侵害を伴わない限り不可罰的事後行為となり、別に器物損壊罪（261）を構成しない。

以上から、正しいものは(イ)(エ)であり、正解は(3)となる。

12－1(56－27)　刑の執行猶予

刑の全部の執行猶予の記述のうち、誤っているものはどれか。(改)

(1) 拘留 20 日の刑に処する場合は、その刑の全部の執行を猶予することができない。

(2) 罰金 50 万円の刑の全部の執行を終わった日から 5 年以内に懲役 3 年の刑に処する場合には、その刑の全部の執行を猶予することができる。

(3) 懲役 2 年の刑の全部の執行猶予の期間中に再び犯罪を犯し、禁錮 1 年 6 月の刑に処する場合には、さらにその刑の全部の執行を猶予することができない。

(4) 懲役 2 年の刑の全部の執行猶予の期間中に再び犯罪を犯し、禁錮 6 月の実刑に処する場合には、その刑の全部の執行猶予の言渡しを取り消さなければならない。

(5) 懲役 1 年の刑の全部の執行猶予の期間中に、その言渡し前に、他の犯罪で懲役 3 年の刑に処せられ、その刑の全部の執行を猶予されたことが発覚した場合には、その懲役 1 年の刑の全部の執行猶予の言渡しを取り消さなければならない。

学習記録	／	／	／	／	／	／	／	／	／

重要度 B　**知識型**　　**正解（5）**

〈刑の執行猶予〉

		刑の全部の執行猶予（25）		刑の一部の執行猶予（27の２）
		初度目の執行猶予（25Ⅰ）	再度の執行猶予（25Ⅱ）	
要件	対象者	・今回の判決言渡し前に禁錮以上の刑に処せられていない者(25Ⅰ①) ・前刑の執行終了・執行免除から今回の判決言渡しまで、禁錮以上の刑に処せられず５年以上の期間が経過した者（25Ⅰ②）	・前に禁錮以上の刑に処せられたことがあってもその刑の全部の執行を猶予された者（25Ⅱ）	・前に禁錮以上の刑に処せられたことがない者（27の２Ⅰ①） ・前に禁錮以上の刑に処せられたことがあっても、その刑の全部の執行を猶予された者（27の２Ⅰ②） ・前に禁錮以上の刑に処せられたことがあっても、その執行を終わった日又はその執行の免除を得た日から５年以内に禁錮以上の刑に処せられたことがない者（27の２Ⅰ③）
要件	今回の宣告刑	３年以下の懲役・禁錮、50万円以下の罰金（25Ⅰ柱書）	１年以下の懲役・禁錮（25Ⅱ）	３年以下の懲役・禁錮（27の２柱書）
要件	その他	情状により（25Ⅰ）	情状に特に酌量すべきものがあるとき（25Ⅱ） 保護観察中罪を犯していないこと(25Ⅱ但書)	犯情の軽重及び犯人の境遇その他の情状を考慮して、再び犯罪をすることを防ぐために必要であり、かつ、相当であると認められるとき（27の２Ⅰ柱書）
保護観察		任意的(25の２Ⅰ前段)	必要的(25の２Ⅰ後段)	任意的（27の３Ⅰ）
執行猶予の期間		裁判が確定した日から１年以上５年以下（25Ⅰ）		執行が猶予されなかった部分の期間を執行し、当該部分の期間の執行を終わった日又はその執行を受けることがなくなった日から１年以上５年以下（27の２ⅠⅡ）

(1)　正　　刑の全部の執行猶予を付することのできる刑は、懲役・禁錮・罰金であり（25)、拘留・科料には刑の全部の執行猶予を付することができない。

(2)　正　　罰金刑は禁錮より軽い刑であるから（9・10)、25条１項１号の禁錮以上の刑に処せられたことがない者に当たる。したがって、たとえ刑の執行が終わった日から５年以内であっても刑の全部の執行を猶予することができる。

(3)　正　　再度の刑の全部の執行猶予に付するためには、１年以下の懲役・禁錮に処せられる場合でなければならない。したがって、１年６月の禁錮の場合に再度の刑の全部の執行猶予に付することはできない（25Ⅱ）。

(4)　正　　刑の全部の執行猶予期間中に再び犯罪を行った者が禁錮の実刑を受けており、刑の全部の執行猶予の言渡しがない場合であるから刑の全部の執行猶予の必要的取消事由となる（26①）。

(5)　誤　　刑の全部の猶予の言渡し前に他の罪について禁錮以上の刑に処せられ、その刑の全部の執行を猶予されたことが発覚した場合は、刑の全部の執行猶予の裁量的取消事由に当たる（26の2③）。したがって、刑の全部の執行猶予の言渡しを取り消さなければならないとする点で、本肢は誤っている。

MEMO

12−2(6−24)　刑の執行猶予

刑の全部の執行猶予の判決について述べた次の記述のうち、法律上許されないものの組合せは、後記(1)から(5)までのうちどれか。(改)

(ア) 前科のない者に対し、懲役２年及び罰金50万円に処し、その双方につき刑の全部の執行を猶予する旨言い渡すこと

(イ) 仮釈放を許されてそのまま刑期を満了し、その後罪を犯した者に対し、刑期満了の日から４年目に、その新たな罪につき、保護観察に付する刑の全部の執行猶予付き懲役刑を言い渡すこと

(ウ) 禁錮刑の刑の全部の執行猶予期間中に新たな罪を犯した者に対し、刑の全部の執行猶予期間が経過しない時点で、その新たな罪につき、保護観察に付さない刑の全部の執行猶予付き懲役刑を言い渡すこと

(エ) 併合罪関係に立つＡＢ２個の犯罪を順次犯した後、Ｂ罪のみが発覚して刑の全部の執行猶予付き懲役刑の言渡しを受けた者に対し、その裁判確定後発覚したＡ罪につき、Ｂ罪の刑の全部の執行猶予期間が経過しない時点で、保護観察に付さない刑の全部の執行猶予付き懲役刑を言い渡すこと

(オ) 懲役刑の刑の全部の執行猶予期間中に新たな罪を犯した者に対し、刑の全部の執行猶予期間経過後に、その新たな罪につき、保護観察に付する刑の全部の執行猶予付き懲役刑を言い渡すこと

(1)　(ア)(オ)　　(2)　(イ)(ウ)　　(3)　(イ)(エ)　　(4)　(ウ)(エ)　　(5)　(エ)(オ)

学習記録	／	／	／	／	／	／	／	／	／

重要度　B	知識型		正解（2）

(ア)　許される　　刑の全部の執行猶予は言い渡された刑の全部について言い渡されるのが原則である。したがって、前科のない者に対して懲役2年の自由刑と罰金50万円の罰金刑を併科する場合（25参照）においても、その双方につき刑の全部の執行猶予の言渡しをすることは可能である（25Ⅰ）。

(イ)　許されない　　仮釈放を認められた者がそのまま刑期を経過した場合、明文の規定はないが29条3項の反対解釈として、刑の執行が終了したこととみなされる。しかし、刑期満了（＝刑の執行終了）の日から、罰金以上の刑に処せられることなく10年を経過しなければ、刑の言渡しの効力は失効しないことから（34の2Ⅰ）、25条1項1号に該当せず、また、禁錮以上の刑に処せられることなく5年を経過していなければ、同2号にも該当しないので、刑期満了の日から4年目に、刑の全部の執行を猶予することは法律上許されない。

(ウ)　許されない　　刑の全部の執行猶予期間中に新たな罪を犯した者に対し、執行猶予期間が経過しない時点で、その新たな罪につき1年以下の懲役又は禁錮に処すべきときは、再度、その刑の全部の執行を猶予することができる（25Ⅱ）。しかし、本来、執行猶予は保護観察を伴うことにより成果を上げ得るものなので、再度の刑の全部の執行猶予の場合、保護観察は必要的である（25の2Ⅰ）。したがって、保護観察に付さない刑の全部の執行猶予付き懲役刑を言い渡すことは法律上許されない。

(エ)　許される　　25条1項の「前に…刑に処せられ」とは、本来、確定判決であれば、実刑判決だけでなく刑の全部の執行猶予判決も含まれる。しかし、併合罪の関係にある罪は単一刑で処断されるので（47）、現在刑の全部の執行猶予中の罪と併合罪の関係にある余罪についても、もし同時に審判されたならば双方の罪について刑の全部の執行を猶予された可能性がある。そこで、併合罪の関係にある罪の場合には、既に受けた確定判決が実刑判決のときにのみ25条1項の「前に…刑に処せられ」に当たり、刑の全部の執行猶予判決のときはこれに当たらないと解されている（最大判昭31.5.30参照）。したがって、現在刑の全部の執行猶予中のB罪と併合罪の関係にあるA罪については、25条1項1号による初度の刑の全部の執行猶予が可能であり、保護観察は任意的であるから（25の2Ⅰ）、保護観察に付さない刑の全部の執行猶予付き懲役刑を言い渡すことも法律上許される。

(オ)　許される　　刑の全部の執行猶予期間を取り消されることなく満了した場合には、刑の言渡しはその効力を失うので（27）、「前に…刑に処せられたことがない者」として25条1項1号による初度の刑の全部の執行猶予が可能であり、保護観察は任意的である（25の2Ⅰ）。したがって、保護観察に付する刑の全部の執行猶予付き懲役刑を言い渡すことも法律上許される。

以上から、法律上許されないものは(イ)(ウ)であり、正解は(2)となる。

12−3(16−25)　刑の執行猶予

刑の執行猶予に関する次の(ア)から(オ)での記述のうち、判例の趣旨に照らし正しいものの組合せは、後記(1)から(5)までのうちどれか。(改)

(ア)　罰金100万円の刑を言い渡す場合には、その刑の全部の執行を猶予することができない。

(イ)　刑の全部の執行猶予の期間中の者に懲役刑を言い渡す場合には、その刑の全部の執行を猶予することができない。

(ウ)　刑の全部の執行猶予の期間中の者に禁錮刑の実刑判決が言い渡された場合には、刑の全部の執行猶予の言渡しを取り消さなければならない。

(エ)　刑の全部の執行猶予の判決が確定した後、その確定前に犯した罪について刑を言い渡す場合には、その刑の全部の執行を猶予することができない。

(オ)　前に禁錮以上の刑を受けてその執行を終わった者に懲役３年の刑を言い渡す場合には、その刑の全部の執行を猶予することができない。

(1)　(ア)(イ)　　(2)　(ア)(ウ)　　(3)　(イ)(エ)　　(4)　(ウ)(オ)　　(5)　(エ)(オ)

学習記録	／	／	／	／	／	／	／	／	／

重要度　B	知識型		正解（2）

(ア)　正　　25条1項各号に掲げる者が3年以下の懲役若しくは禁錮又は50万円以下の罰金の言渡しを受けたときは、情状により、裁判が確定した日から1年以上5年以下の期間、その刑の全部の執行を猶予することができる（25Ⅰ）。罰金刑については50万円以下という要件に該当するものでなければならないため、罰金100万円の刑を言い渡す場合には、その刑の全部の執行を猶予することはできない。

(イ)　誤　　前に禁錮以上の刑に処せられたことがあってもその刑の全部の執行を猶予された者が1年以下の懲役又は禁錮の言渡しを受け、情状に特に酌量すべきものがあるときも、その刑の全部の執行を猶予することができる（25Ⅱ本文）。したがって、刑の全部の執行猶予の期間中の者に新たに懲役刑を言い渡す場合であっても、1年以下の懲役を言い渡すときは、その刑の全部の執行を猶予することができる。

(ウ)　正　　26条各号に掲げる場合においては、刑の全部の執行猶予の言渡しを取り消さなければならない。問題文には「刑の全部の執行猶予の期間中の者に禁錮刑の実刑判決が言い渡された場合」としか記載されていないため、「更に罪を犯して」（26①）なのか「前に犯した他の罪について」（26②）なのかが明らかではないが、禁錮刑の実刑判決を言い渡されている以上、「禁錮以上の刑に処せられ、その刑の全部について執行猶予の言渡しがないとき」に当たることから、刑の全部の執行猶予の言渡しを取り消さなければならない（26①・②）。

(エ)　誤　　刑の全部の執行猶予の判決が確定した後、その確定前に犯した罪について刑を言い渡す場合、確定前に犯した罪が45条後段の併合罪のときは、25条1項を適用して更に刑の全部の執行猶予を言い渡すことができる（最大判昭32.2.6参照）。また、刑の全部の執行猶予の判決が確定した後、45条後段の併合罪の関係にある余罪が発覚した場合には、その余罪についても刑の全部の執行猶予を言い渡すことができる（最判昭31.5.30参照）。

(オ)　誤　　前に禁錮以上の刑に処せられたことがあっても、その執行を終わった日から5年以内に禁錮以上の刑に処せられたことがない者が、3年以下の懲役若しくは禁錮又は50万円以下の罰金の言渡しを受けたときは、その刑の全部の執行を猶予することができる（25Ⅰ②）。したがって、前に禁錮以上の刑を受けてその執行を終わった者に懲役3年の刑を言い渡す場合であっても、その者が執行を終わった日から5年以内に禁錮以上の刑に処せられていない者であるときは、その刑の全部の執行を猶予することができる。

以上から、正しいものは(ア)(ウ)であり、正解は(2)となる。

13－1(60－24)　総論全般

次に掲げる行為のうち、被害者の告訴を待って処罰すべきものとされているものはどれか。

(1)　故なく他人の私宅に侵入する行為

(2)　医師が業務上取り扱ったことにつき知り得た人の秘密を故なく漏らす行為

(3)　人をして刑事処分を受けさせる目的で捜査機関に虚偽の申告をする行為

(4)　虚偽の風説を流布して人の信用を毀損する行為

(5)　同居の親族からその財物を窃取する行為

学習記録	／	／	／	／	／	／	／	／	／

重要度　B	知識型		正解（2）

(1) 親告罪ではない　住居侵入罪（130）は条文の位置からも推測できるように、もともと社会法益的犯罪の性格を持っていたことから親告罪とされていない。

(2) 親告罪である　秘密漏示罪（134）は、被害者の秘密にかかわるものであり、被害者の意思を尊重するべきであるから親告罪とされている（135）。

(3) 親告罪ではない　虚偽告訴罪（172）は国家法益に対する犯罪という性格を有しており、親告罪とはならない。

(4) 親告罪ではない　信用毀損罪（233前段）は親告罪でないので、その処罰に告訴を必要としない。

(5) 親告罪ではない　親族相盗には2種類あり、直系血族、配偶者又は同居の親族のような近い親族間で犯されたときは、刑が必要的に免除され（244Ⅰ）、その他の親族の間で犯されたときは親告罪となる（244Ⅱ）。

13−2(61−28)　総論全般

次の記述のうち、誤っているものはどれか。

(1)　未遂罪は、未遂を罰する旨の明文の規定がある場合にのみ成立する。

(2)　法定刑が罰金刑のみの罪についても、その教唆・幇助は処罰される。

(3)　犯罪行為を組成した物件は、どのような軽微な罪についても、没収が可能である。

(4)　殺人予備罪の成立には、殺人の実行行為に着手したことを要しない。

(5)　罰金刑の前科であっても、法定刑に選択刑として懲役の定めがある罪の前科である場合は、累犯加重の対象となる。

学習記録	／	／	／	／	／	／	／	／	／

重要度　B	知識型		正解（5）

(1) 正　　未遂罪は、未遂を罰する旨の明文の規定がある場合にのみ成立する(44)。本来、犯罪は法益侵害の実害発生を待って処罰するのが原則であるが、未遂罪は、禁圧すべき必要性が高い重大な犯罪につき実害が発生する以前の行為をも処罰するものだからである。

(2) 正　　拘留又は科料のみに処すべき罪の教唆者及び従犯は、特別の規定がなければ、罰しない（64)。すなわち、罰金刑については特別の規定がなくても処罰される。なお、拘留又は科料のみに処すべき罪について特別の規定を要するのは、罪質が軽微であり、これらの罪に加功した者の罪質は更に軽微なことから、一般に処罰の必要性がなく、特に必要がある場合には、各本条に処罰する旨を定めれば足りるからである（軽犯3参照)。

(3) 正　　犯罪組成物件（19Ⅰ①）については、どのような軽微な罪についても、没収が可能である（20但書)。拘留又は科料のみに当たる軽微な犯罪にまで没収を一般化する必要はなく、また犯人にも酷なことから、これらの罪の場合は特別の規定がない限り没収を科すことはできないのが原則であるが（20本文)、犯罪組成物件については、再び犯罪に使用されるのを防ぎ社会的危険を除去するという観点から、なお没収する必要があるからである。

(4) 正　　殺人予備罪（201）は、殺人の実行行為に着手する以前の準備行為を処罰するものであり、実行の着手があれば、殺人未遂罪（199・203）となる。

(5) 誤　　罰金刑の前科であれば、法定刑に選択刑として懲役の定めがある罪であっても、現実に懲役に「処せられ」ていない以上、累犯加重の対象とならない（56Ⅰ、懲役に処せられた者に準ずる場合につき56Ⅱ・Ⅲ)。現実に懲役に処せられて執行を終了したにもかかわらず、性懲りもなく短期間内に再び懲役刑に処さなければならないような犯罪を犯した者には、改悛の情が認められないことから、これを加重するものが累犯加重だからである（56・57)。

13-3(2-28)　総論全般

次の記述のうち、誤っているものはどれか。(改)

⑴　日本国民が国外犯の適用のある犯罪を犯し、行為地の裁判所で確定判決を受ければ、国内で重ねて処罰することはできない。

⑵　飲酒酩酊中に、記憶がなくなったというだけでは、責任能力がないとはいえない。

⑶　観念的競合とは、一個の行為にして数個の罪名に触れる場合をいうのであるが、例えば職務執行中の警察官に対し、暴行を加えて傷害を負わせたときは、公務執行妨害罪と傷害罪の観念的競合となる。

⑷　正当防衛とは、不正な利益侵害に対しこれを排除する行為をいい、緊急避難とは、利益に対する危難からこれを保護するために、他の正当な利益を侵害する行為をいう。

⑸　懲役刑の刑の全部の執行を猶予されて保護観察に付された者が、その保護観察期間中に犯した詐欺罪については、再び刑の全部の執行猶予にすることはできない。

学習記録	／	／	／	／	／	／	／	／	／

重要度　B	知識型		正解（1）

⑴ 誤　　刑法の場所的適用範囲は、各国の国内法に委ねられている。また、国際的な一事不再理を定める国も少ないので、同一の行為について数か国の刑法が適用される場合がある。この場合に、他の国の確定判決の効力を認めるかどうかの問題が生ずる。わが国の刑法は、他の多くの立法例にならってこれを否定する立場を採る（５本文）。したがって、重ねて処罰することができる。ただし、外国で言い渡された刑の執行を受けた者に対しては、刑の執行を必要的に減軽又は免除する（５但書）。

⑵ 正　　責任能力とは、刑法の規範を理解し、かつ、それに適合した行為をなし得る能力をいう。そして、心神喪失の場合は、これが欠けるものとされている（39Ⅰ）。飲酒酩酊の場合でも、心神喪失に至らない場合もあり、記憶がなくなったとしても、責任能力はないとはいえない。

⑶ 正　　観念的競合の概念は、本肢のとおりである（54Ⅰ前段）。そして、判例は、職務執行中の公務員に暴行を加えて負傷させた場合は、公務執行妨害罪（95）と傷害罪（204）の観念的競合であるとしている（大判明42.7.1、大判昭8.6.17）。

⑷ 正　　本肢のとおりである。正当防衛（36）が不正な侵害に対する反撃行為であるのに対し、緊急避難（37）は、正当な利益に対する侵害の転嫁行為である点で異なるとされている。

⑸ 正　　自由刑の弊害回避及び犯罪者の社会復帰という刑事政策的要請から、前に禁錮以上の刑に処せられたことがあってもその刑の全部の執行を猶予された者が１年以下の懲役又は禁錮の言渡しを受け、情状に特に酌量すべきものがあるときは、刑の全部の執行を猶予することができる（25Ⅱ本文、再度の刑の全部の執行猶予）。ただし、保護観察に付された刑の全部の執行猶予（25の２Ⅰ）の期間内に、更に罪を犯した者について、刑の全部の執行を猶予することはできないため（25Ⅱ但書）、本肢の場合、再び刑の全部の執行猶予にすることはできない。

14−1(2−24)　窃盗罪

次の行為のうち、窃盗罪を構成するものは幾つあるか。（改）

(ア) 友人から留守番を一時頼まれた者が、その友人宅の金品を勝手に持ち出す行為。

(イ) 電車の車掌が、走行中の車両内を点検中、下車した乗客が置き忘れたカメラを見つけ、息子に与える目的のために自宅に持ち帰る行為。

(ウ) 口止め料を出さなければ、秘密を暴露すると脅迫した者が、その相手が畏怖して黙認しているのに乗じて傍らに置かれてあった札束を持ち去る行為。

(エ) 衣料品店で客を装って洋服を試着したまま、トイレに行くと偽って逃げる行為。

(オ) 校長に恨みを抱いていた教師が、紛失の責任を校長に負わせるために、学校の金庫から重要書類を持ち出し、校舎の天井裏に隠す行為。

(1) １個　(2) ２個　(3) ３個　(4) ４個　(5) ５個

学習記録	／	／	／	／	／	／	／	／	／

重要度　A	知識型		正解（2）

(ア) 構成する　　友人が留守番を頼んだとしても、居宅の財物の占有まで委ねるものではない。したがって、留守にしていても、居宅内の財物の占有は友人にあるので、居宅の金品を勝手に持ち出す行為は横領罪（252）ではなく、窃盗罪（235）が成立する（名古屋高判昭 34.9.15）。

(イ) 構成しない　　窃盗罪の客体は、「他人の占有」に属する他人の財物でなければならない。判例は、走行中の電車内には乗客の立入りが自由である点から、その中の遺留物は、占有者の意思に基づかずに占有を離れ、いまだ何人の占有にも属さない物、すなわち遺失物であるとしている。したがって、窃盗罪ではなく、遺失物等横領罪（254）が成立する（大判大 15.11.2）。なお、車庫の電車内における窃取は、一般人の立入りが困難であり、鉄道会社の占有が認められることから、窃盗罪が成立する。

(ウ) 構成しない　　口止め料として金品を提供させる行為は、恐喝行為に当たるとされる（最判昭 29.4.6）。ただし、恐喝罪（249）が成立するためには、財物の交付が畏怖に基づいてされる必要があり、これを欠くと窃盗罪（235）となる可能性がある。この点、判例は、相手方が黙認しているのに乗じて財物を持ち去る場合でも、なお交付に当たるとする（最判昭 24.1.11）。したがって、恐喝罪（249Ⅰ）が成立し、窃盗罪（235）は成立しない。

(エ) 構成する　　窃盗罪（235）の客体は、「他人の占有」する他人の財物でなければならない。そこで、まず、洋服の占有が誰にあるかが問題となる。財物が客に一時手渡されても、具体的状況上、財物の占有は手渡した者の側にあるといえるから、洋服の占有は試着の時点では、いまだ商店主にあると解され、他人の占有する財物といえる。次に、店員を欺いているが、洋服を交付させるための欺く行為、つまり処分行為に向けられた欺く行為であるとはいえないから、詐欺罪（246Ⅰ）ではなく、窃盗罪（235）が成立する（広島高判昭 30.9.6）。

(オ) 構成しない　　判例は、領得罪である窃盗罪（235）の主観的要件として、故意のほかに不法領得の意思を要求し、この点で窃盗罪は毀棄罪と区別されるとする。そして、本肢と類似の事例において、不法領得の意思を「権利者を排除して他人の物を自己の所有物としてその経済的用法に従いこれを利用若しくは処分するの意思」と定義し、窃盗罪の成立を否定した（大判大 4.5.21）。重要書類を校舎の天井裏に隠す目的の場合、重要書類の「経済的用法に従いこれを利用若しくは処分する意思」があるとはいえないからである。したがって、本肢でも、文書毀棄罪（258・259）が成立するにとどまる。

以上から、窃盗罪（235）を構成するのは(ア)(エ)の２個であり、正解は(2)となる。

14−2(7−24)　窃盗罪

　窃盗罪に関する次の記述のうち、判例の趣旨に照らし誤っているものの組合せは、後記(1)から(5)までのうちどれか。

㋐　他人に窃盗を教唆し、その結果窃盗を実行した者から窃取した財物を買い受けた場合には、窃盗教唆罪だけが成立し、財物を買い受ける行為は盗品等有償譲受け罪を構成しない。

㋑　他人から金員を窃取した上、その金員を公務員に対し賄賂として供与した場合には、窃盗罪のほかに贈賄罪が成立する。

㋒　郵便貯金通帳を窃取した上、これを利用して通帳の名義人になりすまし、郵便局員を欺いて貯金払戻し名下に金員を受け取った場合には、窃盗罪のほかに詐欺罪が成立する。

㋓　他人から財物を窃取した上、これを自己の所有物であると偽り、担保に供して第三者から金員を借り受けた場合には、窃盗罪だけが成立し、金員を借り受けた行為は詐欺罪を構成しない。

㋔　他人に窃盗を教唆し、その結果窃盗を実行した者を欺いて、その窃取した財物を交付させた場合には、窃盗教唆罪のほかに詐欺罪が成立する。

(1)　㋐㋑　　(2)　㋐㋓　　(3)　㋑㋔　　(4)　㋒㋓　　(5)　㋒㋔

学習記録	／	／	／	／	／	／	／	／	／

重要度　A	知識型		正解（2）

本問は、窃盗罪（235）が既遂に達した後に犯人が行った目的物の処分行為が、不可罰的事後行為となるかどうかについて問うものである。窃盗罪は状態犯であるから、既遂に達した後も違法状態が存続し、犯人が目的物を使用・処分しても、窃盗罪の構成要件によって包括的に評価される限り、不可罰的事後行為として別罪を構成しない。そして、窃盗罪の構成要件によって包括的に評価されるかどうかは、新たな法益侵害があったかどうかにより判断される。

(ア)　誤　　盗品を買い受ける行為については、窃盗教唆罪（61）の構成要件によって包括的に評価されているとはいえない。したがって、窃盗教唆罪（235・61Ⅰ）のほかに盗品等有償譲受け罪（256Ⅱ）が成立し、両者は併合罪（45）となる（大判明42.3.16）。

(イ)　正　　贈賄罪（198）の保護法益は、職務の公正及びそれに対する社会の信頼である（大判昭6.8.6）から、窃盗被害者の財物に対する占有侵害のほかに、職務の公正及びそれに対する社会の信頼を害しているといえる。したがって、窃盗罪（235）のほかに贈賄罪（198）が成立し、両者は併合罪（45）となる。

(ウ)　正　　郵便貯金通帳を窃取する行為は、被害者の財物に対する占有を侵害するものである。他方、郵便局員を欺いて預金の払戻しを受ける行為は、郵便局の金銭に対する占有を侵害するものである。したがって、それぞれ別個の法益を侵害する行為であり、窃盗罪（235）のほかに詐欺罪（246Ⅰ）が成立し、両者は併合罪（45）となる（最判昭25.2.24）。

(エ)　誤　　窃取した財物を利用した欺く行為によって、第三者から金員を借り受けた場合、被害者の財物の占有侵害のほかに、その第三者の財産に対する新たな法益侵害があったといえる。したがって、窃盗罪（235）のほかに詐欺罪（246Ⅰ）が成立し（最決昭29.2.27）、両者は併合罪（45）となる。

(オ)　正　　自己の教唆によって窃盗を実行した者を欺いて、窃取した財物を交付させた場合、窃盗被害者の財物に対する占有侵害のほかに、窃盗を実行した者との関係で新たな法益の侵害があったといえる。したがって、窃盗教唆罪（235・61Ⅰ）のほかに詐欺罪（246Ⅰ）が成立し、両者は併合罪（45）となる（大判昭3.4.16）。

以上から、誤っているものは(ア)(エ)であり、正解は(2)となる。

14−3(8−25)　窃盗罪

次の事例のうち、判例の趣旨に照らし、窃盗罪が成立するものを選んだ組合せとして正しいものは、後記⑴から⑸までのうちどれか。

㋐　郵便集配人が、配達中の信書を開けて在中の小切手を取り出し、取得した場合。

㋑　パチンコ玉を磁石で誘導して穴に入れて当たり玉を出して取得した場合。

㋒　衣料品店で顧客を装い、上衣を試着したまま便所に行くと偽って逃走した場合。

㋓　電車で帰宅中、他の通勤客が網棚の上に鞄を置いたまま途中の駅で降りたのを確認した上で、終着駅でそれを取得した場合。

㋔　宿泊先の旅館の客室で前日の宿泊客が置き忘れた財布を発見し、これを取得した場合。

(1)　㋐㋒㋔　(2)　㋐㋓㋔　(3)　㋑㋒㋓　(4)　㋐㋑㋒㋔　(5)　㋑㋒㋓㋔

学習記録	／	／	／	／	／	／	／	／	／

重要度　A	知識型		正解（4）

(ア)　成立する　　郵便集配人が信書を開封して内容物である小切手を取り出し、取得した場合、窃盗罪（235）が成立する（大判明45.4.26）。窃盗罪は他人の所持（占有）を保護するものであり、信書それ自体は、郵便集配人の占有下にある（したがって、信書全体であれば横領罪となる。）が、その内容物については、封印がされている以上、郵便集配人が自由に支配し得る状態にはなく、発送人の占有にあるといえるからである。

(イ)　成立する　　磁石を用いてパチンコ玉を誘導し、穴に入れて当たり玉を出してこれを取得した場合、窃盗罪（235）が成立する（最決昭31.8.22）。機械には錯誤がないので、詐欺罪の実行行為である処分行為に向けられた「欺く行為」があったとはいえず、窃盗罪の実行行為である被害者の意思に反して占有を侵害する「窃取」があったものと認められるからである。なお、取得したパチンコ玉を景品に交換する意思であっても、その経済的用法に従って利用しようとする意思が表現されているものといえるから、不法領得の意思が認められる。

(ウ)　成立する　　衣類を試着した段階では、まだ被害者の占有支配が及んでいる。そして、便所に行くと偽って逃走することにより、被害者である店主の意思に反して占有を侵害（「窃盗」）したものと評価でき、窃盗罪（235）が成立する（広島高判昭30.9.6）。便所に行くと偽って逃走する行為は、被害者の処分行為に向けられたものではないので、「欺く行為」に当たらず、詐欺罪（246Ⅰ）は成立しない。

(エ)　成立しない　　営業運行中の電車の網棚の上に置き忘れた鞄を取得した場合、窃盗罪（235）は成立せず、遺失物等横領罪（254）が成立するにすぎない（大判大10.6.8）。置き忘れた財物は、被害者の事実的支配を離れているが、第三者に占有が認められる場合には、その第三者の占有が侵害され、窃盗罪が成立する。しかし、乗客の乗り降りが激しい営業運行中の列車の網棚に置き忘れられた物には、鉄道会社などの占有は認められない。

(オ)　成立する　　旅館の客室で前日の宿泊客が置き忘れた財布を取得した場合、窃盗罪（235）が成立する（大判大8.4.4）。刑法上の占有は、人が物を実力的に支配する関係であり、物が占有者の支配力の及ぶ範囲内に存在すれば、必ずしも物の現実の所持又は監視を必要としないので（最判昭32.11.8）、宿泊客が旅館に置き忘れた物は、旅館主がその事実を知っているか否かを問わず、旅館主の占有に属する。

以上から、窃盗罪が成立するものは(ア)(イ)(ウ)(オ)であり、正解は(4)となる。

14−4(12−26)　窃盗罪

次の⑴から⑸までの事例のうち、判例の趣旨に照らし窃盗罪が既遂とならないものはどれか。

⑴　スーパーマーケットの店内において、商品を同店備付けの買物かごに入れ、レジを通過することなく、その脇からレジの外側に持ち出したところで、店員に発見された場合

⑵　家人が不在中の居宅に侵入して、物色した品物のうちから衣服数点を選び出し、これを持参した袋に詰めて荷造をして勝手口まで運んだところで、帰宅した家人に発見された場合

⑶　公衆浴場で他人が遺留した指輪を発見し、これを領得する意思で、一時、浴室内の他人が容易に発見することができないすき間に隠匿したところで、不審に思った他の客に発見された場合

⑷　他人の家の玄関先に置いてあった自転車を領得する意思で、これを同所から５～６メートル引いて表通りまで搬出したところで、警察官に発見されて逮捕された場合

⑸　ブロック塀で囲まれ、警備員により警備された敷地内にある倉庫に侵入し、中のタイヤ２本を倉庫外に搬出したところで、敷地内において当該警備員に発見された場合

学習記録	／	／	／	／	／	／	／	／	／

重要度　A	知識型		正解（5）

窃盗罪（235）の既遂時期は、他人の占有を排除して、財物を行為者又は第三者の占有に移した時である（大判大3.6.10、最判昭23.10.23等）。この点、財物の占有を取得したとみられる事態は具体的には種々あり、客体である財物の形状、被害者の財物に対する支配の強弱、及び窃取行為の態様などを考慮する必要がある。本問は、各具体的場合につき、判例の趣旨に照らして、既遂時期を妥当に判断し得るかを問う問題である。

(1) **既遂となる**　スーパーマーケットの店内で商品を同店の買物かごに入れ、レジを通過することなく、その脇からレジの外側に持ち出した場合、窃盗罪（235）の既遂となる（東京高判平4.10.28）。被害者の支配状態を完全に脱却する必要はなく、それをほぼ確実にした時点で既遂を認めるのが判例の傾向である（東京高判昭27.12.11、大判大12.4.9）。本肢でも、いまだスーパーの店内におり、被害者の支配状態を完全に脱却したとはいえないが、レジの外に持ち出した以上、被害者の支配状態を脱却するのがほぼ確実であり、自己の事実的支配下に移したといえる。

(2) **既遂となる**　家人が不在中の居宅に侵入して窃盗を行った場合、行為者が荷造をして勝手口まで運べば、窃盗罪（235）の既遂となる（東京高判昭27.12.11）。不在中の居宅のように、監視が緩やかである場合には、被害者の支配力が弱く、荷造をして勝手口まで運べば、被害者の支配状態からの脱却をほぼ確実にし、自己の事実的支配下に移したといえるからである。

(3) **既遂となる**　公衆浴場で他人の指輪を発見した者が、他人に容易に発見できないすき間に隠匿した場合、窃盗罪（235）の既遂となる（大判大12.7.3）。指輪は形状が小さく、容易に発見できないすき間に隠匿した場合には、自己の事実的支配下に移したといえるからである。

(4) **既遂となる**　自転車窃盗については、他人の家の玄関先に置いてあった自転車を５～６メートル引いて表通りに搬出した場合には、窃盗罪（235）の既遂となる（名古屋高判昭25.3.1）。表通りまで搬出すれば、被害者の支配状態を脱却するのがほぼ確実であり、自己の事実的支配下に移したといえるからである。なお、事案によっては、より早い時点で窃盗罪が既遂となることもあり、例えば、自転車の錠をはずして自転車を手に持ち、その方向を転換した時点で既遂となるとした判例がある（大阪高判昭25.4.5）。

(5) **既遂とならない**　ブロック塀で囲まれ、警備員により警備された敷地内にある倉庫に侵入し、中のタイヤ２本を倉庫外に搬出したところで、敷地内において当該警備員に発見された場合、窃盗罪（235）は未遂にとどまる（東京高判昭24.10.22、大阪高判昭29.5.4、仙台高判昭29.11.2参照）。犯人が目的物を屋外に取り出しても、その構内に自由に出入りができないような場合には、構外に搬出しなければ、いまだ目的物に対する被害者の支配を脱却していないからである。

14－5(15－27)　窃盗罪

次の(ア)から(オ)までの事例のうち、判例の趣旨に照らしAに不動産侵奪罪が成立するものの組合せは、後記(1)から(5)までのうちどれか。

(ア)　Aは、自己所有の家屋の2階部分を隣家の庭の上に張り出して増築した。

(イ)　建物の賃借人であるAは、賃貸人に無断で、当該建物に接続して、木造の物置小屋を庭に建てた。

(ウ)　Aは、他人所有の畑に囲いを設置し、その畑の中で野菜を栽培した。

(エ)　Aは、他人所有の畑に生育している作物を抜き取った上、その地表の肥土を持ち去った。

(オ)　建物の賃借人であるAは、賃料不払のため賃貸借契約を解除され、賃貸人から引渡請求を受けたにもかかわらず、その後も居住し続けた。

(1)　(ア)(ウ)　　(2)　(ア)(エ)　　(3)　(イ)(エ)　　(4)　(イ)(オ)　　(5)　(ウ)(オ)

学習記録	／	／	／	／	／	／	／	／	／

重要度　A　知識型　　**正解（1）**

(ア) 成立する　　Aが自己所有の家屋の２階部分を隣家の庭の上に張り出して増築をした場合、Aには、不動産侵奪罪（235の２）が成立する。不動産侵奪罪の「不動産」とは、土地及びその定着物をいい（民86Ⅰ参照）、土地には、地面だけでなく、地上の空間及び地下も含まれるからである。

(イ) 成立しない　　建物の賃借人Aが、賃貸人に無断で、当該建物に接続して木造の物置小屋を庭に建てた場合でも、不動産侵奪罪（235の２）は成立しない。不動産侵奪罪の「侵奪」とは、不動産上の他人の占有を排除して行為者又は第三者の占有を設定することであり、他人の占有を排除しない限り、賃貸借契約上の用法違反の行為があっても侵奪に当たらない（東京高判昭53.3.29）からである。

(ウ) 成立する　　Aが他人所有の畑に囲いを設置し、その畑の中で野菜を栽培した場合、Aには不動産侵奪罪（235の２）が成立する（大阪高判昭41.8.19）。畑の所有者の占有を排除して自己の占有を設定しており、侵奪に当たるからである。

(エ) 成立しない　　Aが他人所有の畑に生育している作物を抜き取った上、その地表の肥土を持ち去った場合、Aには不動産侵奪罪（235の２）は成立しない。不動産から分離して奪取した場合には動産と化しているから、窃盗罪（235）の客体となり（最判昭25.4.13）、不動産侵奪罪の客体ではなくなるからである。

(オ) 成立しない　　建物の賃借人Aが賃料不払のため賃貸借契約を解除され、賃貸人から引渡請求を受けたにもかかわらず、その後も居住し続けた場合、Aには不動産侵奪罪（235の２）は成立しない。侵奪は、他人の占有を排除してされることを要し（東京高判昭53.3.29）、賃貸借契約終了後に明渡しに応じないだけでは侵奪があったとはいえないからである。

以上から、Aに不動産侵奪罪が成立するものは(ア)(ウ)であり、正解は(1)となる。

14−6(16−27)　窃盗罪

刑法第235条の窃盗罪の保護法益について、財物に対する所有権その他の本権であるとする説（Ａ説）及び事実上の占有（所持）であるとする説（Ｂ説）の二つの説がある。次の(ア)から(オ)までの記述のうち、正しいものの組合せは、後記(1)から(5)までのうちどれか。

(ア)　Ａ説によれば、第242条は、第235条の例外的な規定と解することになるが、Ｂ説によれば、第242条は、第235条の注意的な規定と解することになる。

(イ)　窃盗の被害者である所有者が犯人から自己の所有物をひそかに取る行為は、Ａ説によれば窃盗罪を構成しないが、Ｂ説によれば窃盗罪を構成する。

(ウ)　窃盗の被害者以外の第三者が犯人からその窃取に係る財物をひそかに取る行為は、Ａ説又はＢ説いずれによっても、窃盗罪を構成しない。

(エ)　賃貸人が賃貸借契約終了後に目的物を賃借人からひそかに取る行為は、Ａ説又はＢ説いずれによっても、窃盗罪を構成しない。

(オ)　わいせつ物のように法律が所有及び所持を禁止している物をひそかに取る行為は、Ａ説又はＢ説いずれによっても、窃盗罪を構成しない。

(参考)
刑法
第235条　他人の財物を窃取した者は、窃盗の罪とし、10年以下の懲役又は50万円以下の罰金に処する。
第242条　自己の財物であっても、他人が占有し、又は公務所の命令により他人が看守するものであるときは、この章の罪については、他人の財物とみなす。

(1)　(ア)(イ)　　(2)　(ア)(エ)　　(3)　(イ)(ウ)　　(4)　(ウ)(オ)　　(5)　(エ)(オ)

学習記録	／	／	／	／	／	／	／	／	／

重要度　C	推論型		正解（1）

窃盗罪（235）の保護法益については、財物に対する所有権その他の本権であるとする本権説（A説）及び事実上の占有（所持）それ自体であるとする占有説（B説、判例）とが対立している。

本権説は、奪取罪の保護法益は、究極的には占有の基礎となっている所有権その他の権利であり、242条にいう「他人の占有」は、権限に基づく占有すなわち適法な原因に基づく財物の占有を意味すると主張する。それゆえ、本権説によると、本権者が不法な占有者から自己の所有物・賃借物を取り戻す行為は、奪取罪を構成しないこととなる。

これに対して占有説は、複雑化した現代社会においては現に財物が占有されているという財産的秩序の保護を図る必要があるという見地から、占有自体が保護法益であるとし、242条にいう「占有」は、占有一般を指し、権限によらない違法な占有を含むことを注意的に規定したものにすぎないと主張する。そのため、占有説によると、他人の占有する財物である限り、その占有の適法・違法にかかわらず、本権者が自己の所有物・賃借物を取り戻す行為は、奪取罪を構成することとなる。

(ア)　正　　本権説によれば、242条にいう「他人の占有」は、権限に基づく占有すなわち適法な原因に基づく財物の占有を意味するものであり、235条の例外的な規定と解される。これに対し占有説によれば、占有自体が保護法益であるから、242条にいう「占有」は、権限によらない違法な占有を含むことを意味するものであり、235条の注意的な規定と解されることとなる。

(イ)　正　　本権説によれば、所有権その他の権利が保護法益であるから、本権者が不法な占有者から自己の所有物・賃借物を取り戻す行為は、窃盗罪を構成しないこととなる。これに対し占有説によれば、占有自体が保護法益であるから、他人の占有する財物である限り、その占有の適法·違法にかかわらず、本権者が自己の所有物・賃借物を取り戻す行為は、窃盗罪を構成することとなる。

(ウ)　誤　　本権説によれば、窃盗犯人の占有には根拠がない以上、窃盗罪は成立しないようにも思えるが、窃盗犯人は所有権者以外の第三者には占有を対抗できるとする理論構成や、第三者は所有権者の所有権を間接的に侵害しているとの理論構成によれば、窃盗罪を構成するという結論を導くことができる。また、占有説によれば、窃盗犯人からの盗取も占有を侵害する以上、窃盗罪を構成することとなる。

(エ)　誤　　本権説によれば、賃借人は賃貸借契約の終了により占有権限を失うことから、不法な占有者から自己の所有物・賃借物を取り戻す行為として、窃盗罪を構成しないこととなる。これに対し占有説によれば、賃借人の占有を侵害する以上、窃盗罪を構成することとなる。

(オ)　誤　　禁制品については、法律上これを正当に所有・占有する権利が認められていないことから、財産罪の客体となり得ないのではないか否かが問題となる。この点、判例は、禁制品も一定の場合には許可等を条件に所有・占有することができることから、禁制品も財物になるとして奪取罪（窃盗罪等）の成立を認めている（最判昭 24.2.15）。したがって、本権説及び占有説のいずれであっても、窃盗罪を構成し得る。

以上から、正しいものは(ア)(イ)であり、正解は(1)となる。

MEMO

14−7(19−26)　窃盗罪

窃盗罪に関する次の(ア)から(オ)までの記述のうち、判例の趣旨に照らし正しいものの組合せは、後記(1)から(5)までのうちどれか。

(ア)　一時使用の目的で他人の自転車を持ち去った場合、使用する時間が短くても、乗り捨てるつもりであったときは、不法領得の意思が認められるので、窃盗罪が成立する。

(イ)　一時使用の目的で他人の自動車を乗り去った場合、相当長時間乗り回すつもりであっても、返還する意思があったときは、不法領得の意思は認められないので、窃盗罪は成立しない。

(ウ)　商店から商品を無断で持ち出した場合であっても、その直後に返品を装って当該商品を商店に返還し代金相当額の交付を受ける目的で持ち出したときは、不法領得の意思は認められないので、窃盗罪は成立しない。

(エ)　水増し投票をする目的で投票用紙を持ち出した場合、経済的利益を得る目的がなくても、不法領得の意思が認められるので、窃盗罪が成立する。

(オ)　嫌がらせのために、勤務先の同僚が毎日仕事に使う道具を持ち出して水中に投棄した場合、不法領得の意思が認められるので、窃盗罪が成立する。

(1)　(ア)(ウ)　　(2)　(ア)(エ)　　(3)　(イ)(ウ)　　(4)　(イ)(オ)　　(5)　(エ)(オ)

学習記録	／	／	／	／	／	／	／	／	／

重要度　A	知識型		正解（2）

窃盗罪は故意犯であるから、主観的要件として故意が必要である。更に故意とは別個の主観的構成要件要素として、「権利者を排除して、他人の物を自己の所有物として、その経済的用法に従い、利用処分する意思」（不法領得の意思）が必要と解されている。すなわち、①権利者を排除して本権者として振舞う意思（振舞う意思）、②物の経済的用法ないし本来の用法に従いこれを利用し処分する意思（利用処分する意思）、が不法領得の意思として要求される。

㈠　正　　一時使用の目的で他人の財物を自己の占有に移す、いわゆる使用窃盗は、①振舞う意思が欠けるので、窃盗罪は成立しない。しかし、一時使用の場合において、使用する時間が短くても、乗り捨てるつもりであったときには、不法領得の意思が認められ、窃盗罪が成立する（最判昭 26.7.13）。

㈡　誤　　自動車の一時使用の場合、たとえ返還する意思があったとしても、相当長時間乗り回すつもりであった場合には、不法領得の意思は認められ、窃盗罪が成立する（最決昭 55.10.30）。

㈢　誤　　②利用処分する意思は、専ら毀棄・隠匿の意思で占有を侵害する場合を除き認めて差し支えない。そこで、商店から商品を無断で持ち出した場合、その直後に返品を装って当該商品を商店に返還し代金相当額の交付を受ける目的で持ち出したときであっても、不法領得の意思が認められ、窃盗罪が成立する（大阪地判昭 63.12.22）。

㈣　正　　②利用処分する意思は、専ら毀棄・隠匿の意思で占有を侵害する場合を除き認めて差し支えない。そこで、水増し投票をする目的で投票用紙を持ち出した場合、経済的利益を得る目的がなくても、不法領得の意思が認められ、窃盗罪が成立する（最判昭 33.4.17）。

㈤　誤　　②利用処分する意思は、専ら毀棄・隠匿の意思で占有を侵害する場合を除き認めて差し支えない。そこで、嫌がらせ目的のために、勤務先の同僚が毎日仕事に使う道具を持ち出して水中に投棄した場合は、専ら毀棄の意思で占有を侵害する場合に当たり、不法領得の意思が認められず、窃盗罪は成立しない（仙台高判昭 46.6.21）。

以上から、正しいものは㈠㈣であり、正解は⑵となる。

14−8(20−26)　窃盗罪

窃盗罪に関する次の(ア)から(オ)までの記述のうち、判例の趣旨に照らし正しいものの組合せは、後記(1)から(5)までのうちどれか。

(ア)　長年恨んでいた知人を殺害するため、深夜、同人が一人暮らしをするアパートの一室に忍び込んで、寝ている同人の首を絞めて殺害し、死亡を確認した直後、枕元に同人の財布が置いてあるのが目に入り、急にこれを持ち去って逃走資金にしようと思い立ち、そのまま実行した場合、持ち主である知人は死亡していても、占有離脱物横領罪ではなく、窃盗罪が成立する。

(イ)　上司が保有している会社の企業秘密を競争相手の会社に売るため、上司の業務用パソコンから、会社備付けのプリンタ、用紙を用いて、企業秘密を印字し、これを持ち出して競争相手会社の社員に渡した場合でも、企業秘密は情報にすぎず、財物ではないから、窃盗罪にならない。

(ウ)　ゴルフ場で、池の中に落ちたまま放置されたいわゆるロストボールは、仮に、そのゴルフ場において、後に回収し、ロストボールとして販売することになっていたとしても、もともとは客が所有していたボールであり、客が所有権を放棄したのであるから、無主物であって、これを盗んでも窃盗罪にならない。

(エ)　スーパーマーケットで、ガムを万引しようとしたが、一般の客を装うために、商品棚から取ったガムをスーパーマーケット備付けの買物かごに入れ、取りあえずレジの方向に向かって一歩踏み出したところ、その場で店長に取り押さえられた場合、レジを通過する前であっても、ガムを買物かごに入れた時点で自己の支配下に置いたといえるから、窃盗既遂罪が成立する。

(オ)　恐喝の被害者からの振込送金により、第三者名義の銀行口座（口座売買によって取得されたもの）に入金された預金について、恐喝の実行犯からこれを引き出すように依頼を受け、恐喝によって入金されたものであることを知りながら、その口座のキャッシュカードを用いて、その口座内の現金をすべて引き出した場合、銀行との関係で、この引出しについて窃盗罪が成立する。

(1)　(ア)(エ)　(2)　(ア)(オ)　(3)　(イ)(ウ)　(4)　(イ)(オ)　(5)　(ウ)(エ)

学習記録	／	／	／	／	／	／	／	／	／

重要度　A	知識型		正解（2）

㈠　正　　判例は、人を死亡させた後、財物を奪取する意思を生じてこれを奪った場合につき、被害者の生前に有した占有が、被害者を死亡させた犯人に対する関係で、被害者の死亡と時間的・場所的に近接した範囲内にある限り、法的保護に値するのであり、犯人が被害者を死亡させたことを利用してその財物を奪取したという一連の行為を全体的に評価して、その奪取行為は窃盗罪を構成するものと解すべきである（最判昭 41.4.8）としている。

㈡　誤　　判例は、企業秘密、ノウハウなどの情報自体は財物と取り扱っていないが、情報が記載された紙や、記録されたフロッピーディスクなどには財物性を認めている。そして、研究所の技官が、新薬に関する秘密資料を競争相手の会社に渡してコピーをとらせた事案に関して、情報が記載された「紙」の窃取として、窃盗罪の成立を認めている（東京地判昭 59.6.28）。

㈢　誤　　判例は、ゴルフ場内の人工池の中にゴルファーが誤って打ち込み、放置したロストボールは、ゴルフ場側が「早晩その回収、再利用を予定していた」場合、無主物ではなく、ゴルフ場側の所有に帰していたのであるから、ゴルフ場管理者の占有に属したものとして、これに対する窃盗罪を認めている（最決昭 62.4.10）。

㈣　誤　　判例は、スーパーで商品を買物かごに入れ、レジを通過することなく買物かごをレジ脇の棚からレジの外側に持ち出しカウンター上においた場合に、窃盗は既遂になり得るとしている（東京高判平 4.10.28）。したがって、本肢の場合、レジを通過する前に取り押さえられており、窃盗既遂罪は成立しない。

㈤　正　　判例は、ＡがＢに恐喝を行い、Ｂの振込により第三者名義の銀行口座（口座売買によって取得されたもの）に入金された預金について、Ａからこれを引き出すように依頼を受け、キャッシュカードを使用してＡＴＭ機により現金を引き出したＣの行為は、銀行との関係において、窃盗罪が成立するとしている。口座売買の譲受人である恐喝の実行犯Ａは、当該口座の預貯金者であることを銀行に主張することができず、預金を払い戻す正当な権限を有することはないので、Ａから更に払い戻しを依頼されたＣも正当な権限者とはいえず、当該引き出し行為は銀行の意思に反するものとして窃盗罪が成立する（東京高判平 17.12.15）。

以上から、正しいものは㈠㈤であり、正解は⑵となる。

14−9(28−25)　窃盗罪

窃盗罪に関する次の(ア)から(オ)までの記述のうち、判例の趣旨に照らし正しいものの組合せは、後記(1)から(5)までのうち、どれか。

(ア)　Aは、飲食代金を踏み倒すつもりで、金を持たずに居酒屋に一人で行き、飲食物を注文して飲み食いし、残ったおにぎり三つを上着の下に隠した上で、店員に対して、「トイレに行ってきます」と告げ、その居酒屋の外にあったトイレに行くように装ってそのまま立ち去った。この場合、Aには、窃盗罪は成立しない。

(イ)　Aは、隣家に住むB所有の自動車にエンジンキーが付いたままになっていることに気付き、その自動車を運転してみたいと考え、深夜、Bに無断で、その自動車に乗って約５時間ドライブし、その後、元の場所に戻しておいた。この場合、Aには、窃盗罪は成立しない。

(ウ)　Aは、電車内で隣に座っていたBが、座席に携帯電話を置き忘れたまま立ち上がり、次の駅で降車しようとしてドアの方に向かったので、その携帯電話が欲しくなり、それを自己のカバンの中に入れたところ、間もなくBが携帯電話を置き忘れたことに気付いて座席に戻ってきた。この場合、Aには、窃盗罪は成立しない。

(エ)　金融業者であるAは、Bとの間で、B所有の自動車の買戻特約付売買契約を締結して代金を支払い、その自動車の管理者は引き続きBとしていたが、Bが買戻権を喪失した後、密かに作成したスペアキーを利用して、Bに無断でその自動車をBの駐車場からAの事務所に移動させた。この場合、Aには、窃盗罪は成立しない。

(オ)　Aは、会社の同僚Bの営業成績が上がったことをねたみ、Bが職務上保管する物を投棄してBを困らせてやろうと考え、社外秘の顧客情報が記録されてBが保管していた電磁的記録媒体をBの机の引出しの中から勝手に持ち出し、付近の川に投げ捨てた。この場合、Aには、窃盗罪は成立しない。

(1)　(ア)(イ)　(2)　(ア)(オ)　(3)　(イ)(ウ)　(4)　(ウ)(エ)　(5)　(エ)(オ)

学習記録									
	／	／	／	／	／	／	／	／	／

重要度　A	知識型		正解（2）

(ア)　正　　飲食店で当初から代金を踏み倒す意思で、飲食の注文を行い、飲食の提供を受けた場合、注文者には詐欺罪（246Ⅰ）が成立する（最決昭30.7.7）が、その後おにぎりを持ち去った行為は不可罰的事後行為であり、別途窃盗罪を構成しない。

(イ)　誤　　窃盗罪（235）の成立には、その主観的要件として、占有侵害の認識のほかに不法領得の意思、すなわち権利者を排除して他人の物を自己の所有物として、その経済的用法に従いこれを利用若しくは処分する意思を必要とする（大判大4.5.21）。この点、本肢と同様の事例につき判例は、数時間にわたって完全に自己の支配下に置く意図の下に、所有者に無断で自動車を乗り出し、その後4時間余りの間乗り回していたのであるから、たとえ、使用後にこれを元の場所に戻しておくつもりであったとしても、当該自動車に対する不法領得の意思が認められ、窃盗罪が成立するとした（最決昭55.10.30）。

(ウ)　誤　　Bは座席を離れドアの方に向かったものの、間もなく携帯電話の置き忘れに気付き座席に戻ってきていることから、Bの携帯電話に対する占有は失われておらず（最判昭32.11.8参照）、これを窃取したAには、窃盗罪（235）が成立する。

(エ)　誤　　自動車金融業者である債権者が、債務者との間に買戻約款付自動車売買契約を締結し、債務者が買戻権を喪失した直後に、債権者が密かに作成したスペアキーを利用して無断で自動車を引き揚げた場合、当該債権者には窃盗罪（235）が成立する（最決平1.7.7）。

(オ)　正　　窃盗罪（235）の成立には主観的要件として、故意のほかに、不法領得の意思が必要である（大判大4.5.21）。この点、不法領得の意思とは、権利者を排除して他人の物を自己の所有物として、その経済的用法に従いこれを利用又は処分する意思をいう（同判例）。本肢において、Aが、同僚Bを困らせる目的で、Bが職務上保管していた電磁的記録媒体をBの机の引出しの中から勝手に持ち出し、付近の川に投げ捨てた行為については、権利者を排除する意思は認められるものの、経済的用法に従い利用又は処分する意思が認められないことから、Aには不法領得の意思は認められず、窃盗罪は成立しない。

以上から、正しいものは(ア)(オ)であり、正解は(2)となる。

14－10(R4－26)　窃盗罪

窃盗罪に関する次の(ア)から(オ)までの記述のうち、判例の趣旨に照らし正しいものの組合せは、後記(1)から(5)までのうち、どれか。

(ア)　Ａは、スーパーマーケットの店内で、ガムを万引きしようと考え、商品であるガム１個を自己の上着の内ポケットに入れた。Ａがそのガムを店外に持ち出す前に犯行を目撃した警備員に捕まった場合、Ａには窃盗未遂罪が成立し、窃盗罪は成立しない。

(イ)　Ａは、Ｂが違法に所持しているけん銃を領得しようと考え、Ｂ宅を訪れた際に、Ｂに無断で、Ｂが押し入れに隠していたけん銃を自分の鞄の中に入れてＢ宅外に持ち出した。この場合、Ａには窃盗罪が成立する。

(ウ)　Ａは、ゴルファーが誤ってゴルフ場の人工池に打ち込んで放置したいわゆるロストボールを領得して業者に売却しようと考え、周囲をフェンスで囲まれた甲ゴルフ場に忍び込んだ上、甲ゴルフ場内の人工池の底から多数のロストボールをすくい取り、これを甲ゴルフ場外に持ち出した。甲ゴルフ場では、いずれそのロストボールを回収して再利用することが予定されていた場合、Ａには窃盗罪が成立する。

(エ)　Ａは、Ａとは別居している祖父Ｂがその友人Ｃから依頼されてＣが所有する宝石を預かっていることを知ったことから、その宝石をＢから窃取した。ＡとＣとの間には親族関係がない。この場合、Ａは窃盗罪による刑が免除される。

(オ)　Ａは、同居人のＢと共有し、共同して占有していたテレビを、Ｂに無断で持ち出し、質に入れた。この場合、Ａには窃盗罪は成立しない。

(1)　(ア)(ウ)　　(2)　(ア)(エ)　　(3)　(イ)(ウ)　　(4)　(イ)(オ)　　(5)　(エ)(オ)

学習記録	／	／	／	／	／	／	／	／	／

重要度　A	知識型		正解（3）

(ア) 誤　　犯人の身につけることのできるような小型の財物については、犯人がそれを自己のポケットや鞄の中に入れたりすることによって容易に実力支配をすることができるので、その時点で窃盗罪の既遂となる。この点、商店の店頭にある商品を手にとって懐中に納めた場合、即時に発見されて取り戻されても、窃盗既遂となる（大判大12.4.9）。

(イ) 正　　麻薬や鉄砲刀剣類のような禁制品が財産犯の客体となるのかについて、判例は、刑法における財物取得罪の規定は人の財物に対する事実上の所持を保護しようとするものであって、これを所持するものが、法律上正当にこれを所持する権限を有するかどうかを問わず、たとえ刑法上その所持を禁じられている場合でも現実にこれを所持している事実がある以上、社会の法的秩序を維持する必要からして、物の所持という事実上の状態それ自体が独立の法益として保護されみだりに不正の手段によって、これを侵すことを許さないとした（最判昭24.2.15）。

(ウ) 正　　ゴルフ場の池の中のロストボールは、ゴルフ場側が回収及び再利用を予定していた場合には、無主物先占あるいはゴルファーからの権利の承継的取得によりゴルフ場側の所有に属し、かつ、占有も認められるため、窃盗罪が成立する（最決昭62.4.10）。

(エ) 誤　　配偶者、直系血族又は同居の親族との間で、窃盗罪（235）を犯した者は、刑を免除する（244 Ⅰ・親族相盗例）。この点、本条の親族関係が窃盗犯人と誰との間に必要かについて、判例は、窃盗犯人と財物の占有者との間のみならず、所有者との間にも存することを要するものと解するのが相当であるとした（最決平6.7.19）。したがって、本肢の場合、Aと当該宝石の所有者Cとの間に親族関係がないため、親族相盗例は適用されない。

(オ) 誤　　窃盗罪（235）の客体は、他人の占有する財物でなければならない。この点、共同保管している者の一人が他の保管者の同意を得ないで自己単独の占有に移す行為には、窃盗罪が成立する（最判昭25.6.6）。なぜなら、この場合、他の共同保管者の占有を侵害したといえるからである。

以上から、正しいものは(イ)(ウ)であり、正解は(3)となる。

15－1(5－26)　強盗罪

Ａの罪責についての次の記述のうち、判例の趣旨に照らし、正しいものはどれか。

⑴　電車内で乗客Ｂから財布をすり取ったＡは、直ちにその電車を降りようとしたが、Ｂに呼び止められその場で逮捕されそうになったため、これを免れようとして、その顔面を殴りつけて傷害を負わせた。この場合、Ａは窃盗犯人であるから、強盗致傷罪は成立しない。

⑵　現金を運搬する銀行員Ｂを路上で待ち伏せ、これを殺害して現金を強取する目的で、ＡはＢに対してけん銃を発射したところ、弾丸がＢの身体を貫通して、さらにその傍らを歩いていた通行人Ｃに命中し、Ｂ・Ｃ両名を死亡させた。この場合、ＡはＣを殺害する意思がなかったのであるから、Ｃに対する強盗殺人罪は成立しない。

⑶　Ａは、覆面をして、友人Ｂを路上で待ち伏せ、殴る蹴るの暴行を加えてＢの財布を強取したが、Ｂが自己の犯行であることを察知したのではないかと心配になり、犯行の翌日、Ｂを自宅に誘い出して、これを殺害した。この場合、犯行の発覚を防ぐための新たな決意に基づくものであるから、強盗殺人罪は成立しない。

⑷　Ａは、Ｂ宅に侵入し、Ｂをナイフで脅迫して、金品を強取しようとしたが、Ｂに騒がれたため何も取らずに逃げようとしたところ、Ｂに足をつかまれたため、殺意をもって、所携のナイフでＢの胸部を突き刺してこれを殺害した。この場合、Ａの金品強取行為は未遂に終わっているので、強盗殺人罪は成立しない。

⑸　Ａは、Ｂの財布を強取する目的で、Ｂに短刀を突きつけ脅迫したが、Ｂが抵抗したためもみ合いになり、たまたまＢがＡの持つ短刀を両手で握ったため、Ｂは傷害を負った。この場合、Ｂの受傷はＡの暴行によるものではないから、強盗致傷罪は成立しない。

学習記録	／	／	／	／	／	／	／	／	／

重要度　C	知識型		正解（3）

(1) 誤　　窃盗犯人であるAが逮捕を免れるためにBに傷害を負わせるほどの暴行を窃盗の機会に加えているから、事後強盗罪（238）が成立する。そして、事後強盗罪が強盗と同一に取り扱われる以上、本罪に当たる場合には、強盗致死傷罪の適用上も強盗として取り扱われる（大判明43.4.14）。したがって、強盗致傷罪（240前段）が成立する。

(2) 誤　　まず、Bに対する罪責として、強盗犯人が故意に人を殺した場合にも、240条後段に含まれ（大連判大11.12.22、最判昭32.8.1）、AにはBに対する強盗殺人罪（240後段）が成立する。次に、予期しなかったCに対して判例は、錯誤論における法定的符合説を徹底する立場から、故意の個数を問題とすることなく、およそ「人を殺す意思のもとに殺害行為に出た以上、Aの認識しなかったCに対してその結果が発生した場合にも、右結果について殺人の故意があるものというべき」であると解し、Cに対しても強盗殺人罪の成立を認めている（最判昭53.7.28参照）。

(3) 正　　強盗犯人Aは、犯行終了後、その翌日、新たに生じた殺意に基づいて自宅でBを殺害しているのであり、それがたとえ犯行の発覚を防ぐためであっても、強盗と時間的・場所的に接着性が認められない以上、強盗の機会における殺害行為とは解せられない。したがって、Aには強盗罪（236）とは別に殺人罪（199）が成立するにすぎず、両者は併合罪となる。

(4) 誤　　強盗致死傷罪（240）は、財物奪取の点よりも、人の殺傷という点に重きを置いて理解され、その未遂・既遂も、財物奪取の有無ではなく、死傷の結果の有無で判断される。したがって、致死傷の結果が生じた以上、強盗の未遂・既遂を問わず、強盗致死傷罪は既遂となる（最判昭23.6.12）。本肢事案の場合も、Aは、強盗の機会に殺意をもってBを殺害しており、強取行為は未遂に終わっていても、強盗殺人罪（240後段）が成立する。

(5) 誤　　強盗致死傷罪において、死傷の場合は、強盗の手段である暴行・脅迫から生じたものであることを要せず、強盗の機会に生じたものであれば足りる。したがって、本肢事案のように、強盗犯人が被害者ともみ合いになり、たまたま被害者が強盗犯人の持つ短刀を両手で握ったために被害者が傷害を負った場合も、強盗の機会における傷害として、強盗致傷罪（240前段）が成立する（最判昭24.3.24）。

15−2(13−25)　強盗罪

次の(1)から(5)までの事例のうち、判例の趣旨に照らしてＡについて強盗既遂罪が成立するものはどれか。

(1)　Ａは、うらみを晴らす目的でＢになぐるけるの暴行を加え、Ｂを失神させた後、この機会に金品を奪おうと考え、Ｂが身に付けていた背広のポケットを探り、中にあった財布を奪った。

(2)　Ａは、たまたま公園内で、Ｂが「金をよこせ。」などと言いながらＣになぐるけるの暴行を加えているのを目撃したため、Ｂに加勢して自分も金品を奪おうと考えたが、Ｂが現金を奪って立ち去ってしまったため、負傷して身動きができなくなったＣの傍らに置いてあったＣのバッグを奪った。

(3)　Ａは、金品を奪う目的でＢにナイフを突き付けて金品を要求したところ、Ｂは、恐怖心は感じたものの、合気道の達人であるので、反抗ができないわけではないと思ったが、万が一けがをしてはいけないと考え、自らＡに所持金を差し出し、Ａは、これを奪った。

(4)　Ａは、金品を奪う目的でＢにナイフを突き付けて金品を要求したところ、驚いたＢは、反射的に逃げ出し、その途中でポケットから財布を落としたが、それに気付かないまま逃走した。Ｂの姿が見えなくなった後、Ａは、財布が路上に落ちているのに気付き、Ｂが落としたものと思って、これを奪った。

(5)　Ａは、コンビニエンス・ストアに押し入って売上金を強奪することを計画し、深夜、けん銃を持って営業中の店に侵入したが、たまたま店員が不在であったため、レジから売上金を奪った。

学習記録	／	／	／	／	／	／	／	／	／

重要度　C	知識型		正解（3）

⑴　**成立しない**　　Aがうらみを晴らす目的でBに殴る蹴るの暴行を加え、その後、財物奪取の意図を生じてBの財布を奪った場合には、Aについて傷害罪（204）と窃盗既遂罪（235）とが成立し、強盗既遂罪（236）は成立しない。強盗罪の実行行為である「暴行」は、財物奪取の手段として行われる必要があるからである。

⑵　**成立しない**　　AがBの姿が見えなくなった後、負傷して身動きができなくなったCの傍らに置いてあったCのバッグを奪った場合、Aについて窃盗既遂罪（235）が成立し、強盗既遂罪（236 Ⅰ）は成立しない。Aは、主観的にBに加勢して自分も金品を奪おうと考えているが、客観的にはBに加勢せず、また強盗罪の実行行為である暴行・脅迫を行っていないからである。

⑶　**成立する**　　強盗罪の手段としての「暴行・脅迫」に当たるか否かは、社会通念上一般に被害者の反抗を抑圧する程度のものであるかどうかという客観的基準によって判断され（最判昭23.11.18）、この暴行・脅迫が加えられれば、暴行・脅迫→反抗抑圧→財物奪取という厳密な因果関係がなくても「強取」に当たるといえる（最判昭24.2.8）。したがって、本肢のAについては強盗既遂罪（236）が成立する。

⑷　**成立しない**　　被害者が逃走中に落とした物を持ち去る行為は、暴行・脅迫を手段とする財物奪取とは評価し得ないため、強盗既遂罪（236）は成立しない。したがって、本肢のAについては、強盗既遂罪（236）ではなく、強盗未遂罪（236・243）及び窃盗既遂罪（235）又は遺失物等横領罪（254）が成立することになる。

⑸　**成立しない**　　Aが店員が不在のコンビニエンス・ストアのレジから売上金を奪った場合、たとえ強盗の意図を有していたとしても、Aについては窃盗既遂罪（235）が成立するにとどまり、強盗既遂罪（236）は成立しない。強盗罪は、暴行・脅迫を手段とする犯罪であるところ、Aは、主観的には強盗の故意を有しているものの、客観的には暴行・脅迫を行っていないからである。

15−3(22−25)　強盗罪

強盗罪に関する次の(ア)から(オ)までの記述のうち、判例の趣旨に照らし正しいものの組合せは、後記(1)から(5)までのうちどれか。

(ア)　Aは、窃盗の目的でB方に侵入し、タンスの引き出しを開けるなどして金品を物色したが、めぼしい金品を発見することができないでいるうちに、帰宅したBに発見されたため、逃走しようと考え、その場でBを殴打してその反抗を抑圧した上、逃走した。この場合、Aには、事後強盗罪の未遂罪が成立する。

(イ)　Aは、Bから財物を強取するつもりでBを脅迫し、その反抗を抑圧したところ、Bが所持していた鞄から財布を落としたので、その財布を奪ったが、Bは、上記脅迫により畏怖していたため、財布を奪われたことに気付かなかった。この場合、Aには、強盗（既遂）罪は成立しない。

(ウ)　Aは、路上でBを脅迫してその反抗を抑圧し、その財物を強取したが、すぐにBが追いかけてきたので、逃走するため、Bを殴打して負傷させた。この場合、Aには、強盗致傷罪は成立しない。

(エ)　Aは、通行人Bから財物を強取するつもりで暴行を加え、その反抗を抑圧したが、負傷させただけで、財物奪取に失敗した。この場合、Aには、強盗致傷罪の未遂罪が成立する。

(オ)　Aは、かねてからうらみを抱いていたBを殺害し、その後、その場所でBの財物を奪取する犯意を抱き、Bの財物を奪取した。この場合、Aには、強盗殺人罪は成立しない。

(1)　(ア)(イ)　(2)　(ア)(オ)　(3)　(イ)(ウ)　(4)　(ウ)(エ)　(5)　(エ)(オ)

学習記録	／	／	／	／	／	／	／	／	／

重要度　C	知識型		正解（2）

(ア)　正　　事後強盗罪の実行の着手時期は、暴行又は脅迫の開始時点であるが、事後強盗罪の既遂又は未遂は、先行する窃盗の既遂又は未遂によって決せられる（最判昭 24.7.9）。本問において、Ａは金品を発見する前に、帰宅したＢに発見され、逃走するためにＢを殴打してその反抗を抑圧していることから、先行する窃盗が未遂であり、Ａには事後強盗罪の未遂罪（238・243・43）が成立する。

(イ)　誤　　強盗罪は暴行又は脅迫を手段とする財産犯であるから、暴行又は脅迫により反抗を抑圧された状態で財物奪取するという因果関係が必要である。しかし、被害者が財物を奪取されたことを認識している必要はなく、暴行又は脅迫に基づく反抗抑圧状態で奪取したものと評価することができれば強盗罪は成立する（最判昭 23.12.24）。したがって、脅迫により反抗を抑圧されたＢが畏怖していたために財布を奪われたことに気付かなくても、Ａには強盗罪（236）が成立する。

(ウ)　誤　　強盗致傷罪における傷害の結果は、強盗の手段である暴行又は脅迫によって生じたものに限定されず、強盗犯人が逮捕を免れる目的で加えた暴行など強盗の機会に生じたものを含む（最判昭 24.5.28）。したがって、Ａが財物強取後に逃走するためにＢを殴打し負傷させた場合、Ａには強盗致傷罪（240 前段）が成立する。

(エ)　誤　　強盗の機会に被害者に傷害の結果が生じた場合、財物奪取の有無にかかわらず、強盗致傷罪（240 前段）の既遂罪が成立する（最判昭 23.6.12）。なぜなら、240 条は、より重大な法益である生命又は身体の保護を重視した規定であり、未遂又は既遂の判断も、生命又は身体の侵害を基準とすべきであるからである。したがって、Ａが強盗の目的でＢに暴行を加え負傷させた場合、財物奪取に失敗したときであっても、Ａには強盗致傷罪（240 前段）の既遂罪が成立する。

(オ)　正　　死者には財物を占有する能力が認められないことから、死体から財物を奪取しても、原則として占有離脱物横領罪（254）が成立するにとどまる。もっとも、殺人犯人が人を殺害した直後に財物奪取の意思を生じ、死体から財物を奪った場合には、窃盗罪が成立する（最判昭 41.4.8）。殺人犯人が被害者からその財物の占有を離脱させた自己の行為を利用して財物を奪取した場合には、被害者が生前有していた財物の所持は、死亡直後もなお継続して保護するのが法の目的にかなうからである。したがって、Ｂを殺害した後にＢの財物を奪取する犯意を抱き、Ｂの財物を奪取したＡには強盗殺人罪（240 後段）は成立しない。

以上から、正しいものは(ア)(オ)であり、正解は(2)となる。

15－4(27－26)　強盗罪

強盗罪に関する次の(ア)から(オ)までの記述のうち、判例の趣旨に照らし正しいものの組合せは、後記(1)から(5)までのうち、どれか。

(ア)　Ａは、人気のない夜道でＢにナイフを示して脅迫し、現金を要求したが、畏怖したＢがナイフの刃を手でつかんだので、Ｂの手を離すためにナイフを動かしたところ、Ｂが手に切り傷を負った。この場合、Ａには、強盗致傷罪が成立する。

(イ)　Ａは、飲食店で包丁を示して店員Ｂを脅迫し、レジにあった現金を奪って逃走したが、数日後、その飲食店から５キロメートル離れた路上で、たまたまＢに出会って声を掛けられたので、Ｂを殴って逃走した。この場合、Ａには、事後強盗罪が成立する。

(ウ)　Ａは、金品を奪おうと考え、帰宅途中のＢの背後から歩いて近づき、Ｂが持っていた手提げカバンをつかんで引っ張ったところ、Ｂがすぐにカバンから手を離したので、それを持って逃走した。この場合、Ａには、強盗罪が成立する。

(エ)　Ａは、Ｂ宅に侵入し、Ｂに拳銃を突き付けて脅迫し、金品を要求したが、Ｂが畏怖して身動きできなくなったので、自らＢ宅内を物色し、Ｂが気付かないうちに、Ｂ所有の腕時計をポケットに入れて逃走した。この場合、Ａには、強盗罪が成立する。

(オ)　Ａは、無賃乗車をするつもりでタクシーに乗車し、自宅付近でタクシーを停めると、料金を支払わずに車外に出たが、運転手であるＢから料金の支払を要求されたため、Ｂを殴り倒して逃走した。この場合、Ａには、事後強盗罪が成立する。

(1)　(ア)(ウ)　　(2)　(ア)(エ)　　(3)　(イ)(ウ)　　(4)　(イ)(オ)　　(5)　(エ)(オ)

学習記録	／	／	／	／	／	／	／	／	／

重要度　C	知識型		正解（2）

(ア)　正　　強盗致死傷罪（240）における死傷の結果は、強盗の手段としての暴行・脅迫から生じたものに限定されず、強盗の機会に生じたものであれば足りる（最判昭24.5.28）。この点、強盗犯人がナイフで相手方を脅迫中、被害者がたまたまそのナイフを握ったために傷害を負った場合も、強盗の機会に生じた傷害といえる（最判昭24.3.24）。したがって、Aには、強盗致傷罪が成立する。

(イ)　誤　　事後強盗罪（238）にいう暴行・脅迫は、窃盗の機会の継続中に行われたことを要し、窃取行為と暴行・脅迫との間には、時間的・場所的接着性が必要である。本肢において、窃盗行為と暴行・脅迫との間に、時間的・場所的接着性は認められず、Aには、事後強盗罪は成立しない（最判平16.12.10参照）。

(ウ)　誤　　強盗罪（236Ⅰ）にいう「強取」とは、暴行・脅迫をもって相手方の反抗を抑圧し、その結果として財物を自己又は第三者の占有に移す行為をいう。本肢において、Aが歩いて近づき、Bの手提げカバンをつかんで引っ張ったところ、Bはすぐにカバンから手を離しているので、相手方の反抗を抑圧したとはいえず、強盗罪は成立しない。

(エ)　正　　強盗罪（236Ⅰ）にいう「強取」とは、暴行・脅迫をもって相手方の反抗を抑圧し、その結果として財物を自己又は第三者の占有に移す行為をいう。この点、被害者の反抗が抑圧されている状態の下で被害者の不知の間に占有を移す場合でも、不知であることが暴行・脅迫に基づく限り強取となる（最判昭23.12.24）。本肢において、腕時計を奪われたことにBは気付いていないが、財物奪取が、暴行・脅迫に基づくものであるから、Aには強盗罪が成立する。

(オ)　誤　　事後強盗罪は、窃盗犯人を主体とする犯罪である（238）。本肢において、Aは、無賃乗車をするつもりでタクシーに乗車しているので、Aには詐欺罪（246Ⅱ）が成立する。したがって、Aは「窃盗」犯には当たらず、事後強盗罪は成立しない。なお、料金の支払を免れるためにBを殴った行為は、強盗利得罪（236Ⅱ）と評価される。

以上から、正しいものは(ア)(エ)であり、正解は(2)となる。

15－5(R3－25)　強盗罪

強盗罪に関する次の(ア)から(オ)までの記述のうち、判例の趣旨に照らし正しいものの組合せは、後記(1)から(5)までのうち、どれか。

(ア)　Ａは、Ｂに対して暴行・脅迫を加えて手提げバッグを強取しようと考え、まずは、Ｂの足下に置かれていた当該手提げバッグを手に取り、次いで、Ｂに対し、その反抗を抑圧するに足りる程度の暴行・脅迫を加え、Ｂの反抗を抑圧して当該手提げバッグの奪取を確保した。この場合、Ａには、強盗罪ではなく、事後強盗罪が成立する。

(イ)　Ａは、Ｂから麻薬購入資金として現金を預かっていたが、その返還を免れようと考え、Ｂに対し、その反抗を抑圧するに足りる程度の暴行･脅迫を加え、Ｂの反抗を抑圧し、その返還を免れた。この場合、Ｂは当該現金に関する法律上の請求権を有しなかったのであるから、Ａには、強盗利得罪は成立しない。

(ウ)　Ａは、Ｂから金銭を借りていたが、その支払を免れようと考え、Ｂに対し、その反抗を抑圧するに足りる程度の暴行・脅迫を加え、Ｂの反抗を抑圧し、事実上債務の弁済請求ができない状態に陥らせた。この場合、Ａには、強盗利得罪は成立しない。

(エ)　窃盗の未遂犯であるＡは、当該犯行を目撃してＡを取り押さえようとしたＢに対し、逮捕を免れる目的で、その反抗を抑圧するに足りる程度の暴行・脅迫を加え、Ｂの反抗を抑圧し、逮捕を免れた。この場合、Ａには、事後強盗既遂罪ではなく、事後強盗未遂罪が成立する。

(オ)　Ａは、怨恨からＢを殺害したが、その直後に財物奪取の意思を生じて、Ｂの所持品を奪った。この場合、Ａには、強盗殺人罪は成立しない。

(1)　(ア)(イ)　　(2)　(ア)(ウ)　　(3)　(イ)(オ)　　(4)　(ウ)(エ)　　(5)　(エ)(オ)

学習記録	／	／	／	／	／	／	／	／	／

重要度　C	知識型		正解（5）

(ア) 誤　　判例は、強盗の意思で、まず財物を奪取し、ついで被害者に暴行を加えてその占有を確保した事例について、強盗罪の成立を肯定した（最判昭24.2.15）。本肢において、Aには事後強盗罪ではなく、強盗罪が成立する。

(イ) 誤　　判例は、覚醒剤の返還ないし代金の支払を免れることは、財産上不法の利益を得るためになされたことが明らかであるとし、強盗利得罪（236 Ⅱ）の客体となるとした（最決昭61.11.18）。本肢において、Aは、Bから麻薬購入資金として現金を預かっていたが、その返還を免れようと考え、Bに対し、その反抗を抑圧するに足りる程度の暴行・脅迫を加え、Bの反抗を抑圧し、その返還を免れており、これは現金の返還を免れるという財産上不法の利益を得るためになされたことが明らかであるから、Bが当該現金に関する法律上の請求権を有しなかったとしても、Aには強盗利得罪が成立する。

(ウ) 誤　　236条2項の強盗利得罪が成立するためには、相手方の反抗を抑圧すべき暴行・脅迫の手段を用いて財産上不法利得することをもって足り、債権者による債務免除や支払猶予の意思表示などの処分行為を強制することを要しない（最判昭32.9.13）。本肢において、Aは、債務の返済を免れる目的で、債権者であるBに対しその反抗を抑圧するに足りる程度の暴行・脅迫を加え、Bの反抗を抑圧し、事実上債務の弁済を請求できない状態に陥らせて支払を免れたのであるから、Aには強盗利得罪が成立する。

(エ) 正　　事後強盗罪（238）の既遂・未遂は、財物奪取の有無、すなわち先行する窃盗の既遂・未遂によって決定される（最判昭24.7.9）。本肢において、AはBに対し、逮捕を免れる目的で、反抗を抑圧するに足りる程度の暴行・脅迫を加え、Bの反抗を抑圧し、逮捕を免れているが、Aは窃盗の未遂犯であるため、事後強盗未遂罪が成立する。

(オ) 正　　判例は、殺人犯人が、人を殺害した後に財物奪取の意思を生じ、被害者の死亡直後にその現場において、被害者が身につけていた財物を領得した場合、窃盗罪（235）が成立するとした（最判昭41.4.8）。なぜなら、殺人犯人との関係では、被害者が生前有していた財物の所持はその死亡直後においてもなお継続して保護するのが法の目的にかなうからである（同判例）。

以上から、正しいものは(エ)(オ)であり、正解は(5)となる。

16−1(59−28)　詐欺罪

詐欺罪に関する次の記述のうち、正しいものはどれか。

⑴　甲が、乙作成名義の不動産売渡証書その他登記の申請に必要な書類を偽造し、これらを行使して登記官を欺き、乙所有の不動産につき乙から甲に対する所有権移転の登記をさせた場合には、詐欺罪が成立する。

⑵　甲が、100 万円で売却してほしい旨依頼され乙から株券を預り、真実は丙に対して 100 万円で売却したにもかかわらず、丙と相談の上、80 万円でしか売れなかった旨虚偽の報告をして乙を誤信させ、乙に 80 万円を渡し、残金 20 万円を甲と丙で分配した場合でも、詐欺罪は成立しない。

⑶　甲が、自己の氏名以外の文字を全く知らない乙に対して、甲の乙に対する債務を免除する旨記載された書面を手渡し、これが市役所に対する陳情書であると偽り、乙を誤信させて署名・押印させた上、乙からその書面の交付を受けた場合には、詐欺罪が成立する。

⑷　甲が、窃取した乙名義の銀行預金通帳及び届出印を利用して銀行から預金払戻し名下に現金の交付を受けた場合でも、不可罰的事後行為であるから詐欺罪は成立しない。

⑸　甲が、友人乙の居住するマンションにおもむき、管理人丙に対して、「乙から頼まれてきた」旨嘘を言って誤信させ、乙の居室の鍵を開けさせて室内からテレビを搬出した場合には、詐欺罪が成立する。

学習記録	／	／	／	／	／	／	／	／	／

重要度　B	知識型	要 *Check!*	正解（2）

〈詐欺罪の構成要件の分析〉

①人を欺く行為（欺罔行為）の存在
↓
②相手方の錯誤
↓
③財産的処分行為の存在
↓
④財物又は財産上の利益の取得
↓
⑤損害の発生
という各種構成要件要素が、主観的には故意によって包括され、客観的には因果的連鎖に立つことが必要

(1)　誤　　詐欺罪（246）は、相手方を欺いて錯誤に陥れ、錯誤に基づく処分行為によって財物を交付させることにより成立する。したがって、欺く行為の相手方は、財物について処分行為をすることができる地位ないし権限を有する者でなければならない。本肢においては、登記官は不動産を処分する権限を有しないから、詐欺罪は成立しない（抵当権抹消登記の事案につき大判大12.11.12）。

(2)　正　　乙に対する詐欺罪（246）が成立するか否かが問題となる。80万円でしか売れなかった旨の虚偽の報告をして乙を誤信させている点で、欺くことによる錯誤が存するかにも思われる。しかし、欺く行為は、相手方を錯誤に陥らせ行為者の希望する財産的処分行為をさせることに向けられたものでなければならない。本肢では、乙は差額の20万円についてその存在を知らず、甲の欺く行為によって20万円について請求を放棄するという処分行為をしたものではない。したがって、処分行為に向けられた欺く行為もなく、また処分行為もないので詐欺罪は成立しない。なお、20万円については、甲にとって自己の占有する他人の物といえ、乙との間に信任関係もあるので、横領罪（252）が成立する。

(3)　誤　　詐欺罪が成立するためには、相手方が錯誤に基づく処分行為をしなければならない。本肢では、乙は陳情書と思って署名したのであり、債務免除の意思表示として署名したのではないから、処分行為は認められず、詐欺利得罪（246Ⅱ）は成立しない（(2)の解説参照）。本肢における甲の行為は、被害者本人の文盲を利用した私文書偽造罪（159）の間接正犯を構成する。

⑷　誤　　不可罰的事後行為とは、状態犯において、事後の行為が他の構成要件を充足するものであっても、当初の構成要件によって予想されている違法状態に包含されるものである限り、別罪を構成しないというものである。本肢では、銀行に対する詐欺が窃盗罪の構成要件によって評価し尽くされているといえるか否かが問題となるが、判例は、銀行の財産上の法益を新たに侵害するものであり、窃盗罪の構成要件の予想する違法状態の範囲を超えるとして、別に詐欺罪（246）の成立を認める（最判昭 25.2.24）。

⑸　誤　　欺く行為の相手方は、財物について処分行為をすることができる権限ないし地位を有する者でなければならない（⑴の解説参照）。管理人は乙のテレビについて処分をする権限を有しないから、窃盗罪となり、詐欺罪（246）は成立しない。

MEMO

16−2(63−27)　詐欺罪

次に掲げる場合のうち、詐欺罪が成立するものはどれか。

(1)　料金を踏み倒すつもりでタクシーに乗り、目的地に着いたところで運転手のすきを見て逃げ出した場合

(2)　他人から借りたカメラを自分のものにするため、持主に対してそのカメラが盗まれたと嘘をついて、これを返さなかった場合

(3)　買物をした際店員から受け取った釣銭が多いことに帰宅後気が付いたが、そのまま返さずに自己の用途に消費した場合

(4)　磁石を用いて、パチンコの外れ玉を当たり穴に誘導し、これにより勝ち玉を落下させてパチンコ玉を取得した場合

(5)　入場券を買わずに、多数の観客に紛れて映画館に入場し、映画を鑑賞した場合

学習記録	／	／	／	／	／	／	／	／	／

重要度　B	知識型	要 *Check!*	正解（1）

(1) 成立する　　詐欺罪は、①被害者を欺いて②錯誤に陥れ、③その財産的処分行為に基づいて④財物を交付させ、又は財産上の利益を取得する罪であり、その成立要件として、欺く行為→錯誤→財産的処分行為→財物ないし財産上の利益の取得という関係が主観的には故意によって包括され、客観的には因果的連鎖の関係に立つことを要する。本肢において、行為者は料金を支払うつもりがないにもかかわらず、タクシーに乗り、目的地を告げているので、人を錯誤に陥らせ、行為者の希望する財産的処分行為を相手方にさせるという欺く行為がある。また、目的地に向かってタクシーを走らせており、錯誤に陥らせることによって労務を提供させている。したがって、財産的処分行為により、財産上の利益を得ていると解され、詐欺利得罪（246Ⅱ）が成立する。

(2) 成立しない　　人を欺く行為は、人の財産的処分行為に向けられたものでなければならない。本肢では、財産的処分行為に向けられた欺く行為はなく、欺く行為は、横領行為を完成させるための手段として行われているにすぎない。したがって、詐欺罪（246）は成立しない。

(3) 成立しない　　詐欺罪（246Ⅰ）の客体は、他人の占有する他人の財物であることを要する。しかし、本肢では釣銭が多いことに気が付いたのは帰宅後であり、その時点では既に釣銭の占有は買物客の側に移転している。したがって、詐欺罪は成立せず、遺失物等横領罪（254）が成立するにとどまる。

(4) 成立しない　　詐欺罪は、欺く行為により人を錯誤に陥らせることが必要であり、機械を欺いても、機械を錯誤に陥れることができないので、処分行為に向けられた欺く行為があるとはいえない。したがって、詐欺罪は成立せず、相手方の意思に反して財物を取得したものとして、窃盗罪（235）が成立する。

(5) 成立しない　　多数の観客に紛れて映画館に入場していることから、処分行為に向けられた欺く行為があるとはいえない。したがって、詐欺利得罪（246Ⅱ）は成立しない。

16−3(10−25)　詐欺罪

いわゆるキセル乗車について、次の２つの見解があるとした場合、下記の事例に関する後記(1)から(5)までの記述のうち、誤っているものはどれか。

第１説　乗車駅改札係員を欺罔して輸送の利益を得たと考えて詐欺罪の成立を認め得るとする見解
第２説　下車駅改札係員を欺罔して運賃支払債務を免れたと考えて詐欺罪の成立を認め得るとする見解

「Ａは、甲駅から乙、丙駅を経て丁駅まで乗車するに当たり、甲―乙駅間の乗車券を購入し、それを甲駅改札係員に提示して入場・乗車し、丁駅で下車した際、丁駅改札係員に、あらかじめ用意しておいた丙―丁駅間の定期券を提示して改札口を出た。」

(1)　第１説では、Ａがキセル乗車の意思を隠している以上、甲―乙駅間の乗車券を甲駅改札係員に提示する行為は欺罔行為に当たると考える。

(2)　第２説では、丁駅改札係員が欺罔され、その結果、不足運賃の支払を免れさせる処分行為を行ったものと考える。

(3)　Ａが、キセル乗車の意思で甲―乙駅間の乗車券を甲駅係員に提示して入場し、乗車したものの、途中で気が変わり、結局乙駅で下車した場合には、第１説でも第２説でも、詐欺罪は成立しない。

(4)　Ａが、下車する際には運賃を精算するつもりで乗車したが、乗車後、キセル乗車の意思が生じた場合、第１説では詐欺罪は成立しないが、第２説では詐欺罪が成立する。

(5)　Ａが、キセル乗車の意思で乗車し、丁駅で改札口以外の場所から外へ逃げた場合、第１説では詐欺罪が成立するが、第２説では詐欺罪は成立しない。

学習記録	／	／	／	／	／	／	／	／	／

重要度　C	推論型	

正解（3）

キセル乗車とは、甲駅から乙駅・丙駅を経由して丁駅まで列車に乗車する際に、乙駅から丙駅間の乗車運賃を免れて不正乗車する行為をいう。

キセル乗車について、詐欺利得罪（246Ⅱ）の成立を肯定する見解は、乗車駅を基準にする説（役務提供説、大阪高判昭44.8.7）と下車駅を基準にする説（債務免除説、高速道路のキセル利用につき福井地判昭56.8.31）の二つに分かれる。前者が本問の第１説であり、後者が第２説である。

両説を比較すると以下のとおりである。

	第１説（役務提供説）	第２説（債務免除説）
被欺罔者	乗車駅の改札係員　①	降車駅の改札係員　②
欺罔行為	乗車駅の改札係員に対して、正規の運賃を支払う意思がないのに、それを隠して途中までの乗車券を呈示する行為　③	降車駅の改札係員に対して、精算義務があるのに、正規の運賃の支払が済んでいるかのように装って途中からの乗車券等を呈示する行為　④
処分行為	乗車駅の改札係員が入場を許す行為・乗務員の輸送行為　⑤	降車駅の改札係員が精算を要求せずに出場を許す行為　⑥
利　　得	輸送という有償的な役務の提供　⑦	降車駅で料金の精算を免れたこと　⑧
既遂時期	乗車した列車が乗車駅を出発した時点　⑨	降車駅の改札口を通過した時点　⑩

以上を前提に各肢を検討する。

(1)　正　　上図③参照。第１説（役務提供説）では、「甲―乙駅間の乗車券を甲駅改札係員に呈示する行為」が欺罔行為となる。本来、右行為は正当な権利行使であるが、それが不正乗車の目的を達成する手段として行われた場合、甲―乙駅間の乗車券は無効であり、これを有効なものと誤信させて呈示する行為を欺罔行為と考えるのである（大阪高判昭44.8.7）。

(2)　正　　上図②⑥参照。第２説（債務免除説）では、「丁駅の改札係員」が被欺罔者、そして「丁駅の改札係員が精算を要求せずに出場を許す行為」が処分行為となる。たとえＡが主観的にキセル乗車の目的を有していたとしても、甲―乙駅間の正規の乗車券を甲駅改札係員に呈示して乙駅まで乗車する行為は正当な権利行使であって、不法な事実関係は乗越し時点以降にあると考えるのである。

⑶　誤　　前頁図⑨④参照。第１説（役務提供説）では、Ａが乗車した列車が乗車駅を出発した時点で既遂となり、全区間について詐欺利得罪（246Ⅱ）が成立する。したがって、Ａが途中で気が変わって乙駅で下車した場合でも、同罪が成立する。これに対して、第２説（債務免除説）では、Ａが降車駅の改札係員に丙―丁駅間の定期券を呈示した時点で実行の着手が認められるから、Ａが甲―乙駅間の正規の乗車券を甲駅改札係員に呈示して乙駅まで乗車する行為は正当な権利行使であって、途中で気が変わって乙駅で下車した場合には、同罪は成立しない。

⑷　正　　前頁図③④参照。第１説（役務提供説）では、乗車駅を基準に実行行為を考えるから、Ａが下車駅で運賃を精算するつもりで乗車した場合には、乗車後にキセル乗車の意思が生じても、詐欺利得罪（246Ⅱ）は成立しないことになる。これに対して、第２説（債務免除説）では、降車駅を基準に実行行為を考えるから、Ａが下車駅で運賃を精算するつもりで乗車した場合でも、同罪が成立する。

⑸　正　　前頁図⑨④参照。第１説（役務提供説）では、Ａが乗車した列車が乗車駅を出発した時点で既遂となる。したがって、Ａが丁駅で改札口以外の場所から外へ逃げた場合でも、詐欺利得罪（246Ⅱ）が成立する。これに対して、第２説（債務免除説）では、Ａが丁駅の改札係員に丙―丁駅間の定期券を呈示した時点で実行の着手が認められるから、Ａが丁駅で改札口以外の場所から外へ逃げた場合には、同罪は成立しない。

MEMO

16−4(14−24)　詐欺罪

詐欺罪の成立に関する次の(ア)から(オ)までの記述のうち、判例の趣旨に照らして正しいものの組合せは、後記(1)から(5)までのうちどれか。

(ア)　Aは、所持金がないにもかかわらず、客を装って回転寿司店に入店した。店主は、客として振る舞っていたAの態度から、Aも通常の客と同様に飲食後に代金を支払うつもりであると信じて寿司を提供し、Aに飲食させた。Aの行為について詐欺罪は成立しない。

(イ)　Aは、友人から預かったキャッシュカードを悪用しようと考え、その友人の生年月日を暗証番号として銀行の現金自動預払機を操作したところ、番号が偶然一致して現金自動預払機が作動し、現金を引き出すことができた。Aの行為について詐欺罪が成立する。

(ウ)　タクシーで目的地に着き、運賃の支払を求められた際に所持金がないことに気付いたAは、支払を免れようと考え、「このビル内にいる友人から金を借りてきて、すぐに支払う。」などと嘘を言ったところ、タクシー乗務員は、Aの言葉を信じて運賃を受け取らずにAを降車させた。Aの行為について詐欺罪は成立しない。

(エ)　Aは、自動車を運転して、甲インターチェンジから乙インターチェンジまで料金後払制の有料道路を通行したが、乙インターチェンジを出る際、遠方の甲インターチェンジからではなく、近くの丙インターチェンジから有料道路を通行してきたかのように装い、あらかじめ用意しておいた丙インターチェンジからの通行券と乙丙間の通行料金を乙インターチェンジ出口の係員に差し出した。係員は、Aが丙インターチェンジから有料道路を通行してきたものと誤信して、Aの運転する車を通過させた。Aの行為について詐欺罪が成立する。

(オ)　Aは、所持金がないにもかかわらず、係員が出入口で客にチケットの提示を求めて料金の支払を確認している音楽会場でのコンサートを聴きたいと考え、人目に付かない裏口から会場に忍び込み、誰にも見とがめられずに客席に着席してコンサートを聴いた。Aの行為について詐欺罪は成立しない。

(1)　(ア)(イ)　　(2)　(ア)(エ)　　(3)　(イ)(ウ)　　(4)　(ウ)(オ)　　(5)　(エ)(オ)

学習記録	／	／	／	／	／	／	／	／	／

重要度　B	知識型	要 *Check!*		正解（5）

(ア) 誤　　料金を支払う意思がないのに、飲食物を注文・飲食する行為は、作為によって人を欺くものと認められるため、Aの行為については、詐欺罪（246Ⅰ）が成立する（最決昭30.7.7）。

(イ) 誤　　詐欺罪は、欺く行為により、相手方が錯誤に陥り、それにより財産的処分行為をするという因果系列を予定するものなので、欺く行為は、人に向けられたものでなければならない。機械は錯誤に陥らない以上、これに対する行為は窃取行為に当たり、窃盗罪が成立することになる。したがって、Aの行為については、窃盗罪（235）が成立し、詐欺罪（246）は成立しない（東京高判昭55.3.3）。

(ウ) 誤　　運賃を支払う意思がないのに嘘を言って、その支払を免れる行為は、詐欺罪の実行行為である欺く行為に当たり、また、これにより錯誤に陥った乗務員が支払を猶予する行為は処分行為に当たる。そして、Aは、タクシーの乗車時には詐欺罪の故意は認められないが、下車時には支払を免れる意思を有している以上、故意が認められるため、Aの行為について詐欺利得罪（246Ⅱ）が成立する。

(エ) 正　　Aは、甲乙間について所定の料金を支払うべき義務があり、出口の係員はその料金を請求する権利がある。そして、Aは丙インターチェンジからの通行券を呈示することによって出口の係員を欺いて料金の支払を免れるのだから、詐欺利得罪について必要な処分行為の内容は、料金支払債務の免除である。出口の係員は、錯誤によって、Aが請求すべき料金の支払をしないで出口を通過するのを許諾したのであるから、その許諾は不作為による処分行為である。したがって、Aの行為について詐欺利得罪（246Ⅱ）が成立する（福井地判昭56.8.31）。

(オ) 正　　詐欺罪の成立には、その実行行為である欺く行為が行われることを要するが、音楽会場に裏口から忍び込んだAには、欺く行為が認められないため、Aの行為について詐欺罪（246）は成立しない。

以上から、正しいものは(エ)(オ)であり、正解は(5)となる。

16−5(18−26)　詐欺罪

Aについての詐欺罪の成立に関する次の(ア)から(オ)までの記述のうち、判例の趣旨に照らし正しいものの組合せは、後記(1)から(5)までのうちどれか。

(ア)　Ａは、Ｂに対し、単なる栄養剤をがんの特効薬であると欺いて販売し、代金の交付を受けた。この場合、真実を知っていればＢがＡに代金を交付しなかったとしても、Ａの提供した商品が、Ｂが交付した代金額相当のものであれば、詐欺罪は成立しない。

(イ)　Ａは、旅券発給の事務に従事する公務員Ｂに対し、内容虚偽の申立てをしてＢを欺き、自己名義の旅券の交付を受けた。この場合、真実を知っていればＢがＡに旅券を発給しなかったとすれば、詐欺罪が成立する。

(ウ)　Ａは、銀行の係員Ｂに対し、自分がＣであるかのように装って預金口座の開設を申し込み、Ｃ名義の預金通帳１冊の交付を受けた。この場合、真実を知っていればＢがＡに預金通帳を交付しなかったとしても、詐欺罪は成立しない。

(エ)　Ａは、簡易生命保険契約の事務に従事する係員Ｂに対し、被保険者が傷病により療養中であることを秘し、健康であると欺いて契約を申し込み、簡易生命保険契約を締結させて、その保険証書の交付を受けた。この場合、真実を知っていればＢがＡに保険証書を交付しなかったとすれば、詐欺罪が成立する。

(オ)　Ａは、Ｂに対し、覚醒剤を買ってきてやると欺いて、その代金として金銭の交付を受けた。この場合、真実を知っていればＢがＡに金銭を交付しなかったとすれば、詐欺罪が成立する。

(1)　(ア)(イ)　　(2)　(ア)(ウ)　　(3)　(イ)(エ)　　(4)　(ウ)(オ)　　(5)　(エ)(オ)

学習記録	／	／	／	／	／	／	／	／	／

重要度　B	知識型	要 *Check!*	正解（5）

(ア) 誤　相手方が真実を知れば金品の交付をしないような場合において、商品の効能等について真実に反する誇大な事実を告知して相手方を誤信させ、金品の交付を受けたときには、たとえ価格相当の商品を提供したとしても詐欺罪が成立する（最判昭34.9.28）。被害者が相当な対価を得ていても、交付した財産それ自体は失った以上、財産的損害は認められるからである。

(イ) 誤　旅券は単なる身分証明書にすぎないことから財物性が認められず、また、より軽い罪である旅券不実記載罪（157Ⅱ）で処罰すれば足りるとされており、本肢のAには、詐欺罪は成立しない（大判昭9.12.10、最判昭27.12.25）。

(ウ) 誤　預金通帳は、それ自体所有権の対象となるだけでなく、これを利用して預金の預入れ、払戻しを受けられるなどの財産的価値を有するものと認められるから、246条1項の財物に当たり、不正に預金口座を開設し、それに伴って預金通帳を取得した場合、詐欺罪が成立する（最決平14.10.21）。

(エ) 正　簡易生命保険証書は単なる事実証明文書にとどまらず、社会生活上重要な経済的利益を有し、財物性を有すると解されるため、本肢におけるAには、詐欺罪が成立する（最決平12.3.27）。

(オ) 正　欺く行為に基づく財物の交付が不法原因給付である場合も詐欺罪が成立する（最判昭25.7.4）。覚醒剤等の禁制品を購入する資金として交付した金銭は不法原因給付として民法上の返還請求権が否定される（民708）が、欺く行為を手段として相手方の財産に対する支配権を侵害した以上、詐欺罪の成立を妨げるものとはいえないからである。

以上から、正しいものは(エ)(オ)であり、正解は(5)となる。

16−6(21−26)　詐欺罪

詐欺罪又は詐欺未遂罪の成立に関する次の㈠から㈤までの記述のうち、判例の趣旨に照らし正しいものの組合せは、後記(1)から(5)までのうちどれか。

㈠　Ａは、Ｂの承諾がないのに、Ｂ名義のキャッシュカードを悪用して、Ｃ銀行の現金自動支払機（ＡＴＭ）から、現金を引き出した。この場合、Ａには、Ｃ銀行に対する詐欺罪が成立する。

㈡　Ａは、Ｂに対して、うそを言ってその注意をそらし、そのすきにＢのかばんから財布をすり取った。この場合、Ａには、Ｂに対する詐欺罪が成立する。

㈢　Ａは、所持金がなく代金を支払う意思もないのにタクシーに乗り、目的地に到着すると、運転手Ｂのすきを見て何も言わずに逃げた。この場合、Ａには、Ｂに対する詐欺罪が成立する。

㈣　Ａは、Ｂから自転車を借りていたが、自分のものにしたくなったため、Ｂに対して、盗まれたとうそをついて自転車を返さなかった。この場合、Ａには、Ｂに対する詐欺罪が成立する。

㈤　Ａは、知慮浅薄な未成年者Ｂに対して、返すつもりがないのに「すぐに返す。」と欺いて現金の交付を求めたところ、それを信用したＢがＡに１万円を差し出そうとしたが、Ｂの親Ｃが現れたため、Ａは１万円を受け取れなかった。この場合、Ａには、Ｂに対する準詐欺未遂罪ではなく、詐欺未遂罪が成立する。

(1)　㈠㈡　　(2)　㈠㈤　　(3)　㈡㈣　　(4)　㈢㈣　　(5)　㈢㈤

学習記録	／	／	／	／	／	／	／	／	／

重要度　B	知識型	要 *Check!*	正解（5）

(ア) 誤　　詐欺罪（246）の実行行為は、人を欺いて錯誤に陥れ、その錯誤に基づく処分行為をさせて、財物を得ることである。機械には錯誤に基づく処分行為を観念することができないことから、詐欺的行為によって機械から財物を取り出す行為は、詐欺罪ではなく、人の意思に基づかない占有侵奪として窃盗罪（235）を構成する。したがって、Ｂの承諾なくＢ名義のキャッシュカードを悪用してＣ銀行の現金自動支払機（ＡＴＭ）から現金を引き出したＡには、Ｃ銀行に対する詐欺罪は成立しない。なお、偽造のＣＤカードや拾得したＣＤカードによりＣＤ機（現金自動支払機）から金銭を引き出す行為につき窃盗罪が成立するとした裁判例（東京高判昭 55.3.3）がある。

(イ) 誤　　詐欺罪の実行行為としての欺く行為は、人の財産的処分行為に向けられたものであることを要する。本肢において、ＡがＢにうそを言ってその注意をそらす行為は、Ｂの意思に基づく財産的処分行為に向けられた行為ではないため、詐欺罪は成立しない。この場合、単に相手の意思に反して財布を奪っているにすぎないため、Ａには窃盗罪が成立する（広島高判昭 30.9.6 参照）。

(ウ) 正　　代金を支払う意思がないのに、これがあるものと装ってタクシーに乗る行為は、挙動による欺く行為に当たり、タクシーの運行が開始された時点で、タクシー乗車の役務について詐欺利得罪が成立し、かつ、既遂に達する。そして、詐欺利得罪が既遂に達している以上、Ａが運転手Ｂのすきを見て何も言わず逃げたとしても、犯罪の成否に影響はない。したがって、Ａには、詐欺利得罪（246Ⅱ）が成立する。

(エ) 誤　　ＡはＢから自転車を借りているから、委託信任関係があり、「自己の占有する他人の物」にも当たる。また、Ａが自分のものにするためにＢに対して盗まれたと言って返さなかった行為は「横領」に当たるから、横領罪（252）が成立する。自己の占有する他人の財物を横領するについて欺罔手段を用いても、横領のほか詐欺罪を構成しない（大判明 43.2.7）。したがって、Ｂから借りた自転車を自分のものにするために、うそを言って自転車を返さなかったＡには、詐欺罪は成立しない。

(オ) 正　　準詐欺罪（248）にいう知慮浅薄又は心神耗弱に「乗じて」とは、欺く行為に足りない程度の誘惑的行為を用いることをいい、未成年者を欺いて財物を交付させる行為は、詐欺罪（246Ⅰ）を構成する（大判大 4.6.15）。したがって、返すつもりがないのに「すぐに返す。」と欺いて現金の交付を求めたＡには、詐欺未遂罪（44・246Ⅰ）が成立する。

以上から、正しいものは(ウ)(オ)であり、正解は(5)となる。

16－7(26－26)　詐欺罪

詐欺罪の成否に関する次の(ア)から(オ)までの記述のうち、判例の趣旨に照らし正しいものの組合せは、後記(1)から(5)までのうち、どれか。

(ア)　Ａは、所持金がなく、代金を支払う意思も能力もないのに、飲食店で料理を注文して飲食し、その後、代金の支払を求められた際、何も言わずに店を出て逃走した。この場合、Ａには、刑法第246条第２項の詐欺罪が成立する。

(イ)　Ａは、不正に入手したＢ名義のクレジットカードを使用し、当該クレジットカードの加盟店であるＣ店の店主Ｄに対し、Ｂ本人になりすまして商品の購入を申し込み、その引渡しを受けた。その後、Ｃ店は、クレジットカード会社から代金相当額の金員の支払を受けた。この場合、Ａには、Ｃ店の店主Ｄに対する詐欺罪は成立しない。

(ウ)　Ａは、一人暮らしのＢに電話をかけ、Ｂに対し、息子であると偽り、交通事故の賠償金を用意して、友人であるＣに手渡すように申し向けた。Ｂは、Ａの声色が自分の息子のものとは違っていることに気付いたことから、Ａが虚偽の事実を申し向けて金員の交付を求めてきたのだと分かったが、憐憫の情に基づいて現金を用意し、Ｃに対し、現金を交付した。この場合、Ａには、刑法第246条第１項の詐欺罪の未遂罪が成立する。

(エ)　Ａは、自己の銀行口座に誤って現金が振り込まれていたことを知り、これを自己の借金の返済に充てようと考え、銀行の窓口係員Ｂに対し、誤振込みがあったことを告げずに、同口座の預金全額の払戻請求をして現金の交付を受けた。この場合、Ａには、刑法第246条第１項の詐欺罪が成立する。

(オ)　Ａは、土地の所有者Ｂをだまし、当該土地についてＢからＡへの所有権の移転の登記を受けた。この場合、Ａには、当該土地について、刑法第246条第２項の詐欺罪が成立する。

(参考)
刑法
第246条　人を欺いて財物を交付させた者は、10年以下の懲役に処する。
２　前項の方法により、財産上不法の利益を得、又は他人にこれを得させた者も、同項と同様とする。

(1)　(ア)(イ)　　(2)　(ア)(エ)　　(3)　(イ)(オ)　　(4)　(ウ)(エ)　　(5)　(ウ)(オ)

学習記録									
	／	／	／	／	／	／	／	／	／

重要度　B	知識型	要 *Check!*	正解（4）

(ア) 誤　飲食店で当初から代金を踏み倒す意思で、飲食の注文を行い、飲食後、代金の支払を求められた際、何も言わずに店を出て逃走した場合、注文者には246条１項の詐欺罪が成立する（最決昭30.7.7）。なぜなら、この場合には、支払う意思がないのに注文をした行為自体が、作為（挙動）による詐欺行為といえ、錯誤に基づく飲食物の提供が財物の交付に当たるからである。なお、何も言わずに店を出て逃走した点に関しては、飲食店が処分行為を行っていないため、詐欺罪が成立することはない。

(イ) 誤　判例は、規約上、名義人のみが利用できることとされ、加盟店にも本人であることの確認義務が定められているクレジットカードについて、他人名義のカード所持者が名義人に成りすまし、正当な利用権限があるように装い従業員を誤信させる行為には、詐欺罪が成立するとして加盟店に対する246条１項の詐欺罪の成立を認めている（最決平16.2.9）。

(ウ) 正　詐欺行為はあったが、被詐欺者が憐憫の情から独自の意思で財物を交付した場合は、詐欺未遂罪が成立する（大判大11.12.22）。なぜなら、詐欺罪が成立するには、欺罔行為、錯誤、交付行為、財物等の移転の間に因果関係が存在しなければならないが、憐憫の情から財物等を交付したときには、欺罔行為から財物等の移転に至る一連の経過における因果関係が切断されているといえるからである。したがって、Ａには詐欺未遂罪（246Ⅰ・250）が成立する。

(エ) 正　誤って自己の口座に振込金があった場合、それを奇貨として自己の物として領得するために銀行の窓口で払戻しを受けたときは、詐欺罪が成立する（最判平15.3.12）。なぜなら、受取人には誤った振込みがあった旨を銀行に告知すべき信義則上の義務があり、誤振込金額相当分を最終的に自己のものとすべき実質的な権利はなく、また、誤って振り込まれている状態での預金は、いまだその口座名義人の占有下に置かれているとはいえず、なお銀行に占有があると考えられるからである。本肢において、Ａは、誤振込みであることを銀行窓口係員に告げないで同口座の預金金額の払戻しを請求し、現金の交付を受けており、これにより誤振込みされた金銭について、銀行の占有を侵害することとなるから、Ａに詐欺罪が成立する。

(オ) 誤　詐欺罪（246Ⅰ）における「財物」には、動産のみならず、不動産も含まれる。また、不動産を目的とする詐欺罪では、意思表示のみならず現実に占有を移転し若しくは登記をなした時に既遂となる（大判大11.12.15）。本肢では、Ａは土地の所有者Ｂをだまし、当該土地についてＢからＡへの所有権移転の登記を受けているため、246条１項の詐欺罪が成立する。

以上から、正しいものは(ウ)(エ)であり、正解は(4)となる。

16−8(R2−26)　詐欺罪

詐欺罪に関する次の(ア)から(オ)までの記述のうち、判例の趣旨に照らし正しいものの組合せは、後記(1)から(5)までのうち、どれか。

(ア)　Aは、病気を治癒する効果のない儀式であるのにその効果があるように装って、Bに対し、その旨うそを言い、儀式料の名目で金員の交付を求めた。その際、Aは、その方法として、Bにおいて、Aから商品を購入したように仮装して信販会社Cとの間で立替払契約を締結し、当該契約に基づき商品購入代金としてCからAに金員を交付させる方法を勧め、Bは、その方法に従って、Aに金員を支払った。
　この場合において、AのBに対する詐欺罪が成立する。

(イ)　Aは１万円を持ち、代金を支払うつもりで飲食店に入り、店主Bに対し、700円の定食を注文してその提供を受けたが、食べ終わった後になって代金を支払うのが惜しくなり、Bの隙を見て、何も言わずに店外に出て、代金を支払わないまま逃走した。
　この場合において、AのBに対する詐欺罪が成立する。

(ウ)　Aは、Bから、「知り合いのCから自由に使ってくれと言われて預かっているクレジットカードだ。10万円以内の買い物なら使用してよい。」と言われ、規約上名義人のみが利用できるC名義のクレジットカードを受け取ったが、実際には、当該クレジットカードは、BがCから窃取したものであった。Aは、Bが窃取したクレジットカードであることに気付かず、Cの口座から確実に代金の決済がされるものと考え、Cに成りすまして当該クレジットカードを支払手段として家電量販店店員Dに示し、代金８万円のスマートフォン１台を購入してその交付を受けた。
　この場合において、AのDに対する詐欺罪は成立しない。

(エ)　Aは、第三者に売り渡すつもりで甲銀行の預金通帳を入手しようと考え、甲銀行乙支店に赴き、行員Bに対し、その意図を秘して自己名義の預金口座の開設並びに口座開設に伴う自己名義の預金通帳の交付を申し込み、BからA名義の預金通帳の交付を受けた。甲銀行では、預金口座開設等の申込時、契約者に対して、規定により通帳名義人以外の第三者に預金通帳を譲渡、質入れ又は利用させるなどすることを禁止していた。
　この場合において、AのBに対する詐欺罪が成立する。

(オ)　Aは、甲銀行乙支店に開設した自己名義の預金口座の残高が全くないことを知りながら、入出金履歴を通帳に記帳した際、当該預金口座の残高が100

万円になっていたことから、入出金状況を調べてみると、全く身に覚えのないＢから100万円が振り込まれており、Ｂが誤って振り込んだものであることに気付いた。Ａは、この100万円を自分のものにしてしまおうと考え、甲銀行乙支店に赴き、その意図を秘して、行員Ｃに対し、当該預金口座からの100万円の払戻しを請求し、Ｃから100万円の交付を受けた。
　この場合において、ＡのＣに対する詐欺罪は成立しない。

(1)　(ア)(ウ)　　(2)　(ア)(エ)　　(3)　(イ)(ウ)　　(4)　(イ)(オ)　　(5)　(エ)(オ)

学習記録									
	／	／	／	／	／	／	／	／	／

MEMO

重要度　B	知識型	要 *Check!*		正解（2）

(ア)　正　　Ａに欺かれた被害者Ｂが、クレジット契約に基づいて信販業者Ｃに立替払をさせた事案について、判例は、Ｂの行為が別個の詐欺罪を構成するか否かを問わず、ＡのＢに対する詐欺罪（246 Ⅰ）が成立するとした（最決平 15.12.9）。

(イ)　誤　　詐欺罪（246）における人を欺く行為（欺罔行為）は、人による物や利益の交付行為に向けられたものでなくてはならない。この点、Ａは、食事を注文した段階で代金支払の意思を持っているため、注文は欺罔行為とはいえない。また、Ｂは支払猶予という財産的処分行為を行っておらず、Ａの逃走は財産的処分行為をさせるよう仕向ける具体的危険性のある欺罔行為でもない。したがって、Ａに 246 条２項の詐欺罪は成立せず、いわゆる利益窃盗として現行法上不可罰となる。

(ウ)　誤　　規約上名義人のみが利用できることとされ、加盟店に本人確認が義務付けられているクレジットカードについて、他人名義のカードを入手した者が、名義人になりすまし、正当な利用権限があると加盟店を誤信させて商品を購入する行為には、加盟店に対する詐欺罪（246 Ⅰ）が成立する（最決平 16.2.9）。そして、このことは、行為者が、カードの名義人から使用を許諾されており、名義人によって決済されると信じていたとしても同様である（同判例）。したがって、ＡのＤに対する詐欺罪が成立する。

(エ)　正　　規定により、通帳を名義人以外の第三者に譲渡、質入れ又は利用させるなどすることを禁止している銀行において、第三者に譲渡する意図を秘して自己名義の預金口座を開設し預金通帳の交付を受ける行為について、判例は、銀行支店の行員に対し預金口座の開設等を申し込むこと自体、申し込んだ本人がこれを自分自身で利用する意思であることを表しているというべきであるから、預金通帳を第三者に譲渡する意図であるのにこれを秘してその申込みを行う行為は、詐欺罪にいう人を欺く行為にほかならず、これにより預金通帳の交付を受けた行為が詐欺罪（246 Ⅰ）を構成することは明らかであるとした（最決平 19.7.17）。

(オ)　誤　　自己の預金口座に誤った振込みがあったことを知りながら、これを銀行窓口係員に告げることなく預金の払戻しを受けたときは、詐欺罪（246 Ⅰ）が成立する（最決平 15.3.12）。

以上から、正しいものは(ア)(エ)であり、正解は(2)となる。

17－1(17－27)　恐喝罪

Aについての恐喝罪の成立に関する次の(ア)から(オ)までの記述のうち、判例の趣旨に照らし誤っているものの組合せは、後記(1)から(5)までのうちどれか。なお、設例中の暴行又は脅迫の程度は、恐喝罪を構成するには十分であるが、相手方の反抗を抑圧するには至らない程度のものとする。

(ア)　債務者Ａが債権者Ｂを脅迫し、ＡのＢに対する債務の支払を一時猶予する旨の意思表示をさせた。この場合には、恐喝罪が成立し、かつ既遂に達する。

(イ)　Ａは、Ｂを脅迫し、ＡのＣ銀行に対する債務についてＢが免責的債務引受をする旨の意思表示をＡに対してさせた。この場合には、そのＢの意思表示をＣ銀行が承諾していないときであっても、恐喝罪が成立し、かつ既遂に達する。

(ウ)　Ａは、Ｂの所有する土地を購入しようと考え、Ｂと売買交渉を始めたが、適正な価格を提示してもＢが売却に応じないためにＢを脅迫して適正な価格で売却させた。この場合には、Ａがその適正な価格を支払ったときであっても、恐喝罪が成立し、かつ既遂に達する。

(エ)　売春の遊客となったＡが売春婦Ｂを脅迫して売春代金の請求を断念させた。この場合には、売春契約が公序良俗に反し無効であっても恐喝罪が成立し、かつ既遂に達する。

(オ)　Ａが、タクシー運転手Ｂの態度に立腹し、後部座席からＢの頭部を殴ったところ、い怖したＢがタクシーから降りて逃げ出したため、Ａは、この機会にタクシー内の金員を奪おうと思い立ち、これを奪い取った。この場合には、恐喝罪が成立し、かつ既遂に達する。

(1)　(ア)(ウ)　　(2)　(ア)(オ)　　(3)　(イ)(エ)　　(4)　(イ)(オ)　　(5)　(ウ)(エ)

学習記録	／	／	／	／	／	／	／	／	／

重要度　C	知識型		正解（4）

(ア) 正　　恐喝罪が既遂に達するためには、加害者の暴行又は脅迫によって被害者を畏怖させ、処分行為を行わせることによって財物又は財産上の利益が移転し、損害が発生することが必要である。ここにいう「財産上の利益」とは、必ずしも積極的な利益だけにとどまらず、消極的に、しかも一時的に債務の支払を免れる場合のように一時的便宜を得ることもこれに含まれる（249Ⅱ、最判昭43.12.11)。したがって、脅迫により債務の支払を猶予させたAには、恐喝罪が成立し、かつ既遂に達する。

(イ) 誤　　恐喝罪が既遂に達するためには、被害者の処分行為により不法に財物又は利益が移転することが必要である。民法上、債務者と引受人間の免責的債務引受の契約は、債権者の承諾を条件として効力を生ずる（民472Ⅲ)。本肢においては、AがBを脅迫し、Aの債務につき免責的債務引受の意思表示をさせたにとどまり、その意思表示を債権者C銀行が承諾していないことから、いまだBがAの債務を引き受けたとはいえず、利益が移転したとはいえない。したがって、Bを脅迫してAに対して免責的債務引受の意思表示をさせた時点では、Aには恐喝罪の未遂（250・249Ⅱ）が成立するにとどまる。

(ウ) 正　　恐喝罪が成立するには、脅迫による畏怖がなければその財物又は財産上の利益を交付しなかったであろうという関係があれば足り、たとえ相当な対価が支払われた場合であっても、その交付された財物又は財産上の利益の全部につき恐喝罪が成立する（大判昭14.10.27)。したがって、Bを脅迫してその所有する土地を適正な価格で売却させたAには、恐喝罪が成立し、かつ既遂に達する。

(エ) 正　　本肢のAのBに対する債務は、売春契約という公序良俗に反する契約に基づく代金債務であるから、民法上は無効である（民90)。このような公序良俗に反する契約に基づく代金債務も「財産上不法の利益」に当たる。なぜならば、「財産上不法の利益」にいう「不法」とは、利益を取得する手段が不法であることを意味し、利得を生じる原因である法律行為が私法上有効であるか否かを問わないからである（大判昭13.10.4、名古屋高判昭25.7.17等)。したがって、脅迫により売春代金の請求を断念させたAには恐喝罪が成立し、かつ既遂に達する。

(オ) 誤　　恐喝罪は財産犯であるから、暴行又は脅迫は相手方に財物を交付させる手段として行われる必要がある。本肢におけるAのタクシー運転手Bに対する暴行は、Bの態度に立腹したことによるものであり、財物を交付させる手段として行われたものではない。また、Aがタクシー内の金員を奪い取った時点ではBはタクシー内にいないため、財物交付に向けた新たな暴行又は脅迫も行われていない。したがって、Aには恐喝罪が成立せず、暴行罪（208）及び窃盗罪（235）の併合罪（45）が成立する。

以上から、誤っているものは(イ)(オ)であり、正解は(4)となる。

18－1(59－27)　横領罪

横領罪に関する次の記述のうち、誤っているものはどれか。

(1) 甲が、乙から借用中の事務機器を乙に無断で丙に売却する契約を締結した場合には、いまだ丙に対する引渡しがされていないとしても、横領罪が成立する。

(2) 甲が、乙所有の未登記建物につき、無断で甲名義に所有権保存の登記をした上、丙に売却して所有権移転の登記をした場合でも、横領罪は成立しない。

(3) 甲が、個人的な債務の弁済のため、自己が代表取締役をしている会社名義で債権者乙宛の約束手形を振り出し、乙に交付した場合には、横領罪が成立する。

(4) 甲が、割引の仲介をする意思がないのに、仲介をする旨の嘘を言って乙から手形の交付を受け、これを自己の債務の担保に差し入れた場合でも、横領罪は成立しない。

(5) 甲が、乙の依頼により公務員丙に賄賂として渡すために預り保管中の現金を丙に渡すことなく自ら費消した場合には、横領罪が成立する。

学習記録	／	／	／	／	／	／	／	／	／

重要度　C　知識型　　**正解（3）**

〈窃盗罪・横領罪・遺失物等横領罪の区別〉

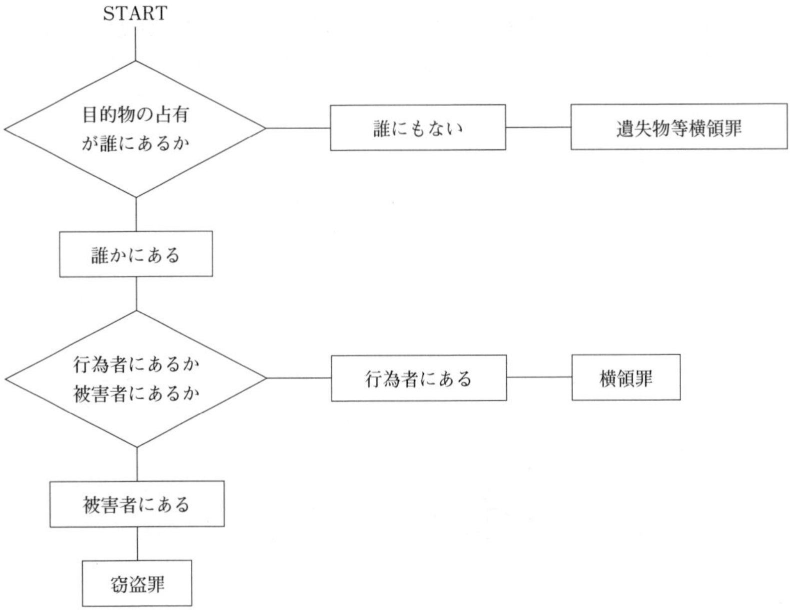

(1)　正　　本肢においては、引渡しがなくても横領行為が終了したといえるか否かが問題になる。横領行為とは不法領得の意思を実現する全ての行為をいうが、契約締結の意思を表示した以上、不法領得の意思は実現したといえる（大判大 2.6.12）。したがって、甲には横領罪（252）が成立する。

(2)　正　　横領罪の客体は「自己の占有する他人の物」である。そして、横領罪における「占有」は、物に対する事実的支配に限らず法律的支配も含むため、登記済不動産における所有権登記名義人は占有を有しているといえる（最判昭 30.12.26）。しかし、登記が無効である場合には、占有は認められない（大判大 5.6.24）ため、本肢のように、他人の不動産につき無断でされた自己名義の所有権保存登記は無効であるから、甲に占有は認められず、横領罪は成立しない。

(3)　誤　　本肢では横領罪（252）となるか背任罪（247）となるか否かが問題になる。この区別については判例も多岐にわたっているが、受験においては抽象的権限の内か外かで区別すればよいと思われる。本肢では、甲は代表取締役であるから、手形振出の権限はあるといえる。したがって、自己の債務弁済のため振り出したとしても、横領罪（252）は成立せず背任罪（247）が成立する。

(4)　正　　甲が、割引の仲介をする意思がないのに、仲介をする旨の嘘を言って乙から手形の交付を受けた行為は、詐欺罪（246Ⅰ）に当たる。そして、更に甲が当該手形を担保に差し入れた行為は、形式的には横領行為に当たる。しかし、当該手形についての乙の法益の侵害は詐欺罪（246Ⅰ）の成立を認めたことによって刑法上評価し尽くされており、その後の担保差入れ行為は、少なくとも乙との関係では、新たな法益侵害を生ずるものではない。したがって、後の横領行為は不可罰的事後行為となり、犯罪とはならない。

(5)　正　　甲が費消した現金は賄賂とすべきものであったから、これは不法原因給付物（民708）である。そこで不法原因給付物が横領罪（252）の客体となるか否かが問題となるが、横領罪（252）の目的物は単に犯人の占有する他人の物であることを要件としているだけであり、不法原因給付物でも横領罪の客体となる（最判昭23.6.5）。したがって、甲に横領罪が成立する。

MEMO

18−2(7−25)　横領罪

次の事例のうち、判例の趣旨に照らし、Ａにつき横領罪が成立する余地のないものはどれか。(改)

(1)　Ａは、自己所有の建物につき、Ｂに対して根抵当権を設定したが、その旨の登記をしないうちに、その建物につき、Ｃに対して根抵当権を設定し、その旨の登記をした。

(2)　Ａは、Ｂからその所有建物を買い受けて所有権移転登記をした後、売買契約を解除されたが、建物の登記名義をＢに戻す前に、Ｃから金員を借り入れるに際し、その建物につき、Ｃに対して抵当権を設定した上、その旨の登記をした。

(3)　Ａは、Ｂ所有の未登記建物を、Ｂの同意のもとに使用支配していたところ、その建物につき、自己名義で所有権保存登記をした。

(4)　Ａは、Ｂから依頼されて、Ｂ所有の土地につき登記記録上の所有名義人になってその土地を預かり保管中、Ｂから所有権移転登記手続請求の訴えを提起された際に、自己の所有権を主張して抗争した。

(5)　Ａは、Ｂから、その所有土地につき、抵当権を設定してＣから融資を受ける手続をして欲しいと依頼され、登記済証、白紙委任状等を交付されたが、それらの書類を利用して、その土地につき、自己の所有名義に移転登記をした。

学習記録	／	／	／	／	／	／	／	／	／

重要度　C	知識型		正解（1）

横領罪（252）は、他人から委託されて行為者が自ら占有する他人の物を横領する犯罪であり、所有権その他の本権を保護法益とする。まず、横領罪の客体は、他人の委託に基づいて「自己の占有する他人の物」でなければならない。ここでいう「占有」には、物の事実的支配のみならず、法律的支配も含まれる（大判大4.4.9）。窃盗罪（235）は物の排他的支配を侵害する犯罪であるから、そこでの占有は物の事実的支配を意味する。これに対して、横領罪における占有の重要性は、その排他力にあるのではなく、濫用のおそれのある支配力にあるから、窃盗罪における占有よりも広い内容を有するのである。次に、横領とは不法領得の意思の発現をいう。ここで、不法領得の意思とは、他人の物の占有者が、委託の任務に背いてその物につき権限がないのに、所有者でなければできないような処分をする意思をいう（最判昭24.3.8）。

(1)　余地はない　　本肢の場合、AはBに根抵当権を設定したにすぎず、建物の所有権はAにある。したがって、自己の占有する「他人の物」ではないから、Aには横領罪は成立しない。なお、AはBに対して根抵当権設定登記に協力すべき義務があり、それを履行することはBのための事務処理である。したがって、それを怠ってCに対して根抵当権を設定・登記したAには、Bに対する関係で背任罪（247）が成立する（最判昭31.12.7）。

(2)　余地がある　　本肢の場合、売買契約の解除により、建物の所有権はBに帰属している（民545参照）。他方、建物の登記名義は依然としてAにあるので、Aは、Bの建物所有権を侵害するおそれのある、法律上の占有者であるといえる（最判昭30.12.26）。また、売買契約が解除された場合にも、当事者は原状回復義務を負うから、当初の契約に基づき所持する他人の財物は、原状回復までの間、相手方の委託に基づき所持するものといえる。そして、AがCに対して抵当権を設定する行為は、不法領得の意思を発現する横領行為である（最判昭24.3.8）。したがって、Aには横領罪が成立する。

(3)　余地がある　　未登記不動産については、登記記録上の占有は存在しないから、事実上、それを管理、支配する者に占有がある（最判昭32.12.19）。本肢の場合、未登記建物を事実上支配しているAに占有がある。そして、Aが自己名義で所有権保存登記をしたことは、不法領得の意思を発現する横領行為に当たる。したがって、Aには横領罪が成立する。

(4)　余地がある　　AはB所有の土地につき、Bに依頼されて登記記録上所有名義人となって保管しており、当該土地の占有者である。そして、AがBの所有権移転登記手続請求に対して、自己の所有権を主張し、抗争する行為は、不法領得の意思の発現である。したがって、Ａには横領罪が成立する（最決昭35.12.27）。

(5)　余地がある　　Ａは Ｂから抵当権設定に関する依頼を受け、登記済証、白紙委任状等を所持しており、Ｂの所有権を侵害するおそれのある、法律上の占有者であるといえる（福岡高判昭53.4.24）。そして、Ａがその土地につき自己の所有名義に移転登記することは、不法領得の意思の発現である。したがって、Ａには横領罪が成立する。

MEMO

18−3(20−27)　横領罪

Aについての横領罪（法第252条）の成立に関する次の㈠から㈤までの記述のうち、判例の趣旨に照らし誤っているものの組合せは、後記⑴から⑸までのうちどれか。

㈠　Aは、Bから公務員Cに対して賄賂として渡すように頼まれた現金を、Cに渡さず自分で使い込んだ。この場合、Aには、横領罪が成立する。

㈡　従業員Aは、店内のレジにある現金を自分で使い込むために店外に持ち出そうと考え、それを手に取って店の出入り口まで移動したが、そこで翻意して、現金をレジに戻した。この場合、Aには、横領未遂罪が成立する。

㈢　Aは、帰宅途中、公園で乗り捨てられた自転車を見つけると、それが自分のものではないことを知りながら、それに乗って帰った。この場合、Aには、横領罪が成立する。

㈣　所有者Bから仮装売買により買主として土地の所有権の移転の登記を受けたAが、実際には所有権を取得していないにもかかわらず、自分の借金の担保としてその土地に抵当権を設定したが、Bから土地の実際の引渡しまでは受けていなかった。この場合、Aには、横領罪が成立する。

㈤　Aは、レンタルビデオを借りて保管していたが、自分のものにしたくなり、貸ビデオ店に対して、盗まれたと嘘をついてビデオを返さず自分のものにした。この場合、Aには、横領罪が成立する。

（参考）
刑法
（横領）
第252条　自己の占有する他人の物を横領した者は、５年以下の懲役に処する。
２　自己の物であっても、公務所から保管を命ぜられた場合において、これを横領した者も、前項と同様とする。

⑴　㈠㈡　　⑵　㈠㈣　　⑶　㈡㈢　　⑷　㈢㈤　　⑸　㈣㈤

学習記録	／	／	／	／	／	／	／	／	／

重要度　C	知識型		正解（3）

(ア)　正　　判例は、贈賄の依頼を受けて贈賄金を預かりながらこれを贈賄に充てないで自ら費消した事案について、横領罪の成立を認めている（最判昭23.6.5）。

(イ)　誤　　横領罪の客体は、自己の占有する他人の物である。そして、雇用契約などに基づいて上下主従の関係に立つ者が、財物に対して、事実上、共同支配の状態にある場合、刑法上の占有は通常その上位者に属し、下位者は現実に財物を握持し、又は事実上の支配を有していても、単なる監視者ないし占有補助者にすぎないと解される。したがって、従業員Aが、店内にある現金を持ち出す行為について、横領罪は成立しない。また、横領罪は、横領行為が開始されれば、その完了を待たずに既遂に達し（大判明43.12.2）、横領罪には未遂を認めることができないと解される。

(ウ)　誤　　252条の横領罪における占有は、物の所有者またはこれに準じるものとの間の委託信任関係に基づくものでなければならない（東京高判昭25.6.19）。委託信任関係に基づかずに占有している物を領得する行為は、遺失物等横領罪の問題となる。したがって、Aと乗り捨てられた自転車の所有者との間には委託信任関係はなく、Aには横領罪は成立しない。

(エ)　正　　横領罪の客体は自己の占有する他人の物である。そして、判例は、他人所有の不動産について、仮装の売買により、登記記録上、その所有者としての名義を有するに至った者は、第三者に対して、有効に当該不動産を処分し得る状態にあるから、その占有者であるとしている（大判明42.4.29）。そして、その不動産に抵当権を設定することは横領の意思を表明する客観的な処分行為であるといえる（最判昭31.6.26）。したがって、Aは、Bから不動産の引渡しを受けていなくても、その不動産の占有者であり、その不動産に抵当権を設定することによって横領罪が成立する。

(オ)　正　　横領のために、本人に対して欺罔行為を行い、委託された物の返還を免れるなどした場合、欺罔は横領の手段であるから、横領罪が成立し詐欺罪は成立しない（大判明43.2.7）。

以上から、誤っているものは(イ)(ウ)であり、正解は(3)となる。

18−4(29−26)　横領罪

横領罪等に関する次の(ア)から(オ)までの記述のうち、判例の趣旨に照らし誤っているものの組合せは、後記(1)から(5)までのうち、どれか。

(ア)　Ａは、動産甲をＢと共同占有していたところ、Ｂの占有を奪ってＡの単独の占有に移した。この場合、Ａには、横領罪が成立する。

(イ)　Ａは、Ａ所有の乙不動産をＢに売却し、Ｂから代金を受け取ったが、登記簿上の所有名義がＡに残っていたことを奇貨として、乙不動産について、更にＣに売却し、Ｃへの所有権の移転の登記を行った。この場合、Ａには、横領罪が成立する。

(ウ)　Ａは、その自宅の郵便受けに誤って配達されたＢ宛ての郵便物がＢ宛てのものであることを知りながら、その中に入っていた動産甲を自分のものとした。この場合、Ａには、遺失物等横領罪が成立する。

(エ)　Ａは、Ｂと共有している乙不動産についてＢから依頼を受けて売却し、その代金を受領してＡが単独で占有していたところ、これを自分のものとした。この場合、Ａには、横領罪が成立する。

(オ)　Ａは、Ａ所有の乙不動産について、Ｂのために根抵当権を設定したが、その登記がされていなかったことを奇貨として、更にＣのために根抵当権を設定し、その登記を行った。この場合、Ａには、横領罪が成立する。

(1)　(ア)(イ)　　(2)　(ア)(オ)　　(3)　(イ)(エ)　　(4)　(ウ)(エ)　　(5)　(ウ)(オ)

学習記録	／	／	／	／	／	／	／	／	／

重要度　C	知識型		正解（2）

(ア)　誤　　横領罪の客体は、「自己の占有する他人の物」である（252 I）。この点、共同保管している者の一人が他の保管者の同意を得ないで自己単独の占有に移す行為には、窃盗罪（235）が成立する（最判昭25.6.6）。なぜなら、この場合、他の共同保管者の占有を侵害したといえるからである。

(イ)　正　　不動産の所有権が売買により買主に移転した場合に、売主が、登記記録上の所有名義がなお自己にあることを奇貨として、これを勝手に第三者に売却してその旨の登記をした場合には横領罪（252 I）が成立する（最判昭30.12.26）。

(ウ)　正　　遺失物等横領罪の客体となる「占有を離れた他人の物」（254）とは、占有者の意思に基づかずにその占有を離れた物で、誰の占有にも属していないもの、及び委託関係に基づかないで行為者の占有に帰属したものをいう。そして、遺失物や漂流物はその例示であって、誤配達された郵便物も占有離脱物に当たる（大判大6.10.15）。したがって、Aが自宅の郵便受けに誤って配達された郵便物を自分のものとした場合、Aには、遺失物等横領罪が成立する。

(エ)　正　　共有物の一方の占有者が、他の共有者の依頼によりその共有物を売却した場合には、その代金は、特約や特殊の事情がない限り、他の共有者との共有に属するため、これを着服した行為は「自己の占有する他人の物」を横領したといえ、横領罪（252 I）が成立する（最決昭43.5.23）。

(オ)　誤　　横領罪（252 I）の客体は、他人の物である。根抵当権を設定した土地の所有権を有する者が、その登記をする前に更に第三者に根抵当権を設定し登記を完了しても、横領罪は成立せず、背任罪（247 I）が成立するにとどまる（最判昭31.12.7）。したがって、自己の物である乙不動産について、二重に根抵当権を設定したAには、横領罪は成立しない。

以上から、誤っているものは(ア)(オ)であり、正解は(2)となる。

19－1(57－27)　盗品等に関する罪

次の物件のうち、盗品等無償譲受け罪の客体である盗品等に該当するものはどれか。

(1)　賭博によって得た金

(2)　賄賂として収受した金

(3)　詐欺によって取得したテレビについて公訴時効が完成した後における当該テレビ

(4)　偽証の謝礼として受け取った金

(5)　横領されたカメラについて善意取得が成立した後における当該カメラ

学習記録	／	／	／	／	／	／	／	／	／

重要度　C	知識型		正解（3）

〈盗品性が否定される具体例〉

①収受された賄賂（大判明 35.3.28）
②賭博によって得た財物
③ 190 条・191 条の罪によって領得した死体（大判大 4.6.24）
④統制法規違反によって領得した物
⑤偽造文書・偽貨
⑥漁業法違反の行為によって得た漁獲物（大判大 11.11.3）
⑦狩猟法違反の行為によって得た鳥獣

(1)　該当しない　　盗品等に関する罪の客体である盗品等とは、「財産罪である犯罪行為によって得た財物で被害者が法律上追求し得るもの」をいう。しかし、本肢の金は賭博によって得たものであり賭博罪（185）は財産罪ではない。したがって、盗品等には該当しない。

(2)　該当しない　　収賄罪（197）は財産罪ではないので、それによって得た金は盗品等には該当しない。

(3)　該当する　　詐欺罪（246 Ⅰ）は財産罪であり、また公訴時効が完成したとしても、被害者の追求権がなくなるわけではないから盗品性は失われない。したがって、盗品等に該当する。

(4)　該当しない　　偽証罪（169）は財産罪ではないため、それによって得た金は盗品等に該当しない。

(5)　該当しない　　盗品等に関する罪（256）の客体である「財産に対する罪に当たる行為によって領得された物」というためには、被害者が法律上追求権を行使できるものでなければならない（大判大 12.4.14）。そして、第三者が、横領犯人からその横領に係る財物を善意・無過失で取得したときは、その物の盗品性は消失する（大判大 6.5.23）。なぜなら、即時取得（民 192）が成立した後に、その物の回復が認められるのは、盗品又は遺失物のときであり（民 193）、横領物については回復請求が認められず、被害者は私法上の追求権を失っているからである。したがって、本肢のカメラは盗品等に該当しない。

19−2(3−24)　盗品等に関する罪

次の事例のうち、盗品等に関する罪が成立する場合は幾つあるか。(改)

(ア)　父親から盗んできた物であることを知りながら、これを質受けした場合

(イ)　他人から宝石を預かっている者と共謀し、当該宝石を処分することとし、自己においてこれを買い取った場合

(ウ)　密輸品であるとの情を知りながら、これを買い取った場合

(エ)　友人から窃盗の意思を打ち明けられ、盗品を買い取る約束をした場合

(オ)　被害者に返還する目的で、盗品と知りながらこれを買い取った場合

(1)　1個　　(2)　2個　　(3)　3個　　(4)　4個　　(5)　5個

学習記録	／	／	／	／	／	／	／	／	／

重要度　C	知識型		正解（1）

(ア)　成立する　　盗品等に関する罪の客体は、本犯が既遂に達していれば足り、更に処罰される必要はないので、親族間の犯罪の特例（244Ⅰ）により、本犯が処罰を阻却されても（最判昭25.12.12)、その盗品を質受けすれば盗品等保管罪（256Ⅱ）が成立する。なお、盗品等に関する罪について親族間の特例における身分関係は、本犯者と盗品等に関する罪の犯人との間に存在することを要する（通説、最決昭38.11.8)。本肢は、被害者と本犯者に親族関係があるにすぎないので、当該特例の適用はない。

(イ)　成立しない　　他人の物の占有者と、当該物を横領することを共謀し、自己においてこれを買い取る行為は、不法領得の意思の発現であり、横領罪(252)の実行行為にほかならず横領罪の共同正犯が成立する（252・60)。本犯は盗品等に関する罪の主体となることはできないので、別に盗品等に関する罪を構成しない（大判昭8.5.2)。

(ウ)　成立しない　　関税法違反の密輸品は、盗品等に関する罪の客体である「盗品その他財産に対する罪に当たる行為によって領得された物」に当たらないので、これを買い取っても盗品等有償譲受け罪（256Ⅱ）は成立しない。

(エ)　成立しない　　盗品等に関する罪の客体は、財産罪によって取得された財物とされる以上、本犯の行為は既遂に達していなければならない。本肢では、本犯となる友人はいまだ窃盗の意思を打ち明けたにすぎず、実行行為に着手すらしていない。したがって、その将来窃取される物を買い取る約束をしても、窃盗幇助罪（235・62）となることはあっても盗品等有償譲受け罪（256Ⅱ）は成立しない。

(オ)　成立しない　　被害者に返還する目的で盗品を買い取る行為は、本犯の被害者の盗品等に対する追求を困難にすることにならないから、盗品等有償譲受け罪（256Ⅱ）は成立しない（東京高判昭28.1.31)。

以上から、盗品等に関する罪が成立するものは(ア)の１個であり、正解は(1)となる。

19－3(19－27)　盗品等に関する罪

盗品等に関する罪の保護法益とされる本犯の被害者の追求権に関する次の(ア)から(オ)までの記述のうち、判例の趣旨に照らし正しいものの組合せは、後記(1)から(5)までのうちどれか。

(ア)　横領罪の被害物が第三者により即時取得された場合には、これにより被害者の当該被害物に対する追求権は失われるから、以後、盗品等に関する罪は、成立しない。

(イ)　本犯が詐欺罪の場合、欺罔による財産移転の意思表示を取り消す前には、被害者は、当該財産に対する追求権を有しないから、盗品等に関する罪は、成立しない。

(ウ)　本犯の被害物が同一性を失った場合には、被害者の当該被害物に対する追求権は失われるから、本犯の被害物の売却代金である金銭の贈与を受けても、盗品等に関する罪は、成立しない。

(エ)　本犯の被害者を相手方として本犯の被害物の有償処分のあっせんをしても、被害者の追求権の行使を困難にしないので、盗品等に関する罪は、成立しない。

(オ)　本犯の被害物が同一性を失った場合には、被害者の当該被害物に対する追求権は失われるから、本犯の被害物である紙幣を両替して得た金銭の贈与を受けても、盗品等に関する罪は、成立しない。

(1)　(ア)(イ)　(2)　(ア)(ウ)　(3)　(イ)(エ)　(4)　(ウ)(オ)　(5)　(エ)(オ)

学習記録	／	／	／	／	／	／	／	／	／

重要度　C	知識型		正解 (2)

(ア)　正　　盗品等に関する罪（256）の客体である「財産に対する罪に当たる行為によって領得された物」というためには、被害者が法律上追求権を行使できるものでなければならない（大判大12.4.14）。そして、第三者が、横領犯人からその横領に係る財物を善意・無過失で取得したときは、その物の盗品性は消失する（大判大6.5.23）。なぜなら、即時取得（民192）が成立した後に、その物の回復が認められるのは、盗品又は遺失物のときであり（民193）、横領物については回復請求が認められず、被害者は私法上の追求権を失っているからである。

(イ)　誤　　256条にいう盗品等とは不法に領得された物件で被害者が法律上追求することのできるものをいう。したがって、領得行為が詐欺として取り消し得る法律行為にとどまる場合でも、その物件は盗品等に当たる（大判大12.4.14）。本犯が詐欺罪の場合、欺罔による財産移転の意思表示を取り消す前であっても、被害者は、当該財産に対する追求権を有することから、盗品等に関する罪が成立する。

(ウ)　正　　盗品等とは、財産罪によって取得された財物そのものをいい、それを売却して得た金銭とか、盗品等である金銭で購入した物などは含まない。すなわち、盗品等がその同一性を失った場合には同時に追求権も失われる。盗品等に対する追求権は、盗品等自体に対するものであって、盗品等の代替物にまでは及ばないからである。したがって、本犯の被害物の売却代金である金銭の贈与を受けても、盗品等に関する罪は、成立しない。

(エ)　誤　　窃盗等の本犯の被害者を相手方として盗品等の有償処分のあっせんをする場合にも、被害者による盗品等の正常な回復を困難にし、本犯を助長するおそれがあるから、有償処分のあっせんに当たり、盗品等に関する罪は成立する（最決平14.7.1）。

(オ)　誤　　盗品等が単に原形を変えただけで、同一性を失わない限り、盗品等としての性格は存続する。判例は、詐取した小切手を呈示して現金に換えた場合（大判大11.2.28）、盗品等である通貨を両替した場合（大判大2.3.25）などについて、なお、盗品等と認めている。

以上から、正しいものは(ア)(ウ)であり、正解は(2)となる。

19－4(R3－26)　盗品等に関する罪

盗品等に関する罪に関する次の(ア)から(オ)までの記述のうち、判例の趣旨に照らし正しいものの組合せは、後記(1)から(5)までのうち、どれか。

(ア)　Ａは、Ｂ所有の腕時計を窃取したが、その後、犯行の発覚を恐れ、当該腕時計を自宅で保管していた。この場合において、Ａには、窃盗罪に加えて盗品等保管罪が成立する。

(イ)　Ａは、Ｂから、ＢがＣから窃取した壺を被害者であるＣに買い取らせることを持ちかけられ、当該壺が盗品であることを知りながら、これに応じ、Ｃと交渉の上、Ｃに当該壺を買い取らせた。この場合において、Ａには、盗品等有償処分あっせん罪が成立する。

(ウ)　Ａは、Ｂが窃取した宝石であることを知りながら、Ｂからこれを譲り受け、Ｃは、当該宝石がＢが窃取した盗品であることを知りながら、Ａから頼まれて、これを自動車で運搬した。この場合において、ＡとＣとの間に婚姻関係があり、ＢとＣとの間には刑法第257条第１項所定の関係がないときは、Ｃには、盗品等運搬罪が成立するが、その刑が免除される。

(エ)　公務員であるＡは、その職務に関し、Ｂが窃取した自動車であることを知りながら、Ｂからこれを賄賂として無償で収受した。この場合において、Ａには、収賄罪と盗品等無償譲受け罪が成立し、両罪は観念的競合の関係に立つ。

(オ)　Ａは、Ｂから頼まれて盗品とは知らずに自動車を保管することとし、保管を始めて数か月間が経過した時点で、当該自動車はＢが窃取した盗品であると知るに至ったが、Ｂによる窃盗の犯行の発覚を防ごうと考え、その後もＢのためにその保管を継続した。この場合において、Ａには、盗品等保管罪は成立しない。

（参考）
刑法
第256条　盗品その他財産に対する罪に当たる行為によって領得された物を無償で譲り受けた者は、３年以下の懲役に処する。
２　前項に規定する物を運搬し、保管し、若しくは有償で譲り受け、又はその有償の処分のあっせんをした者は、10年以下の懲役及び50万円以下の罰金に処する。
第257条　配偶者との間又は直系血族、同居の親族若しくはこれらの者の配偶者との間で前条の罪を犯した者は、その刑を免除する。
２　（略）

(1)　(ア)(ウ)　(2)　(ア)(オ)　(3)　(イ)(ウ)　(4)　(イ)(エ)　(5)　(エ)(オ)

学習記録	／	／	／	／	／	／	／	／	／

重要度　C	知識型		正解（4）

(ア)　誤　　窃盗を行った者が盗品を保管する行為は当然予見できるものであり、不可罰的事後行為として盗品等保管罪（256 Ⅱ）は成立しない（最判昭24.10.1 参照）。本肢において、Aは窃取を行った者であるから、犯行の発覚を恐れて盗品である腕時計を自宅で保管したとしても、窃盗罪が成立するのみであり、盗品等保管罪は成立しない。

(イ)　正　　盗品等の有償の処分のあっせんをする行為は、窃盗等の被害者を処分の相手方とする場合であっても、256 条２項にいう盗品等の「有償の処分のあっせん」に当たる（最決平 14.7.1）。なぜなら、このような行為であっても、被害者による盗品等の正常な回復を困難にするばかりでなく、窃盗等の犯罪を助長し誘発するおそれがあるからである（同判例）。

(ウ)　誤　　257 条１項の親族関係は、行為者と本犯の犯人の間にあることを要する（最決昭 38.11.8 参照）。本肢において、親族関係が必要なのはBとCとの間であるところ、親族関係はAとCとの間にあるのみであり、Cの盗品等運搬罪の刑は 257 条１項によって免除されない。

(エ)　正　　公務員が、盗品等であると知りながら、これを賄賂として受け取った場合、盗品等無償譲受け罪（256 Ⅰ）と収賄罪（197 Ⅰ）とが成立し、両罪は観念的競合（54 Ⅰ前段）となる（最判昭 23.3.16）。なぜなら、盗品等に関する罪は被害者の追求権を保護法益とするのに対し、賄賂罪は国家作用の公正さに対する国民の信頼を保護法益としており、構成要件的な評価として複数であるため両罪が成立し、しかも、これらの数罪が１個の行為によって行われているからである。

(オ)　誤　　盗品等であることを知らずに委託を受けて物品の保管を開始した者が、その後、盗品等であることを知るに至ったのに、なおも本犯のためにその保管を継続した場合には、盗品等保管罪（256 Ⅱ）が成立する（最決昭50.6.12）。なぜなら、本罪は継続犯であり、しかも保管行為は本犯を幇助するという点に照らし、事情を知った後は盗品等保管罪を構成するからである。本肢において、盗品であると気付いた後もBのために保管を継続したAには、盗品等保管罪が成立する。

以上から、正しいものは(イ)(エ)であり、正解は(4)となる。

20−1(63−28)　毀棄・隠匿罪

Ａ欄に掲げる行為がＢ欄に掲げる罪を構成しないものは、次のうちどれか。（改）

	Ａ　欄	Ｂ　欄
⑴	市役所の課税台帳を閲覧中、その中の１枚を抜き取り、閲覧室内のくずかごに丸めて投げ棄てた。	公用文書毀棄罪
⑵	友人方を訪れた際、同人に差し入れた自己名義の借用証書をほしいままに破り棄てた。	私用文書毀棄罪
⑶	他人の飼育している小鳥をわざと逃がした。	器物損壊罪
⑷	他人の家の竹垣を切り倒した。	建造物損壊罪
⑸	自己の所有地とこれに隣接する他人の所有地との境界に、自らの費用で埋設しておいた境界標を引き抜いて、境界を不明にした。	境界損壊罪

学習記録	／	／	／	／	／	／	／	／	／

重要度　C	知識型		正解（4）

(1) 構成する　　公用文書毀棄罪（258）の客体である公務所の用に供する文書とは、現に公務所で使用中の文書のほか、公務所において使用の目的で保管する文書をも含み、市役所の課税台帳はこれに該当する。また毀棄とは、文書又は電磁的記録の本来の効用を毀損する一切の行為を意味する。したがって、課税台帳をくずかごに丸めて投げ棄てる行為は公用文書毀棄罪を構成する。

(2) 構成する　　私用文書毀棄罪（259）の客体である「権利又は義務に関する」他人の文書とは、権利、義務の存否、得喪、変更等を証明することができる文書をいい、借用証書はこれに該当する。そして自己名義の文書でも、他人の所有に属するときは、「他人の」文書といえる。更に借用証書を破り捨てた行為は毀棄に当たる。したがって、友人に差し入れた自己名義の借用書を破り棄てる行為は、私用文書毀棄罪を構成する。

(3) 構成する　　器物損壊罪（261）の客体は、公用文書毀棄罪、私用文書毀棄罪及び建造物損壊罪の客体に当たるもの以外の物であり、動物、植物も客体となる。器物損壊罪における「傷害」とは動物を殺傷することだけでなく、動物としての効用を喪失させることも含まれる。したがって、他人の飼育している小鳥をわざと逃がす行為は器物損壊罪を構成する（大判明44.2.27参照）。

(4) 構成しない　　建造物損壊罪（260前段）の客体である建造物とは、家屋その他これに類する建築物であって、屋蓋（がい）を有し、墻（しょう）壁又は柱材によって支持され、土地に定着し、少なくとも、その内部に人の出入りし得べきものをいう（大判大3.6.20）。それゆえ、竹垣は建造物ではない。したがって、他人の竹垣を切り倒す行為は建造物損壊罪を構成しない。

(5) 構成する　　境界損壊罪（262の２）の客体である境界標とは、権利者を異にする土地の境界を示すために、土地に設置された標識をいう。自己の所有に属するものであると他人の所有に属するものであるとを問わない。そして、境界を認識することができなくするとは、既存の事実上の境界が不明確にされれば足りる。したがって、自己所有の境界標を引き抜いて境界を不明にする行為は境界損壊罪を構成する。

20－2(R6－26)　毀棄・隠匿罪

毀棄及び隠匿の罪に関する次の(ア)から(オ)までの記述のうち、判例の趣旨に照らし正しいものの組合せは、後記(1)から(5)までのうち、どれか。

(ア)　Ａは、Ｂの住居の玄関ドアを金属バットで叩いて凹損（おうそん）させた。同玄関ドアは、住居の玄関ドアとして外壁と接続し、外界との遮断、防犯、防風、防音等の重要な役割を果たしていたが、工具を使用すれば損壊せずに取り外すことが可能であった。この場合、Ａには、建造物損壊罪が成立する。

(イ)　Ａは、抵当権の実行による競売を延期させようと考え、裁判所から競売事件の記録を持ち出してこれを隠匿したため、裁判所が一時的に競売を実施することができなくなった。この場合、Ａには、公用文書等毀棄罪は成立しない。

(ウ)　Ａは、公衆便所の外壁にラッカースプレーで落書きをし、その結果、公衆便所の美観は著しく汚損され、原状回復に相当な困難が生じた。この場合、Ａには、建造物損壊罪は成立しない。

(エ)　Ａは、現行犯人として逮捕され、警察署において、司法警察員から弁解録取書を読み聞かせられた際、同弁解録取書に署名する前に、これをひったくり、両手で破った。この場合、Ａには、公用文書等毀棄罪が成立する。

(オ)　Ａは、Ａ所有の甲土地とＢ所有の乙土地との境界に境界標として設置された有刺鉄線張りのＢ所有の丸太をのこぎりで切り倒し、境界標を壊したが、その境界は認識することが可能であった。この場合、Ａには、境界損壊罪が成立する。

(1)　(ア)(エ)　　(2)　(ア)(オ)　　(3)　(イ)(ウ)　　(4)　(イ)(エ)　　(5)　(ウ)(オ)

学習記録	／	／	／	／	／	／	／	／	／

重要度　C	知識型		正解（1）

⑺　正　　住居の玄関ドアは、外壁と接続し、外界との遮断、防犯、防風、防音等の重要な役割を果たしている場合には、適切な工具を使用すれば損壊せずに取り外しが可能であるとしても、建造物損壊罪の客体に当たる（最決平19.3.20）。

⑴　誤　　競売を延期させる目的で競売記録を持ち出し隠匿した事例において、判例は、公用文書等毀棄罪に当たるとした（大判昭9.12.22）。

⑼　誤　　公衆便所外壁にラッカースプレーで大書した行為は、建物の外観ないし美観を著しく汚損し、原状回復に相当の困難を生じさせるものであり、その効用を減損させるものであるから、建造物等損壊罪の「損壊」に当たる（最決平18.1.17）。

㈸　正　　未完成であっても、文書としての意味、内容を備えるに至ったときは、公用文書等毀棄罪における「公務所の用に供する文書」（公用文書）に含まれ、被疑者の署名を欠く弁解録取書も公用文書に含まれる（最判昭57.6.24）。

⑽　誤　　隣接する土地との境界に、境界標として設置された有刺鉄線張りの丸太をのこぎりで切り倒し、境界標を壊した場合であっても、境界損壊罪が成立するには、境界を認識することができなくなるという結果の発生を要するから、境界標を損壊したが、いまだ境界が不明にならない場合には、境界損壊罪は成立しない（最決昭43.6.28）。

以上から、正しいものは⑺㈸であり、正解は⑴となる。

21－1(56－28)　財産罪全般

次の記述のうち、かっこ内の犯罪が成立しないものはどれか。(改)

(1)　甲は所持金を十分所持して宿泊したが、旅館を出る直前になって宿泊代金を踏み倒そうと思い、玄関に誰もいないことに乗じて逃走し、宿泊代金の支払を免れ、財産上不法の利益を得た。(詐欺罪)

(2)　甲は乙からテープレコーダーを借りて占有していたが、乙に対し「テープレコーダーが壊れてしまった。」と嘘を言ってだまし、これを他に売却した。(横領罪)

(3)　甲は、乙に賃貸し乙が占有中の自己所有のトラックを、乙に無断で他に売却しようと思い、ひそかにこれを乙の車庫から運転して自宅まで運んだ。(窃盗罪)

(4)　甲は、宝石店で指輪を盗んだ直後、店員に発見され身体をつかまれたので、その指輪を早く捨てて証拠を隠そうと思い、その店員を突き倒し、反抗を抑圧して逃走した。(事後強盗罪)

(5)　甲は、乙よりビデオカメラを盗品とは知らずに預かったが、それが盗品であることを知った後も、その保管を継続した。(盗品等保管罪)

学習記録	／	／	／	／	／	／	／	／	／

重要度　A	知識型		正解（1）

⑴　成立しない　　甲には、支払能力も支払意思もあるので宿泊の時点で詐欺利得罪（246Ⅱ）の実行の着手はない。また、支払時点でも処分行為に向けられた欺く行為は存在しないので、詐欺罪は成立しない。本肢はいわゆる利益窃盗に当たるケースであり、現行法上は不可罰である。

⑵　成立する　　テープレコーダーは甲にとっては自己の占有する他人の物であるから、これを不法に領得した甲には横領罪（252）が成立する。なお、甲は壊れたと言って乙を欺いているが、それは処分行為に向けて欺いたわけではないので詐欺罪（246）は成立しない。

⑶　成立する　　窃盗罪（235）は、他人の財物を窃取することにより成立する。そして、自己の財物であっても、他人が占有し、又は公務所の命令により、他人が看守するものであるときは、窃盗罪については、他人の財物とみなされる（242）。

⑷　成立する　　事後強盗罪（238）は、窃盗犯人が、①財物を得てこれを取り返されることを防ぎ、②逮捕を免れ、又は③罪跡を隠滅するために、窃盗の機会の継続中において、反抗を抑圧する程度の暴行・脅迫をすることにより成立する。甲は窃盗犯人であり、「罪責を隠滅する」目的で、反抗を抑圧する程度に相手を突き倒すという暴行を加えており、しかもそれは窃盗の機会の継続中にされたものであるから、事後強盗罪が成立する。

⑸　成立する　　盗品であることを知らずに物品の保管を始めた者が、その後、盗品であることを知るに至ったのに、なおも本犯者のためにその保管を継続する行為は、盗品等保管罪（256Ⅱ）に当たる（最決昭50.6.12）。

21－2(61－27)　財産罪全般

盗犯に関する次の(ア)から(オ)までの記述のうち、誤っているものの組合せは、後記(1)から(5)までのうちどれか。(改)

(ア)　後刻、元に戻しておく意思で友人の自転車を短時間無断で借用しても窃盗罪は成立しないが、コピーをとってその内容を他にもらす目的で持ち出しの禁止された秘密資料を持ち出した場合には、そのあと直ちに元の場所へ返還する意思があっても、窃盗罪が成立する。

(イ)　自己所有の不動産については、それが他人の占有に属し、又は公務所の命により他人の看守しているものであっても、住居侵入罪又は不退去罪が成立するのは別として、不動産侵奪罪は成立しない。

(ウ)　事後強盗罪における暴行・脅迫の相手方は、窃盗の被害者であることを要しない。

(エ)　強盗が財物奪取の目的を何ら達せず未遂に終わった場合でも、その暴行により相手に傷害の結果を発生させたときには、強盗致傷罪の既遂の責任を負う。

(オ)　不同意性交等を遂げた直後、当該被害者の畏怖に乗じて強盗の犯意を生じ、財物を奪取したときは、強盗・不同意性交等罪が成立するのではなく、不同意性交等と強盗の二罪が成立する。

(1)　(ア)(ウ)　　(2)　(ア)(オ)　　(3)　(イ)(エ)　　(4)　(イ)(オ)　　(5)　(ウ)(エ)

学習記録	／	／	／	／	／	／	／	／	／

重要度　A	知識型		正解（4）

(ア) 正　　友人の自転車を後で元に戻す意思で短時間無断借用する場合には、いまだ友人である権利者を排除する意思も価値を消費する意思もないので不法領得の意思がない使用窃盗として不可罰とされる。これに対して、秘密資料を他にもらす目的でコピーのために持ち出す場合には、たとえ後で直ちに元に戻す意思であったとしても不法領得の意思があり窃盗罪が成立するというのが判例である（東京地判昭55.2.14、東京地判昭59.6.15、東京地判昭59.6.28）。資料の内容をコピーし、その情報を得ようとする意思は、権利者を排除し、この資料を自己の物として経済的用法に従って利用する意思と認められるからである。

(イ) 誤　　自己の所有物であっても他人の占有に属し、又は公務所の命によって他人が看守する物は、盗取罪については他人の財物とみなされる（242）。したがって、不動産侵奪罪（235の２）が成立し得る。

(ウ) 正　　事後強盗罪（238）にいう暴行･脅迫の相手方は、財物確保･逮捕免脱･罪跡隠滅の障害となる者であればよく、必ずしも窃盗の被害者であることを要しない。本罪は、窃盗行為の後に暴行・脅迫が行われることがあるという刑事学的にしばしばみられる行為類型を定めたものだからであり、被害者以外の者に対する暴行・脅迫が刑事学的によくみられる行為類型だからである。

(エ) 正　　強盗致傷罪（240）も、強盗が傷害を行うという刑事学的によくみられる行為類型を定めたものであるが、その保護法益の重点は財産よりも身体の安全にあることから、未遂か否かは、財物奪取の有無ではなく、傷害の有無により決定される。したがって、傷害の結果を生じた以上もはや未遂とはいえず、強盗致傷罪の既遂の責任を負う。

(オ) 誤　　強盗・不同意性交等罪（241）は、強盗と不同意性交等の先後関係を問わず、いずれの行為が先行する場合にも適用される。したがって、本肢の事例の場合、強盗・不同意性交等罪が成立する。

以上から、誤っているものは(イ)(オ)であり、正解は(4)となる。

21－3(4－27)　財産罪全般

詐欺罪と横領罪に関する次の(ア)から(エ)までの記述のうち、判例の趣旨に照らし、正しいものは幾つあるか。(改)

(ア)　財物の強盗罪が成立する場合には、詐欺罪は成立しない。

(イ)　自己名義の所有権の登記がある他人所有の不動産について、所有者に無断で抵当権を設定した場合は、横領罪が成立するが、その後に当該不動産を第三者に売却しても、この行為については横領罪は成立しない。

(ウ)　すでにＡに売却し、代金全額の受領がされている不動産につき、売主がその事情を秘して、さらにＢに売り渡し、その旨の登記を経由した場合においては、Ｂが契約の時点で、すでにＡに売却されていることを知っていれば、売主とともにＢにつき横領罪が成立する。

(エ)　他人を欺いて、自己以外の第三者に財物を交付させた場合には、詐欺罪が成立する余地はない。

(1)　０個　　(2)　１個　　(3)　２個　　(4)　３個　　(5)　４個

学習記録	／	／	／	／	／	／	／	／	／

重要度　A	知識型		正解（2）

(ア) 正　強盗罪（236Ⅰ）も詐欺罪（246Ⅰ）も被害者の財物に対する占有を排除し、行為者自身の占有に移す行為を内容とする点で共通する。しかし、前者が被害者の反抗を抑圧するに足りる程度の暴行・脅迫を手段とし、被害者の意思に反して財物に対する占有を侵害するのに対して、後者は欺く行為を手段とし、被害者の瑕疵ある意思表示による財産的処分行為によって財物の占有が行為者に移転する点で異なる。そして、被害者の反抗が抑圧されその意思に反する財物の移転がある場合には、（瑕疵があるとはいえ）被害者の自由な意思に基づく財産的処分行為による財物の移転といったものを考えることはできないから、同じ行為について両罪が成立することはない。

(イ) 誤　横領罪（252）にいう「占有」とは、行為者と被害者との信頼関係を導き出し、行為者の横領行為を誘発する基盤となるものであるから、法律上、物に対する支配力を有する状態をも含む（大判大4.4.9）。他人所有の不動産についての登記記録上の名義人は、法律上、当該不動産を第三者に処分することができる地位にあるから、物に対する法的支配が認められ、その物の占有を有していることになる。したがって、所有者に無断で当該不動産に抵当権を設定する行為は、自己の占有する他人の物を不法に領得することであり横領罪が成立する（最判昭31.6.26）。そして、先行の抵当権設定行為によって横領罪が成立することは、後の売却等の所有権移転行為についての横領罪の成立自体を妨げる事情にはならないため、抵当権設定後の不動産の売買について横領罪が成立する（最大判平15.4.23）。

(ウ) 誤　不動産の所有権は第1の買主Aに移転しているので（民176）、当該不動産の登記記録上の名義人である売主が同一不動産を第2の買主Bに売却すれば、売主につき横領罪（252）が成立する（(イ)の解説参照）。しかし、その事実について単純悪意（本肢では、単に「知っていれば」とある。）のBが売主から当該不動産を買い受け登記を具備しても横領罪は成立しない（最判昭31.6.26）。なぜなら、Bは不動産の所有権が既にAに譲渡されていても、民法上背信的悪意者でなければ民法177条の「第三者」として所有権の取得をAに対抗できる以上、刑法上刑罰を科すべきではないからである。

(エ) 誤　詐欺罪（246）は人を欺いて財物を交付させることによって成立するが、財物の交付を受ける者は、人を欺く行為をした者に限らない。他人をして第三者に財物を交付させる場合も詐欺罪となり得る（最判昭26.12.14）。ただし、この場合の第三者とは、欺く行為をした者との間に特別の事情（第三者が欺く行為をした者の道具となっている場合等）が存在する者であることを要する（大判大5.9.28）。本肢では、そのような特別の事情の存在は明らかでないが、「成立する余地はない」とまではいえない。

以上より、正しいものは(ア)の1個であり、正解は(2)となる。

21－4(9－25)　財産罪全般

次の(ア)から(オ)までの事例のうち、判例の趣旨に照らし、Ａにつき末尾のかっこ内に記載した犯罪が成立するものを選んだ組合せは、後記(1)から(5)までのうちどれか。

(ア)　ＡはＢと共同で借りていたＣの自動車を１人で勝手に持ち出し、質に入れた（窃盗罪）。

(イ)　ＡはＢと共有の自転車を１人で保管していたが、これを質に入れた（横領罪）。

(ウ)　Ａは図書館に行って本を館内閲覧のために借り出して読んだ後、これを古本屋に売却しようと考え、図書館から持ち出した（横領罪）。

(エ)　ＡはＢから現金の入った鞄の保管を頼まれ、預かっていたが、鍵を開けて中の現金を取り出して、遊興費に費消した（横領罪）。

(オ)　Ａはデパートの電気製品売場の店員であるが、所持金に窮し、売場の主任が食事に行っているすきに、商品の電気カミソリを自分の鞄に入れて持ち出し、これを質に入れた（窃盗罪）。

(1)　(ア)(イ)(オ)　　(2)　(ア)(ウ)(エ)　　(3)　(ア)(ウ)(オ)　　(4)　(イ)(ウ)(エ)　　(5)　(イ)(エ)(オ)

学習記録	／	／	／	／	／	／	／	／	／

重要度　A　**知識型**　　**正解（1）**

(ア)　成立する　　Ａと Ｂが共同して借りていたということはＡ・Ｂが自動車を共同占有していたことを意味する。他者と共同占有している財物は、その他者の占有する財物でもあるから、窃盗罪の客体である「他人の占有」する財物に当たる。したがって、これを一人で勝手に持ち出せば他人の占有を侵害したことになるから、Ａには窃盗罪（235）が成立する（大判大8.4.5、最判昭25.6.6）。

(イ)　成立する　　共有者の一人（Ａ）が共有物を単独占有している場合、共有物は他の共有者（Ｂ）という他人の物でもあるから、横領罪（252）の客体である「自己の占有する他人の物」に当たる。したがって、これを質入れにより不法に領得したＡには横領罪が成立する。

(ウ)　成立しない　　館内閲覧のために借り出した本は、館外への持出しまで認められたものではないから、いまだ利用者の占有はなく図書館に占有がある。したがって、その本は窃盗罪の客体である「他人の占有」する財物であって、横領罪の客体である「自己の占有」する他人の物には当たらない。したがって、Ａには窃盗罪（235）が成立する。

(エ)　成立しない　　包装物が容易に開披し得ない状態で委託された場合、包装物の全体は受託者の占有にあるが（包装物全体を領得する行為は横領罪となる。）、内容物については、封緘・施錠などによって受託者が自由に支配し得る状態にないので、なお委託者の占有にあり、窃盗罪の客体である「他人の占有」する財物に当たる（大判明41.11.19）。したがって、Ａは鞄の中の現金だけを領得しているから、横領罪（252）ではなく窃盗罪（235）が成立する。

(オ)　成立する　　店員はデパートの主任の占有補助者にすぎないことから、デパートの売場にある商品の占有は主任にあり、当該商品は窃盗罪の客体である「他人の占有」する財物に当たる（大判大7.2.6）。したがって、Ａが商品を持ち出した行為は窃盗罪（235）を構成する。

以上から、かっこ内の犯罪が成立するものは(ア)(イ)(オ)であり、正解は(1)となる。

21−5(11−24)　財産罪全般

Ａは、開店中の大規模スーパー・マーケットの６階の通路ベンチに札入れを置き忘れた。その約30分後、同ベンチに札入れが放置されているのに気付いたＢは、持ち主が戻ってこないうちに、これを自己の物にしようと考え、ベンチに近づいたところ、ベンチから数メートル離れた場所を買物客Ｃが通りかかり、札入れを注視していたことから、Ｃに対し、「札入れを警備室に届けてやる。」と嘘を言って、その旨信用させ、札入れをベンチから取り上げ、これを自己のポケットに入れてその場から立ち去った。他方、Ａは、そのスーパー・マーケットの地下売場で買物をしようとした際に、札入れをベンチに置き忘れたことを思い出し、直ちに引き返したが、既にＢが札入れを持ち去った後であった。

この事例におけるＢの罪責に関する次の記述のうち、判例の趣旨に照らし最も適切なものはどれか。

⑴　Ｂが、札入れが放置されていることに気付き、ベンチに近づいた時点では、ベンチから数メートル離れた場所でＣが札入れを注視していたのであるから、札入れはＣの占有に移っており、Ｂがそれを知りながら札入れをベンチから取り上げ、これをポケットに入れた時点で、Ｂには窃盗罪が成立する。

⑵　Ｃは、Ｂが「札入れを警備室に届けてやる。」と言ったことを信用したからこそ、Ｂが札入れを取り上げることを黙認したのであるから、Ｂには詐欺罪が成立する。

⑶　Ａは、開店中のスーパー・マーケットにおいて、約30分間、札入れを置き忘れたベンチから離れ、地下売場等において買物をしようとしていたのであるから、Ａの札入れに対する占有を認めることは困難であり、Ｂには占有離脱物横領罪が成立する。

⑷　Ａの占有が否定されたとしても、この事例においては、札入れの占有は、Ａが札入れをベンチに置き忘れた時点で、スーパー・マーケットの管理者に帰属していたと考えられるから、Ｂには窃盗罪が成立する。

⑸　Ａが札入れをベンチに置き忘れたことを思い出した時点で、Ａが札入れに対する事実上の支配を回復したと評価することができるから、その後にＢがベンチから札入れを取り上げ、これをポケットに入れたのであれば、Ｂには窃盗罪が成立する。

学習記録	／	／	／	／	／	／	／	／	／

重要度 A　知識型　　**正解（3）**

本問は、東京高判平成2年11月26日を題材としたものであり、財産罪の客体に関する出題である。すなわち、窃盗罪（235）は財物に対する占有を保護法益とするので、その客体は、「他人の占有する財物」である。この点は詐欺罪（246Ⅰ）についても同様である（両者の違いは、他人の意思に反して奪うのか、それとも欺くことにより他人の意思に基づいて交付を受けるのかという手段にある。）。これに対して、占有離脱物横領罪（254）の客体は、「他人の占有を離れた物」である（ただし、被害者の占有を離れた物であっても、第三者に占有が認められる場合には、占有離脱物横領罪の客体とはならない。）。そこで、被害者Aが置き忘れた札入れを持ち去ったBの罪責については、札入れの占有の帰属を検討することとなる。

⑴　適切でない　　被害者Aが置き忘れた札入れは、被害者Aの占有を離れたものであるが（⑸の解説参照）、他の買物客Cが当該札入れを注視していただけでは、Cの支配力が札入れに対して及んでいたとはいえず、Cが占有を取得することはない。したがって、Cに対する窃盗罪（235）は成立しない。

⑵　適切でない　　詐欺罪（246Ⅰ）における欺く行為の相手方は、必ずしも財物の所有者又は占有者であることを要しないが、その財物についての財産的処分行為をすることができる権限又は地位を有する者でなければならない（最判昭45.3.26）。本肢のCはそのような権限又は地位を有しないから、欺く行為の相手方とならない。したがって、Bが、Cに嘘を言って札入れを持ち去っても、詐欺罪は成立しない。

⑶　最も適切である　　被害者Aの札入れに対する占有が認められないこと（⑸の解説参照）、また、第三者であるスーパー・マーケットの管理者にも札入れに対する占有が認められないこと（⑷の解説参照）、更に他の買物客Cも同様であること（⑴の解説参照）から、設問の札入れは遺失物に該当する。したがって、これを持ち去ったBには、占有離脱物横領罪（254）が成立する。

⑷　適切でない　　被害者Aの札入れに対する占有が認められない場合、第三者の占有が問題となるが、札入れが置き忘れられたのが、公衆の自由に出入りのできる開店中の大規模スーパー・マーケットであるから、列車内に置き忘れられた財物につき車掌の占有が及んでいない（大判大15.11.2）のと同様に、スーパー・マーケットの管理者に占有を認めることも困難である。したがって、スーパー・マーケットの管理者に対する窃盗罪（235）は成立しない。

⑸　適切でない　　被害者Aが、公衆の自由に出入りのできる開店中の大規模スーパー・マーケットの6階の通路ベンチに設問の札入れを置き忘れたままその場を立ち去って、地下売場まで移動してしまい、札入れだけが30分もベンチ上に放置された状態にあったのであるから、社会通念上、被害者Aの設問の札入れに対する支配力が及んでいたと評価することは困難である。このことは、被害者Aが置き忘れたことを思い出したとしても同様である（東京高判平2.11.26）。したがって、Aに対する窃盗罪（235）は成立しない。

21－6(23－26)　財産罪全般

不法領得の意思に関する次の(ア)から(オ)までの記述のうち、判例の趣旨に照らし正しいものの組合せは、後記(1)から(5)までのうちどれか。

(ア)　Ａは、友人Ｂの部屋に遊びに行った際、Ｂ所有のカメラが高価なものだと聞き、Ｂが席を外した隙に、自分のかばんに入れて持ち帰った。Ａは、このカメラを自分で使うか、売ることを考えていたが、どちらにするか確たる考えはなかった。この場合、不法領得の意思が認められるので、窃盗罪が成立する。

(イ)　Ａは、支払督促制度を悪用して叔父Ｂの財産を差し押さえようと考え、Ｂを債務者とする支払督促を裁判所に申し立てた上、後日、支払督促正本及び仮執行宣言付支払督促正本を送達してきた郵便配達員Ｃに対し、いずれの正本の送達の際も、Ｂ宅の近辺においてＢを装って応対し、ＡをＢと誤信したＣから各正本を受け取った。Ａは、各正本については、当初から廃棄するつもりであった。この場合、各正本についての不法領得の意思が認められるので、Ｃに対する詐欺罪が成立する。

(ウ)　Ａは、性欲を満たすため、隣家に住む女性がベランダに干していた下着を持ち去り、自宅に保管していた。この場合、不法領得の意思が認められないので、窃盗罪は成立しない。

(エ)　Ａは、パチンコ台に誤作動を生じさせる装置を携帯してパチンコ店に行き、この装置を用いてパチンコ台を誤作動させて大当たりを出し、パチンコ玉を排出させた。Ａは、排出させたパチンコ玉については、当初からパチンコ店内ですぐに景品交換するつもりであった。この場合、不法領得の意思が認められるので、窃盗罪が成立する。

(オ)　Ａは、勤務先の上司Ｂに不満を抱き、Ｂを困らせようと考え、重要な会議の前夜にＢが退社した後、Ｂが準備していた会議資料を密かにＢの机の引き出しから持ち出した。Ａは、当初、会議資料を自宅に隠しておくつもりで持ち出したが、その後、怖くなって廃棄した。この場合、不法領得の意思が認められるので、窃盗罪が成立する。

(1)　(ア)(ウ)　　(2)　(ア)(エ)　　(3)　(イ)(ウ)　　(4)　(イ)(オ)　　(5)　(エ)(オ)

学習記録	／	／	／	／	／	／	／	／	／

重要度　A	知識型		正解（2）

(ア) 正　　判例は、窃盗罪（235）の成立要件として、不法領得の意思、すなわち、「権利者を排除して、他人の物を自己の所有物として、その経済的用法に従い、利用処分する意思」を要求する（大判大4.5.21、最判昭26.7.13参照）。本肢では、Aは、「カメラを自分で使うか、売ることを考えていた」のであるから、不法領得の意思が認められるので、窃盗罪は成立する。

(イ) 誤　　詐欺罪（246）が成立するためには不法領得の意思が必要であるところ、判例は本肢と同様の事例で、支払督促の正本を廃棄するだけで外に何らかの用途に利用、処分する意思がなければ、不法領得の意思はなく、詐欺罪は成立しないとする（最判平16.11.30）。

(ウ) 誤　　本肢中の行為が、利用処分意思を有しているか否かが問題となる。判例は、同意思を専ら毀棄・隠匿の意思を有する以外の場合に認めている。したがって、本肢中の行為は性欲を満たすという毀棄・隠匿の意思以外の目的を有することから、不法領得の意思は認められ、窃盗罪が成立する（最判昭37.6.26）。

(エ) 正　　判例は、本肢と同様の事例で、パチンコ玉を景品交換の手段とするためであっても、経営者の意思に基づかないで、パチンコ玉の所持を自己に移すものであり、しかもこれを再び使用し、あるいは景品と交換すると否とは自由であるからパチンコ玉につき自ら所有者として振舞う意思を表現したものであり、不法領得の意思が認められ、窃盗罪が成立するとする（最判昭31.8.22）。

(オ) 誤　　Aは、会議資料を自宅に隠しておくつもりで持ち出しており、隠匿の意思を有するものといえるから、利用処分意思はなく、不法領得の意思は認められないので窃盗罪は成立しない。

以上から、正しいものは(ア)(エ)であり、正解は(2)となる。

21－7(R5－26)　財産罪全般

刑法における親族間の犯罪に関する特例に関する次の(1)から(5)までの記述のうち、判例の趣旨に照らし正しいものは、どれか。

(1)　Ａは、同居の長男ＢがＢの先輩であるＣと共謀の上起こした強盗事件に関して、Ｂから頼まれて、Ｃの逮捕を免れさせるためにのみ、Ｂ及びＣの両名が犯行の計画について話し合った内容が録音されたＩＣレコーダーを破壊して自宅の裏庭に埋めて隠匿した。この場合、Ａは、証拠隠滅罪の刑が免除される。

(2)　Ａは、先輩であるＢと共謀して、Ｂと不仲であったＢの同居の実母Ｃの金庫内から、Ｃ所有の現金を盗んだ。この場合、Ａは、窃盗罪の刑が免除される。

(3)　Ａは、ギャンブルで借金を抱えており、同居の内縁の妻Ｂが所有する宝石を盗んで売却した。この場合、Ａは、窃盗罪の刑が免除される。

(4)　Ａは、情を知って、同居の長男Ｂの依頼を受け、Ｂの友人であるＣが窃取し、ＢがＣから有償で譲り受けた普通乗用自動車を運搬した。この場合、Ａには、盗品等運搬罪が成立し、その刑は免除されない。

(5)　Ａは、家庭裁判所から同居の実父Ｂの成年後見人に選任されたものであるが、自己の経営する会社の運転資金に充てるために、Ａが成年後見人として管理しているＢ名義の銀行口座から預金を全額引き出して、これを着服した。この場合、Ａは、業務上横領罪の刑が免除される。

学習記録	／	／	／	／	／	／	／	／	／

重要度　A	知識型		正解（4）

(1) 誤　　証拠隠滅等罪（104）については、犯人又は逃走した者の親族がこれらの者の利益のために犯したときは、その刑を免除することができる（105参照）。もっとも、親族が犯人又は逃走者の利益のためにしたものであっても、それが同時に第三者の刑事事件に関連している場合には、刑法105条の適用は認められない（大判昭7.12.10）。したがって、Aには、証拠隠滅罪が成立し、刑法105条は適用されない。

(2) 誤　　配偶者、直系血族又は同居の親族との間で、窃盗罪（235）を犯した者は、刑が免除される（244 Ⅰ・親族相盗例）。もっとも、親族でない共犯については、刑法244条１項の規定は適用されない（244 Ⅲ）。したがって、Aには、窃盗罪が成立し、刑法244条１項は適用されない。

(3) 誤　　配偶者、直系血族又は同居の親族との間で、窃盗罪（235）を犯した者は、刑が免除される（244 Ⅰ・親族相盗例）。この点、刑法244条１項は、刑の必要的免除を定めるものであって、免除を受ける者の範囲は明確に定める必要があることなどからして、内縁の配偶者に適用又は類推適用されない（最決平18.8.30）。したがって、Aには、窃盗罪が成立し、刑法244条１項は適用又は類推適用されない。

(4) 正　　配偶者との間又は直系血族、同居の親族若しくはこれらの者の配偶者との間で盗品等関与罪（256）を犯した者は、その刑を免除する（257 Ⅰ）。これは、刑法257条１項所定の親族関係にある本犯者から盗品を譲り受けるなどは、比較的ありがちなうえに、強くは非難しにくいので、一応犯罪とはしつつも、刑を免除することにしたものと解される。この点、刑法257条１項所定の親族関係は、盗品等関与罪の犯人と本犯者との間に存在することが必要である（最決昭38.11.8）。したがって、Aには、本犯者であるCとの間に親族関係がないことから、盗品等運搬罪が成立し、刑法257条１項は適用されない。

(5) 誤　　家庭裁判所から選任された成年後見人の後見の事務は公的性格を有するものであって、成年被後見人のためにその財産を誠実に管理すべき法律上の義務を負っているのであるから、成年後見人が業務上占有する成年被後見人所有の財物を横領した場合、成年後見人と成年被後見人との間に刑法244条１項所定の親族関係があっても、同条項を準用して刑法上の処罰を免除することはできない（最決平24.10.9）。したがって、Aには、業務上横領罪が成立し、刑法244条１項は適用されない。

22－1(58－27)　放火罪

次に掲げる行為のうち、かっこ内の犯罪が成立するものはどれか。

⑴　他の家族全員が、旅行している間に、自宅に放火して焼損した。（非現住建造物等放火罪）

⑵　一人暮しの友人と共謀の上、その友人の居住する家に放火して焼損した。（非現住建造物等放火罪）

⑶　他人の住宅に延焼させるつもりで、それに隣接する物置小屋に放火したところ、豪雨のため、物置小屋だけを焼損した。（非現住建造物等放火罪）

⑷　飛行場に着陸中の乗客の乗っている飛行機に放火して焼損した。（現住建造物等放火罪）

⑸　自己所有の物置小屋を燃やすつもりで放火したところ、思いがけない強風のため近所の住宅を焼損した。（現住建造物等放火罪）

学習記録	／	／	／	／	／	／	／	／	／

重要度　B	知識型		正解（2）

(1) 成立しない　　現住建造物等放火罪（108）の客体である「現に人が住居に使用する」とは、犯人以外の者の起臥寝食する場所として、日常使用されていることをいい、昼夜間断なく人の現在することを要せず、放火の当時、犯人以外の者が現在すると否とを問わない。したがって、日頃住居として犯人以外の者が使用している以上、たまたま旅行に出かけている場合でも、現に人が住居に使用する建造物として現住建造物等放火罪（108）が成立する。

(2) 成立する　　現住建造物等（108）に放火するについて、その居住者・現在者全員が承諾した場合には、非現住建造物等（109）に放火する場合と同視される。本肢では、一人暮しの友人との共謀があるから、その承諾がある場合と同様に解してよく、非現住建造物等放火罪（109）が成立する。なお、建造物の所有者が承諾したときは、自己の所有する建造物に対して放火する場合（109Ⅱ）と同様と解されている。

(3) 成立しない　　他人の住宅を焼損する目的で隣接する物置小屋に放火してこれを焼損するにとどまった場合、住宅に対する現住建造物等放火罪（108）の未遂のみが成立し、非現住建造物等放火罪（109）は成立しない（大判大15.9.28）。放火とは、直接客体に点火する場合だけでなく、媒介物を利用する場合も含むことから、物置小屋に対する放火行為により現住建造物等放火罪の実行の着手も認められ（大判明44.1.24）、また、１個の公共の危険を発生させたにすぎないことから、焼損した物置小屋に対する非現住建造物等放火罪の既遂は、住宅に対する現住建造物等放火罪の未遂に吸収されるからである。

(4) 成立しない　　現住建造物等放火罪（108）の客体の中には飛行機は含まれていない。したがって、建造物等以外放火罪（110）が成立する。

(5) 成立しない　　物置小屋は非現住建造物である。そして、行為者の故意としては非現住建造物等放火罪（109Ⅱ）についてのものしかなく、現住建造物等放火罪（108）は成立しない。ただし、近所の住宅の焼損については結果的加重犯である延焼罪（111Ⅰ）が成立する。

22−2(62−28)　放火罪

放火罪に関する次の記述のうち、正しいものはどれか。

(1) 一棟の建物の各専有部分は、それぞれ１個の建造物であると評価されるから、現住建造物等放火罪の成否は、その専有部分ごとに判断されなければならない。

(2) 自己の所有に係る建造物に対する放火行為は、その建造物が差押えを受け、物権を負担し又はその建造物を賃貸しもしくは保険に付している場合を除き、現に人が住居に使用し、又は人が現在しているものであるときに限り、処罰される。

(3) 建造物、汽車、電車、艦船又は鉱坑以外の物であって、自己の所有に係るものに対する放火行為は、建造物、汽車、電車、艦船又は鉱坑への延焼の結果を生じたときに限り、処罰される。

(4) 建造物、汽車、電車、艦船又は鉱坑以外の物に対する放火罪が成立する為には、公共の危険の発生及びその認識が必要である。

(5) 放火行為により火勢が放火の媒介物を離れて目的物が独立して燃焼する程度に達すれば、目的物の主要部分が毀損されたり、その効用が喪失するに至らなくても、放火罪は、既遂となる。

学習記録	／	／	／	／	／	／	／	／	／

重要度　B	知識型		正解（5）

〈放火罪〉

	客　　体	行為	結　果	そ　の　他
108条	現に人が住居に使用し、又は現に人がいる建造物・汽車・電車・艦船・鉱坑	火を放つ	焼　損 (独立燃焼)	未遂（112） 予備（113）
109条1項	現に人が住居に使用せず、かつ、現に人がいない建造物・艦船・鉱坑	〃	同　上	未遂（112） 予備（113）
109条2項	109Ⅰのうち自己所有物	〃	独立燃焼プラス公共の危険	108・109に延焼（111Ⅰ）
110条1項	108・109以外の物	〃	同　上	
110条2項	110Ⅰのうち自己所有物	〃	同　上	110Ⅰに延焼（111Ⅱ） 108・109Ⅰに延焼（111Ⅰ）

(1)　誤　　放火罪は公共の安全を第１次的保護法益とする公共危険罪である。したがって、放火罪の成否も一棟の建物全体として判断され、同一建物内の各戸の所有・専有関係いかんは原則として無関係と解される。

(2)　誤　　自己所有に係る建造物に対する放火行為であっても、当該建造物について、行為者以外にも受益主体が存在する場合には、それらの者の財産的法益も保護する必要があることから、刑法は自己所有に係る場合でも差押えを受け、物権を負担し、賃貸し、配偶者居住権が設定され、又は保険に付したものであるときは、他人物の放火と同様に取り扱っている（115）。更に、自己所有物に対する特例の適用されない場合で、現に人が住居に使用せず、かつ、現に人がいなくても公共危険罪としての放火罪の特質上、公共の危険が生じた場合には放火罪として処罰される（109Ⅱ）。なお、ここで公共の危険とは、不特定又は多数人の生命、身体、財産に対する危険と解するのが判例である（大判明44.4.24、最決平15.4.14）。

(3)　誤　　建造物・汽車・電車・艦船又は鉱坑以外の物に対する放火については110条の適用が問題となるが、自己所有のこれらの物への放火についても、公共の危険を発生させた場合には放火罪となり、現に延焼させることは必要ではない（110Ⅱ）。

(4)　誤　　110条の放火罪が成立するために公共の危険を発生させることまでの認識を必要としない（最判昭60.3.28）。

⑸　正　　放火罪の既遂時期について、判例はいわゆる独立燃焼説を採用している（大判大 7.3.15）。すなわち、火が導火材料を離れて目的物である建造物その他に移り、独立して燃焼作用を営み得る状態に至ることを「焼損」と解し、目的物が独立して燃焼作用を継続する状態になれば、たとえその目的物の効用を全く失わせるに至らなくても、そのとき既に公共の危険は発生し、刑法上の燃焼の結果を生ずるとする。この判例は、放火罪の公共危険罪としての性質を強調するものである。

MEMO

22－3(9－26)　放火罪

放火に関する次の事例のうち、Ａについて末尾のかっこ内に記載した罪が成立するものはどれか。

(1)　Ａは、Ｂ宅に侵入し、Ｂ及び同居の家族全員を殺害した上、Ｂ宅に火をつけて燃やした（非現住建造物等放火罪の既遂）。

(2)　Ａは、Ｂ宅を燃やしてしまおうと考え、Ｂ宅の隣に建っていたＣ所有の物置に火をつけたが、物置が燃えたところで近所の住人らが消し止めたため、Ｂ宅には燃え移らなかった（非現住建造物等放火罪既遂及び現住建造物等放火罪の未遂）。

(3)　Ａは、Ｂが外国製の高級乗用車を購入したのをねたみ、Ｂがその乗用車を自宅の前庭に駐車していたところ、これにガソリンをかけて火をつけ燃やしてしまったが、Ｂ宅への延焼は免れた（器物損壊罪）。

(4)　Ａは、火災保険金を騙取しようと考え、自己の一人住まいの自宅に火災保険をかけた上、火をつけて全焼させた（現住建造物等放火罪の既遂）。

(5)　Ａは、Ｂ及びその家族全員が旅行に出た後、Ｂ宅に火をつけて燃やした（非現住建造物等放火罪の既遂）。

学習記録	／	／	／	／	／	／	／	／	／

重要度　B	知識型		正解（1）

(1) 成立する　　被害者及びその同居の家族全員を殺害した後に、被害者宅に火をつけて焼損した場合、非現住建造物等放火罪（109Ⅰ）の既遂が成立する(大判大 6.4.13)。

(2) 成立しない　　他人の住宅を焼損する目的で隣接する物置に火をつけて、その物置だけを焼損した場合、住居に対する現住建造物等放火罪（108）の未遂のみが成立し、物置に対する非現住建造物等放火罪（109Ⅰ）は成立しない(大判大 15.9.28)。放火とは直接客体に点火する場合だけでなく媒介物を利用する場合も含むから、他人の住居を焼損する目的で物置に火をつければ住居に対する現住建造物等放火罪の実行の着手が認められるが、物置を焼損したにすぎず住居を焼損していないので、既遂とはならず未遂にとどまる。そして、物置に対する非現住建造物等放火罪の既遂は、現住建造物等放火罪の未遂に吸収される。

(3) 成立しない　　他人所有の乗用車を焼損し、よって公共の危険を生じさせた場合、建造物等以外放火罪（110Ⅰ）のみが成立し、器物損壊罪（261）はこれに吸収される。なお、110 条の「公共の危険」とは、一般不特定の多数人をして 108・109 条の客体に延焼する危険があると思わせるのに相当な状態をいう（大判明 44.4.24)。本肢ではＢ宅の前庭で燃やしていることから、公共の危険の発生も認められる。

(4) 成立しない　　行為者が一人で住んでいる住居は、現に人がいない限り非現住建造物等放火罪（109）の客体であり、また、保険に付されている場合でも、「自己所有に係る物」（109Ⅱ）から「他人所有に係る物」（109Ⅰ）へと扱いが変化するにすぎず（115)、非現住建造物等放火罪（109Ⅰ）が成立するにとどまる。

(5) 成立しない　　現住建造物等放火罪（108）が成立する。居住者全員が旅行に出かけて現に人がいない建造物であっても、なお「現に他人が住居に使用している」建造物であって、非現住建造物等放火罪（109）の客体ではなく、現住建造物等放火罪の客体に当たるからである。

22－4(24－26)　放火罪

放火罪の成立に関する次の(ア)から(オ)までの記述のうち、判例の趣旨に照らし正しいものの組合せは、後記(1)から(5)までのうちどれか。

(ア)　Ａが所有し、居住する甲家屋と、甲家屋に隣接するＢが所有し、居住する乙家屋の２棟を燃やす目的で、甲家屋の壁に火を付けて乙家屋に延焼させ、これら２棟を全焼させた場合には、二つの現住建造物等放火の既遂罪が成立する。

(イ)　現に人が住居に使用する木造家屋を燃やす目的で、取り外し可能な雨戸に火を付けた場合には、その雨戸が独立して燃え始めた段階で、現住建造物等放火の既遂罪が成立する。

(ウ)　知人が所有する木造倉庫に人がいないものと考え、当該木造倉庫を燃やす目的で、当該木造倉庫にあった段ボールの束に火を付けたところ、たまたま当該木造倉庫の中で寝ていた浮浪者がその木造柱に燃え移った火を発見して消火したため、当該木造柱が焼損した場合には、非現住建造物等放火罪の既遂罪が成立する。

(エ)　保険金を騙し取る目的で、火災保険の対象である自己所有の倉庫に火を付けて焼損させた場合には、その周囲に建物等がなく、他の建物に延焼するなどの具体的危険がないときでも、非現住建造物等放火の既遂罪が成立する。

(オ)　現に人が住居に使用する木造家屋を燃やす目的で、当該木造家屋に隣接する物置に火を付けたところ、その住人が発見して消火したため、物置のみを焼損させた場合には、非現住建造物等放火の既遂罪が成立する。

(1)　(ア)(ウ)　　(2)　(ア)(オ)　　(3)　(イ)(エ)　　(4)　(イ)(オ)　　(5)　(ウ)(エ)

学習記録	／	／	／	／	／	／	／	／	／

重要度　B	知識型		正解（5）

(ア) 誤　　１個の放火行為で複数の現住建造物を焼損した場合には、１個の公共危険を生ぜしめたにすぎないから１個の放火罪が成立するのみである（大判大 2.3.7）。したがって、甲家屋と乙家屋の２棟を全焼させたとしても、甲家屋の壁に火を付けるという１個の放火行為を行っているにすぎないから、１個の現住建造物等放火罪（108）が成立する。

(イ) 誤　　毀損せずに取り外すことのできる建具、布団、畳、雨戸などは建造物の一部ではない（最判昭 25.12.14）。したがって、現に人が住居に使用する木造建造物を燃やす目的で、取り外し可能な雨戸を焼損しただけでは現住建造物等放火罪の未遂にすぎず（112・108）、いまだ既遂に達しない。

(ウ) 正　　判例は、故意と実際の犯罪行為との間に異なる構成要件間の錯誤が生じている、いわゆる抽象的事実の錯誤の事案において、構成要件の実質的な重なり合いが認められる範囲で、犯罪の成立を認めている（最決昭 54.3.27）。本肢の木造倉庫は、客観的にみれば、中に浮浪者がいることから、現住建造物であり、108 条の客体となる。もっとも、行為者は、木造倉庫に人がいないものと考え、段ボールの束に火を付けていることから、109 条１項の故意で放火行為に及んでいるといえる。そして、108 条と 109 条１項とは、客体が現住建造物等か非現住建造物等かという相違があるのみであり、109 条１項の範囲で構成要件的に重なり合っているから、非現住建造物等放火罪の成立が認められる。

(エ) 正　　本肢で放火の客体となっている倉庫は、自己所有であるから、109 条２項により、公共の危険の発生が必要とも思える。しかし、115 条は、自己所有物であっても、それが「差押えを受け、物権を負担し、賃貸し、配偶者居住権が設定され、又は保険に付したものである場合」には、他人物と同様に扱うことを規定している。したがって、本肢の倉庫には火災保険がかけられているため、109 条１項の適用が問題となり、当該倉庫を焼損させた以上、非現住建造物等放火の既遂罪が成立する。

(オ) 誤　　判例は、現住建造物放火目的で隣接する空家に放火した事案で、108 条の未遂が成立するとした（大判大 12.11.12）。本肢でも、現住建造物である木造家屋を燃やす目的で隣接する物置に火を付けている以上、現住建造物等放火罪の未遂が成立する。

以上から、正しいものは(ウ)(エ)であり、正解は(5)となる。

22−5(31−25)　放火罪

放火罪に関する次の(ア)から(オ)までの記述のうち、判例の趣旨に照らし誤っているものの組合せは、後記(1)から(5)までのうち、どれか。

(ア)　放火罪にいう「焼損」といえるためには、目的物の重要な部分が焼失してその効用が失われる状態に達することを要せず、目的物が独立して燃焼を継続し得る状態に達すれば足りる。

(イ)　現に人が住居に使用する建造物に放火する目的で、その居室内に敷かれていた布団に点火したものの、同布団及びその下の畳を焼損したにとどまるときは、現住建造物等放火未遂罪が成立する。

(ウ)　放火罪にいう「公共の危険」とは、不特定かつ多数の人の生命、身体又は財産に対する危険をいう。

(エ)　現住建造物等放火罪にいう「現に人が住居に使用する」の「人」には、犯人も含まれる。

(オ)　１個の放火行為により、現住建造物を焼損する目的で、当該現住建造物とこれに隣接する非現住建造物とを焼損したときは、現住建造物等放火罪のみが成立する。

(1)　(ア)(イ)　(2)　(ア)(オ)　(3)　(イ)(ウ)　(4)　(ウ)(エ)　(5)　(エ)(オ)

学習記録	／	／	／	／	／	／	／	／	／

重要度　B	知識型		正解（4）

(ア)　正　　放火して焼損すると、現住建造物等放火罪（108）は既遂となる。そして、焼損とは、火が媒介物を離れ独立に燃焼を継続し得る状態に達することをいう（大判明43.3.4）。

(イ)　正　　現住建造物等放火罪（108）の実行行為は放火であり、放火とは、直接客体に点火する場合のみならず、媒介物に点火する場合も含まれる。本肢では、媒介物となる居室内の布団に点火がされているため、現住建造物等放火罪の実行の着手（43）が認められる。一方、容易に取り外しのできる畳・障子・ふすまなどは、建造物の一部とはいえないため（最判昭25.12.14）、これらの物が独立燃焼するに至っても、建造物を焼損したとはいえず、現住建造物等放火罪は既遂とはならない。本肢では、居室内の布団及びその下の畳を焼損したにとどまるため、現住建造物等放火罪は既遂とならず、同未遂罪（112・108）が成立する。

(ウ)　誤　　放火罪にいう「公共の危険」（109 Ⅱ・110 Ⅰ）とは、不特定又は多数の人の生命、身体又は財産に対する危険をいう（最決平15.4.14）。

(エ)　誤　　刑法は、「放火して、現に人が住居に使用し又は現に人がいる建造物、汽車、電車、艦船又は鉱坑を焼損した者は、死刑又は無期若しくは5年以上の懲役に処する。」とする（108）。この点、108条にいう「人」とは、犯人以外の者を指す（最判昭32.6.21）。

(オ)　正　　放火罪は、公共危険犯であるから、1個の放火行為によって、複数の目的物を焼損したとしても、それにより発生する公衆の安全に対する危険が包括して1個と評価される限り、一罪が成立するにすぎない。そのため、1個の放火行為により、現住建造物を焼損する目的で、現住建造物と非現住建造物を焼損した場合、後者は前者に吸収され、現住建造物等放火罪（108）のみが成立する（大判明42.11.19）。

以上から、誤っているものは(ウ)(エ)であり、正解は(4)となる。

23－1(55－24)　文書偽造罪

次に掲げる行為のうち、公正証書原本不実記載罪が成立するものはどれか。(改)

(1) 家屋の売主が、未だ登記名義が自己にあるのを奇貨として、自己の債務の担保のため抵当権を設定し、その旨の登記を受けた。

(2) 裁判所書記官に対して虚偽の申立てをし、裁判所書記官をして何ら債務を負担していない第三者を相手方とする支払督促を出させた。

(3) 他人所有の未登記不動産について、自己名義の保存登記を受けようと企て、知人の登記官に情を明らかにしてその旨の登記を受けた。

(4) 市立の結婚相談所に提出する身上経歴書に虚偽の事項を記載し、同所の相談員をして依頼人名簿に虚偽の記入をさせた。

(5) 土地の買主が、別の目的で売主から保管を依頼されていた印鑑を勝手に利用して、その土地の所有権移転の登記を受けた。

学習記録	／	／	／	／	／	／	／	／	／

重要度　A	知識型	要 *Check!*

正解（5）

〈公正証書に当たるもの〉

①公証人の作成する公正証書（大判明 41.12.21）
②住民登録法による住民票（最判昭 36.6.20、最判昭 48.3.15）
③電磁的記録物である自動車登録ファイル（最決昭 58.11.24）

〈公正証書に当たらないもの〉

①支払督促（大判大 11.12.2）
②転出証明書及び米穀輸送証明書（福岡高判昭 30.5.19）
③自動車検査証（大阪高判昭 30.6.20）

⑴　成立しない　　たとえ当該家屋が既に売られているとしても、登記が移転されていない以上、抵当権の登記が先にされれば抵当権者が優先するという対抗関係の問題で（民 177 参照）、「不実の記載」（157 Ⅰ）とはいえない。

⑵　成立しない　　支払督促は、裁判所の発する裁判であって、証明文書ではないから、権利義務に関する公正証書の原本には当たらない。したがって、裁判所書記官をして何ら債務を負担していない第三者を相手方とする支払督促を出させても、公正証書原本不実記載罪（157 Ⅰ）は成立しない（旧民事訴訟法の支払命令につき大判大 11.12.2）。

⑶　成立しない　　公正証書原本不実記載罪は公務員を利用した間接正犯的犯罪であるから、本罪が成立するためには、公務員が情を知らないことを要する。公務員と意思の連絡をし、公務員が情を知りつつ公正証書の原本に不実の記載をしたときは、虚偽公文書作成罪が成立し（大判大 6.6.25）、申立人は、その教唆犯あるいは従犯となる。

⑷　成立しない　　結婚相談所の依頼人名簿は権利若しくは義務に関するものではないので公正証書の原本にはならない。

⑸　成立する　　公正証書原本不実記載罪（157 Ⅰ）の「虚偽の申立て」をするとは、真実に反して存在しない事実を存在するものとして申立てをする場合をいう。本肢の場合、所有権移転の実体はあるが、土地の買主が別の目的で保管を依頼されていた印鑑を勝手に利用しており、登記義務者である売主の申請意思の介入なしに所有権移転登記を受けているので、売主の登記申請意思について虚偽が認められ「虚偽の申立て」に当たる。したがって、公正証書原本不実記載罪が成立する。

23−2(56−26)　文書偽造罪

文書偽造の罪に関する次の記述中、誤っているものはどれか。（改）

⑴　甲がかねてから恨みをもっていた公務員乙にいやがらせをするため、その勤務先に提出する目的で乙の退職届を偽造した場合には、私文書偽造罪が成立する。

⑵　他人に交付された自動車運転免許証を拾った甲が、警察官から求められたときに提示する目的で、その写真を自分の写真に貼り替えた場合には、公文書偽造罪が成立する。

⑶　開業医の甲が公務員乙から頼まれて、乙がその勤務先に提出するものであることを知りながら、真実に反する病名を記載した診断書を作成した場合には、虚偽診断書作成罪が成立する。

⑷　甲が出版する目的で有名人乙に無断で同人名義のヨーロッパ旅行記を書いた場合には、私文書偽造罪が成立する。

⑸　甲が市役所の住民票係の公務員乙に対して虚偽の申立てをし、情を知らない乙をして、住民票に真実に反する記載をさせた場合には、公正証書原本不実記載罪が成立する。

学習記録	／	／	／	／	／	／	／	／	／

重要度 A | **知識型** | **要 *Check!*** | **正解（4）**

⑴ 正　　公務員の退職届は、仮に公務員としての肩書が付されていても、公務所又は公務員が職務の執行につき作成すべき文書（公文書）ではなく（大判大 10.9.24）「権利・義務に関する」文書なので、公文書偽造罪（155 I）ではなく、私文書偽造罪（159 I）が成立する。

⑵ 正　　自動車運転免許証は公文書である。そして、警察官に提示する目的、すなわち、「行使の目的」をもって、写真を貼り替えており、これは、免許証の本質部分に変更を加え、新たに免許証を作成するものであるから「偽造」に当たる。したがって、公文書偽造罪（155 I）が成立する。

⑶ 正　　医師である甲が、公務員である乙が勤務先（公務所）に提出すべき診断書に虚偽の記載をしたのであるから、虚偽診断書作成罪（160）が成立する。

⑷ 誤　　私文書偽造罪の客体である「事実証明に関する文書」とは、実社会生活に交渉を有する事項を証明するに足りる文書をいう（最決昭 33.9.16）。したがって、単に思想や体験事実を表示したものである小説・自伝・手記・旅行記などは、刑法上の保護の対象とはならない。

⑸ 正　　住民票は「権利若しくは義務に関する公正証書」である（最判昭 36.6.20）。そして甲は住民票係の公務員乙に対し虚偽の申立てをし、情を知らない乙をして住民票に不実の記載をさせたのであるから、公正証書原本不実記載罪（157 I）が成立する。

23－3(61－26)　文書偽造罪

公文書に関する次の記述のうち、誤っているものはどれか。

(1)　その内容が私法関係のものであっても、公務所又は公務員が職務上作成する文書であれば、公文書偽造罪における公文書といえる。

(2)　権限のない公務員が、権限のある公務員の名を使って偽造の文書を作成したときは、公文書偽造罪が成立する。

(3)　私文書でも公務所で使用する目的で保管するものを破り棄てれば、公用文書毀棄罪が成立する。

(4)　公文書偽造罪における署名には、代筆又は印刷等による記名は含まれないとするのが判例である。

(5)　たとえ公文書の内容が真実でも、公務所又は公務員の作成名義を冒用すれば、公文書偽造罪が成立する。

学習記録	／	／	／	／	／	／	／	／	／

重要度 A | **知識型** | **要 *Check!*** | **正解（4）**

⑴　正　　公文書偽造罪（155）の客体である公文書とは、公務所又は公務員が、その名義をもって、その権限内で、所定の形式に従って作成すべき文書をいい、その内容が私法関係のものであるかどうかは関係がない（大判昭6.3.11、最判昭24.4.5）。

⑵　正　　偽造とは、権限なくして他人名義を冒用して文書を作成することをいう。したがって、公務員であっても、当該文書を作成する権限を有しない者が、作成権限のある公務員の名義を冒用した場合は、虚偽公文書作成罪（156）ではなく公文書偽造罪（155Ⅰ）が成立する（最判昭25.2.28）。

⑶　正　　公用文書毀棄罪（258）の客体となる「公務所の用に供する文書」とは、公務所で使用する目的で保管する文書をいい、公務員の作成した文書ばかりでなく、私人の作成した文書も、公務所で使用する目的で保管する限り、本罪の客体となる（最判昭38.12.24）。

⑷　誤　　公文書偽造罪における「署名」とは、公文書の作成者が誰であるかを表示する全てのものをいい、自署に限らない（大判大4.10.20）。したがって、代筆又は印刷等による記名も、同罪の「署名」に含まれることになる。

⑸　正　　偽造とは、無権限で他人の名義を冒用することをいい、作成された文書の内容が真実であるかどうかを問わない（形式主義）。なぜなら、偽造罪の保護法益は文書に対する社会的信用であり、名義の冒用により文書の社会的信用が害されたといえるからである。

23−4(63−26)　文書偽造罪

甲が、次に掲げる登記の申請をして、不動産の登記簿にその旨記録させた場合、公正証書原本不実記載罪が成立しないものはどれか。(改)

(1) 甲は、Ａ土地の所有権の登記名義人乙の権利に関する登記済証その他の登記関係書類を盗み出し、これを利用してその土地の所有権を自己に移転する旨の登記を申請した。

(2) 甲は、自己所有の建物に対する強制執行を免れるため、乙と通謀して、その建物を乙に売り渡したように仮装し、その旨の登記を申請した。

(3) 甲は、自己所有の土地を乙に売り渡したが、登記が未了であることを奇貨として、自己の丙に対する債務を担保するためにその土地に抵当権を設定し、その旨の登記を申請した。

(4) 甲は、乙所有の建物が未登記であることを奇貨として、その建物につき自己を所有者とする表題登記及び所有権保存登記を申請した。

(5) 甲は、乙からその所有の土地について抵当権設定登記申請手続をすることを委任されたところ、勝手にその土地を情を知った丙に売り渡し、その旨の登記を申請した。

学習記録	／	／	／	／	／	／	／	／	／

重要度　A	知識型	要 *Check!*		正解（3）

⑴　成立する　　不動産の登記簿は、「権利義務に関する公正証書の原本」に当たる（大判明 43.11.8）。「虚偽の申立て」とは、真実に反して存在しない事実を存在するとし、又は存在する事実を存在しないものとして申し立てることをいう。「不実の記載」とは、存在しない事実を存在するものとし、又は存在する事実を存在しないものとして記載することをいう（大判明 43.8.16）。本肢において、A土地の所有権者でない甲は、所有権者であるとして登記申請しているので、「虚偽の申立て」をして「不実の記載」をさせたといえる。したがって、公正証書原本不実記載罪（157Ⅰ）が成立する。

⑵　成立する　　甲及び乙は通謀して仮装譲渡をしているので、譲渡は無効であり（民 94Ⅰ）、乙は所有者とはならない。それにもかかわらず乙は所有者として登記申請をしているので、「虚偽の申立て」をして「不実の記載」をさせたといえる。したがって、公正証書原本不実記載罪（157Ⅰ）が成立する。

⑶　成立しない　　公正証書の原本に記載された事実が、真実と合致している限り、「不実の記載」とはいえず、公正証書原本不実記載罪（157Ⅰ）は成立しない。本肢の場合、甲乙間の所有権移転は、登記が未了であるため第三者に対抗することはできず（民 177）、そのため甲はいまだ土地を処分する権限を失っていない。したがって、丙のために土地に抵当権を設定することも有効であり、「虚偽の申立て」にも「不実の記載」にも該当しない。売主の行為は、横領罪（252）を構成するのであって、公正証書原本不実記載罪は成立しない（東京高判昭 27.3.29）。

⑷　成立する　　甲は他人所有の家屋を自己所有のものであると登記するのであり、「虚偽の申立て」をして「不実の記載」をさせたといえる。したがって、公正証書原本不実記載罪（157Ⅰ）が成立する。

⑸　成立する　　甲が勝手に乙の土地を売り、買主丙が情を知っているので、丙は所有者となることはない。なぜなら、甲は乙から乙所有の土地について抵当権設定登記の申請手続をすることを委任されたにすぎず、売却する権限を有していないし、また丙は悪意なので表見代理（民 109・110）も成立しないからである。したがって、丙への所有権移転登記は、「虚偽の申立て」をして「不実の記載」をさせたといえるので、公正証書原本不実記載罪（157Ⅰ）が成立する。

23−5(2−26)　文書偽造罪

私文書偽造罪に関する次の記述のうち、誤っているものはどれか。

(1)　刑法は、私文書を偽造しても、行使される見込みがなければ、いまだ公共の信用を害する危険は少なく、処罰に値する違法性もないことから行使の目的がないときは、処罰しないものとしている。

(2)　刑法は、作成権限を有しない者が他人の名義を冒用して私文書を作成することを偽造とし、真正に作成された他人名義の私文書の非本質的部分に変更を加え新たな証明力を作り出すことを変造として、両者を区別している。

(3)　刑法は、権利義務及び事実証明に関する私文書の重要性にかんがみ、その偽造を重く処罰し、その他の私文書の偽造を軽く処罰することにしている。

(4)　刑法は、署名・印章のない私文書は、それのある私文書と比べ公の信用度が低いことから、前者の偽造については、後者の偽造よりも法定刑も軽くしている。

(5)　刑法は、私文書偽造罪については、日本国外でこれを犯した日本国民に適用するものとし、いわゆる属人主義の考えをとっている。

学習記録	／	／	／	／	／	／	／	／	／

重要度 A	知識型	要 *Check!*	正解（3）

⑴ 正　　刑法は、文書の偽造、変造及び虚偽文書の作成につき、いずれも、行使の目的で行われない限り、犯罪が成立しないものとしている（154～156・159）。私文書偽造罪についても、本肢に挙げられている理由から、行使の目的のないときは処罰しないものとしている（159Ⅰ）。

⑵ 正　　刑法は、159条1項で有印私文書偽造罪を同条2項で有印私文書変造罪を分けて規定し、また、同条3項においても、文言の上で偽造・変造を区別している。偽造及び変造概念には、それぞれ広義と狭義の意味があるが、私文書偽造罪（159Ⅰ）にいう偽造とは、本肢にいうところの狭義の偽造であり（大判明43.12.20）、私文書変造罪（159Ⅱ）における変造も、本肢にいうところの狭義の変造である（大判大3.11.7）。

⑶ 誤　　私文書には、無数の形態の文書が存在し、その社会的意味合いも千差万別であるから、公文書と異なって、一般的に公共的信用が高いともいえない。そこで、刑法は、私文書偽造罪の客体を、特に保護すべき「権利、義務若しくは事実証明に関する文書又は図画」に限定している（159Ⅰ・Ⅲ）。

⑷ 正　　有印私文書偽造罪の法定刑は、3月以上5年以下の懲役である（159Ⅰ）。これに対して、無印私文書偽造罪の法定刑は1年以下の懲役又は10万円以下の罰金であり（159Ⅲ）、有印私文書偽造罪よりも軽い（9・10）。

⑸ 正　　文書に対する社会的信用という重要な社会的法益を確保するため、私文書偽造罪については、日本国民の国外犯にも適用することとし、属人主義を採用した（3③）。ここにいう属人主義とは、自国民が犯した犯罪については、その犯罪地のいかんを問わず自国の刑法を適用する建前をいう。

23−6(11−26)　文書偽造罪

偽造罪に関する次の記述のうち、判例の趣旨に照らし誤っているものはどれか。

(1)　文書偽造罪が成立するためには、抽象的に文書の信用を害する危険があれば足り、特定の人に対し具体的に損害を与え、又は与える危険があることを要しない。

(2)　公文書偽造罪の客体となる文書は、原本に限られず、原本と同一の内容を保有し、証明文書として原本と同様の社会的機能と信用性を有するものである限り、原本の写しであっても差し支えない。

(3)　私文書偽造罪が成立するためには、一般人をして実在者が真正に作成した文書と誤信させるおそれが十分にあれば足り、その名義人が架空であると実在であるとを問わない。

(4)　公正証書原本不実記載罪の客体は、私法上の権利義務に関するある事実を証明するものでなければならない。

(5)　公正証書原本不実記載罪の客体は、申立ての内容につき公務員に実質的審査権があるものであるか否かを問わない。

学習記録	／	／	／	／	／	／	／	／	／

重要度　A	知識型	要 *Check!*	正解（4）

⑴　正　　文書偽造罪は、文書の形式又はその内容を偽ることによってその文書が証明手段として有する信用を害することによって成立する犯罪であって、いわゆる実害の要件としては、抽象的に文書の信用を害する危険があれば足り、特定の人に対し損害を与え、又は与える危険のあることを必要としない（大判明 43.12.13）。

⑵　正　　本来、公文書偽造罪（155）の客体となる「文書」とは、原本を意味し、その写し（コピー）は、原本の存在を証する別の文書である。しかし、原本の写しであっても、原本と同様の社会的機能と信用性を有する限り、原本の作成名義人名義の「文書」に含まれる（最判昭 51.4.30）。

⑶　正　　架空人名義を用いて私文書を作成した場合でも、一般人をして実在者が真正に作成した文書と誤信させるおそれが十分にあるときは、一般人をして真正に作成された文書と誤信させる危険のある点において実在人名義を冒用して文書を偽造した場合と何ら区別はないから、私文書偽造罪（159Ⅰ）が成立する（最判昭 28.11.13）。

⑷　誤　　公正証書原本不実記載罪（157Ⅰ）の客体である権利義務に関する公正証書とは、公務員がその職務上作成する文書であって、権利義務に関するある事実を証明する効力を有するものをいうが、その目的が特に私法上の権利義務を証明するためであると否とを問わない（大判大 11.12.22、最判昭 36.3.30）。

⑸　正　　公正証書原本不実記載罪（157Ⅰ）の客体である権利義務に関する公正証書は、公務員において申立てに基づきその内容のいかんを審査することなく記載するものであると、若しくはその内容を審査しこれを取捨選択して記載するものであるとを問わない（大判大 11.12.22、最判昭 36.3.30）。

23－7(17－26)　文書偽造罪

次の(ア)から(オ)までの記述の（　　）内に、「有形偽造」又は「無形偽造」のいずれかの語を入れて文章を完成させると、文書偽造罪に関する記述となる。判例の趣旨に照らし適切な語の組合せとして正しいものは、後記(1)から(5)までのうちどれか。

(ア)　他人の作成名義を冒用して文書を作成する行為を（　　）という。

(イ)　文書の作成権限を有する者が内容虚偽の文書を作成する行為を（　　）という。

(ウ)　刑法上、（　　）は、公文書に関しては広く処罰の対象とされているが、私文書に関しては限定的である。

(エ)　公文書の作成権限がある公務員がその地位を濫用して公文書を作成した場合に成立し得るのは、（　　）である。

(オ)　代理権を有しないＢが、代理人であると偽ってＡ代理人Ｂ名義の文書を作成した場合には、（　　）となる。

(1)　(ア)―有形偽造　(イ)―無形偽造　(ウ)―無形偽造　(エ)―有形偽造　(オ)―無形偽造

(2)　(ア)―無形偽造　(イ)―有形偽造　(ウ)―有形偽造　(エ)―有形偽造　(オ)―無形偽造

(3)　(ア)―無形偽造　(イ)―有形偽造　(ウ)―有形偽造　(エ)―無形偽造　(オ)―有形偽造

(4)　(ア)―有形偽造　(イ)―無形偽造　(ウ)―無形偽造　(エ)―無形偽造　(オ)―無形偽造

(5)　(ア)―有形偽造　(イ)―無形偽造　(ウ)―無形偽造　(エ)―無形偽造　(オ)―有形偽造

学習記録	／	／	／	／	／	／	／	／	／

重要度　A　**知識型**　**要 *Check!***　**正解（5）**

㈠ 有形偽造　偽造（広義）は有形偽造と無形偽造とからなり、有形偽造とは、権限なく他人名義の文書を作成することをいい、無形偽造とは、文書の作成権限を有する者が内容虚偽の文書を作成することをいう。

㈡ 無形偽造　無形偽造とは、名義人が内容虚偽の文書を作成する行為である（㈠の解説参照）。

㈢ 無形偽造　刑法上、無形偽造は公文書では広く処罰の対象となっている（156・157）。これに対して、私文書で無形偽造を処罰するのは、虚偽診断書等作成罪（160）だけである。

㈣ 無形偽造　公文書の作成権限がある公務員がその地位を濫用した場合は、名義人でない者が名義を冒用して文書を作成する行為ではなく、名義人が内容虚偽の文書を作成する行為である。したがって、本肢のように公文書の作成権限がある公務員がその地位を濫用して公文書を作成した場合には、無形偽造となる。

㈤ 有形偽造　代理権を有しない者が、代理人であると偽って文書を作成した場合に、有形偽造・無形偽造のいずれが成立するか、代理人名義の文書の名義人を誰と解すべきかが問題となる。この点、文書偽造罪は文書に対する公共の信用を保護法益とするので、名義人とは文書内容から理解される意識内容の主体をいう。代理名義の文書においては、名義人はその文書の法的効果の帰属主体である本人である。したがって、代理権を有しない者が代理人と偽って本人名義の文書を作成した場合は、名義を冒用して文書を作成したこととなり、有形偽造となる（最決昭45.9.4）。

以上から、正しい組合せは㈠―有形偽造、㈡―無形偽造、㈢―無形偽造、㈣―無形偽造、㈤―有形偽造であり、正解は(5)となる。

23－8(25－26)　文書偽造罪

文書偽造の罪に関する次の(ア)から(オ)までの記述のうち、判例の趣旨に照らし正しいものは、幾つあるか。

(ア)　Ａは、司法書士ではないのに、同姓同名の司法書士が実在することを利用して、Ｂから司法書士の業務を受任した上、当該業務に関連してＢに交付するため、「司法書士Ａ」の名義で報酬金請求書を作成した。この場合には、Ａに私文書偽造罪は成立しない。

(イ)　Ａは、自己所有の土地が登記記録上Ｂ名義で登記されていたため、たまたまＢから預かっていた印鑑を使用して自己への売渡証書を作成し、Ｂから所有権の移転を受けたとして、その旨の登記を申請し、当該土地に係る登記記録にその旨を記録させた。この場合には、Ａに電磁的公正証書原本不実記録・同供用罪は成立しない。

(ウ)　Ａは、Ｂが高齢であることに乗じて、Ｂ所有の土地を第三者に売却することを企て、Ｂに対し、税務署に提出するための確認書であるなどと嘘をついて信じ込ませ、Ｂ所有の土地に係る売買契約書をその売主欄に署名押印させて作成させ、これをＡに交付させた。この場合には、Ａに私文書偽造罪が成立する。

(エ)　公立高校の教師であるＡは、落第した生徒に依頼され、その両親に見せるため、当該公立高校の校長名義の卒業証書を偽造し、これを当該生徒の卒業証書であるとして、その両親に見せた。この場合には、Ａに公文書偽造罪が成立するが、同行使罪は成立しない。

(オ)　Ａは、Ｂに対し、Ｃの代理人であると詐称し、Ｃ所有の土地をＢに売り渡す旨の売買契約書に「Ｃ代理人Ａ」として署名押印し、完成した文書をＢに交付した。この場合には、Ａに私文書偽造・同行使罪が成立する。

(1)　１個　　(2)　２個　　(3)　３個　　(4)　４個　　(5)　５個

学習記録	／	／	／	／	／	／	／	／	／

重要度　A	知識型	要 *Check!*	正解（2）

(ア)　誤　　同姓同名の弁護士の名義で報酬金請求書等を作成した場合、私文書偽造罪が成立する（最決平5.10.5）。なぜなら、弁護士会の定める様式による報酬金請求書等は、弁護士としての業務に関連して弁護士資格を有する者が作成した形式及び内容のものであるから、各文書に表示された名義人は、弁護士であって、弁護士資格を有しない者とは人格を異にし、作成名義を偽ったといえるからである。上記判例の趣旨からすると、Aが、司法書士ではないのに同姓同名の司法書士が実在することを利用して、Bから司法書士の業務を受任した上、当該業務に関連してBに交付するため、「司法書士A」の名義で報酬請求書を作成した場合にも、Aには私文書偽造罪（159Ⅰ）が成立する。

(イ)　誤　　公務員に対し虚偽の申立てをして、権利若しくは義務に関する公正証書の原本として用いられる電磁的記録に不実の記録をさせた場合には、電磁的公正証書原本不実記録罪が成立する（157Ⅰ）。そして、不動産の所有者が他人から売渡しを受けた事実がないのにその旨の登記申請をし登記簿原本に記載をさせる行為は、157条1項に該当するものとされている（最決昭35.1.11）。

(ウ)　正　　他の文書であると欺罔して名義人に署名等をさせたときは、文書偽造罪が成立する（大判明44.5.8）。したがって、Bに対し、税務署に提出するための確認書であるなどと嘘をついて信じ込ませ、B所有の土地に係る売買契約書をその売主欄に署名させて作成させた場合、Aには私文書偽造罪（159Ⅰ）が成立する。

(エ)　誤　　本肢とほぼ同様の事案で判例（最決昭42.3.30）は、「公立高等学校の教諭が中退した生徒と共謀のうえ、偽造にかかる同高等学校長名義の卒業証書を真正に成立したものとして、当該生徒の父に提示する行為は、単に父を満足させる目的のみをもってなされたとしても、偽造公文書行使罪に当たる。」とした。したがって、Aが、落第した生徒に依頼され、その両親に見せるため、当該公立高校の校長名義の卒業証書を偽造し、これを当該生徒の卒業証書であるとして、その両親に見せた場合、Aには公文書偽造･同行使罪（155Ⅰ・158Ⅰ）が成立する。

(オ)　正　　代理権限がない者が、普通人をして代理人と誤認させるような文書を作成した場合、名義人は代理された本人であるから、名義人と作成者の人格の同一性に齟齬を生じさせており、偽造となる（最決昭45.9.4）。加えて、完成した文書を交付する行為には、偽造私文書行使罪が成立する。

以上から、正しいものは(ウ)(オ)の2個であり、正解は(2)となる。

23−9(30−24)　文書偽造罪

文書偽造の罪に関する次の(ア)から(オ)までの記述のうち、判例の趣旨に照らし正しいものの組合せは、後記(1)から(5)までのうち、どれか。

(ア)　密入国者Ａが、法務大臣から再入国許可を受けるために、他人であるＢ名義でその承諾なく再入国許可申請書を作成した。この場合において、Ａが長年自己の氏名としてＢの氏名を公然使用し、Ｂの氏名が相当広範囲にＡを指称する名称として定着していたときは、Ａには、私文書偽造罪は成立しない。

(イ)　Ａは、自己の氏名が弁護士Ｂと同姓同名であることを利用して、行使の目的で、弁護士の肩書を自己の氏名に付して弁護士業務の報酬として金銭を受領した旨の領収証を作成した。この場合、Ａには、私文書偽造罪が成立する。

(ウ)　Ａが、偽造に係る運転免許証をポケット内に携帯して自動車を運転したにすぎない場合であっても、Ａには、偽造公文書行使罪が成立する。

(エ)　学校法人Ｂを代表する資格がないＡは、行使の目的で、その代表資格を偽り、Ｂを代表する資格がある者として自己の氏名を表示して契約書を作成した。この場合、Ａには、Ｂ名義の文書を偽造した私文書偽造罪が成立する。

(オ)　Ａは、就職活動に使用するため、履歴書に虚偽の氏名、生年月日、経歴等を記載したが、これに自己の顔写真を貼付しており、その文書から生ずる責任を免れようとする意思は有していなかった。この場合、Ａには、私文書偽造罪は成立しない。

(1)　(ア)(ウ)　　(2)　(ア)(オ)　　(3)　(イ)(ウ)　　(4)　(イ)(エ)　　(5)　(エ)(オ)

学習記録	／	／	／	／	／	／	／	／	／

重要度　A　**知識型**　**要 *Check!***　　**正解（4）**

(ア)　誤　　密入国者Ａが、他人であるＢ名義の外国人登録証明書を取得し、「Ｂ」を長年自己の氏名として公然使用した結果、それが相当広い範囲で被告人を指す名称として定着し、他人と混同するおそれがなくなったとしても、Ｂ名義で作成された再入国許可申請書から認識される人格は、適法に日本在留を許されたＢであって、それはＡとは別の人格であるから、Ｂ名義で作成された再入国許可申請書は名義人と作成者との人格の同一性に齟齬を生じており、当該文書の作成は私文書偽造罪に当たる（最判昭59.2.17）。

(イ)　正　　弁護士でない者が、実在の弁護士と同姓同名であることを利用して弁護士報酬に関する文書を作成し、弁護士の肩書を付した場合、私文書偽造罪（159Ⅰ）が成立する（最決平5.10.5）。なぜなら、弁護士報酬に関する文書は、弁護士としての業務に関連して弁護士資格を有する者が作成した形式、内容のものである以上、当該文書に表示された名義人は、同姓同名の実在する弁護士であり、当該文書の名義人と作成者との人格の同一性に齟齬を生じさせたものといえるからである（同判例）。

(ウ)　誤　　偽造公文書行使罪（158Ⅰ）における「行使」とは、偽造・変造又は虚偽作成に係る文書を真正文書若しくは内容の真実な文書として他人に認識させ、又は認識し得る状態に置くことをいう。この点、自動車を運転する際に運転免許証を携帯し、一定の場合にこれを呈示すべき義務が法令上認められているとしても、偽造に係る運転免許証を携帯して自動車を運転する行為は、本罪の「行使」に当たらない（最大判昭44.6.18）。したがって、Ａには、偽造公文書行使罪は成立しない。

(エ)　正　　他人の代表者又は代理人として文書を作成する権限のない者が、他人名義の文書を作成した場合、私文書偽造罪（159Ⅰ）が成立する（最決昭45.9.4）。

(オ)　誤　　就職活動に使用するため、虚偽の氏名、生年月日、住所、経歴などを記載・押印し本人の顔写真を貼付して、架空人名義の履歴書を作成した場合、私文書偽造罪（159Ⅰ）が成立する（最決平11.12.20）。なぜなら、履歴書という文書の性質、機能に照らすと、たとえ本人の顔写真が貼り付けられていたとしても、これらの文書に表示された名義人は、本人とは別人格の者であることが明らかであり、名義人と作成者との人格の同一性に齟齬を生じさせたものといえるからである（同判例）。

以上から、正しいものは(イ)(エ)であり、正解は(4)となる。

24－1(60－28)

有価証券偽造罪

有価証券偽造罪等に関する次の記述のうち、正しいものはどれか。

(1)　郵便貯金通帳又は無記名定期預金証書を偽造したときは、有価証券偽造罪が成立する。

(2)　架空人名義の有価証券を作成しても、有価証券偽造罪は成立しない。

(3)　偽造有価証券行使罪が成立するためには、偽造された有価証券を流通に置くことを必要とし、単にそれを呈示するだけでは、同罪は成立しない。

(4)　代理権を有しない者が代理名義を用いて文書を作成した場合でも、文書偽造罪は成立する。

(5)　虚偽の申請をして運輸大臣の管理する自動車登録ファイルの磁気テープに不実の事項を登録させても、公正証書原本不実記載罪は成立しないとするのが判例である。

学習記録	／	／	／	／	／	／	／	／	／

重要度　C	知識型		正解（4）

〈代理権と偽造に関するフローチャート〉

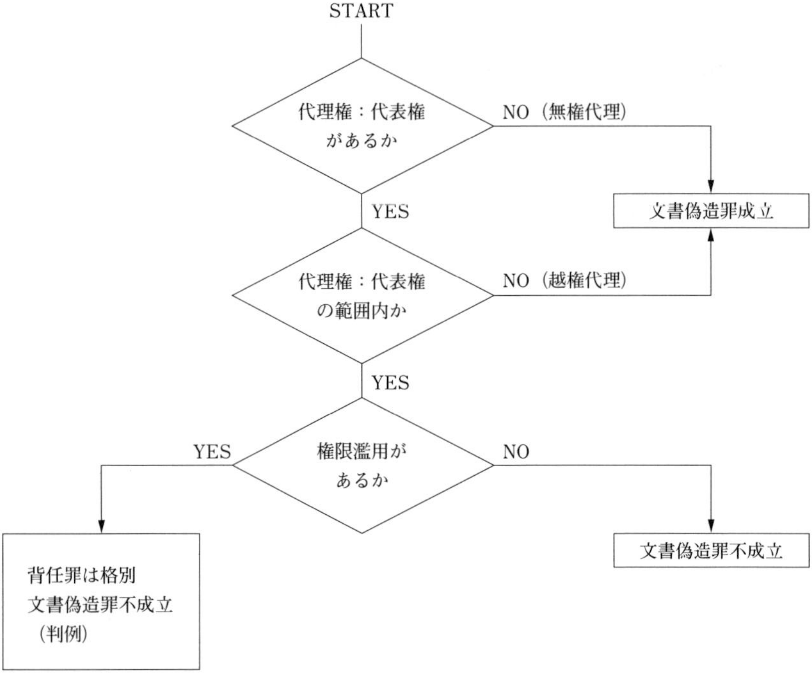

⑴　誤　　有価証券偽造罪（162 I）が成立するためには、偽造されたものが有価証券でなければならない。ここにいう有価証券とは、財産上の権利が証券に表示されており、その表示された権利の行使又は処分につき証券の占有を必要とするものをいう。郵便貯金通帳、無記名式定期預金証書は、法律関係の存否やその内容を証明するための証拠としての意義を有するものにすぎず、権利を化体するものではないから、有価証券ではない（郵便貯金通帳につき大判昭 6.3.11、無記名式定期預金証書につき最決昭 31.12.27）。したがって、本肢において有価証券偽造罪は成立しない。

⑵　誤　　有価証券偽造罪（162 I）の保護法益は、有価証券に対する公共の信用であるが、たとえ架空人名義であったとしても、一般人をしてそのような人が存在すると誤信するようなものであれば公共の信用は害されるので、有価証券偽造罪は成立する（最大判昭 30.5.25）。

⑶　誤　　偽造通貨行使罪（148Ⅱ）が成立するためには、偽造された通貨を流通に置くことを要するが、偽造有価証券行使罪（163Ⅰ）が成立するためには、真正な、又は内容の真実な有価証券として使用すれば足りる。したがって、単にそれを呈示するだけでも真正なものとして使用したといえるから、偽造有価証券行使罪が成立する（大判明44.3.31）。

⑷　正　　代理名義の冒用がいわゆる有形偽造となるか無形偽造となるかについては、代理人は本人のために文書を作成するのだからその文書は本人の文書といえ、またその文書の効力は本人に帰属するのだから代理名義の冒用は本人名義の冒用と同様であるから、有形偽造となる。したがって、文書偽造罪が成立する（最決昭45.9.4）。

⑸　誤　　運輸（現・国土交通）大臣の記録する自動車登録ファイルの磁気テープを「公正証書の原本」（157Ⅰ）とし、これに不実の記載をさせることは公正証書原本不実記載罪（157Ⅰ）になる（最決昭58.11.24）。

MEMO

24－2(3－26)　有価証券偽造罪

各種偽造罪における行使に関する次の記述のうち、誤っているものはどれか。

(1) 偽造通貨を自動販売機に投入する行為は、偽造通貨行使罪における行使にあたる。

(2) 偽造通貨を偽造であると知っている者に交付する行為は、偽造通貨行使罪における行使にあたらない。

(3) 偽造有価証券の保管を依頼して、情を知らない者にこれを交付する行為は、偽造有価証券行使罪における行使にあたる。

(4) 偽造私文書について、確定日付を受けるために公証人に提示した行為は、偽造私文書等行使罪の行使にあたる。

(5) 約束手形の所持人がその手形が偽造されたものであることを知っていても、裏書人に対する権利行使のため手形を呈示した行為は、偽造有価証券行使罪における行使にあたらない。

学習記録	／	／	／	／	／	／	／	／	／

重要度　C	知識型		正解（3）

(1) 正　偽造通貨行使罪（148Ⅱ）における「行使」とは、偽造・変造の通貨を、真貨として流通に置くことである。偽造通貨を自動販売機に投入する行為は、まさにここにいう行使に当たる（東京高判昭53.3.22）。

(2) 正　偽造通貨を偽造であると知っている者に交付する行為は、偽造通貨行使罪における行使に当たらない。なぜなら、交付を受けた者が事情を知っている以上、通貨に対する公衆の信用を侵害する現実的危険性がないからである。情を知っている者に渡す場合は「交付」に当たり、また、交付は有償・無償を問わないので、偽造通貨交付罪（148Ⅱ）が成立する。

(3) 誤　偽造有価証券行使罪（163）における「行使」とは、偽造・変造の有価証券を真正な有価証券として使用することをいう。偽造有価証券の保管を依頼して、情を知らない者にこれを交付したとしても、この者は、あくまで偽造有価証券を単に寄託物として保管するにすぎないので、当該有価証券に対する信用を保護される地位にはない。したがって、この交付行為は偽造有価証券を真正なものとして使用したことにはならず、ここにいう行使に当たらない。

(4) 正　偽造私文書等行使罪（161Ⅰ）における「行使」とは、偽造文書を真正な文書として、また虚偽文書を内容の真実な文書として使用することをいう。そして、文書偽造の罪の保護法益は、文書に対する公共的信用の保護である以上、その行使の方法は、必ずしも、文書をその本来の用法に従って使用する場合に限らず、真正な文書・内容の真実な文書としてその効用に役立たせる目的の下で使用されれば足りる（最判昭28.12.25）。したがって、偽造私文書について、確定日付を受けるために公証人に提示した行為も、偽造私文書等行使罪に当たる（大判明41.12.21）。

(5) 正　手形法上、約束手形の所持人がその手形が偽造されたものであることを知っていても、その裏書人に対して、自己の権利を正当に行使することができる。したがって、裏書人に対する権利行使のため手形を呈示した行為は、偽造有価証券行使罪における行使に当たらない（大判大3.11.28）。

25－1(55－26)　通貨偽造罪

次に掲げる行為のうち、偽造通貨行使罪が成立するのはどれか。

(1)　偽造通貨を用いてペンダントを作り、贈与した。

(2)　情を知って偽造を手伝った者に、謝礼として偽造通貨の一部を手渡した。

(3)　支払能力を示すために偽造通貨を示した。

(4)　偽造通貨を賭博の負債の履行として支払った。

(5)　偽造通貨を情を知っている者に売却した。

学習記録	／	／	／	／	／	／	／	／	／

重要度　B	知識型		正解（4）

〈偽造通貨行使罪の構成要件的行為〉

	行　使	交　付	輸　入
意義	偽造変造の通貨を真貨として流通に置くことをいう。その行使方法が違法であると否とを問わず、また、行使によって対価を得る場合であると否とを問わない。しかし、行使といえるには、相手方が情を知らない者でなければならない。	偽造変造の通貨を、その情を明らかにして、又はその情を知っている他人に引き渡すことをいう。有償・無償を問わない。	国外から国内に、偽造変造の通貨を入れること。

(1) 成立しない　　偽造通貨行使罪（148Ⅱ）の「行使」とは、真貨として流通に置くことをいい、偽造通貨を用いたペンダントの贈与は、真貨として使用するものでないので「行使」に当たらない。したがって、偽造通貨行使罪（148Ⅱ）は成立しない。

(2) 成立しない　　偽貨を渡された相手が情を知っている場合には流通に置いたとはいえず、「行使」（148Ⅱ）に当たらない。したがって、偽造通貨行使罪（148Ⅱ）は成立しない。偽貨であることの情を知っている者に渡す行為は「交付」であり、偽造通貨交付罪（148Ⅱ）が成立する。

(3) 成立しない　　見せるだけでは真貨として流通に置いたことにならないから「行使」ではない。したがって、偽造通貨行使罪（148Ⅱ）は成立しない。

(4) 成立する　　「行使」の方法は適法でなくともよいので（大判明41.9.4）、賭博の負債の履行として支払った場合でも、偽造通貨行使罪（148Ⅱ）が成立する。

(5) 成立しない　　行使の相手方は偽貨であることの情を知らないことが必要である。偽貨であることを知っている者に渡す場合は「交付」に当たり、また、交付は有償・無償を問わないことから、偽造通貨交付罪（148Ⅱ）が成立する。

26－1(55－28)　公務執行妨害罪

公務執行妨害罪に関する次の記述のうち、誤っているものはどれか。

(1) 改札中の国鉄職員の職務を妨害するため、同職員に暴行を加えても、公務執行妨害罪は成立しない。

(2) 職務を終え、レストランで制服を着用したまま食事中の警察官に暴行を加えても、公務執行妨害罪は成立しない。

(3) 街頭で犯人を追跡中の私服警察官を私立探偵と誤解し、その者に暴行を加えても、公務執行妨害罪は成立しない。

(4) 覚せい剤取締法違反の現行犯人を逮捕した現場で、警察官が証拠物として適法に差し押さえ、整理中の覚せい剤注射液入アンプルを警察官の面前で踏みつけて損壊すれば、公務執行妨害罪が成立する。

(5) 警察署に東京駅構内に爆弾をしかけたとのにせ電話をかけて、多数の警察官を出動させても、公務執行妨害罪は成立しない。

学習記録	／	／	／	／	／	／	／	／	／

重要度　A	知識型		正解（1）

〈公務執行妨害罪の構成要件要素〉

主　体	客　体	行　為	主観的要件
制限なし（公務員も含む）	公務員	職務を執行するに当たり暴行脅迫	客観的構成要件要素の認識

〈「職務を執行するに当たり」の意味〉

職　務	強制的性質は不要 広く公務員の職務一般を指す
職務行為の適法性	違法な公務員の行為についてまで保護することは不要だから要求される ①適法といえるための要件（大判大 7.5.14） (イ)抽象的職務権限 (ロ)執行に必要な一般的形式の具備 ②適法性の有無の判断基準 主観説→当該公務員が適法と信じたか否かにより定める 客観説→裁判所が法令を解釈して客観的に定めるべし（最決昭 41.4.14）
執行するに当たり	執行中だけに限らず、執行開始の直前にまさにこれを開始しようとする態勢にある場合も含む

(1)　誤　　公務執行妨害罪（95Ⅰ）の客体である「公務員」とは、国又は地方公共団体の職員その他法令により公務に従事する議員、委員その他の職員をいい（7Ⅰ）、公務員とみなされる者も含む（東京高判昭 30.7.25）。旧国鉄職員は、国鉄職員等特別法によって公務員とみなされていた。したがって、出題当時において本肢のような行為をした者には、公務執行妨害罪が成立した。

(2)　正　　公務執行妨害罪（95Ⅰ）の保護法益は、わが国の公務であるから、職務を終えた公務員に対して暴行を加えても、職務を「執行するに当たり」（95Ⅰ）とはいえず、公務執行妨害罪は成立しない。

(3)　正　　公務執行妨害罪の故意は相手方が公務員であることの認識が必要である。行為者の認識は非公務員に対する暴行であるから、暴行罪（208）の故意しか認められず（異なる構成要件における錯誤）、構成要件の重なり合う範囲で暴行罪が成立するにとどまり、公務執行妨害罪（95Ⅰ）は成立しない（38Ⅱ）。

(4)　正　　公務執行妨害罪の暴行は公務員に向けられていればよく、物に対して加えられた有形力が公務員の身体に物理的に影響を与える間接暴行の場合でもよい（最決昭 34.8.27）。

(5) 正　　本罪の行為は公務員が職務を執行するに当たり、これに対して「暴行又は脅迫」を加えることに限定されている（95Ⅰ）。本肢のにせ電話のように「偽計」を手段とする場合は含まれないので、公務執行妨害罪（95Ⅰ）は成立しない。

MEMO

26−2(58−28)

公務執行妨害罪

公務執行妨害罪に関する次の記述のうち、正しいものはどれか。

(1)　公務員に暴行又は脅迫を加えても、それによって、公務員の職務執行が現実に妨害されないときには、公務執行妨害罪は成立しない。

(2)　公務執行の妨害の手段としての暴行が公務員の身体に直接加えられないときには、公務執行妨害罪は成立しない。

(3)　職務執行中の公務員に暴行を加えた者が、その公務員の職務執行の対象となっていない第三者であったときには、公務執行妨害罪は成立しない。

(4)　公務員の職務執行を偽計を用いて妨害したときには、公務執行妨害罪は成立しない。

(5)　公務員の職務執行を補助する者に対して暴行を加えたときには、公務執行妨害罪は成立しない。

学習記録	／	／	／	／	／	／	／	／	／

重要度　A	知識型		正解（4）

〈公務執行妨害罪に関する注意点〉

①主体には制限はない。公務員も主体となり得る
②客体は公務員である。本罪は日本国の公務を保護するものであるから、外国の公務員は含まれない
③公務員の執行する職務は強制的性質は必要でなく、広く公務員の職務一般でよい
④職務行為は適法でなければならない
⑤職務を「執行するに当たり」とは、単に執行中だけに限らず、執行開始の直前にまさにこれを開始しようとする態勢にあった場合も含む
⑥行為態様は暴行又は脅迫に限る。偽計による場合は含まれない
⑦暴行は公務員の身体に直接向けられたものである必要はなく、公務員の身体に物理的影響を及ぼすものであればよい（間接暴行）
⑧本罪は危険犯であり、かつ抽象的危険犯であるので、単に暴行又は脅迫が行われれば犯罪は成立する
⑨未遂を処罰する規定はない
⑩予備もない

(1)　誤　　公務執行妨害罪は国又は地方公共団体の作用である公務の円滑適正な執行を保護法益とするので危険犯とされている。したがって、暴行・脅迫が行われれば、それにより公務員の職務執行が現実に妨害されなくても、公務執行妨害罪（95 I）は成立する。

(2)　誤　　95条1項にいう暴行は、単に直接公務員の身体に向けられるものに限らず、公務員の身体に物理的影響力を及ぼすものであれば足りる（最判昭26.3.20等・間接暴行）。なぜなら、これだけでも公務の執行が妨害される危険が生ずるからである。したがって、公務執行妨害罪（95 I）は成立する。

(3)　誤　　公務執行妨害罪の主体となり得る者には制限はなく、職務執行の対象となっている者のほか第三者でも主体となり得る。第三者であったとしても公務の執行を妨害することができるからである。したがって、公務執行妨害罪（95 I）は成立する。

(4)　正　　95条1項は妨害の手段を暴行・脅迫に限っており、「偽計」を手段とする場合には公務執行妨害罪は成立しない。

(5)　誤　　公務員の職務の執行を補助する者に対して暴行を加えたとしても公務の執行が妨害されるおそれは十分にあるから、公務執行妨害罪（95 I）は成立する（最判昭41.3.24）。

26−3(60−27)　公務執行妨害罪

公務執行をめぐる犯罪に関する次の記述のうち、誤っているものはどれか。

(1) 強制執行妨害罪は、罰金刑の執行に関しても適用がある。

(2) 強制執行妨害罪が成立するためには、当該強制執行が現実に着手されたことを要する。

(3) 公務員職権濫用罪は、日本国外における行為についても成立する。

(4) 特別公務員職権濫用罪が成立するときは、逮捕・監禁罪は成立しない。

(5) 公務員が在職中に職務上不正な行為をし、退職後、その謝礼として金品を受け取っても、在職中その旨の請託を受けた事実がなければ、加重収賄罪はもちろん、単純収賄罪も成立しない。

学習記録	／	／	／	／	／	／	／	／	／

重要度　A　**知識型**　　**正解（2）**

⑴　正　　96条の２にいう「強制執行」について、判例は、民事訴訟法（現行の民事執行法）による強制執行又は同法を準用する強制執行を意味するとしている（最判昭29.4.28）。したがって、罰金の執行に関する刑事訴訟法490条２項は民事執行法を準用しているから、強制執行妨害罪が適用され得る。

⑵　誤　　強制執行妨害罪が成立するためには、それを免れる目的があっただけではなく、客観的にも免れる可能性があったことが必要であるが、現実に執行に着手されたことは必要ではない（最決昭35.4.28）。なぜなら、現実の執行前でも、執行の適正な運用を害する危険があるからである。

⑶　正　　公務員職権濫用罪（193）は４条３号により、保護主義が適用される。

⑷　正　　特別公務員職権濫用罪（194）は、逮捕・監禁罪（220）に対しては、行為者が一定の公務員であることによって刑が加重された不真正身分犯である。したがって、特別公務員職権濫用罪（194）が成立する場合には逮捕・監禁罪（220）は成立しない。

⑸　正　　単純収賄罪が成立するためには、公務員が、その職務に関し、賄賂を収受したときに成立し（197Ⅰ）、賄賂を収受したときに公務員でない場合、単純収賄罪は成立しない。したがって、退職後に、その謝礼として金品を受け取っても、単純収賄罪は成立しない。そして単純収賄罪が成立しない以上、加重収賄罪（197の３Ⅰ・Ⅱ）も成立しない。なお、公務員が在職中に職務上不正な行為をし、退職後、その謝礼として金品を受け取っても、在職中その旨の請託を受けた事実がなければ、事後収賄罪（197の３Ⅲ）は成立しない。

26－4(62－27)　公務執行妨害罪

公務の執行を妨害する罪に関する次の記述のうち、正しいものはどれか。(改)

(1)　わが国と国交を有する国の外交官がわが国内でその職務を遂行中、それと知りつつ当該外交官に暴行又は脅迫を加えても、公務執行妨害罪は成立しない。

(2)　公務執行妨害罪における公務員の職務は、必ずしも適法なものでなくともよい。

(3)　強制執行を免れることを目的として財産の所有関係を不明にしても、その財産の所在が明らかであれば、強制執行妨害目的財産損壊等罪は成立しない。

(4)　地方公共団体が行う指名競争入札に関し、自己の経営する会社に落札させるため、他の指名業者に談合を持ちかけ、これに応じなかった者に対し、上記談合に応ずるよう脅迫して要求したというだけでは、公契約関係競売等妨害罪は成立しない。

(5)　特定の者を落札者とするため、他の者は一定の価格以下に入札しないことを協力する行為に加わったとしても、自ら入札の希望を有しない者については、談合罪は成立しない。

学習記録	／	／	／	／	／	／	／	／	／

重要度　A　知識型　　　**正解（1）**

⑴　正　　公務執行妨害罪（95Ⅰ）の保護法益は、国又は地方公共団体の作用である公務の円滑適正な執行である。そして、本罪の構成要件要素としての「公務員」はあくまで日本国の公務員を意味し、外国の公務員は本罪の客体とはならない。本肢の場合、わが国と国交を有するとはいえ、外国の公務員に対して暴行又は脅迫を加えており、直接的には何らわが国の公務の適正かつ円滑な執行が害されるものではないから、公務執行妨害罪は成立しない。

⑵　誤　　公務執行妨害罪によって保護される公務員の職務の執行は、適法であることが、記述されざる構成要件要素として必要と解されている（通説、大判大7.5.14）。

⑶　誤　　強制執行妨害目的財産損壊等罪（96の２）の保護法益は国家の作用としての強制執行の適正な運用を図ることを主眼としつつ、併せて債権者の保護を考慮したものと解されている。そして、行為としては、財産の隠匿・損壊・仮装譲渡等があるが、財産の所有関係を不明にすることは、「隠匿」に当たる。したがって、たとえその所在は明確であったとしても、財産の所有関係を不明にした以上、強制執行妨害目的財産損壊等罪が成立する（最決昭39.3.31）。

⑷　誤　　公契約関係競売等妨害罪（96の６Ⅰ）は公の競売又は入札の公正を保護することを目的とするが、その行為は「偽計」又は「威力」である。そして、「威力」とは意思の自由を制圧するような力をいう。談合に応ずるよう脅迫して要求する行為も「威力」に当たる。また、本罪はこのような行為がされれば直ちに成立し、実際に公正を害する結果を生じさせたことを要しない（抽象的危険犯）。したがって、本肢では公契約関係競売等妨害罪が成立する。

⑸　誤　　談合罪（96の６Ⅱ）も公の競売又は入札の公正を保護することを目的とする。この趣旨からすれば、自ら入札に参加しない者であっても、入札の公正を害し得る以上、本罪の主体となり得、自ら入札の希望を有するか否かも、犯罪成立には直接関係しない（最決昭39.10.13）。そして、「談合」とは、競売人・入札者が互いに通謀し、ある特定の競落・落札希望者を契約者とするために、他の者は一定の価格以上又は以下に付け値・入札をしないことを協定することをいう（大判昭19.4.28）。したがって、本肢の場合も「談合」に当たり、談合罪（96の６Ⅱ）が成立する。

26－5(6－26)　公務執行妨害罪

次の記述中のＡの行為に関し、公務執行妨害罪が成立するか否かについての末尾かっこ内の指摘が、判例の趣旨に照らし、誤っているものは幾つあるか。(改)

(ア)　警察官が、現行犯人から適法に押収した証拠物を逮捕現場で整理している最中、犯人の友人Ａが、その証拠品を踏みつけて損壊した。(不成立)

(イ)　警察官が、客観的にみて現行犯人と認めるに十分な理由がある挙動不審者を現行犯人として逮捕している最中、被逮捕者の友人Ａが、当該警察官の顔面を殴打したところ、被逮捕者は、その後の裁判において、現行犯として逮捕された罪につき、犯人でなかったとして無罪判決を受け確定した。(成立)

(ウ)　Ａは、職務執行中の警察官に向かって投石したが、石は警察官の顔面の直近をかすめたのみで命中しなかった。(不成立)

(エ)　執行官が、その職務の執行として差押物を家屋から運び出すにつき、補助者として公務員でない者を指揮して運搬に当たらせていた際、差押物の所有者Ａは、その補助者の顔面を殴打した。(不成立)

(オ)　Ａは、職務執行中の警察官の耳元で空き缶を数回激しくたたいて大きな音を出した。(成立)

(1)　１個　　(2)　２個　　(3)　３個　　(4)　４個　　(5)　５個

学習記録	／	／	／	／	／	／	／	／	／

重要度　A	知識型		正解（3）

(ア)　誤　　公務執行妨害罪（95Ⅰ）にいう「暴行」とは、公務員に向けられた不法な有形力の行使であれば足り、必ずしも直接公務員の身体に対して加えられる必要はなく、物に対して加えられた有形力が、公務員の身体に物理的に強い影響を与えるような場合（間接暴行）でもよい。間接暴行で足りるとされるのは、公務執行妨害罪の保護法益が、公務員の身体の安全にあるのではなく、公務それ自体にあるからである。逮捕現場で、押収された証拠物を足で踏みつけ損壊する行為は、この間接暴行に当たるので、公務執行妨害罪が成立する（最決昭34.8.27）。

(イ)　正　　被逮捕者が、裁判で無罪の判決を受けたとしても、逮捕時において、現行犯逮捕の要件を客観的に満たしている場合には、その公務（逮捕行為）は適法といえ、逮捕の最中警察官の顔面を殴打すれば、公務執行妨害罪が成立する（大阪高判昭28.10.1）。

(ウ)　誤　　公務執行妨害罪（95Ⅰ）にいう「暴行」は、公務員の職務の執行を妨害し得る程度のものであれば、１回的・瞬間的に加えられるものでもよい。判例は、職務執行中の巡査に、ただ１回投石しただけでそれが命中しなくても、本罪の暴行となるとしている（最判昭33.9.30）。したがって、投げた石が、職務執行中の警察官の顔面の直近をかすめた以上、たとえそれが命中しなくても公務執行妨害罪が成立する。

(エ)　誤　　(ア)の解説で述べたように、公務執行妨害罪（95Ⅰ）にいう「暴行」は、公務員に向けられた不法な有形力の行使であれば、必ずしも直接公務員の身体に対して加えられる必要はなく、公務員の指揮下に、その手足となって、職務の執行に密接不可分の関係にある補助者に加えられる場合でもよい。公務員である執行官の指揮下に、差押物の運搬に当たっていた非公務員である補助者の顔面を殴打して、その運搬を妨害すれば、公務執行妨害罪が成立する（最判昭41.3.24）。

(オ)　正　　(ア)の解説で述べたように、公務執行妨害罪（95Ⅰ）の「暴行」は、必ずしも公務員の身体に対して加えられる必要はなく、いわゆる広義の暴行をいう。被害者の身体近くで大太鼓を連打する行為は、狭義の暴行（暴行罪にいう「暴行」）に当たるとするのが判例である（最判昭29.8.20）。したがって、耳元で空き缶を数回激しくたたいて大きな音を出すことも、狭義の暴行に当たるといえ、公務執行妨害罪が成立する。

以上から、誤っているものは(ア)(ウ)(エ)の３個であり、正解は(3)となる。

27－1(6－23)　犯人蔵匿罪

次の記述にある行為のうち、判例の趣旨に照らし、末尾かっこ内の犯罪が成立するものは幾つあるか。(改)

(ア)　犯人の親族が、その犯人に係る刑事事件の証拠を隠滅した。(証拠隠滅罪)

(イ)　罰金以上の刑にあたる罪を犯した者であることを知りながら、その犯罪が警察等の捜査機関に発覚しない段階で、捜査機関の発見・逮捕を免れさせるため、その者をかくまった。(犯人蔵匿罪)

(ウ)　罰金以上の刑にあたる罪の真犯人が既に逮捕・拘留されている段階で、その者の身代わりとなる目的で警察に出頭して自分が真犯人である旨申し述べた。(犯人隠避罪)

(エ)　他人の刑事事件の目撃者を、捜査段階で隠匿した。(証拠隠滅罪)

(オ)　罰金以上の刑にあたる罪の犯人として指名手配されている者を蔵匿したが、その者は真犯人でなかった。(犯人蔵匿罪)

(1)　1個　　(2)　2個　　(3)　3個　　(4)　4個　　(5)　5個

学習記録	／	／	／	／	／	／	／	／	／

重要度　C	知識型		正解（5）

(ア)　成立する　　犯人の親族が、犯人の利益のために証拠隠滅罪（104）を犯したときは、その刑を免除することができる（105）。これは親族間の人情に基づく行為であることに着目して、任意的な刑の免除事由としたのであり、証拠隠滅罪自体は成立する。

(イ)　成立する　　罰金以上の刑に当たる罪を犯した者であることを知りながらその者をかくまった場合、その犯罪が捜査機関に発覚して捜査が始まっているかどうかにかかわらず、犯人蔵匿罪（103）が成立する（最判昭 33.2.18）。犯罪発覚前であっても、いったん捜査が開始されたならば犯人の発見・逮捕を困難にするなど、国家の刑事司法作用を害するおそれがあることに変わりはないからである。

(ウ)　成立する　　近時の判例は、「刑法 103 条は、捜査、審判及び刑の執行等広義における刑事司法作用を妨害する者を処罰しようとする趣旨の規定であって、同条にいう『罪を犯した者』には、犯人として逮捕勾留されている者も含まれ、かかる者をして現にされている身柄の拘束を免れさせるような性質の行為も同条にいう『隠避』に当たる。」と解している（最決平 1.5.1）。身代わり犯人として警察署に出頭し、自己が犯人である旨の虚偽の陳述をする行為も 103 条の「隠避」に当たり、犯人隠避罪が成立する（大判大 4.8.24）。

(エ)　成立する　　証拠隠滅罪（104）における客体は、他人の「刑事事件」に関する「証拠」である。「刑事事件」とは、本罪が広く刑事司法作用の侵害を防止しようとしているところから、現に裁判所に係属している事件のほか、将来、刑事事件となり得るもの、すなわち捜査段階にある被疑事件も含まれる。次に「証拠」とは、刑事事件が発生した場合に、捜査機関又は裁判機関において、国家刑罰権の有無に当たり、関係があると認められる一切の資料をいう（大判昭 10.9.28）。目撃者等の証人も「証拠」に含まれる（大判明 44.3.21）。したがって、証拠隠滅罪が成立する。

(オ)　成立する　　犯人蔵匿罪（103）の客体である「罪を犯した者」の意味については、本罪が司法に関する国権の作用を妨害する者を処罰しようとするものであることから、真犯人に限らず、犯罪の嫌疑を受けて捜査中の者も含まれる（最判昭 24.8.9）。したがって、かくまった者が真犯人ではなかったとしても、犯人蔵匿罪は成立する。

以上から、かっこ内の犯罪が成立するのは(ア)(イ)(ウ)(エ)(オ)の５個であり、正解は(5)となる。

28－1(13－26)　偽証罪

偽証罪に関する次の記述中の(ア)から(カ)までに下記のａからｆまでの文言を入れて文章を完成させる場合、最も適切な組合せは、後記(1)から(5)までのうちどれか。

偽証罪は、法律により宣誓した証人が虚偽の陳述をした場合に成立するが、虚偽の意味については、主観説と客観説とが対立している。主観説によれば、証人が（ア）事実を陳述すれば、それが（イ）ものであり、かつ、（ウ）ものであっても、偽証罪は成立しないことになる。これに対し、客観説によれば、（イ）陳述が虚偽に当たるが、（エ）場合には、故意がないので、偽証罪は成立しないし、そもそも（オ）陳述をした場合には、それが（カ）ものであり、かつ、（ウ）ものであっても、虚偽の陳述には当たらないので、偽証罪は成立しないことになる。

a　客観的事実に合致する	b　客観的事実に反する
c　証人が真実であると思う	d　証人が真実ではないと思う
e　自己の記憶に合致する	f　自己の記憶に反する

(1)	(ア) c	(イ) b	(ウ) f	(エ) e	(オ) a	(カ) d
(2)	(ア) c	(イ) f	(ウ) b	(エ) a	(オ) e	(カ) d
(3)	(ア) e	(イ) d	(ウ) b	(エ) c	(オ) f	(カ) a
(4)	(ア) e	(イ) b	(ウ) d	(エ) c	(オ) a	(カ) f
(5)	(ア) e	(イ) b	(ウ) d	(エ) f	(オ) c	(カ) a

学習記録	／	／	／	／	／	／	／	／	／

重要度　C	推論型		正解（4）

〈図表Ａ：主観説〉

	真実だと思う		真実だと思わない	
	記憶に合致	記憶に反する	記憶に合致	記憶に反する
客観的に真実	①　×	②　○	③　×	④　○
客観的に虚偽	⑤　×	⑥　○	⑦　×	⑧　○

②④⑥⑧は自己の記憶に反することを陳述していることから、「虚偽」に該当し、記憶に反する陳述をしていることを認識しているから故意もあるので、偽証罪が成立する。

〈図表Ｂ：客観説〉

	真実だと思う		真実だと思わない	
	記憶に合致	記憶に反する	記憶に合致	記憶に反する
客観的に真実	①　×	②　×	③　×	④　×
客観的に虚偽	⑤　×	⑥　×	⑦　○	⑧　○

①②③④は「虚偽」に該当しない。
⑤⑥は「虚偽」に該当するが、故意を欠き、偽証罪は成立しない。

偽証罪（169）は、法律により宣誓した証人が「虚偽」の「陳述」をした場合に成立する犯罪である。「虚偽」の意味については、主観説（通説、大判大3.4.29）と客観説とが対立している。主観説は、証人の記憶に反することを「虚偽」と考えるのに対して、客観説は、客観的な真実に反することを「虚偽」と考える立場である。したがって、主観説の立場によると、証人の陳述内容が証人の記憶に反するか否かが重要な問題となり、もし証人の記憶に反する陳述内容であれば（図表Ａ②④⑥⑧）、客観的に真実であったか否かにかかわらず、「虚偽」に該当し、偽証罪が成立することになる。これに対して、客観説の立場によると、証人の陳述内容が客観的に真実であったか否かが重要な問題となり、客観的に真実と合致している場合（図表Ｂ①②③④）には、証人の記憶・主観にかかわらず、「虚偽」に該当しない以上、偽証罪は成立しないことになる。また、この立場では、証人が真実であると信じていた場合、客観的に真実に合致しない事実を陳述したとき（図表Ｂ⑤⑥）でも、「虚偽」には該当するが、偽証罪の構成要件に該当する事実の認識を欠くこととなり、故意がないことから、偽証罪は不成立となる。

以上を前提に本問を検討する。

設問の「主観説によれば、証人が(ア)事実を陳述すれば」という文の最後は、「偽証罪は成立しないことになる。」とある。そして、主観説によると「虚偽」とは、自己の記憶に反する事実を述べることであるから、証人が「自己の記憶に合致する事実」を陳述しさえすれば、①たとえその事実が客観的事実に反する場合であっても、②

また証人が自己の記憶する事実が真実でないと思っていたとしても、偽証罪は成立しない。したがって、「(ア) 事実」の陳述には、「e　自己の記憶に合致する」が入ることがわかる。また、(イ) と (ウ) には、それぞれ「b　客観的事実に反する」又は「d　証人が真実でないと思う」が入ると考えられるが、この段階では、まだ確定することはできない。

次に、客観説によると「虚偽」とは、客観的事実に反する事実を述べることであるから、設問の「客観説によれば、(イ) 陳述が虚偽に当たる」という記述の (イ) には、「b　客観的事実に反する」が入ることがわかる。この段階で、(ウ) には「d　証人が真実ではないと思う」が入ることが確定する。

そして、「(エ) 場合には、」に続いて「故意がないので、偽証罪は成立しない…」とあることから、(エ) には、客観説で故意を欠く場合を表すものが入る。すなわち、客観的には真実に反し虚偽であるが証人が真実であると信じて虚偽の事実を陳述する場合である。したがって、(エ) には「c　証人が真実であると思う」が入る。

また、「そもそも (オ) 陳述をした場合には、」という部分に続いて、「虚偽の陳述には当たらないので、偽証罪は成立しないことになる。」とあることから、(オ) には、客観説の立場に立つと「虚偽」に当たらないものが入る。そして、客観説の立場からは、「虚偽」とは、客観的事実に反する事実をいう。したがって、(オ) には「a　客観的事実に合致する」が入る。

最後に、(カ) と (ウ) には「d　証人が真実ではないと思う」及び「f　自己の記憶に反する」のいずれが入るか問題となるが、前述のとおり (ウ) には「d　証人が真実ではないと思う」が入ることから、(カ) には「f　自己の記憶に反する」が入る。

以上から、順に㈠e、㈡b、㈢d、㈣c、㈤a、㈥fとなり、正解は⑷となる。

MEMO

29－1(12－25)　賄賂罪

汚職の罪に関する次の(ア)から(オ)までの記述のうち、判例の趣旨に照らし正しいものの組合せは、後記(1)から(5)までのうちどれか。

(ア)　賄賂とは、公務員の職務に関する不正の報酬であるので、金銭の授受、飲食物の提供等の財物の提供に限られ、異性間の情交といった無形の利益は含まない。

(イ)　公務員ではない仲裁人が、その職務に関し賄賂を収受した場合にも、単純収賄罪が成立する。

(ウ)　収賄罪の犯人が収受した賄賂は、「犯罪行為を組成した物」に該当するが、情状により没収しないことができる。

(エ)　公務員が一般的職務権限を異にする他の職務に転じた後に、前の職に在職中に請託を受けて職務上不正な行為をしたことに関し賄賂を収受した場合には、事後収賄罪が成立する。

(オ)　賄賂罪の「職務に関し」とは、賄賂と対価関係にある行為が当該公務員の職務として行い得る抽象的な範囲内にあれば足りる。

(1)　(ア)(ウ)　　(2)　(ア)(エ)　　(3)　(イ)(ウ)　　(4)　(イ)(オ)　　(5)　(エ)(オ)

学習記録	／	／	／	／	／	／	／	／	／

重要度　C	知識型		正解（4）

(ア) 誤　　賄賂の目的物は、有形のものであると無形のものであるとを問わず、いやしくも人の需要又は欲望を満たすに足りる一切の利益を含む（大判明43.12.19）。したがって、金銭の授受、飲食物の提供等の財物の提供に限られず、異性間の情交といった無形の利益も賄賂に含まれる（大判大4.7.9、最判昭36.1.13）。

(イ) 正　　「仲裁人が、その職務に関し、賄賂を収受し、又はその要求若しくは約束をしたとき」は単純収賄罪が成立する（仲裁50）。本肢においては刑法上の罪に限定していないため正しい肢となる。なお、平成15年改正前は、「仲裁人」も197条により単純収賄罪になる旨規定されていたが、改正により197条の「仲裁人」の文言が削除され、仲裁法に罰則規定が設けられた。

(ウ) 誤　　犯罪組成物は情状により没収しないことができるのが原則である（19Ⅰ①、任意的没収）。しかし、賄賂については、「犯人又は情を知った第三者が収受した賄賂は、没収する。」（197の５）と特則が設けられており、没収は必要的となる。

(エ) 誤　　公務員が一般的職務権限を異にする他の職務に転じた後に、前の職に在職中に請託を受けて職務上不正な行為をしたことに関し賄賂を収受した場合には、いやしくも公務員である以上、賄賂罪の成立が認められる（最決昭28.4.25、最決昭58.3.25）。しかし、この場合でも、事後収賄罪（197の３Ⅲ）の主体は「公務員であった者」であり現に公務員の身分を有する者を含まないため、事後収賄罪は成立しない。

(オ) 正　　「職務」といえるためには、法令上、当該公務員の抽象的な職務権限に属するものであれば足り、現に、具体的に担当している事務であることを要しない（大判昭18.2.18、最判昭37.5.29）。したがって、賄賂と対価関係にある行為が当該公務員の職務として行い得る抽象的な範囲内にあれば、「職務に関し」といえる。

以上から、正しいものは(イ)(オ)であり、正解は(4)となる。

30－1(57－28)　各種の犯罪全般

次に掲げる場合のうち、かっこ内の犯罪が成立しないものはどれか。(改)

⑴　警察官が乗車している警備中のパトロールカーに投石したが、命中しなかった場合。(公務執行妨害罪)

⑵　捜査中の詐欺容疑者をかくまったが、後にその者が起訴猶予となった場合。(犯人蔵匿罪)

⑶　窃盗の目的で他人の家に入ろうとしたところ、家人が来客であると誤信して招き入れたので、その中に入った場合。(住居侵入罪)

⑷　窃盗犯人が、犯行現場から逃走しようとしたところ、これを見た通行人が追跡してきたので、逮捕を免れるために、その者に対して暴行を加え、反抗を抑圧した場合。(事後強盗罪)

⑸　少年院に収容されている少年数名が、共謀した上、少年院の窓を壊して逃走した場合。(加重逃走罪)

学習記録	／	／	／	／	／	／	／	／	／

重要度　A	知識型		正解（5）

(1) **成立する**　　公務執行妨害罪（95Ⅰ）の暴行は広義のものであり、公務員に向けられた有形力の行使であるから、物に向けられた有形力であっても公務員の身体に物理的に感応し得るものならば含まれる。したがって、パトロールカーへ投石した行為について、公務執行妨害罪が成立する。

(2) **成立する**　　無罪や免訴の確定判決を受け、以後処罰の可能性がなくなった場合には、もはや国家の刑事司法作用を害するおそれがないから、「罪を犯した者」（103）に当たらないのに対し、単に不起訴処分にされただけでは、いまだ訴追・処罰の可能性が残されているから「罪を犯した者」に当たる（東京高判昭37.4.18）。したがって、被蔵匿者が後に起訴猶予となったとしても、犯人蔵匿等罪（103）が成立する。

(3) **成立する**　　相手方の承諾によって住居に立ち入っても、住居侵入罪（130）は成立しない。しかし、この相手方の承諾は真意に基づくものでなければならない。本肢の場合も、家人は行為者が窃盗目的であることを知ったならば承諾しなかったであろうから、家人の承諾は錯誤によるものであり、有効なものとはいえない。したがって、住居侵入罪が成立する。

(4) **成立する**　　窃盗犯人が逮捕を免れるために暴行又は脅迫を行えば事後強盗罪（238）が成立する。本罪の暴行・脅迫は「窃盗の機会において」行われたものであれば、窃盗の被害者以外の者、例えば通行人に加えた場合でもよい（大判昭8.6.5）。また本罪の暴行は相手方の反抗を抑圧するに足りるものであればよい。したがって、事後強盗罪が成立する。

(5) **成立しない**　　少年院への送致は、刑事処分ではなく、非行のある少年に対して性格の矯正及び環境の調整を図るための保護処分である（少年24Ⅰ③・1参照）ことから、少年院の在院者は「法令により拘禁された者」（99・100）であり、加重逃走罪（98）の主体である「裁判の執行により拘禁された既決又は未決の者」又は「勾引状の執行を受けた者」のいずれにも当たらない。したがって、加重逃走罪（98）は成立しない。

30－2(58－26)

各種の犯罪全般

次に掲げる行為のうち、住居侵入罪が成立しないものはどれか。

(1)　警官に追跡されて、窃盗犯人が他人の住居の屋根に上がった。

(2)　賃借人が家の賃貸借契約の終了後も立ち退かないので、家具を運び出す目的でその家に入った。

(3)　親友のアパートを訪ねたところ不在であったが、表戸に鍵が掛かっていなかったので、親友の帰りを待つつもりで部屋に入った。

(4)　無銭飲食の目的で、飲食店に入った。

(5)　家出中の息子が父親の物を盗むつもりで、無断で父親の住居に入った。

学習記録	／	／	／	／	／	／	／	／	／

重要度　A | **知識型** | | **正解（3）**

(1)　**成立する**　　屋根に上がることが住居に侵入するといえるかが問題になるが、屋根もまた構造上住居の重要な一部であるから住居侵入罪（130 前段）が成立する（東京高判昭 54.5.21）。

(2)　**成立する**　　本肢においては、賃貸借契約が終了しているから不法な占有となっており、住居侵入罪（130 前段）で保護すべき「住居」に当たるか否かが問題になる。住居侵入罪の保護法益は事実としての住居の平穏であるから、民法上は不法な占有であっても、事実上その住居内で人間が平穏に生活している以上、住居侵入罪にいう「住居」に当たる。たとえ家主であっても、かかる住居に自力救済目的で入る行為は、「正当な理由がないのに侵入」するものといえ、住居侵入罪（130 前段）が成立する（大判大 9.2.26）。

(3)　**成立しない**　　住居侵入罪（130 前段）は個人的法益に関する罪であるから、居住者の承諾があれば住居侵入罪（130 前段）は成立しない。この承諾は明示でなく黙示でもよく、また推定的同意（承諾）がある場合でもよい。本肢においては、行為者とアパートの住人とは親友であり、アパートの鍵が掛かっておらず、親友の帰りを待つ目的であった以上、承諾が推定される。したがって、住居侵入罪は成立しない。

(4)　**成立する**　　飲食店は客が入ってくるのを待っているのであるから、立入りについては一般的・包括的承諾があるといえる。しかし、この一般的・包括的承諾によって犯罪が成立しないとされるのは、侵入の目的や侵入行為の態様が社会通念上相当な範囲にあるからである。したがって、無銭飲食という犯罪目的で入っている場合、社会通念上是認されず住居侵入罪（130 前段）が成立する。

(5)　**成立する**　　その住居に住んでいる者が入ることは住居侵入罪（130 前段）となることはない。しかし、本肢では家出中の息子が主体であり、家出していることは当該住居の共同生活から離脱しているといえる。したがって、たとえかつて住んでいた住居であっても「人の住居」といえ、これに無断で立ち入ることは住居侵入罪となる。

30－3(59－26)

各種の犯罪全般

次に掲げる行為のうち、かっこ内に記載した犯罪が成立するのはどれか。

⑴　地方公共団体が設置した結婚相談所に経歴・資産・収入・賞罰の各欄に虚偽の記入をした申込書を提出し、同所の係員をして依頼人名簿にそのまま虚偽の記載をさせた。(公正証書原本不実記載罪)

⑵　民事訴訟の原告として法廷に出頭し、宣誓をしたにもかかわらず、自己の記憶と全く異なる内容の陳述をした。(偽証罪)

⑶　株式会社の代表取締役が、情婦を居住させるためのマンション購入資金を銀行から借用するに当たり、その株式会社作成名義の借用証を作成した。(私文書偽造罪)

⑷　通貨を偽造して真正なもののように装って、これを代金として交付し、売買名下に商品の交付を受けた。(詐欺罪)

⑸　代理人が、本人に示すため、法務局作成に係る供託金受領書の金額欄に虚偽の金額を記入した紙片を当てて電子複写機によりコピーを作成した。(公文書偽造罪)

学習記録	／	／	／	／	／	／	／	／	／

重要度 A	知識型		正解（5）

(1) 成立しない　　公正証書原本不実記載罪（157）の客体は、登記簿、戸籍簿その他の権利若しくは義務に関する公正証書の原本である。「登記簿、戸籍簿その他の権利若しくは義務に関する公正証書」とは、公務員が、その職務上作成する文書であって、利害関係人のために、権利・義務に関する一定の事実を公的に証明する効力を有するものをいう（最判昭 36.3.30）。

判例上認められた登記簿、戸籍簿その他の権利若しくは義務に関する公正証書の原本の例
戸籍簿・土地台帳・土地登記簿・建物登記簿・商業登記簿・寺院登記簿・公証人の作成する公正証書・住民票
判例上公正証書原本と認められなかった例
電話加入申込原簿・支払督促・寄留簿

地方公共団体の設置した結婚相談所とはいっても、その依頼人名簿は、登記簿、戸籍簿その他の権利若しくは義務に関する公正証書とは認められないと解される。したがって、公正証書原本不実記載罪（157）は成立しない。

(2) 成立しない　　偽証罪（169）は、法律により宣誓した「証人」が「虚偽の陳述」をした場合に成立する。「虚偽の陳述」の意味については、主観説と客観説の争いがある。この点、判例は主観説を採り、「虚偽の陳述」とは、記憶に反する陳述であるとしている（大判大 3.4.29）。本肢の場合、「虚偽の陳述」という行為の面での要件は満たす。しかし、同罪の主体は、法律により宣誓した「証人」でなければならない。本肢の場合、陳述は原告としての陳述であり、証人として行ったものではないから、「証人」という主体の面での要件を満たさない。したがって、偽証罪は成立しない。

(3) 成立しない　　私文書偽造罪（159）は、私文書を偽造することにより成立する。私文書とは、他人の権利・義務又は事実証明に関する文書又は図画である。本肢の場合、借用証であるから私文書に当たる。私文書偽造罪における偽造とは、作成権限のない者が他人名義の文書を作成することである。代表取締役は会社の代表権を有するから、一定の文書の作成権限を有するところ、自己が費消する目的で借用証を作成することは、その権限の範囲内でその権限を濫用したにすぎないから、文書偽造とはならない（大連判大 11.10.20）。本人である会社に損害を与えても、文書の公共的信用を害することはないからである。したがって、私文書偽造罪は成立しない。

権利・義務に関する文書の例として判例が認めたもの
送金を依頼する電報頼信紙・借用証書・債権譲渡証・弁論再開申立書・郵便為替証書における受領証・無記名定期預金証書
事実証明に関する文書の例として判例が認めたもの
郵便局に対する転居届・書画の箱書・画賛にその作成者がこれを書き写した旨を記載したもの・衆議院議員候補者の推薦状・議員候補者を推薦する旨の新聞広告・寄付金の賛助員芳名簿・他人を紹介し、かつ、その事業についての後援を依頼した旨を記載した名刺

⑷　成立しない　　偽貨の行使によって財物を交付させた場合、詐欺罪（246）は偽造通貨行使罪（148Ⅱ）に吸収され、別罪を構成しない（大判明43.6.30）。偽貨を行使して取引を行うときには、一般に、詐欺的事態が現出されるのであって、偽造通貨行使罪（148Ⅱ）の構成要件は、このような関係を予定して定立されているとみるべきだからである。したがって、詐欺罪は成立しない。

⑸　成立する　　電子複写機によるコピーは、原本と同様な社会的機能と信用性を有し、それに対する公共的信用性が高い点から、公文書偽造罪（155）の客体となる文書は、原本たる公文書だけでなく、原本と同一の意識内容を保有し、証明文書として原本と同様の社会的機能と信用性を有する限り、原本の写しであっても差し支えない（最判昭51.4.30）。したがって、供託金受領書という公文書の写しでも文書性が認められるから、公文書偽造罪が成立する。

MEMO

30−4(元−27)　各種の犯罪全般

犯罪の成否に関する次の(ア)から(オ)の記述のうち，誤っているものは幾つあるか。(改)

(ア)　法律上所持の禁止されている麻薬を窃取した行為は，窃盗罪を構成する。

(イ)　所管庁の許可を得ないで違法に設置された電話線を引き抜いた行為は，器物損壊罪を構成する。

(ウ)　甲に売却して代金を全額受領している自己名義の土地につき，乙に対し抵当権を設定しその旨の登記を経由した行為，及び，さらに丙に対し所有権移転登記をした行為は，それぞれ別個の横領罪を構成する。

(エ)　窃取してきた他人の自転車を窃盗犯人が損壊した行為は，器物損壊罪を構成しない。

(オ)　真実婚姻をする意思のない男女が婚姻届を提出して，市町村長をして戸籍の原本にその旨を記載させた行為は，公正証書原本不実記載罪を構成する。

(1)　0個　　(2)　1個　　(3)　2個　　(4)　3個　　(5)　4個

学習記録	／	／	／	／	／	／	／	／	／

重要度　A	知識型		正解（1）

⑺　正　　あへん煙、麻薬のように、法令上、私人による所有・占有が禁じられているものを禁制品というが、窃盗罪（235）の保護法益は事実上の所持と考えるので（最決平1.7.7）、所持する者が所持する権限を有するかどうかを問わず窃盗罪の保護の対象になり、禁制品も窃盗罪の客体となり得る（最判昭24.2.15）。したがって、窃盗罪（235）が成立する。

⑴　正　　法規に触れる違法施設も器物損壊罪（261）の客体になる（最決昭25.3.17）。これは、自救行為を原則として禁止し、社会秩序の維持安定を図るためである。したがって、器物損壊罪（261）が成立する。

⑼　正　　先行の抵当権設定について横領罪（252Ⅰ）が成立することは、後行の所有権移転について横領罪の成立を妨げる要因にはならず、甲から丙に対する所有権の移転について横領罪が成立する（最大判平15.4.23）。

⑽　正　　窃盗罪（235）は状態犯であり、財物奪取後の違法状態は既に当初の自転車の窃取の中で評価し尽くされており、その後の財産処分行為は新たな法益侵害を伴わない限り不可罰的事後行為となり、別に器物損壊罪（261）を構成しない。

⑾　正　　公正証書原本不実記載罪（157）が成立するには、①客体が公正証書であること、②虚偽の申立てをして不実の記載をさせることが必要である。①において「登記簿、戸籍簿その他の権利もしくは義務に関する公正証書」とは、公務員がその職務上作成する文書であって、利害関係人のために、登記簿、戸籍簿その他の権利若しくは義務に関する一定の事実を公的に証明する効力を有するものをいい、戸籍簿はこれに当たる。②において虚偽の申立てとは、真実に反して、存在しない事実を存在するとし、又は、存在する事実を存在しないとして申し立てることをいう。真実婚姻の意思がない婚姻は無効であるにもかかわらず（民742①、最判昭44.10.31）、婚姻届を提出して、婚姻が成立したように装っているのだから、「虚偽の申立て」に当たる。したがって、公正証書原本不実記載罪（157Ⅰ）が成立する。

以上より、誤っているものはなく、正解は⑴となる。

30－5(元－28)　各種の犯罪全般

次の各行為のうち、末尾のかっこ内の犯罪が構成されないものはどれか。(改)

⑴　抵当権が設定された家屋の所有者が、同家屋の壁や窓ガラスの全面に多数の新聞紙を強固に糊づけした行為。(建造物等損壊罪)

⑵　自宅に友人５名を招待し、わいせつビデオを上映した行為。(公然わいせつ罪)

⑶　11歳の少女の事実上の承諾を得て、同女と性交した行為。(不同意性交等罪)

⑷　郵便貯金通帳を窃取した犯人からその事情を知らずに貯金の払戻しを頼まれた者が、払戻しを受けた金銭を保管中、返済のめどもないのに無断でこれを費消した行為。(横領罪)

⑸　会社が多額の費用を出して研究開発をしたコンピューターシステムに関する機密資料を、研究開発に従事した技術者が、複写して他社に売却するために会社に無断で社外に持ち出し、複写をした後、元の場所に戻した行為。(業務上横領罪)

学習記録	／	／	／	／	／	／	／	／	／

重要度　A	知識型		正解（2）

⑴　**構成される**　　建造物等損壊罪（260前段）の客体は、他人の所有する建造物等である。そして、自己の建造物等も物権を負担したものは本罪の客体となる（262）から、抵当権が設定された家屋は、建造物等損壊罪の客体となる。また、「損壊」とは、建造物等の実質の毀損その他の方法によって物の使用価値を滅却若しくは毀損することをいい、壁や窓ガラスの全面に多数の新聞紙を糊づけする行為も損壊に当たる（最決昭41.6.10）。したがって、建造物等損壊罪（260前段）が成立する。

⑵　**構成されない**　　公然わいせつ罪（174）における実行行為はわいせつな行為をすることであり、わいせつビデオの上映は、「わいせつな行為」（174）ではない。わいせつ物頒布等罪（175）における実行行為はわいせつな物を不特定又は多数の人の観覧することのできる状態に置くことであり、わいせつビデオの上映はこれに該当する（最決昭33.9.5）。

⑶　**構成される**　　不同意性交等罪（177）は、16歳以上の者に対しては、176条１項各号に掲げる行為又は事由その他これらに類する行為又は事由により、同意しない意思を形成、表明又は全うすることが困難にさせ、あるいはその状態にあることに乗じて性交等をすることによって成立するが、16歳未満の者（当該16歳未満の者が13歳以上である場合については、行為者が５歳以上年長である場合に限る。）に対しては単に性交等をすることで成立する。

⑷　**構成される**　　横領罪（252）が成立するには、①自己の占有する、②他人の物を、③横領することが必要であり、本肢では、これらの要件は満たす。また、④物の所有者との間に委託信任関係があることが必要とされるが、本肢では委託した者は窃盗犯人であって、預金の払戻しを委託した者は所有者といえないのではないかどうかが問題となるが、受託者からみると窃盗犯人を所有者の媒介者として考え得るので、払戻しを受けた金銭を費消する行為について横領罪（252）が成立する（大判昭13.9.1）。

⑸　**構成される**　　横領罪（252）が成立するには、①自己の占有する、②他人の物を、③横領すること、そして、④本人との間に委託信任関係があることが必要である。まず、①会社と技術者の上下主従の関係に立つ者の間の占有は、通常その上位者に属するが、上位者と下位者の間に高度の信頼関係があり、その現実に支配している財物についてある程度の処分権が委ねられている場合は、下位者にその占有が認められる。本肢の技術者は研究開発に従事したとあることから、占有を認めてもよいであろう。次に、②財物とは、物理的に管理可能なものをいうところ、情報を記載した資料は、そこに記載されている内容と、それを記載している用紙とを一体のものとして判断すべきであ

り、財物性を満たす。また、③横領とは、不法領得の意思を発現する全ての行為をいい、ここに不法領得の意思とは、他人の物の占有者が、委託の趣旨に背いて、権限がないのに所有者でなければできないような処分行為をする意思をいうところ、一時使用の場合であっても、機密資料を複写して他社に売却する目的で許可なく持ち出す行為は委託の趣旨に背いた使用であり、不法領得の意思の実現された領得行為といえる。更に、④右占有は、行為者は、研究開発に従事した会社の技術者であることから、会社の業務上の委託に基づくものといえる。したがって、業務上横領罪（253）が成立する（東京地判昭 60.2.13）。

MEMO

30－6(3－25)　各種の犯罪全般

犯罪の成否に関する次の記述のうち、判例の趣旨に照らし正しいものは幾つあるか。(改)

(ア)　犯人が他人を教唆して、自己の刑事被告事件に関する証拠を隠滅させた場合、証拠隠滅罪の教唆犯が成立する。

(イ)　外国に輸出する目的で、わいせつ物を所持しても、わいせつ物頒布等罪は成立しない。

(ウ)　申告内容が虚偽であることを知りながら、虚偽告訴をしても、申告内容が客観的真実に合致していれば、虚偽告訴罪は成立しない。

(エ)　公務執行妨害罪における暴行は、直接公務員に向けられることを要しない。

(オ)　証人が自己の記憶に反する証言をした場合、証言内容から客観的真実に合致していても、偽証罪は成立する。

(1)　１個　　(2)　２個　　(3)　３個　　(4)　４個　　(5)　５個

学習記録	／	／	／	／	／	／	／	／	／

重要度　A	知識型		正解（5）

㋐　正　　刑事被告事件の犯人自身が、自己の犯罪の証拠を隠滅することは期待可能性がないので、この者による証拠隠滅罪は成立しない（104）。しかし、犯人が他人を教唆して、自己の刑事被告事件に関する証拠を隠滅させた場合、犯人自身が証拠隠滅をする場合とは情状が異なり、他人を罪に陥れるものであるから、もはや期待可能性がないとはいえない。したがって、証拠隠滅罪の教唆犯（104・61Ⅰ）が成立する（大判明45.1.15、最決昭40.9.16）。

㋑　正　　わいせつ物頒布等罪（175）にいう販売の目的は、日本国内において販売する目的をいい、日本国外で販売するために輸出する目的は含まれない（最判昭52.12.22）。175条の規定は、日本国内における国民の性的感情を保護するため、日本国内においてわいせつな図画等が頒布・販売されることを禁ずるものだからである。したがって、わいせつ物頒布等罪は成立しない。

㋒　正　　虚偽の申告とは、申告の内容である刑事・懲戒の処分の原因となる事実が客観的真実に反することをいう（最決昭33.7.31）。したがって、客観的に真実である事実を虚偽であると誤信して申告しても虚偽告訴罪（172）は成立しない。虚偽告訴罪の保護法益は、国家の捜査権ないし懲戒のための調査権の適正な行使であり、申告内容が客観的真実に合致してさえいれば、申告者の主観に関係なく、その法益が不当に侵害されることはないからである。

㋓　正　　公務執行妨害罪（95）の保護法益は、国又は地方公共団体の作用である公務の円滑適正な執行である。したがって、このような法益を侵害するような「暴行」とは、公務員に向けられた不法な有形力の行使であれば、直接公務員に向けられることを要せず、物に対して加えられた有形力が公務員の身体に物理的に強い影響を与え得る場合も含む（いわゆる間接暴行、最判昭26.3.20）。

㋔　正　　偽証罪（169）の保護法益は、国家の審判作用の安全である。証人が自己の記憶に反する証言をした場合、証言内容から客観的真実に合致しても、本来、証人は、その体験した事実を自己の記憶のままに述べなければならないのであって、記憶に反する事実を述べること自体に、既に国家の審判作用を害する抽象的危険性が発生しているといえる。したがって、偽証罪は成立する（大判明42.6.8、大判明44.10.31）。

以上から、正しいものは㋐㋑㋒㋓㋔の５個であり、正解は(5)である。

30－7(4－24)　各種の犯罪全般

犯罪の成否に関する次の記述のうち、判例の趣旨に照らし、正しいものはどれか。

(1) わいせつ文書を有償で貸与した場合には、わいせつ物頒布等罪が成立する余地はない。

(2) 不特定多数の者からの通話に応じて、録音したわいせつな音声を提供した場合には、わいせつ物頒布等罪が成立する余地はない。

(3) 頒布した文書が外国語で書かれている場合には、わいせつ物頒布等罪が成立する余地はない。

(4) 勝敗を全面的に支配することのできる者が存在するいわゆる詐欺賭博においては、その者について詐欺罪のみが成立し、その者及び事情を知らない他の者について賭博罪の成立する余地はない。

(5) 賭博にあたる行為に関し、財物の得喪を約束する行為があっても、現実に財物を提供しなければ、賭博罪が成立する余地はない。

学習記録	／	／	／	／	／	／	／	／	／

重要度　A　**知識型**　　**正解（4）**

⑴　誤　　わいせつな文書、図画、電磁的記録に係る記録媒体その他の物を頒布した者は、わいせつ物頒布等罪が成立する（175Ⅰ）。同項にいう頒布の概念には、わいせつ文書を有償で貸与することも含むと解されるので、わいせつ文書を有償で貸与した場合には、わいせつ物頒布等罪が成立する余地はないとする本肢は誤っている。

⑵　誤　　本肢と同様の事例に関する大阪地判平成３年12月２日は、「誰でも、いつでも、どこからでも所定の電話番号のところに電話をかけることによって、本件録音再生機に記憶された録音内容を聞くことができる状態にしたというべきである。」として、わいせつ物頒布等罪（175）の成立を肯定している。

⑶　誤　　「わいせつ」とは、いたずらに性欲を興奮又は刺激せしめ、かつ、普通人の正常な性的羞恥心を害し、善良な性的道義観念に反することをいう（最判昭26.5.10、最大判昭32.3.13）。「普通人」とは、成人である一般社会人を指す。外国語で書かれている文書であるからといって、わいせつ性がないとはいえず、例えば英文の書籍のわいせつ性は、その読者となり得る英語の読める日本人及び在日外国人の普通人、平均人を基準として判断される（最判昭45.4.7）。したがって、文書が外国語で書かれている場合でも、わいせつ物頒布等罪が成立する可能性がある。

⑷　正　　賭博罪（185）が成立するためには、当事者双方（全員）において、勝敗が偶然であること（当事者の任意に左右することのできない事情にかかっていること）を要するから、当事者の一方（一部）が詐欺的手段を用いて勝敗を支配した場合には、賭博罪は成立せず、詐欺的手段を用いた者にのみ詐欺罪が成立する（大判昭9.6.11、最判昭26.5.8）。

⑸　誤　　賭博罪は、偶然の勝敗に財物をかけて賭博行為をすれば、直ちに既遂に達し、必ずしも、勝敗が決定され、財物の得喪が実現されたことを要しない（大判明43.5.27）。したがって、賭博行為に関し、財物の得喪を約束する行為があれば、現実に財物の提供がなくても賭博罪が成立する。

30－8(5－25)　各種の犯罪全般

次の記述のうち、末尾かっこ内の両方の罪が成立するものの組合せは、後記(1)から(5)までのうちどれか。

(ア)　その公務の執行を妨害する意図で、公務執行中の公務員を監禁した。(監禁・公務執行妨害)

(イ)　母親が、殺意をもって自己の子供を殺し、死体をそのまま犯行現場に放置して立ち去った。(殺人・死体遺棄)

(ウ)　他人の住宅を焼損する目的で、これに隣接する人のいない納屋に放火し、住宅に延焼させようとしたところ、納屋を焼損しただけで住宅に延焼するに至らなかった。(現住建造物等放火未遂・非現住建造物等放火既遂)

(エ)　同一家屋内の一室で、まず金品を窃取し、引き続いてその隣室にいた家人に暴行脅迫を加えてその反抗を抑圧し、金品を強取した。(窃盗・強盗)

(オ)　預かった財物を横領するため、その財物を自己に預けた人に嘘をついて返還を免れ、これを領得した。(横領・詐欺)

(1)　(ア)(イ)　　(2)　(ア)(オ)　　(3)　(イ)(ウ)　　(4)　(ウ)(エ)　　(5)　(エ)(オ)

学習記録	／	／	／	／	／	／	／	／	／

重要度　A	知識型		正解（1）

(ア)　成立する　　公務執行妨害罪（95Ⅰ）が成立する場合において、その手段としての暴行・脅迫が、単なる暴行・脅迫にとどまる限り、それらは公務執行妨害罪の構成要件によって既に評価し尽くされているから、暴行罪・脅迫罪を構成するものではない。しかし、暴行・脅迫以外の犯罪（殺人罪・傷害罪・逮捕監禁罪・強盗罪等）に当たるときは、それらの罪は公務執行妨害罪によって評価し尽くされているとはいえないから、公務執行妨害罪のほかにそれらの罪も成立し、観念的競合（54Ⅰ前段）の関係に立つ。したがって、監禁罪（220Ⅰ）は公務執行妨害罪（95Ⅰ）によって評価し尽くされているとはいえないので、公務執行妨害罪と監禁罪の両罪が成立する。

(イ)　成立する　　母親が、自分の子供を殺害し、その死体を犯行現場にそのまま放置して立ち去る行為は、殺人罪（199）のほかに死体遺棄罪（190）が成立し、両罪は併合罪（45）の関係に立つ（大判明44.7.6、大判昭8.7.8）。法律上の埋葬義務を有する者については、単に死体をその場所に放置する不作為も遺棄となる（大判大6.11.24）ところ、本肢の母親は自分の子供に対して、法律上、埋葬義務があるから、母親が自分の子供を殺害し、その死体を放置して立ち去る行為は、殺人罪のほかに死体遺棄罪をも構成する。したがって、殺人罪と死体遺棄罪の両罪が成立する。

(ウ)　成立しない　　他人の住宅を焼損する目的で隣接する納屋に火を放ち納屋を焼損するにとどまった場合には、住宅に対する現住建造物等放火罪（108）の未遂のみが成立し、非現住建造物等放火罪（109）は成立しない（大判大15.9.28）。焼損した納屋に対する非現住建造物等放火罪の既遂は、住宅に対する現住建造物等放火罪の未遂に吸収されるからである。

(エ)　成立しない　　窃盗の意思で、同一家屋内で財物を窃取した後、更に家人に暴行・脅迫を加えて財物を強取したときは、１個の占有という同一の法益の侵害に向けて行われ、かつ行為者の一つの人格態度の発現と認められるところから、その全体につき強盗罪（236Ⅰ）の包括的一罪となる（大判明43.1.25）。したがって、強盗罪のみが成立する。

(オ)　成立しない　　横領行為を実現するために、人を欺いて財物の返還を免れた場合、単に横領罪（252Ⅰ）のみが成立し、別に詐欺罪（246Ⅰ）を構成しない（大判明43.2.7）。詐欺罪が成立するためには、相手方の財産的処分行為に向けられた欺く行為の存在を必要とするが、この場合、欺く行為は、横領行為を完成させるための手段として行われたにすぎず、相手方を錯誤に陥れて、それにより財産的処分行為をさせるような欺く行為の存在は認められないからである。

以上から、両方の罪が成立するのは(ア)(イ)であり、正解は(1)となる。

30－9(8－26)　各種の犯罪全般

偽造罪に関する次の記述のうち、判例の趣旨に照らして正しいものの組合せは、後記⑴から⑸のうちどれか。(改)

(ア)　市長の記名押印がある売買契約書の原本の売買代金欄の「7,000,000」の記載の左横に鉛筆で「1」と書き加え、代金が1,700万円であるかのように改ざんし、これを複写機械によりコピーして、あたかも真正な売買契約書の原本を原形どおりに正確にコピーしたかのように売買契約書の写しを作成した場合には、公文書変造罪（刑法155条2項）ではなく、公文書偽造罪（刑法155条1項）が成立する。

(イ)　破産手続開始の決定を受けたことがあるにもかかわらず、破産手続開始の決定を受けたことがない旨記載した虚偽の内容の証明申請書を市役所の係員に提出し、内容が虚偽であることを知らないその係員に、申請書の記載が事実に相違ないことをその申請書に付記する方法により証明する市長名義の証明書を作成させた場合には、虚偽公文書作成罪（刑法156条）の間接正犯が成立する。

(ウ)　市議会の議長が、議会の会議録の調製にあたって、議事の運営に対する異議が出された事実の記載をことさら記載しなかった場合には、記載されている事項の中には事実と異なる部分がないときであっても、虚偽公文書作成罪（刑法156条）が成立する。

(エ)　被疑者として取調べを受けた者が、司法警察官に提出する供述書を他人名義で作成した場合には、あらかじめその他人の承諾を得ていたときであっても、私文書偽造罪（刑法159条1項）が成立する。

(オ)　銀行の代表取締役から支店の業務に関して銀行名義の小切手を振り出す権限を授与されている銀行の支店長が、その権限を濫用して、自己の負債の支払に充てる目的で銀行名義の小切手を振り出した場合には、有価証券偽造罪（刑法162条1項）が成立する。

⑴　(ア)(イ)(エ)　　⑵　(ア)(イ)(オ)　　⑶　(ア)(ウ)(エ)　　⑷　(イ)(ウ)(オ)　　⑸　(ウ)(エ)(オ)

学習記録	／	／	／	／	／	／	／	／	／

重要度　A	知識型		正解（3）

(ア)　正　　市長の記名押印がある売買契約書の売買代金欄を改ざんした写し（写真コピー）を作成した場合、公文書偽造罪（155 I）が成立する。写真コピーは、原本に代わるべき証明文書として一般に通用し、原本と同程度の社会的機能と信用性を有するものである以上、公文書偽造罪の客体となり（最判昭51.4.30）、また、文書の改ざんコピーを作成することは、原本とは別個の文書を作り出すものであるから、文書の変造ではなく、文書の偽造に当たるからである（最決昭 61.6.27）。

(イ)　誤　　非公務員が、公務員を欺罔して内容虚偽の証明書を作成させても、虚偽公文書作成罪（156）の間接正犯は成立しない（最判昭 27.12.25）。虚偽公文書作成罪の間接正犯的な態様は、公正証書原本不実記載罪（157）が登記簿や戸籍簿など重要な公文書に限定して、しかも虚偽公文書作成罪よりも軽い刑で処罰しているからである。ただし、判例は、主体が公務員の場合には虚偽公文書作成罪の間接正犯の成立を認めている（最判昭 32.10.4）。

(ウ)　正　　市議会の議長が、異議が出された事実をことさら記載しなかった場合には、記載されている事項の中には事実と異なる部分がないときであっても、虚偽公文書作成罪（156）が成立する。会議録に記載すべき一定の事実を記載しない場合には、現実にされた議事運営と異なる議事運営がされたかのように記載することとなり、不作為による内容虚偽の記載（無形偽造）と認められるからである（最判昭 33.9.5）。

(エ)　正　　司法警察官に提出する供述書は、その性質上名義人以外の者が作成することが法令上許されないので、これを他人名義で作成した場合には、あらかじめ名義人の承諾を得ていたときであっても、私文書偽造罪（159 I）が成立する（最決昭 56.4.8）。

(オ)　誤　　他人名義の有価証券の振出権限を有する者が、その権限を濫用して振り出した場合には、有価証券偽造罪は成立しない（162 I）。偽造とは、作成権限のない者が他人の名義を冒用して有価証券を作成する行為であり、代表・代理権を有する者が不当に有価証券を作成する権限濫用の場合は、その与えられた一般的権限内であって名義の冒用には当たらないからである（大連判大 11.10.20）。これに対して、権限を逸脱した場合には名義の冒用となる。

以上から、正しいものは(ア)(ウ)(エ)であり、正解は(3)となる。

30－10(10－26)　各種の犯罪全般

刑法は、一定の犯罪について、行為の客体など一定の物が行為者の所有に係るものであっても、それが差押えを受けたものである場合などには、他人の所有に係るものである場合と同様に扱われる旨を定めているが、そのような定めのない犯罪は、次のうちどれか。

(1)　非現住建造物等放火罪

(2)　強盗罪

(3)　横領罪

(4)　器物損壊罪

(5)　境界損壊罪

学習記録	／	／	／	／	／	／	／	／	／

重要度　A	知識型			正解（5）

刑法は、一定の犯罪について、行為の客体など一定の物が行為者の所有に係るものであっても、それが差押えを受けたものである場合などには、他人の所有に係るものと同様に扱われる旨を定めている。その趣旨は、対象物に自己以外の受益主体が存在するときは、他人の所有物と同様に扱うことで、それらの者の財産的利益をも併せて保護することにある。

(1)　定めがある　　115条は、「109条１項及び110条１項に規定する物が自己の所有に係るものであっても、差押えを受け、物権を負担し、賃貸し、配偶者居住権が設定され、又は保険に付したものである場合において、これを焼損したときは、他人の物を焼損した者の例による。」と規定する。したがって、非現住建造物等放火罪（109）の客体は、行為者の所有に係るもの（109Ⅱ）であっても、上記のような場合には、他人の所有に係るもの（109Ⅰ）と同様に扱われる。

(2)　定めがある　　242条は、「自己の財物であっても、他人が占有し、又は公務所の命令により他人が看守するものであるときは、この章の罪については、他人の財物とみなす。」と規定しており、ここにいう「この章の罪」とは「窃盗及び強盗の罪」を意味する。したがって、強盗罪（236）の客体は、行為者の所有に係るものであっても、上記のような場合には、他人の所有に係るものと同様に扱われる。

(3)　定めがある　　252条２項は「自己の物であっても、公務所から保管を命ぜられた場合において、これを横領した者も、前項と同様とする。」と規定する。この場合の「公務所から保管を命ぜられた場合」とは、「差押えを受けた」という意味であるかについては、争いがある。ただし、本問は問題文にもあるように「それが差押えを受けたものである場合など」というように限定していないので、同条同項が適用されると解してよいであろう。したがって、横領罪の客体は、行為者の所有に係るものであっても、上記のような場合には他人の所有に係るものとして扱われる。

(4)　定めがある　　262条は、「自己の物であっても、差押えを受け、物権を負担し、賃貸し、又は配偶者居住権が設定されたものを損壊し、又は傷害したときは、前三条の例による。」と規定する。したがって、器物損壊罪（261）の客体は、行為者の所有に係るものであっても、上記のような場合には、他人の所有に係るものと同様に扱われる。

(5)　定めがない　　境界損壊罪（262の２）については、自己の物に関する特例規定は存在しない。同罪は、不動産侵奪罪（235の２）の新設と併せて創設されたものであり、不動産侵奪罪の予備的行為を犯罪とし、土地に関する権利の範囲に重要な関係を持つ境界の明確性を保護するために、「境界標を損壊し、移動し、若しくは除去し、又はその他の方法により、土地の境界を認識することができないようにした者」を処罰するものである。すなわち境界損壊罪が創設された趣旨は、境界の明確性の保護にあるから、土地の所有者が誰であるかは無関係である。

MEMO

30−11(11−25)　各種の犯罪全般

業務上過失致死傷罪における「業務」と業務妨害罪における「業務」に関する次の記述のうち、判例の趣旨に照らし正しいものはどれか。

(1)　業務上過失致死傷罪における「業務」とは、実際に反復継続して行われているものでなければならない。

(2)　業務妨害罪における「業務」とは、報酬又は収入を伴うものでなければならない。

(3)　業務上過失致死傷罪における「業務」には、他人の生命・身体に生ずる危険を防止することを目的とする職務は含まれない。

(4)　業務妨害罪における「業務」には、娯楽のために行われる自動車の運転も含まれる。

(5)　業務上過失致死傷罪の「業務」には、親が家庭内で行う育児は含まれない。

学習記録	／	／	／	／	／	／	／	／	／

重要度　A	知識型		正解（5）

本問は、業務上過失致死傷罪（211）及び業務妨害罪（233後段・234）の両罪における「業務」の意義についての出題である。前者における業務が刑を加重する根拠であるのに対して、後者における業務は保護の客体であることから、内容に差異が生ずる。

⑴　誤　　業務上過失致死傷罪（211）における「業務」とは、各人が社会生活上の地位に基き継続して行う事務のことである（最判昭26.6.7）。そして、全くの１回限りの行為は除かれるが（東京高判昭35.3.22参照）、反復継続の意思で行われた以上、実際に反復継続して行われているものであることは要しない（福岡高宮崎支部判昭38.3.29）。

⑵　誤　　業務妨害罪（233後段・234）における「業務」とは、精神的であると経済的であるとを問わず、職業その他社会生活上の地位に基づき継続して行う事務又は事業をいう（大判大10.10.24）。したがって、報酬又は収入を伴うものであるか否かを問わない。

⑶　誤　　業務上過失致死傷罪（211）の「業務」とは、他人の生命・身体等に危害を加えるおそれのあるものであることを必要とし（最判昭33.4.18）、人の生命・身体の危険を防止することを義務内容とする業務もこれに含まれる（最決昭60.10.21）。

⑷　誤　　業務妨害罪（233後段・234）における「業務」とは、本罪が人の社会的活動の自由を保護法益とするものであることから、必ずしも職業又は営業である必要はないが、娯楽のために行われる狩猟や自動車の運転はこれに含まれない。

⑸　正　　業務上過失致死傷罪（211）の「業務」とは、人が社会生活上の地位に基づいて行う行為であるから（最判昭33.4.18）、親が家庭内で行う育児のように、自然的ないし個人的生活活動は含まれない。

〈業務上過失致死傷罪と業務妨害罪の比較〉

	業務上過失致死傷罪	業務妨害罪
社会生活上の地位	必要　(5)	必要
反復継続	必要　(1)	必要
人の生命・身体に対する危険	必要　(3)	不要
娯楽のための行為	含む	含まない　(4)
報酬	不要	不要　(2)

MEMO

30－12(12－24)　各種の犯罪全般

監禁罪に関する次の記述中の（　ア　）から（　キ　）までに当てはまる用語の組合せとして正しいものは、後記(1)から(5)までのうちどれか。(改)

監禁罪は、人の身体活動の自由を保護法益とするものであるが、この身体的自由の意義については、（　ア　）と解する考え方と（　イ　）と解する考え方がある。
この点、睡眠中の者や泥酔者を客体とする場合については、（　ア　）と解する考え方によれば、監禁罪の成立につき（　ウ　）という結論が導かれ、（　イ　）と解する考え方によれば、（　エ　）という結論が導かれる。
また、不同意性交等の意図を秘して家まで送ると欺き女性を車に乗せて走行する場合については、（　ア　）と解する考え方によれば、監禁罪の成立につき（　オ　）という結論が導かれ、（　イ　）と解する考え方によれば、（　カ　）という結論が導かれるが、判例は、この場合の監禁罪の成立につき（　キ　）との結論を採っている。

	(ア)	(イ)	(ウ)	(エ)	(オ)	(カ)	(キ)
(1)	可能的自由	現実的自由	積極	消極	消極	積極	積極
(2)	可能的自由	現実的自由	消極	消極	積極	消極	消極
(3)	現実的自由	可能的自由	消極	積極	積極	消極	積極
(4)	現実的自由	可能的自由	消極	積極	消極	積極	積極
(5)	現実的自由	可能的自由	積極	積極	消極	積極	消極

学習記録	／	／	／	／	／	／	／	／	／

重要度　C	推論型		正解（4）

監禁罪（220）の保護法益である身体的自由の意義については、現実的自由と解する見解（以下「現実的自由説」という。）と可能的自由と解する見解（以下「可能的自由説」という。）とがある。現実的自由説は、被害者の行動の自由を現実に侵害した場合に監禁罪の成立を認める見解であり、可能的自由説は、被害者の行動の自由を現実に侵害していなくても、自由に行動し得る可能性を侵害した場合には監禁罪の成立を認める見解である。いずれの見解に立つかによって、本問の二つの場合において結論が異なる。

第一に、睡眠中の者や泥酔者がいる部屋を外から施錠した場合には、これらの者は現実に行動していない以上、現実的自由説からは監禁罪の成立につき「消極」という結論が導かれるが、自由に行動し得る可能性はあったのであるから、可能的自由説からは監禁罪の成立につき「積極」という結論が導かれる。そこで、(ア)(ウ)又は(イ)(エ)には、「現実的自由」「消極」の組合せ（肢(3)・(4)）又は「可能的自由」「積極」の組合せ（肢(1)）のいずれかが当てはまることになる。

第二に、不同意性交等の意図を秘して家まで送ると欺き女性を車に乗せて走行する場合、女性が錯誤により、家まで送ってもらっていると思っている段階では、身体的自由を奪われていることの認識はないのであるから、現実的自由説からは監禁罪の成立につき「消極」という結論が導かれるが、被害者の意思に反する客観的可能性がある以上、可能的自由説からは監禁罪の成立につき「積極」という結論が導かれることになる。そこで、(ア)につき「現実的自由」を当てはめた場合には、(オ)(カ)に当てはまるものは順に「消極」「積極」であり（肢(4)・(5)）、(ア)につき「可能的自由」を当てはめた場合には、(オ)(カ)に当てはまるものは順に「積極」「消極」である（肢(2)）。

この点に関する判例（広島高判昭51.9.21）は、「およそ監禁罪における監禁とは…、自己が監禁されていることを意識する必要はない。」として、可能的自由説の立場に立ち、監禁罪の成立について「積極」との結論を採っている（肢(1)・(3)・(4)）。

以上から、第一の場合について当てはまる組合せ（肢(1)・(3)・(4)）と第二の場合について当てはまる組合せ（肢(2)・(4)・(5)）とのいずれをも満たすものは肢(4)のみであり（判例の採る結論(キ)についての知識は、正解を導くに当たって影響しない。）、正解は(4)となる。

30−13(14−25)　各種の犯罪全般

傷害の罪に関する次の(1)から(5)までの記述のうち、判例の趣旨に照らして正しいものはどれか。

(1)　Ａが路上でＢの顔面を手拳で殴打したため、Ｂは、数歩後ずさりしてから仰向けに倒れ、後頭部を道路脇の縁石に強く打ち付けて死亡した。Ａの暴行とＢの死亡との間には因果関係が認められるから、Ａには傷害致死罪が成立する。

(2)　ＡがＢの顔面を平手打ちしたところ、Ｂは、倒れ込んで片腕を骨折した。ＡがＢにけがをさせようとは思っていなかった場合、Ｂの傷害はＡが予想していた範囲を超えるから、Ａには暴行罪しか成立しない。

(3)　Ａは、Ｂにけがをさせようと背後から木刀で殴りかかったが、Ｂが身をかがめたため、Ｂの背を軽くたたいたにとどまった。Ａには傷害の故意があったにもかかわらず、Ｂに傷害の結果が発生していないから、Ａには傷害未遂罪が成立する。

(4)　暴行により傷害の結果が生じることが傷害罪の成立要件であるから、Ａが職場の給湯ポットに毒を入れて職員に飲用させ、下痢を起こさせた場合、Ａには傷害罪は成立しない。

(5)　ＡとＢは、Ｃに対する傷害を共謀し、実行に着手したところ、ＢがＡの予想に反して故意をもってＣを殺害した場合、Ａには傷害罪しか成立しない。

学習記録	／	／	／	／	／	／	／	／	／

重要度　A	知識型		正解（1）

(1) 正　Aが路上でBの顔面を手拳で殴打したため、Bが、数歩後ずさりしてから仰向けに倒れ、後頭部を道路脇の縁石に打ち付けて死亡した場合、Aには傷害致死罪（205）が成立する（被害者が逃走しようとして池に落ち込み岩石に頭部を打ち付けたため死亡した事案につき、最決昭59.7.6）。被害者の行為の介入によって致死の結果が生じたとしても、相当因果関係が認められるからである。

(2) 誤　AがBの顔面を平手打ちしたところ、Bが倒れ込んで片腕を骨折した場合、AがBにけがをさせようと思っていなかったとしても、Aには傷害罪（204）が成立する。208条は、「暴行を加えた者が人を傷害するに至らなかったとき」に暴行罪が成立する旨を規定していることから、傷害罪は、暴行罪の結果的加重犯でもある。したがって、傷害を犯した者が暴行の故意しか有していなかったとしても、傷害罪としてその加重結果につき罪責を負うからである。

(3) 誤　Aが、傷害の故意でBに背後から木刀で殴りかかったが、Bが身をかがめたため、Bの背を軽くたたいたにとどまった場合、Aには傷害未遂罪は成立しない。未遂処罰のためには各本条に定めることを要し（44）、傷害罪（204）については未遂処罰の規定が置かれていない（ただし、暴力行為等処罰ニ関スル法律1条ノ2第2項は、銃砲又は刀剣類を用いた傷害につき未遂処罰規定を置いている。）。なお、208条は、「暴行を加えた者が人を傷害するに至らなかったとき」は暴行罪が成立する旨を規定していることから、有形的な方法による傷害罪の未遂に当たる場合には、暴行罪が成立することになる。

(4) 誤　Aが職場の給湯ポットに毒を入れて職員に飲用させ、下痢を起こさせた場合、Aには傷害罪（204）が成立する。傷害は、暴行を手段とする有形的方法のほか、無形的方法による場合をも含むからである。

(5) 誤　AとBが、Cに対する傷害を共謀し、実行に着手したところ、BがAの予想に反して故意をもってCを殺害した場合、Aには、傷害罪（204）ではなく傷害致死罪の共同正犯（205・60）が成立する（最判昭23.5.8）。Aは、殺人罪（199）の故意を有していないから、他の共同実行者Bが殺人の故意をもって殺害した場合でも殺人罪の罪責を負うことはないが、殺人罪と傷害罪との構成要件が実質的に重なり合う範囲での罪責を負う（38Ⅱ）。そして、傷害致死罪などの結果的加重犯については、基本となる犯罪が致死の結果を発生する危険性を含むために独立の犯罪とされたものであり、基本となる犯罪と重い結果との間に条件関係が認められる限り、結果的加重犯の共同正犯が肯定される。したがって、Aには傷害罪しか成立しないとする本肢は誤りである。

30－14(15－26)　各種の犯罪全般

業務妨害罪に関する次の(1)から(5)までの記述のうち、判例の趣旨に照らし正しいものはどれか。

(1)　業務妨害罪における業務は、適法なものでなければならないから、その業務が許可制であるにもかかわらず、その許可を得ずに行われている場合には、その業務は、業務妨害罪における業務に当たらない。

(2)　業務妨害罪における業務には、公務は含まれないから、県議会の委員会において条例案の審議中に反対派住民多数が委員会室に侵入し、委員に暴言を浴びせるなどした上、委員長らの退出要求を無視して同室内を占拠して、委員会の審議採決を一時不能にさせても、業務妨害罪は成立しない。

(3)　業務妨害罪の構成要件は、「業務を妨害した」ことであるから、業務妨害罪が成立するには、業務の遂行に対する妨害の結果を発生させるおそれのある行為をしただけでは足りず、現実に業務妨害の結果が発生したことが必要である。

(4)　業務妨害罪における業務とは、職業その他社会生活上の地位に基づいて継続して行う事務又は事業をいうから、嫌がらせのために夜中に人家の前で大声を上げるなどしてその家の家人の睡眠を妨害しただけでは、業務妨害罪は成立しない。

(5)　業務妨害罪の構成要件は、人の業務を妨害することであり、人とは、自然人又は法人をいうから、法人格のない団体の業務は、業務妨害罪における業務には当たらない。

学習記録	／	／	／	／	／	／	／	／	／

重要度　A	知識型		正解（4）

(1)　誤　　業務が許可制であるにもかかわらず、その許可を得ずに行われている場合でも、その業務は、業務妨害罪（233・234）における業務に当たる。業務妨害罪における業務からは、刑法的保護に値しない違法なものは除かれるが、行政的な免許を欠いていることがあったとしてもかまわない（東京高判昭24.10.15、東京高判昭27.7.3）。

(2)　誤　　公務であっても、それが強制力を行使する権力的公務ではない場合には、業務妨害罪における業務に含まれる（最判昭62.3.12）。したがって、県議会の委員会において条例案の審議中に、反対派住民多数が委員会室に侵入し、威力を用いて委員会の審議裁決を一時不能にさせた場合、威力業務妨害罪（234）が成立する。

(3)　誤　　業務妨害罪（233・234）にいう業務の「妨害」とは、現に業務妨害の結果の発生を必要とせず、業務を妨害するに足る行為であればよい（大判昭11.5.7、最判昭28.1.30）。したがって、業務妨害罪が成立するには、妨害の結果を発生させるおそれのある行為をすれば足り、現実に業務妨害の結果が発生したことを要しない。

(4)　正　　業務妨害罪（233・234）にいう「業務」とは、精神的なると経済的なるとを問わず、広く職業その他継続して従事することを要すべき事務又は事業を総称する（大判大10.10.24）。嫌がらせのために夜中に人家の前で大声を上げるなどしてその家の家人の睡眠を妨害しても、「業務の妨害」には当たらないから、業務妨害罪は成立しない。

(5)　誤　　業務妨害罪（233・234）にいう「人」には、自然人、法人のほか、法人格のない団体も含まれる（大判大15.2.15）。したがって、法人格のない団体の業務も、業務妨害罪における業務に当たる。

30－15(22－26)　各種の犯罪全般

暴行罪又は傷害罪に関する次の(ア)から(オ)までの記述のうち、判例の趣旨に照らし正しいものの組合せは、後記(1)から(5)までのうちどれか。

(ア)　Ａは、狭い４畳半の室内においてＢの目の前で日本刀の抜き身を多数回にわたり振り回したが、その行為は、Ｂを傷つけるつもりではなく、脅かすつもりで行ったものであった。この場合Ａには、暴行罪は成立しない。

(イ)　Ａは、交通事故を装って保険金をだまし取るために傷害を負わせてほしいとのＢからの依頼に応じ、自ら運転する自動車をＢに衝突させて傷害を負わせた。この場合、あらかじめ被害者であるＢの承諾があっても、Ａには、傷害罪が成立する。

(ウ)　Ａは、Ｂの生理的機能に障害を引き起こさせようとして、Ｂに故意に風邪薬を大量に服用させ、肝機能障害に陥らせた。この場合、Ａには、傷害罪が成立する。

(エ)　Ａは、Ｂに傷害を負わせるつもりはなかったものの、故意にＢを突き飛ばしたところ、これによりＢが転倒してしまい、Ｂは、打ち所が悪く、頭部に傷害を負い、その傷害のために死亡した。この場合、Ａには、傷害致死罪は成立しない。

(オ)　Ａは、故意にＢの耳元で拡声器を用いて大声を発し続けた。それによって、Ｂは、意識もうろうの気分を感じた。この場合、Ａには、暴行罪は成立しない。

(1)　(ア)(ウ)　　(2)　(ア)(オ)　　(3)　(イ)(ウ)　　(4)　(イ)(エ)　　(5)　(エ)(オ)

学習記録	／	／	／	／	／	／	／	／	／

重要度　A	知識型		正解（3）

(ア)　誤　　暴行罪（208）における暴行とは、人の身体に向けられた違法な有形力の行使であれば足り、人の身体に対して物理的に接触する必要はない。したがって、Ａが狭い室内においてＢの目の前で日本刀を振り回す行為は、人の身体に向けられた違法な有形力の行使といえるので、脅かすつもりでも、Ａには暴行罪が成立する（最判昭 39.1.28）。

(イ)　正　　被害者が傷害に同意した場合の傷害罪の成否について、単に同意が存在するというだけでなく、承諾を得た動機、目的、身体傷害の手段、方法、損傷の部位、程度など諸般の事情を照らし合せて決し、社会的相当性を欠く場合、承諾は無効であり違法性は阻却されない（最決昭 55.11.13）。本肢において、Ｂは保険金の詐取のためにＡに対して傷害の承諾を与えているが、このような承諾は違法な目的に基づくものとして社会的相当性を欠き無効である。したがって、Ｂの保険金詐取のために自己の自動車をＢに衝突させて傷害を負わせる行為は違法性が阻却されず、Ａには傷害罪（204）が成立する。

(ウ)　正　　傷害とは人の生理的機能に対して障害を加えることをいい、暴行を手段とするものに限らず、薬物の投与や病原体の感染などにより人の生理的機能に障害を引き起こすことも傷害に当たる（最判昭 27.6.6）。したがって、Ｂに故意に風邪薬を大量に服用させ、肝機能障害に陥らせる行為は人の生理的機能に障害を引き起こすといえるので、Ａには傷害罪（204）が成立する。

(エ)　誤　　傷害罪（204）は、傷害の故意で人に傷害を生じさせた場合だけでなく、暴行の故意で傷害の結果を生じさせた暴行の結果的加重犯の類型を含む（最判昭 25.11.9）。また、暴行の故意で傷害の結果が生じ、更に傷害により死亡の結果が生じた場合には、傷害致死罪（205）が成立する（大判昭 17.4.11）。したがって、Ａの暴行によりＢに傷害が生じ、その傷害のためにＢが死亡した場合、Ａには傷害致死罪が成立する。

(オ)　誤　　人の耳元で拡声器を用いて大声を発し続けるなど、人に向けて故意に不快な騒音を発生させる行為も暴行罪（208）における暴行に当たる（最判昭 29.8.20、大阪高判昭 45.7.3）。したがって、故意にＢの耳元で拡声器を用いて大声を発し続けたＡには暴行罪が成立する。

以上から、正しいものは(イ)(ウ)であり、正解は(3)となる。

30－16(23－25)　各種の犯罪全般

住居侵入罪等に関する次の(ア)から(オ)までの記述のうち、判例の趣旨に照らし正しいものの組合せは、後記(1)から(5)までのうちどれか。

(ア)　Aは、マンションの上階のB方の住人の足音などが大きいとして不満を抱き、それまで付き合いのなかったB方へ行くや、鍵の掛かっていなかった玄関ドアからB方の居間に入り込み、騒音が大きいなどと文句を言った。Bは、Aに対し、出て行くよう求めたが、Aは、Bからの通報で警察官が駆け付けるまでB方の居間にとどまり、騒音に対する文句を言い続けた。この場合、Aには、住居侵入罪と不退去罪が成立する。

(イ)　Aは、窃盗の目的で、夜間、Bが経営する工場の門塀で囲まれた敷地内に入ったが、工場内に人がいる様子だったため、工場内に入るのを断念して立ち去った。この場合、Aには、建造物侵入の既遂罪は成立しない。

(ウ)　Aは、現金自動預払機の利用客のキャッシュカードの暗証番号を盗撮する目的で、現金自動預払機が設置された無人の銀行の出張所の建物内に立ち入り、小型カメラを取り付けた。この場合、Aには、建造物侵入罪が成立する。

(エ)　Aは、勤務先の同僚Bと飲酒した後、終電がなくなったため、Bとともにタクシーで B方に行き、B方に泊めてもらった。翌朝、Aは、Bの財布がテーブルの上に置かれているのを見て、現金を盗むことを思い付き、Bがまだ眠っているのを確認してから、Bの財布から２万円を盗んだ。この場合、Aには、住居侵入罪と窃盗罪が成立する。

(オ)　Aは、捜査車両の車種やナンバーを把握する目的で、警察署の庁舎建物と高さ約2.4メートル、幅（奥行き）約22センチメートルの塀により囲まれて、部外者の立入りが禁止され、塀の外側から内部をのぞき見ることができない構造となっている警察署の中庭に駐車中の捜査車両を見るため、当該塀によじ上って塀の上部に上がった。この場合、Aには、建造物侵入罪が成立する。

(1)　(ア)(イ)　(2)　(ア)(ウ)　(3)　(イ)(エ)　(4)　(ウ)(オ)　(5)　(エ)(オ)

学習記録	／	／	／	／	／	／	／	／	／

重要度　A	知識型		正解（4）

(ア) 誤　　Aは、それまで付き合いのなかったB方へ行き、鍵の掛かっていなかった玄関ドアからB方の居間に入り込んでいることから、居住者の承諾ないし推定的承諾なく住居に入っており、住居侵入罪（130）が成立する。また、不退去が犯罪となるのは、適法に、又は過失によって、他人の住居等に立ち入った者についてだけであり、初めから不正に侵入している者に退去要求しても、既に平穏が害されている以上、不退去罪（130）は住居侵入罪に吸収され一罪が成立するのみである（最決昭31.8.22）。したがって、Aには住居侵入罪のみが成立し、不退去罪は成立しない。

(イ) 誤　　建造物侵入罪（130）の「建造物」とは、建物のみならず、その囲繞地も含む（最判昭51.3.4）。したがって、Aが門塀で囲まれた敷地内に入った時点で、Aには建造物侵入罪の既遂罪が成立する。

(ウ) 正　　建造物侵入罪（130）の「侵入」とは管理権者の意思に反する立入りをいう（最判昭58.4.8）。したがって、現金自動預払機の利用客のキャッシュカードの暗証番号を盗撮する目的で、現金自動預払機が設置された無人の銀行の出張所の建物内に立ち入り、小型カメラを取り付ける行為は、管理権者である銀行支店長の意思に反することが明らかである以上、Aには建造物侵入罪が成立する（最決平19.7.2）。

(エ) 誤　　住居侵入罪（130）の「侵入」とは、住居権者の意思に反する立入りをいう（最判昭58.4.8）。したがって、AはBの意思に基づいてB方に泊めてもらっており、Bの意思に反して立ち入ったとはいえないため住居侵入罪は成立しない。本肢においては窃盗罪のみが成立する。

(オ) 正　　警察署庁舎建物とその敷地を他から明確に区別するとともに、外部からの干渉を排除する作用を果たしている塀は、庁舎建物の利用のために供されている工作物であるので、「建造物」の一部を構成し、外部から見ることができない敷地に駐車された捜査車両を見るため、当該塀によじ上って塀の上部へ上がった行為につき建造物侵入罪が成立する（最決平21.7.13）。

以上から、正しいものは(ウ)(オ)であり、正解は(4)となる。

30－17(28－26)　各種の犯罪全般

国家的法益に対する罪に関する次の(ア)から(オ)までの記述のうち、判例の趣旨に照らし正しいものの組合せは、後記(1)から(5)までのうち、どれか。

(ア)　Ａは、美術館から絵画10点を一人で盗み出して自宅に保管していたところ、警察がＡを犯人として疑っていることを知り、自宅を捜索されることを恐れて、その絵画を全て切り刻んでトイレに流した。この場合、Ａには、証拠隠滅罪が成立する。

(イ)　Ａは、殺人事件の被疑者としてＢに対する逮捕状が発付されていることを知りながら、Ｂから懇願されたため、Ｂを自宅に３か月間かくまった。この場合、Ａには、犯人蔵匿罪は成立しない。

(ウ)　Ａは、友人Ｂが自動車を運転中に人身事故を起こしたにもかかわらず逃走したことを知り、Ｂの身代わりとなろうと考え、自ら警察署に出頭し、自己が犯人であると警察官に申告した。この場合、Ａには、犯人隠避罪が成立する。

(エ)　Ａは、被告人Ｂによる傷害事件の公判で証言した際、実際は目撃などしていないのに、Ｂの犯行状況を想像して証言したが、その後、他の証拠により、Ａの証言どおりの事実であることが明らかとなった。この場合、Ａには、偽証罪は成立しない。

(オ)　Ａは、友人Ｂが犯した殺人事件について、その目撃者Ｃが警察に協力すれば、Ｂが逮捕されてしまうと考え、それを阻止するため、Ｃに現金を与えて国外に渡航させ、国外で５年間生活させた。この場合、Ａには、証拠隠滅罪が成立する。

(1)　(ア)(ウ)　　(2)　(ア)(エ)　　(3)　(イ)(エ)　　(4)　(イ)(オ)　　(5)　(ウ)(オ)

学習記録	／	／	／	／	／	／	／	／	／

重要度　A	知識型		正解（5）

(ア) 誤　　証拠隠滅罪にいう「証拠」は、「他人の刑事事件」に関するものであることを要するため（104）、自己の刑事事件に関する証拠を隠滅しても、証拠隠滅罪は成立しない。本肢において、Aが切り刻んでトイレに流した絵画は、自己の刑事事件に関する証拠であるため、Aには、証拠隠滅罪は成立しない。

(イ) 誤　　犯人蔵匿罪（103）における「罪を犯した者」とは、犯罪の嫌疑によって捜査中の者を含む（最判昭24.8.9）。本肢において、Bは、殺人事件の被疑者として逮捕状が発付されており、犯罪の嫌疑によって捜査中の者であるため、「罪を犯した者」に該当する。したがって、Bをかくまったには、犯人蔵匿罪が成立する。

(ウ) 正　　犯人隠避罪（103）の実行行為である「隠避」とは、「蔵匿」（官憲による発見・逮捕を免れるべき隠匿場所を提供してかくまうこと）以外の方法により官憲による発見・逮捕を免れさせるべき一切の行為をいう（大判昭5.9.18）。

(エ) 誤　　偽証罪（169）における「虚偽」の陳述とは、証人の記憶に反する陳述をいい、たとえ証言内容が真実であったとしても、偽証罪が成立する（大判大3.4.29）。本肢において、Aの証言は事実であることが明らかとなっているが、自己の記憶に反する証言をしているため、Aには、偽証罪が成立する。

(オ) 正　　証拠隠滅罪（104）にいう「証拠」とは、犯罪の成立、刑の量定に関する一切の証拠資料をいう。また、同罪の「隠滅」とは、証拠の顕出を妨げ又はその証拠としての効力を滅失・減少させる全ての行為をいう（大判明43.3.25）。

以上から、正しいものは(ウ)(オ)であり、正解は(5)となる。

30－18(29－24)　各種の犯罪全般

住居侵入罪等に関する次の(ア)から(オ)までの記述のうち、判例の趣旨に照らし誤っているものの組合せは、後記(1)から(5)までのうち、どれか。

(ア)　Aは、現金自動預払機が設置された銀行の出張所に、その利用客のカードの暗証番号等を盗撮する目的で、その営業時間中に、一般の利用客と異なるものでない外観で立ち入った。この場合、Aには、建造物侵入罪が成立する。

(イ)　Aは、甲警察署の中庭に駐車された捜査車両の車種やナンバーを把握するため、甲警察署の敷地の周囲に庁舎建物及び中庭への外部からの交通を制限し、みだりに立入りをすることを禁止するために設けられ、外側から内部をのぞき見ることができない構造となっている高さ2.4メートルのコンクリート製の塀の上部へ上がった。この場合、Aには、建造物侵入罪が成立する。

(ウ)　Aは、B宅に強盗に入ろうと考えて、B宅に赴き、Bに対して、強盗の意図を隠して、「今晩は」と挨拶をしたところ、BがAに対して「おはいり」と答えたので、これに応じてB宅に入った。この場合、Aには、住居侵入罪が成立する。

(エ)　Aは、実父であるBと共にB宅に居住していたが、数日前に家出をしていたところ、Bから金品を強取することについてC、D及びEと共謀の上、B宅に、C、D及びEと一緒に、深夜に立ち入った。この場合、Aには、住居侵入罪は成立しないが、C、D及びEには、住居侵入罪が成立する。

(オ)　Aは、研究所の建物の敷地の周囲に設けられていた、外部との交通を制限し外来者がみだりに出入りすることを禁止するための金網柵を引き倒して、当該敷地内に立ち入ったが、当該建物自体には立ち入らなかった。この場合、Aには、建造物侵入罪は成立しない。

(1)　(ア)(ウ)　　(2)　(ア)(エ)　　(3)　(イ)(ウ)　　(4)　(イ)(オ)　　(5)　(エ)(オ)

学習記録	／	／	／	／	／	／	／	／	／

重要度　A　**知識型**　　**正解（5）**

(ア)　正　　現金自動預払機利用客のカードの暗証番号等を盗撮する目的で当該現金自動預払機が設置された銀行支店出張所に立ち入ることは、その管理権者である銀行支店長の意思に反するものであることは明らかなため、立入りの外観にかかわらず建造物侵入罪（130）が成立する（最判平19.7.2）。

(イ)　正　　警察署庁舎建物とその敷地を他から明確に区別するとともに、外部からの干渉を排除する作用を果たしている塀は、庁舎建物の利用のために供されている工作物であるので、「建造物」の一部を構成し、建造物侵入罪（130）の客体となる（最決平21.7.13）。そして、みだりに立入りをすることを禁止するために設けられた建造物である当該塀の上部に上がる行為は、正当な理由なく建造物に「侵入する」行為といえる。したがって、Aには、建造物侵入罪が成立する。

(ウ)　正　　被害者の錯誤に基づく同意は無効である。強盗の意図を秘して「今晩は」と挨拶した者に対して家人が「おはいり」と応答した場合、確かに外見上同意があったように見えても、住居の立入りについて同意があったとは認められないから、同意は無効であり、立ち入った者には住居侵入罪（130）が成立する（最大判昭24.7.22）。

(エ)　誤　　住居侵入罪（130）の客体である「人の住居」とは、「他人の」住居を指し、当該住居の共同生活者は犯罪の主体とならない。この点、判例は、家出していた息子が親の家に強盗目的で侵入した場合には、住居侵入罪が成立するとする（最判昭23.11.25）。なぜなら、かつて居住者として共同生活をしていた場合でも、そこから離脱した場合には「他人の」住居となるからである。したがって、Aには住居侵入罪が成立する。

(オ)　誤　　建造物侵入罪（130）の客体である「建造物」とは、建物のみならず、その囲繞地を含む（最大判昭25.9.27）。そして、囲繞地といえるかについては、その土地が、建物に接してその周辺に存在し、かつ、管理者が外部との境界に門塀などの囲障を設置することにより、建物の付属地として、建物利用のために供されるものであることが明示されれば足りる（最判昭51.3.4）。本肢において、研究所の敷地の周囲には、外部との交通を制限する金網柵が設けられており、研究所の敷地は囲繞地に該当することから、Aが研究所の敷地に立ち入った時点で、建造物侵入の既遂罪が成立する。

以上から、誤っているものは(エ)(オ)であり、正解は(5)となる。

30－19(30－26)　各種の犯罪全般

人の生命・身体に対する罪に関する次の(ア)から(オ)までの記述のうち、判例の趣旨に照らし正しいものの組合せは、後記(1)から(5)までのうち、どれか。

(ア)　Ａは、殺意をもって、出産の際に母体からその頭部が露出した胎児を攻撃し死亡させた。この場合、Ａには、殺人罪は成立しない。

(イ)　Ａは、後追い自殺する意思がないのに、交際相手であったＢを騙してＡが後追い自殺をするものと誤信させ、Ｂに自殺させた。この場合、Ａには、自殺関与罪が成立するが、殺人罪は成立しない。

(ウ)　Ａは、Ｂに暴行・脅迫を加えて監禁し、その暴行・脅迫によりＢに外傷後ストレス障害（ＰＴＳＤ）を負わせた。この場合、Ａには、監禁致傷罪が成立する。

(エ)　Ａは、Ｂの言動に腹を立ててその胸を強く突いたが、Ｂに怪我を負わせてもよいなどとは思っていなかった。しかし、Ｂは、Ａのその行為により足を滑らせて転倒して頭部打撲の傷害を負った。この場合、Ａには、暴行罪のみが成立する。

(オ)　Ａは、狩猟免許を受けて娯楽のために繰り返し猟銃を用いて狩猟を行っていたものであるが、狩猟中に、過失により人を猟銃で撃ち怪我を負わせた。この場合、Ａには、業務上過失致傷罪が成立する。

(1)　(ア)(ウ)　　(2)　(ア)(エ)　　(3)　(イ)(エ)　　(4)　(イ)(オ)　　(5)　(ウ)(オ)

各種の犯罪全般

学習記録	／	／	／	／	／	／	／	／	／

重要度　A	知識型		正解（5）

(ア) 誤　　胎児が既に母体から一部露出した場合、母体に関係なく侵害を加えることが可能であり、殺人罪(199)の客体としての人といえる(大判大8.12.13)。したがって、Aには、殺人罪は成立しないとする点で、本肢は誤っている。

(イ) 誤　　自己に追死の意思がないのに、被害者を欺罔し、追死を誤信させて自殺させた場合、殺人罪（199）の間接正犯が成立する（最判昭33.11.21)。なぜなら、被害者は、欺罔により、欺罔者の追死を予期して死を決意したものであり、その決意は真意に添わない重大な瑕疵ある意思であることが明らかであるためである（同判例)。

(ウ) 正　　人を不法に監禁し、監禁行為やその手段等として加えられた暴行・脅迫によって外傷後ストレス障害（ＰＴＳＤ）の発症が認められた場合、監禁致傷罪（221）が成立する（最決平24.7.24)。

(エ) 誤　　暴行の故意で傷害の結果が発生したときであっても、傷害罪（204）が成立する（最判昭25.11.9)。つまり、傷害罪は故意犯であるが暴行罪との関係では結果的加重犯として成立することになる。また、実質的な理由としては、傷害罪を適用しないとすると、過失致傷罪（209）は罰金又は科料しかなく、暴行罪（208）は懲役２年以下であり、刑が軽くなりすぎるためである。

(オ) 正　　業務上過失致傷罪（211）における「業務」とは、社会生活上の地位に基づき反復継続して行う事務であって、他人の生命・身体に危害を加えるおそれのあるものをいう。そして、免許を受けて行う娯楽としての狩猟も同条の「業務」に当たる（最判昭33.4.18)。そのため、狩猟中に、過失により人を猟銃で撃ち怪我をさせた場合、Aには、業務上過失致傷罪が成立する。

以上から、正しいものは(ウ)(オ)であり、正解は(5)となる。

30−20(31−26)　各種の犯罪全般

名誉毀損罪に関する次の(ア)から(オ)までの記述のうち、判例の趣旨に照らし誤っているものの組合せは、後記(1)から(5)までのうち、どれか。

(ア)　名誉毀損罪における名誉の主体である「人」は、自然人に限られ、法人を含まない。

(イ)　名誉毀損罪が成立するためには、現実に人の社会的評価を低下させたことまでは要しない。

(ウ)　「公然」と事実を摘示したといえるためには、摘示された事実を不特定又は多数人が認識することのできる状態に置くだけでは足りず、現実に認識することを要する。

(エ)　名誉毀損罪が成立するためには、人の社会的評価を低下させる事実を摘示することの認識があれば足り、積極的に人の名誉を毀損する目的・意図を要しない。

(オ)　専ら公益目的で、公然と公共の利害に関する事実を摘示し、人の名誉を毀損する行為をした者が当該事実の真実性を証明し得なくとも、真実性を誤信したことにつき確実な資料、根拠に照らし相当の理由があるときは、名誉毀損罪は成立しない。

(1)　(ア)(イ)　(2)　(ア)(ウ)　(3)　(イ)(エ)　(4)　(ウ)(オ)　(5)　(エ)(オ)

学習記録	／	／	／	／	／	／	／	／	／

重要度　A　**知識型**　　**正解（2）**

(ア) 誤　　名誉毀損罪（230 Ⅰ）における名誉の主体としての「人」には、自然人のみならず、法人も含まれる。なぜなら、法人も社会的活動の主体である以上、その名誉は保護されるべきだからである。

(イ) 正　　名誉毀損罪（230 Ⅰ）は、人の「名誉を毀損」したときに成立する。この点、名誉毀損罪は、人の社会的評価を低下させるような事実を公然と摘示すれば、その時点で既遂に達し、同罪が成立するために、現実に社会的評価が低下したことまでは要しない（大判昭 13.2.28）。これは、現実に名誉が侵害されたことの立証の困難性に配慮したものである。

(ウ) 誤　　名誉毀損罪（230 Ⅰ）は、「公然」と事実を摘示し、人の名誉を毀損したときに成立する。この点、「公然」とは、不特定又は多数人が認識し得る状態をいい（最判昭 34.5.7）、不特定又は多数人が現に認識することまでは要しない。

(エ) 正　　名誉毀損罪の故意があるといえるためには、人の社会的評価を低下させるに足りる事実を公然と摘示することについて認識し、行為に出る意思があることを要するが、人の名誉を毀損する意図や目的まで有していることを要しない（大判大 6.7.3）。

(オ) 正　　人の名誉を毀損した者であっても、その者の行為が公共の利害に関する事実に係り、かつ、その目的が専ら公益を図ることにあったと認められる場合には、事実の真否を判断し、真実であることの証明があったときは、処罰されない（230 の２Ⅰ）。また、真実性の証明がない場合でも、行為者がその事実を真実であると誤信し、その誤信したことについて確実な資料・根拠に照らし相当の理由があるときは、犯罪の故意がなく、名誉毀損罪は成立しない（最大判昭 44.6.25）。

以上から、誤っているものは(ア)(ウ)であり、正解は(2)となる。

30－21（R4－25）　各種の犯罪全般

不同意わいせつ罪又は不同意性交等罪に関する次の(ア)から(オ)までの記述のうち、判例の趣旨に照らし正しいものは、幾つあるか。（改）

(ア)　Ａは、成人男性であるＢに暴行を加えて、その反抗を著しく困難にし、Ｂの肛門にＡの陰茎を挿入した。この場合、Ａには不同意性交等罪が成立しない。

(イ)　Ａは、17歳の女性であるＢから真意に基づく承諾を得た上、暴行又は脅迫を用いることなく、Ｂと性交をした。この場合、Ａには不同意性交等罪が成立する。

(ウ)　Ａは、児童ポルノを製造して対価を得る目的で、自己の性欲を満たす意図を持たずに、小学生の女性であるＢにＡの陰茎を触らせるとともに、Ｂの陰部を触った。この場合、Ａには不同意わいせつ罪が成立しない。

(エ)　Ａは、成人女性であるＢに暴行を加えて、その反抗を抑圧し、Ｂと性交をした後、その場で畏怖しているＢの様子を見て、強盗の犯意を生じ、Ｂが所持していた現金を強取した。この場合、Ａには強盗・不同意性交等罪が成立する。

(オ)　Ａは、成人女性であるＢに暴行を加えて、その反抗を著しく困難にし、Ｂの膣内に陰茎の形をした性玩具を挿入した。この場合、Ａには不同意性交等罪が成立しない。

(1)　0個　　(2)　1個　　(3)　2個　　(4)　3個　　(5)　4個

学習記録	／	／	／	／	／	／	／	／	／

重要度　A	知識型		正解（2）

(ア)　誤　　16歳以上の者に対し、176条1項各号に掲げる行為又は事由その他これらに類する行為又は事由により、同意しない意思を形成、表明又は全うすることが困難な状態にさせ、あるいはその状態にあることに乗じて、性交等をした者は、不同意性交等の罪とする（177Ⅰ・176Ⅰ）。この点、男性も本罪の被害者に含まれる。これは、性的行為を強いられることによる身体的・精神的苦痛は男女を問わず共通であることにある。したがって、暴行を加えて性交等をしたAには、本罪が成立する（177Ⅰ・176Ⅰ①）。

(イ)　誤　　16歳以上の者に対し、暴行又は脅迫を用いて性交等をした者は、不同意性交等の罪が成立し（177Ⅰ・176Ⅰ①）、16歳未満の者に対し、性交等をした者も、同様とする（177Ⅲ）。この点、16歳未満の者に対し、わいせつな行為をした者（当該16歳未満の者が13歳以上である場合については、その者が生まれた日より5年以上前の日に生まれた者に限る。）については、手段の如何を問わず、かつ、同意があっても本罪が成立するが、16歳以上の者に対しては、176条1項各号に掲げる行為を手段とすることが必要である。したがって、本肢の場合、客体であるBが17歳であるため、真意に基づく承諾を得た上で、暴行又は脅迫を用いることなく、Bと性交したAには、不同意性交等罪が成立しない。

(ウ)　誤　　不同意わいせつ罪（176）の成立には性的意図（自らの性欲を刺激、興奮又は満足させる目的）が必要か否かが争われたことについて、判例は、176条にいう「わいせつな行為」に当たるか否かの判断を行うには、行為そのものが持つ性的性質の有無及び程度を十分に踏まえ、事案によっては当該行為が行われた際の具体的状況等の諸般の事情をも総合考慮し、その際には、行為者の目的等の主観的事情を判断要素として考慮すべき場合があることは否定し難いが、故意以外の行為者の性的意図を一律に強制わいせつ罪（現：不同意わいせつ罪）の成立要件とすることは相当でないとした（改正前強制わいせつ罪につき最大判平29.11.29）。したがって、Bに本肢のような性的被害がある限り、Aの性的意図の有無にかかわらず、不同意わいせつ罪が成立する。

(エ)　正　　不同意性交等の罪を犯した者が強盗の罪をも犯したときは、強盗・不同意性交等罪が成立する（241）。なお、本罪の成立には、強盗と不同意性交等が同一の機会に行われていれば足り、両者の先後関係は問われない（241参照）。

(オ)　誤　　16歳以上の者に対し、176条1項各号に掲げる行為又は事由その他これらに類する行為又は事由により、同意しない意思を形成、表明又は全うすることが困難な状態にさせ、あるいはその状態にあることに乗じて性交等をした者は、不同意性交等の罪とする（177 Ⅰ）。この点、「性交等」とは、性交、肛門性交、口腔性交又は膣若しくは肛門に身体の一部（陰茎を除く。）若しくは物を挿入する行為であってわいせつなものをいう。したがって、暴行を加えて、その反抗を著しく困難にし、Ｂの膣内に性玩具を挿入した場合、Ａには不同意性交等罪が成立する（177 Ⅰ・176 Ⅰ①）。

以上から、正しいものは(エ)の１個であり、正解は(2)となる。

MEMO

30−22(R6−25)　各種の犯罪全般

傷害の罪に関する次の(ア)から(オ)までの記述のうち、判例の趣旨に照らし誤っているものの組合せは、後記(1)から(5)までのうち、どれか。

(ア)　Ａは、狭い四畳半の室内でＢを脅かすために日本刀の抜き身を数回振り回した。この場合、Ａの行為は暴行罪における暴行に該当する。

(イ)　Ａは、Ｂの頭部を多数回殴打する暴行を加え、意識消失状態に陥らせたＢを放置したまま立ち去ったところ、Ｂは死亡した。Ａの暴行によりＢの死因となった傷害が形成されたが、Ａが暴行を加えてからＢが死亡するまでの間に、何者かがＢの頭部を殴打する暴行を加え、当該暴行はＢの死期を早める影響を与えるものであった。この場合、Ａには傷害致死罪は成立しない。

(ウ)　Ａは、Ｂに対し、はさみを用いてその頭髪を根元から切断した。この場合、Ａには傷害罪は成立せず、暴行罪が成立する。

(エ)　Ａは、隣家に居住するＢに向けて、精神的ストレスによる障害を生じさせるかもしれないことを認識しながら、連日連夜にわたりラジオの音声及び目覚まし時計のアラーム音を大音量で鳴らし続け、Ｂに精神的ストレスを与え、慢性頭痛症、睡眠障害及び耳鳴り症の傷害を負わせた。この場合、Ａには傷害罪が成立する。

(オ)　Ａは、Ｂの身体を圧迫する暴行を加え、その結果、Ｂを死亡させたが、暴行を加えた当時、Ｂが死亡することは予見していなかった。この場合、Ａには傷害致死罪は成立しない。

(1)　(ア)(エ)　　(2)　(ア)(オ)　　(3)　(イ)(ウ)　　(4)　(イ)(オ)　　(5)　(ウ)(エ)

各種の犯罪全般

学習記録	／	／	／	／	／	／	／	／	／

重要度　A	知識型		正解（4）

(ア)　正　　Aが狭い四畳半の部屋で在室中のBの目の前で日本刀の抜き身を振り回す行為は、人の身体に向けられた有形力の行使といえるので、Aには、暴行罪が成立する（最決昭 39.1.28）。

(イ)　誤　　行為者の暴行により被害者の死因となった傷害が形成された場合には、仮にその後第三者により加えられた暴行によって死期が早められたとしても、行為者の暴行と被害者の死亡との間の因果関係を肯定することができる（最決平 2.11.20）。

(ウ)　正　　人の毛髪の裁断は傷害ではなく、暴行（208）に当たる（大判明 45.6.20）。

(エ)　正　　ラジオ、目覚まし時計を大音量で長時間鳴らしてストレスを与えたことによる慢性頭痛症、睡眠障害等につき、判例は、当該行為が傷害罪の実行行為に当たるとした（最決平 17.3.29）。

(オ)　誤　　傷害致死罪の成立には傷害と死亡との間に因果関係の存在を必要とするにとどまり、致死の結果についての予見は必要としない（最判昭 26.9.20）。

以上から、誤っているものは(イ)(オ)であり、正解は(4)となる。

《主要参考文献一覧》

共　通

＊「ジュリスト」(有斐閣)
＊「判例時報」(判例時報社)
＊「重要判例解説」(有斐閣)
＊「[法律時報別冊] 私法判例リマークス」(日本評論社)

憲　法

＊芦部信喜　著　高橋和之 補訂「憲法〔第 7 版〕」(岩波書店)
＊野中俊彦＝中村睦男＝高橋和之＝高見勝利　著「憲法Ⅰ・Ⅱ〔第 5 版〕」(有斐閣)
＊伊藤正己＝尾吹善人＝樋口陽一＝戸松秀典　著「注釈憲法〔第 3 版〕」(有斐閣)
＊佐藤功　著「ポケット註釈全書・憲法（上）（下）」〔新版〕(有斐閣)
＊樋口陽一＝佐藤幸治＝中村睦男＝浦部法穂　著「注解法律学全集憲法Ⅰ～Ⅳ」(青林書院)
＊伊藤正己　著「憲法〔第 3 版〕」(弘文堂)
＊佐藤幸治　著「憲法〔第 3 版〕」(青林書院)
＊長谷部恭男＝石川健治＝宍戸常寿　編「憲法判例百選Ⅰ・Ⅱ〔第 7 版〕」(有斐閣)
＊「基本法コンメンタール憲法〔第 5 版〕」(日本評論社)
＊裁判所職員総合研修所　監修「憲法概説〔再訂版〕」(司法協会)

刑　法

＊団藤重光 責任 編集「注釈刑法（1）～（6）」(有斐閣)
＊佐伯仁志＝橋爪隆　編「刑法判例百選Ⅰ・Ⅱ〔第 8 版〕」(有斐閣)
＊前田雅英　著「最新重要判例 250 刑法〔第 13 版〕」(弘文堂)
＊大谷實　著「刑法講義総論〔新版第 5 版〕」(成文堂)
＊大谷實　著「刑法講義各論〔新版第 5 版〕」(成文堂)
＊大谷實　著「刑法総論の重要問題〔新版〕」(立花書房)
＊大塚仁　著「刑法概説（総論）〔第 4 版〕」(有斐閣)
＊大塚仁　著「刑法概説（各論）〔第 3 版増補版〕」(有斐閣)
＊団藤重光　著「刑法綱要　総論〔第 3 版〕」(創文社)
＊団藤重光　著「刑法綱要　各論〔第 3 版〕」(創文社)
＊西田典之　著「刑法総論〔第 3 版〕」(弘文堂)
＊西田典之　著「刑法各論〔第 7 版〕」(弘文堂)
＊前田雅英　著「刑法総論講義〔第 7 版〕」(東京大学出版会)
＊前田雅英　著「刑法各論講義〔第 7 版〕」(東京大学出版会)
＊山口厚　著「刑法総論〔第 3 版〕」(有斐閣)
＊山口厚　著「刑法各論〔第 2 版〕」(有斐閣)

＊山口厚　著「問題探究刑法総論」（有斐閣）
＊山口厚　著「問題探究刑法各論」（有斐閣）
＊「基本法コンメンタール刑法〔第３版〕」（日本評論社）
＊裁判所職員総合研修所　監修「刑法総論講義案〔四訂版〕」（司法協会）

令和７年版　司法書士　合格ゾーン　択一式過去問題集
9 憲法・刑法

1989年10月15日　第１版　第１刷発行
2024年12月５日　第29版　第１刷発行
編著者●株式会社　東京リーガルマインド
LEC総合研究所　司法書士試験部

発行所●株式会社　東京リーガルマインド
〒164-0001　東京都中野区中野4-11-10
アーバンネット中野ビル
LECコールセンター　0570-064-464
受付時間　平日9：30〜19：30/土・日・祝10：00〜18：00
※このナビダイヤルは通話料お客様ご負担となります。
書店様専用受注センター　TEL 048-999-7581 / FAX 048-999-7591
受付時間　平日9：00〜17：00/土・日・祝休み
www.lec-jp.com/

印刷・製本●株式会社サンヨー

　ISBN978-4-8449-6333-2

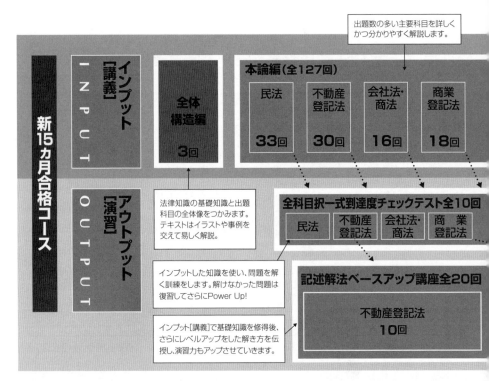

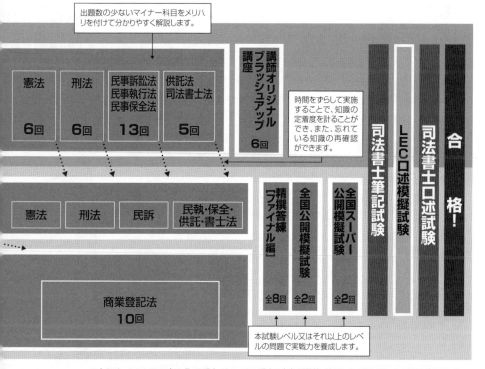

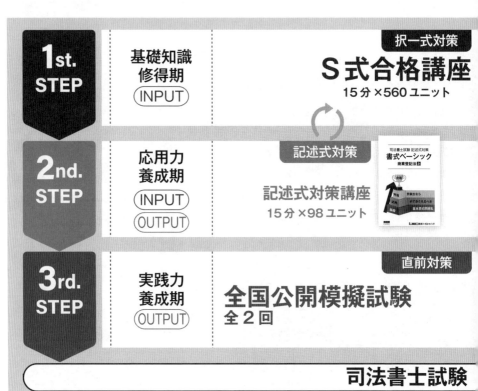

OUTPUT 合格ゾーンシリーズ

過去問対策

合格ゾーン過去問題集

択一式：全10巻
記述式：全2巻

直近の本試験問題を含む過去の司法書士試験問題を体系別に収録した、LEC定番の過去問題集

合格ゾーン過去問題集

単年度版

本試験の傾向と対策を年度別に徹底解説。受験者動向を分析した各種データも掲載

合格ゾーンポケット判 択一過去問肢集

全8巻

厳選された過去問の肢を体系別に分類。持ち運びに便利なB6判過去問肢集

直前対策

合格ゾーン 当たる！直前予想模試

問題・答案用紙ともに取り外しができるLECの予想模試をついに書籍化
LEC門外不出の問題ストックから、予想問題を厳選

※本内容は2024年８月１日現在のものであり、変更になる場合があります。予めご了承ください。

書籍訂正情報のご案内

平素は、LECの講座・書籍をご利用いただき、ありがとうございます。

LECでは、司法書士受験生の皆様に正確な情報をご提供するため、書籍の制作に際しては、慎重なチェックを重ね誤りのないものを制作するよう努めております。しかし、法改正や本試験の出題傾向などの最新情報を、一刻も早く受験生に提供することが求められる受験教材の性格上、残念ながら現時点では、一部の書籍について、若干の誤りや誤字などが生じております。

ご利用の皆様には、ご迷惑をお掛けしますことを深くお詫び申し上げます。

書籍発行後に判明いたしました訂正情報については、以下のウェブサイトの「書籍　訂正情報」に順次掲載させていただきます。

書籍に関する訂正情報につきましては、お手数ですが、こちらにてご確認いただければと存じます。

書籍訂正情報 ウェブサイト

https://www.lec-jp.com/shoshi/book/emend.shtml

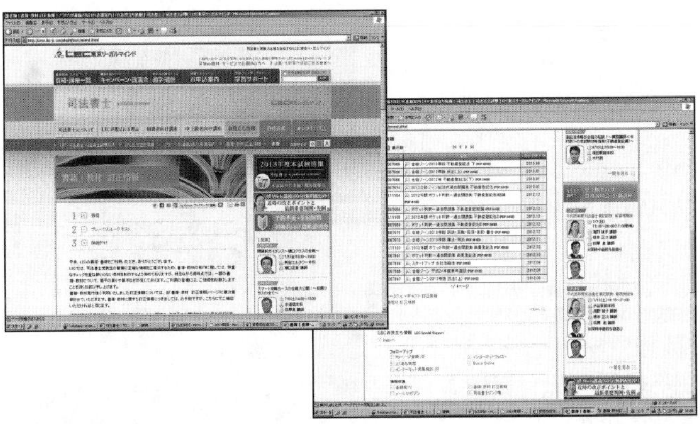

スマートフォン・タブレットから簡単アクセス！ ▷▷

自慢のメールマガジン配信中！（登録無料）

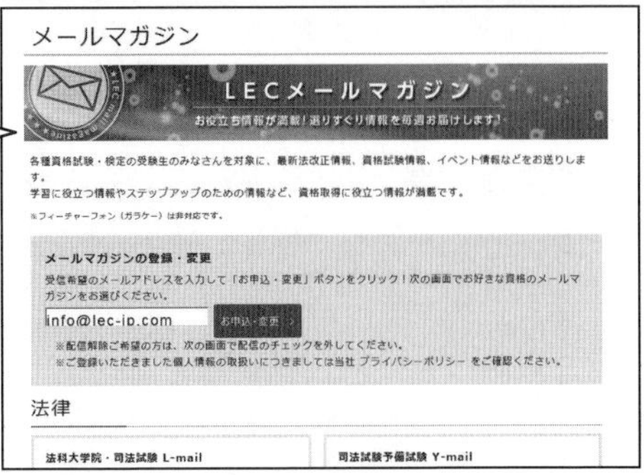

LEC講師陣が毎週配信！　最新情報やワンポイントアドバイス，改正ポイントなど合格に必要な知識をメールにて毎週配信。

www.lec-jp.com/mailmaga/

LEC オンラインショップ

充実のラインナップ！　LECの書籍・問題集や講座などのご注文がいつでも可能です。また，割引クーポンや各種お支払い方法をご用意しております。

online.lec-jp.com/

LEC 電子書籍シリーズ

LECの書籍が電子書籍に！　お使いのスマートフォンやタブレットで，いつでもどこでも学習できます。

※動作環境・機能につきましては，各電子書籍ストアにてご確認ください。

www.lec-jp.com/ebook/

LEC書籍・問題集・レジュメの紹介サイト **LEC書籍部** **www.lec-jp.com/system/book/**

- LECが出版している書籍・問題集・レジュメをご紹介
- 当サイトから書籍などの直接購入が可能（＊）
- 書籍の内容を確認できる「チラ読み」サービス
- 発行後に判明した誤字等の訂正情報を公開

＊商品をご購入いただく際は，事前に会員登録（無料）が必要です。
＊購入金額の合計・発送する地域によって，別途送料がかかる場合がございます。

※資格試験によっては実施していないサービスがありますので，ご了承ください。

LEC 全国学校案内

＊講座のお問合せ，受講相談は最寄りのLEC各校へ

LEC本校

北海道・東北

札　幌本校　☎011(210)5002
〒060-0004 北海道札幌市中央区北4条西5-1　アスティ45ビル

仙　台本校　☎022(380)7001
〒980-0022 宮城県仙台市青葉区五橋1-1-10　第二河北ビル

関東

渋谷駅前本校　☎03(3464)5001
〒150-0043 東京都渋谷区道玄坂2-6-17　渋東シネタワー

池　袋本校　☎03(3984)5001
〒171-0022 東京都豊島区南池袋1-25-11　第15野萩ビル

水道橋本校　☎03(3265)5001
〒101-0061 東京都千代田区神田三崎町2-2-15　Daiwa三崎町ビル

新宿エルタワー本校　☎03(5325)6001
〒163-1518 東京都新宿区西新宿1-6-1　新宿エルタワー

早稲田本校　☎03(5155)5501
〒162-0045 東京都新宿区馬場下町62　三朝庵ビル

中　野本校　☎03(5913)6005
〒164-0001 東京都中野区中野4-11-10　アーバンネット中野ビル

立　川本校　☎042(524)5001
〒190-0012 東京都立川市曙町1-14-13　立川MKビル

町　田本校　☎042(709)0581
〒194-0013 東京都町田市原町田4-5-8　MIキューブ町田イースト

横　浜本校　☎045(311)5001
〒220-0004 神奈川県横浜市西区北幸2-4-3　北幸GM21ビル

千　葉本校　☎043(222)5009
〒260-0015 千葉県千葉市中央区富士見2-3-1　塚本大千葉ビル

大　宮本校　☎048(740)5501
〒330-0802 埼玉県さいたま市大宮区宮町1-24　大宮GSビル

東海

名古屋駅前本校　☎052(586)5001
〒450-0002 愛知県名古屋市中村区名駅4-6-23　第三堀内ビル

静　岡本校　☎054(255)5001
〒420-0857 静岡県静岡市葵区御幸町3-21　ペガサート

北陸

富　山本校　☎076(443)5810
〒930-0002 富山県富山市新富町2-4-25　カーニープレイス富山

関西

梅田駅前本校　☎06(6374)5001
〒530-0013 大阪府大阪市北区茶屋町1-27　ABC-MART梅田ビル

難波駅前本校　☎06(6646)6911
〒556－0017 大阪府大阪市浪速区湊町1-4-1
大阪シティエアターミナルビル

京都駅前本校　☎075(353)9531
〒600-8216 京都府京都市下京区東洞院通七条下ル2丁目
東塩小路町680-2　木村食品ビル

四条烏丸本校　☎075(353)2531
〒600-8413　京都府京都市下京区烏丸通仏光寺下ル
大政所町680-1　第八長谷ビル

神　戸本校　☎078(325)0511
〒650-0021 兵庫県神戸市中央区三宮町1-1-2　三宮セントラルビル

中国・四国

岡　山本校　☎086(227)5001
〒700-0901 岡山県岡山市北区本町10-22　本町ビル

広　島本校　☎082(511)7001
〒730-0011 広島県広島市中区基町11-13　合人社広島紙屋町アネクス

山　口本校　☎083(921)8911
〒753-0814 山口県山口市吉敷下東 3-4-7　リアライズⅢ

高　松本校　☎087(851)3411
〒760-0023 香川県高松市寿町2-4-20　高松センタービル

松　山本校　☎089(961)1333
〒790-0003 愛媛県松山市三番町7-13-13　ミツネビルディング

九州・沖縄

福　岡本校　☎092(715)5001
〒810-0001 福岡県福岡市中央区天神4-4-11
天神ショッパーズ福岡

那　覇本校　☎098(867)5001
〒902-0067 沖縄県那覇市安里2-9-10　丸姫産業第2ビル

EYE関西

EYE 大阪本校　☎06(7222)3655
〒530-0013　大阪府大阪市北区茶屋町1-27　ABC-MART梅田ビル

EYE 京都本校　☎075(353)2531
〒600-8413　京都府京都市下京区烏丸通仏光寺下ル
大政所町680-1　第八長谷ビル

LEC提携校

＊提携校はLECとは別の経営母体が運営をしております。
＊提携校は実施講座およびサービスにおいてLECと異なる部分がございます。

北海道・東北

八戸中央校【提携校】 ☎0178(47)5011
〒031-0035　青森県八戸市寺横町13　第1朋友ビル
新教育センター内

弘前校【提携校】 ☎0172(55)8831
〒036-8093　青森県弘前市城東中央1-5-2
まなびの森　弘前城東予備校内

秋田校【提携校】 ☎018(863)9341
〒010-0964　秋田県秋田市八橋鯲沼町1-60
株式会社アキタシステムマネジメント内

関東

水戸校【提携校】 ☎029(297)6611
〒310-0912　茨城県水戸市見川2-3079-5

所沢校【提携校】 ☎050(6865)6996
〒359-0037　埼玉県所沢市くすのき台3-18-4　所沢K・Sビル
合同会社LPエデュケーション内

日本橋校【提携校】 ☎03(6661)1188
〒103-0025　東京都中央区日本橋茅場町2-5-6　日本橋大江戸ビル
株式会社大江戸コンサルタント内

北陸

新潟校【提携校】 ☎025(240)7781
〒950-0901　新潟県新潟市中央区弁天3-2-20　弁天501ビル
株式会社大江戸コンサルタント内

金沢校【提携校】 ☎076(237)3925
〒920-8217　石川県金沢市近岡町845-1
株式会社アイ・アイ・ピー金沢内

福井南校【提携校】 ☎0776(35)8230
〒918-8114　福井県福井市羽水2-701
株式会社ヒューマン・デザイン内

中国・四国

松江殿町校【提携校】 ☎0852(31)1661
〒690-0887　島根県松江市殿町517　アルファステイツ殿町
山路イングリッシュスクール内

岩国駅前校【提携校】 ☎0827(23)7424
〒740-0018　山口県岩国市麻里布町1-3-3　岡村ビル　英光学院内

新居浜駅前校【提携校】 ☎0897(32)5356
〒792-0812　愛媛県新居浜市坂井町2-3-8
パルティフジ新居浜駅前店内

九州・沖縄

佐世保駅前校【提携校】 ☎0956(22)8623
〒857-0862　長崎県佐世保市白南風町5-15　智翔館内

日野校【提携校】 ☎0956(48)2239
〒858-0925　長崎県佐世保市椎木町336-1　智翔館日野校内

長崎駅前校【提携校】 ☎095(895)5917
〒850-0057 長崎県長崎市大黒町10-10　KoKoRoビル
minatoコワーキングスペース内

高原校【提携校】 ☎098(989)8009
〒904-2163　沖縄県沖縄市大里2-24-1
有限会社スキップヒューマンワーク内

※上記は2024年10月1日現在のものです。

書籍の訂正情報について

このたびは，弊社発行書籍をご購入いただき，誠にありがとうございます。
万が一誤りの箇所がございましたら，以下の方法にてご確認ください。

1 訂正情報の確認方法

書籍発行後に判明した訂正情報を順次掲載しております。
下記Webサイトよりご確認ください。

www.lec-jp.com/system/correct/

2 ご連絡方法

上記Webサイトに訂正情報の掲載がない場合は，下記Webサイトの入力フォームよりご連絡ください。

lec.jp/system/soudan/web.html

フォームのご入力にあたりましては，「Web教材・サービスのご利用について」の最下部の「ご質問内容」に下記事項をご記載ください。

- 対象書籍名（○○年版，第○版の記載がある書籍は併せてご記載ください）
- ご指摘箇所（具体的にページ数と内容の記載をお願いいたします）

ご連絡期限は，次の改訂版の発行日までとさせていただきます。
また，改訂版を発行しない書籍は，販売終了日までとさせていただきます。

※上記「2ご連絡方法」のフォームをご利用になれない場合は，①書籍名，②発行年月日，③ご指摘箇所，を記載の上，郵送にて下記送付先にご送付ください。確認した上で，内容理解の妨げとなる誤りについては，訂正情報として掲載させていただきます。なお，郵送でご連絡いただいた場合は個別に返信しておりません。

送付先：〒164-0001 東京都中野区中野4-11-10 アーバンネット中野ビル
株式会社東京リーガルマインド 出版部 訂正情報係

- 誤りの箇所のご連絡以外の書籍の内容に関する質問は受け付けておりません。
また，書籍の内容に関する解説，受験指導等は一切行っておりませんので，あらかじめご了承ください。
- お電話でのお問合せは受け付けておりません。